U0938793

珍藏本
纪念版

汉译世界学术名著丛书

多桑蒙古史

上册

〔瑞典〕多桑 著

冯承钧 译

商务印书馆
SINCE 1897 The Commercial Press

2017年·北京

汉译世界学术名著丛书
(120年纪念版·珍藏本)
出版说明

2017年2月11日,商务印书馆迎来120岁的生日。120年前,商务印书馆前贤怀揣文化救国的理想,抱持"昌明教育,开启民智"的使命,立足本土,放眼寰宇,以出版为津梁,沟通中西,为中国、为世界提供最富智慧的思想文化成果。无论世事白云苍狗,潮流左右激荡,甚至战火硝烟弥漫,始终践行学术报国之志,无改初心。

迻译世界各国学术名著,即其一端。早在20世纪初年便出版《原富》《天演论》等影响至今的代表性著作,1950年代后更致力于外国哲学和社会科学经典的译介,及至1980年代,辑为"汉译世界学术名著丛书",汇涓为流,蔚为大观。丛书自1981年开始出版,历时三十余年,迄今已推出七百种,是我国现代出版史上规模最大、最为重要的学术翻译工程。

丛书所选之书,立场观点不囿于一派,学科领域不限于一门,皆为文明开启以来,各时代、各国家、各民族的思想与文化精粹,代表着人类已经到达过的精神境界。丛书系统译介世界学术经典,引领时代思想，为本土原创学术的发展提供丰富的文化滋养，为推动中国现代学术和现代化进程做出了突出的贡献。

为纪念商务印书馆成立120周年，我们整体推出“汉译世界学术名著丛书”120年纪念版的珍藏本，寄望既利于文化积累，又便于研读查考，同时向长期支持丛书出版的译者、编者和读者致以敬意。

两甲子后的今天，商务印书馆又站在了一个新的历史时间节点上。我们不仅要铭记先辈的身影和足迹，更须让我们的步伐充满新的时代精神。这是商务人代代相传的事业，更是与国家和民族的命运始终紧密相连的事业。我们责无旁贷，必须做好我们这代人的传承与创造，让我们的努力和成果不仅凝聚成民族文化的记忆，还能成为后来人可以接续的事业。唯此，才能不负前贤，无愧来者。

商务印书馆编辑部

2017年10月

译　序　一

一部《元史》，历来囿于“正史”成见的人皆说不好，所以陆续改编了些“续编”、“类编”、“新编”、《译文证补》、《蒙兀儿史记》、《新元史》。这部历史好像是犁然大备，其实不然。修史首重在搜辑史料，而修元史尤须要通晓几种外国语言。不解外国语言，不但不能搜辑外国史料，而且不能解释本国史料。更有进者，外国语言不可偏重一种，像现代有些人认定除英语外无外国语的例子，是不对的。《译文证补》就犯这种毛病。此书虽然引用了许多“西域书目”，好像他是全凭译人口述而“笔受”的，不仅未见波斯语、阿剌伯语种种撰述，而且多桑的书好像也是从霍渥儿特（Howorte）书转录的。洪氏证补《元史》之功固不可没，可是他有一种成见误人不浅。他说西方语言无某音，不及汉字译音之备。此说很不可解。若说用标音字母译写的名称，不及音义有变化的汉字之备，未免很奇。他在《译文证补》里面，根据译人的口述，改了许多《元史》固有的地名、人名。比方《元史》译 Heri 作“也里”，《元朝秘史》作“亦鲁”，皆有译例可寻。可是洪氏根据晚见的 Herat 译作“海拉脱”，似乎只知其一不知有二了。像这样的例子举不胜举。他这种创译，苦了后来续修《元史》的人。所以《新元史》的阿儿浑，在此人本传中作“阿儿浑”，而在《旭烈兀传》同《西域传》中又作“阿儿衮”。

这种毛病皆是不能径读西书所致。

所以我想将多桑这部《蒙古史》翻译出来。此书虽已有一百多年，然而研究蒙古史的人，仍不能不拿来参考。因为《世界侵略者传》、《史集》、瓦撒夫书等书没有完全译本以前，终不能不取材于是书。案：多桑书共有七卷。前三卷述成吉思汗至元亡时的事迹，后四卷专言伊儿汗国的史事，并附带言及钦察、察合台两汗国。其第一卷业经田中萃一郎译为日文，译文尚还忠实，可是有许多人名、地名未取元代载籍的固有译名比对。第二、第三两卷记成吉思汗以后之事，然多取材于中国史书的译文，所本的汉籍，以《续通鉴纲目》、《元史类编》两书为最多，偶亦采用《元史》。然而于《元朝秘史》、《圣武亲征录》等书皆未引用，当然说不上《黑鞑事略》、《蒙鞑备录》同元人文集中的许多碑志、行状、家传了。所以我译此书，先从后四卷译起，将来如有余暇，再译比较西方材料较多之第二卷。

多桑书所本之书有二三十种，也有人名、地名不统一的毛病，尤其使人讨厌的，就是他叠床架屋式的译写方法，然而也无可如何，不便用新式译写方法将他改正。霍渥儿特书第四册的索引译写比较简单，可以取来对照。

我原想用白话翻译，不用“史书文体”，可是渐渐不知不觉地受了史书文体的支配，然而我始终力避用“典”。我的目的惟在将此书原意译出，供他人作史料参考之用，所以对于译文只求忠实，不去锻炼字句。在别人看起来，我译的这部书或者比从前的译文退步，然而我觉得译文通畅的地方，容或有点削足适履；文义涩滞的地方，容或确可比对原文；所以宁愿拖泥带水，而不愿钩章棘句。

从前编纂元史的人，除开屠寄以外，皆有译名不一贯之病。所以我在翻译中，对于人名、地名，颇为审慎。凡人名、地名皆以《元史》、《元秘史》两书为主。两书所有的，选用一名。两书所无的，地名一项，尽先采用唐、宋、明人的译名；人名一项，元代载籍中有同名的，如帖木儿、不花、阿里、忽都不丁、阿合马、亦思马因、阿剌丁、马合谋之类，虽非本人，亦用旧译，元代载籍中无可比附的，则务求合乎元人的译法，不敢以今人的读音认作元人的读音。元人的译法在不明语学的人看起来，好像不对。比方将-l 读作-n 就是一个例子。殊不知这种代替方法，从前也有，而在元代竟成一种通例。所以译 sultan 作算端，Djelal-ud-din 作札阑丁，Iltchikadai 作宴只吉带。这皆是翻译本书所用的正例。然而有时因为下述种种理由，不能不用变例：

元代除开一个最短期间用八思巴字母外，始终用的是畏吾儿字母。畏吾儿字母中无代表 g-、h 的字母，所以蒙古文中多缺此种写法。唐时突厥语的莫贺咄，移植到蒙古语中，应读若 bagatur。可是在蒙文《元秘史》中写作把阿秃儿，则成 ba'atur。在《元史》中更简作拔都鲁，则成 batur。又一方面，阿剌伯字母中不常著录韵母，所以有许多名称写法不一。姑就此把阿秃儿一字而言，本书竟有写作 Behadir 者。我当然不能按着字面翻译，而将它改作八哈都儿。此变例一。

伊斯兰教人的名称，无所谓姓，加之名字相同，要使许多同名的人有别，所以在名后加一别号，如用职务官称之类。再不能判别，则于名后注某人之子，如 Ibn Ali 犹言阿里之子之类。或者还要加上一个地名，如报达人术外因（就是《译文证补》的志费尼）人之类。然而也有无从判别的。所以我将这类的译名，略为变通。

如《元史》中的 Argoun，是种族名，是军名，亦是人名。《元史》为判别这些名称，将它写作阿儿浑、阿鲁浑、阿里浑、阿剌浑几种写法。我也仿照这个例子，皆分别著录原文于下。可是也有不能分别的地方。本卷中有三个秃儿罕可敦（Tourkan Khatoun），究竟是二人是三人，无从知之。此种名称只好用一贯的译法。此变例二。

本卷中有些译名，看起来好像是变例，其实是正例。比方钦察汗国侵入波斯的统将名唤 Nogai，《译文证补》将此名译作诺垓。其实此名也是蒙古时代的一个通常名称，与他同名的人，在《元史》中颇不少见。我们姑将《元史》的译例来解说。《元史》（我所指的当然是未遭乾隆校刊劫的《元史》）定宗后名唤斡兀立海迷失，就是西书的 Ogoul Gaimisch。可见海字对 gai。蒙古人的官号 Noyan，在《元史》中写作那颜、那演、那衍，可见那字在元时读若 no。对照起来，Nogai 应该译作那海，而不应改作诺垓。这类例子很多，姑举其一，以概其余。

还有些译名，可以说是正例，也可以说是变例。旭烈兀有个儿子，在此书中（第五卷）写作 Coungcouratai，《译文证补・阿八哈补传》写作“空库斡台”，《蒙兀儿史记・世系表》作“空古斡台”，《新元史・旭烈兀传》作“空古斡儿”。然在《台古塔儿传》又作“康廓而拉台”，其实皆被多桑叠床架屋的译写方法所误。案：元代的蒙古人，常用些部族名称作人名，仅在后面加上一个接尾词，大概男名加“台”，女名加“真”。这些用部族名称而自名的人，并不是本部族的人，比方南家台或囊加歹，并不是中国南方的人，马扎儿台也不是匈牙利人，乃蛮台也不是乃蛮人，不过取其名而已。此处的 Coungcouratai 也是此例。多桑所取的材料来源不同，写法因之有异。

其第一卷后附注所引《史集》诸部族名，有 Councarat，就是此人名之所本，也就是《元史》所常写着的“弘吉剌”。此名在《辍耕录》中作“瓮吉剌”，在《辽史》、《金史》中作“王纪剌”、“广吉剌”，用新式写法，应作 Qongirat 或 Ongirat。头一字何以有时用声母，有时不用声母，我现在还不能答复这个问题，我们不能拿畏吾儿字母来解释，因为辽、金时代蒙古人还未用畏吾儿字母，可是第二个字的韵母在汉译皆用-i。所以我将这个人名更正为“弘吉剌台”。这个译名初视之好像未遵原文，其实我有我的理由。

本书有若干地名，我明知有误，然而未能确证其误以前，只好随它。比方旭烈兀进攻木剌夷时，有个地名作 Khar。按照霍渥儿特《蒙古史》所引 Quatremère 译本《史集》，此地名是 Khowar，则即是《元史·西北地附录》之“胡瓦耳”。然而我不敢改正，仍然译作哈儿。又如本书中之若干地名，似乎应该“名从主人”，不应用欧洲语言的名称。比方埃及不应名曰埃及，而应名曰密昔儿(Misr)，美索波塔米亚(Mésopotamie)应改作 Diézireh。可是我是译书，而不是在考订，所以也不便改它。然而有时也有点变例。阿剌伯语名阿母河曰 Djihoun。此河元代本有阿梅、阿母、暗木等译，所以我习用旧称，不用新译。本书称阿母河以外的地方曰 Transoxiane，原意犹言“乌浒水外”。译用这个名称，未免太僻。若用康居的名称，未免太古。元时在此地设阿母行省，可是这个行省所管的区域，好像在最初时西及波斯，东兼《元史·西北地附录》之“途鲁吉”(Turki)，不能将这个名称代表两河之间的地域。考此地阿剌伯语之原名作 Mavera un Nehr，此言河中，西辽时于其地置河中府(见《湛然居士集》及《西游记》)。我所以将此地译作河

中，其地既在西域，决不致同蒲州发生混解。

译名一贯之重要，取下面所引的一段《新元史》观之，就可知道了。《新元史》卷二五六(12 页)云：“西里亚，埃及属国，以他木古斯为都城。埃及与蒙古隔绝不通使命。宪宗初，西里亚酋纳昔儿商拉哀丁耶思甫取埃及之塔木司古司之地，后为埃及苏而滩哀倍克所败，纳昔儿乃割基纳斯列母克渣及纳蒲列斯海岸以请平。”案：此处的“他木古斯”同“塔木司古司”，明明是一个地方，不知为何用两个译名。此城就是我所翻译的大马司。此城古称同现在英文仍旧袭用的名称，固是 Damascus。然而我只能从原书法文名称之 Damas 而译作大马司。《新元史》的纳昔儿商拉哀丁耶思甫，就是多桑书的 Nassir Salah ud-din Youssouf，我翻译的纳昔儿撒剌丁亦速甫。《新元史》的译法，除开“商”字外，尚可勉强对付。可是后面的“基纳斯列母”，要叫元朝的人读起来，势须作 kinasremou，同多桑书的 Jérusalem 未免相去太远了。况且这是基督教人的圣地，通常译作耶路撒冷者，不知为何发生这样的讹译，大约是翻译的人太无史地常识，而撰修的人未能校对原文所致。由这一方面看起来，可见修元史不仅仅要通晓与《元史》有关系的若干语言，而且还要抛弃中国字古今读音不变的成见。其实我于此道不敢自认高明。我原想等待伯希和所译写的蒙古文《元朝秘史》刊行后，考究元代的读音，再就考究的结果，来整理元代载籍的译名。哪晓得等待了十四年，除开片段的发表外，全书尚未出版。所以于译此书时，不敢自认译音之必是，将所有的人名、地名皆附注原文于下。然不能遍注，只以初见者为限。有时一名两三注者，或因原名有详有略，或因一名写法两歧，或因前后文相距太远，所以一再著录。

读者还要注意的，不仅多桑书所著录的名称不一致，或有误写而必须考订的地方，而且它所本的史料，也不免讹夺。现在姑举一例来说。《史集》记载从大都赴上都的道路有三，第二路经过一城名曰 Djodjou，此城附近别有一城名曰 Simali，后一个名称就是长城附近的洗马林堡。可是 Klaproth、Yule、Blochet 诸人皆说前一地是涿州。在音的方面固然可以将就，在地理方面可就难了。现在从燕京（读者恕我不用这个很不祥的北平名称）到多伦西北八十里之古开平府，何至于假道燕京西南一百几十里的涿州，足证剌失德（Raschid）书传抄有误。伯希和在《亚洲报》（1927 年刊）说是抚州之误，这种考订是不错的。可见不仅读多桑书要审慎，就是读他所本诸书的原文或译文，也要审慎。本卷中所言的狮符，明明是虎符之误。新修元史的人过于重视西方载籍，常将虎符改作狮符。然则《元史・兵志》"佩金虎符符趺为伏虎形"的记载，竟成狗矢了。

本书所引诸书，皆用省称。因为在第一卷卷首已有说明，所以不赘。我的译文既从第四卷起，故将诸书目简单著录于后*，以明出处。原书可惜无索引，将来如有余暇，容或补加于全书之后云。

1933 年 6 月 1 日冯承钧识

* 该序原是本书下册的译序，后面的译序二原是上册的译序。因随后的第一卷已有该书目的说明，故不再附出。——出版者

译 序 二

多桑书共有七卷。我前以为西域三大汗国的史事在旧籍中颇欠缺,在新编中亦多疏误,故先将后四卷迻译。后来看见田中萃一郎所译的前三卷,我又觉得全书仍有翻译之必要(田中的译文我在《大公报》图书副刊第十四期中已有评),遂又将前三卷转为汉文。翻译时间既有先后,前三卷同后四卷的译名不免有若干不能一致的地方。比方 Mohammed 先译作谟罕默德,后在前三卷中概从唐译作摩诃末,就是一个例子。全书译竣,我想将后四卷取回整理,不意原稿清样统已制成纸型,势须大加挖改,末后只好听它,拟在索引中去补救。前三卷有新式标点,后四卷无,也是因为这种关系。

我从前在第四卷序中说过,多桑书同《元史》一样,也有译名不一贯的毛病。因为他所本的伊斯兰教撰述,文字不著韵母,而声母音点有时脱落,常易相混,所以不特相近的韵母有时误用,甚至难于互用的韵母,也能混淆不分。声母之误如果无他书可以对勘,竟至无法考订。比方主儿勤之误作 Bourkines,错了一个声母,那牙勤误作 Boucakines,竟错了两个声母,一个韵母。他最使我感困难的,就是对于 c、k、g、kh、gh 等声母毫无分别,例如他译写的 gan,对音可作干(gan),又可作坚(gän),且可作罕(ghan,khan)。这种困难有时还可以用前后文去补救,例如 Togan,不难认识是脱欢。可是他有时又将 o 同 ou 两个韵母互用,写作 Tougan,则未免使人犹豫不决,因为蒙古人也有名唤秃坚的。像这一类的困难不计其数,我自信尚未能完全将它解决。

此外有些译名,好像与对音未合,其实不然。我在第四卷序中曾引证过若干变例,比方将-l 读作-n,畏吾儿字母中无代表 g、gh 等声的字母,就是两个大变例。此外尚有若干为前序所未及的,条列如下:

突厥语发音之 y,在蒙古语中常变作 j。此方突厥语驿站作 yam,蒙古语改作 jam。突厥语法令作 yasaq,蒙古语则改作札撒黑(jasaq)。讹答剌城的守将、杀成吉思汗使者的那个人,剌失德书名亦纳勒出黑(Yinalčuq),号哈亦儿汗(Qayir-khan),而在《元史》则作哈只儿只兰秃(Qajir-Jinaltuq)。除以蒙古语语尾之-tuq 替代突厥语语尾之-čuq 外,两个 y 皆变作 j,一个 l 变作 n。这种例子举不胜举。

蒙古语同西域语常将 b 变作 m,若乞卜察墨(Qibčaq)之变作钦察(Qimcaq),哈卜哈纳思(Qabqanas)之变作憨哈纳思(Qamqanas),是两个很显明的例子。

蒙古语对于发音之 r-,常叠用其后之韵母,比方 Ros 之作斡罗思(Oros),Riazan 之作也烈赞(Äräzan),也是两个很显明的例子。这种译法同古译相反,比方《宋高僧传》卷三有阿你真那(Ratnacina),竟将发音的 R-简单删了,大约是汉语同蒙古语无此发音,所以读音或增或减。

发音之 A-有时省略,比方 Abu Saïd 之作不赛因,Abu Bäkr

之作不别，是见于《元史》的变例。可是也有帖木儿的后人 Abu Saïd 在《明史》中写作卜撒因的。看这个例子，足见收声之-d 偶亦变作-n。但是这种变例的收声不常见。

蒙古语尾之-n 增删无常。若阿勒赤(Alči)亦作按陈(Alčin)；河西转为合失(Qaši)，也可变作合申(Qašin)；月忽难(Yohunan)又可作月合乃(Yohuna-i)，这个月合乃在《元史》卷一三四误作月乃合，诸本《元史》皆然，可是此人的神道碑实作月合乃，这个名称大概也是从突厥语转贩而来的，在蒙古语中则变作术忽难(Juqunan)。

蒙古语常读 t 作 d，比方将 tarqan 读作答剌罕，将 taïr 读作答亦儿，就是两个很显明的例子。这种读法好像不是蒙古语所独有的，从前汉译 tarqan 曾作达干，Turküt 曾作突厥。

上面所说这些变例，不但是译多桑书所应知道的，就是读《元史》也是应该知道的。至若我所用以译写的汉字，我很想适合当时的读音。因为翻译非汉语的人名，固然要求一贯，可也要注意当时的读法。我曾说过，如要整理《元史》译名，必须备具几种条件：一，要名从主人；二，要了解西方北方几种语言；三，要明白汉字的古读，尤要知道元人的读法。从前整理元史的人，好像多未备具这三个条件，所以愈改修愈使人迷离不明。比较以前的整部成绩，只有那珂通世的《成吉思汗实录》微合第二第三条件，可是他常将《元朝秘史》的译音译写近代西文地名：将契丹改作乞坛(Qitan)，还可以说是乞塔惕(Qitat)的单数；将波斯作珀儿昔阿(Persia)，也可勉强对付；可是将埃及作额只魄惕(Egypte)，而不用名从主人之例，作密昔儿(Misr)等类的译法，未免过于刻舟求剑了。但是比较其他改修的《元史》，总算强多了。现在学界种毒最深的，要首数《元史译文证补》的译名。洪氏丝毫不问上述的三个条件同元代译名的那些变例，对于《元史》名称妄加改窜：比方译 Catchoun 作哈准，而不用元译的合赤温或哈赤温；译 Noqai 作诺垓，而不用《元史》屡见不鲜的那海或那怀。自以为新，其实错了。古人翻译，很明了汉字的读音，比方《圣武亲征录》中由西夏攻至汴梁的蒙古将，译名作三木合拔都，后又作三合拔都，此人的原名是 Samuqa Ba'atur，翻译的人用"三"(古读 sam，今粤人尚作此古读)，照顾到第二个字的发声。这种译法就是从前佛经的译法，也就是《元朝秘史》的译法，不像今人随便用本人乡土的方言，同似识非识的汉字，译写外国语言名词之乱。所以《元史》中的译名虽不统一，除开过于省译之名称外，皆不难复其原名。至若《元史译文证补》一直到《新元史》的译名，能够还原的恐怕很少。

我所用的标准译字，多从《元朝秘史》，然而并不认定《元朝秘史》是一部完全不误的译文，其中也有些传写的错误。比方将你沙不儿(Nišabur)写作亦薛不儿(Isäbur)，将亦剌合(Ilqa，Ilaqa)写作你勒合(Nilqa)，可以说是音点不明，致有此误。可是杀乃蛮王子古出鲁克(屈出律)的地方作撒里黑昆(Sariq-qun)，证以近来发现的蒙文《秘史》残本，实是撒里黑豁勒(Sariq-ǧol)之误。如此改正方与蒲犁县之土名相合。这类版本的错误，《秘史》中尚有不少，所以我虽采用此书，可不绝对盲从。

旧译名除开过于省译的名称，像忽亦勒答儿(Quïldar)《元史》作畏答儿的例子外，我皆尽量采用，决不自出心裁，妄易新翻。元代载籍所无之人名、地名，而有旧译者，则用元代前后之古翻，如隋、唐之范延，《明史》之帖必力思之类，亦不别用新名，不用今读之字译古名，也不用古读之字译今名。凡原名初见者，皆附西文原名于下。可是对于多桑书所采乾隆时妄改的名称，根本既有错误，西文译写之名除不误者外，概从删弃。好在多桑书的精华全在伊斯兰教著作，他所转贩的那些汉籍副料（以《续通鉴纲目》为最多），应由我们中国人自己整理。

多桑书所引剌失德书很多，而剌失德书同《圣武亲征录》并出一源。在剌失德书未直接转为汉语以前，我觉得多桑书是一部很好的参考史料。比方《亲征录》所载木华黎率王孤、火朱勒、忙兀、弘吉剌、亦乞剌五部以及契丹、女真之兵南侵中国一文，其中的火朱勒部，久之未详其对音为何，今观多桑书，知为 Qošiqol。然则《亲征录》原译或是火失火勒矣。剌失德书（Berezin 本数见此名）说是每十人队中挑选二人组织成的军队，此说颇类真相，因为此字的字根是 qos，突厥语犹言双也。此姑就以多桑书校正中国史录而言。反一方面说，也可取中国史料校正多桑书。兹举一例为证：多桑书第一卷第二章有个部落，名称曰亦勒秃儿斤（Ilturkine），后在附录中亚部族表中，又作亦勒都儿斤（Ildurkine），检《元朝秘史》卷六相对之文（叶本 31 页），王罕有个使臣名亦都儿坚（Idurgän），后（49 页）同一人又作亦秃儿坚（Iturgän），也是一名两种写法，姑不问究竟是人名抑是部名，要可以《元朝秘史》的名称改正多桑书之误。

我译多桑书时，很想作一种互证的工作，所以在第一卷第二章中用力很勤，可是费时也很久。如此做下去，恐怕几年也译不完，后来只好译而少证。

我在本序中所用的译写方法，除引用多桑原文外，皆用新法。因为多桑书之叠床架屋的译写方法太累赘，并可发生误会。比方谷儿只王 Lascha，《蒙兀儿史记·西域传》误读作辣思伽，其实应作剌沙（承袭此人王位的鲁速丹，就是剌沙之妹，然而新修的《元史》迄未认清是何人，《蒙兀儿史记》误作剌沙之甥女，《新元史》误作剌沙之弟妇。大约是习于中国观念，以为只有弟媳妇摄政，哪有姑奶奶当权？是不特不明西史，而且并 Howorth《蒙古史》的世系表亦未寓目）。若是用新法写作 Laša，就不至于发生这类的误读了。我译多桑书常想将他的译名修改。可是他的写法无一定标准，有许多名称很难判别，末了只好听他，仅在汉译名中略为变通。所以 dji 常译作“赤”，而不作“只”。再者多桑的译名皆作“法语化”，比方蔑儿乞惕已经是蒙古语表示多数的名称了，应该写作 Merkit，可是他写作 Merkites，另外又添了一个法语多数，弄成画蛇添足。要是遇见一个翻译匠一字一音地当作英文读去，恐怕最博识的考据家也无从考见真相了。这也是读多桑书应该注意的一点。蒙古语表示多数的语尾固然是-t，《元秘史》写作“惕”，可是因为采用别的语言，或因他种原因，有时多数作 s、r、l，《元秘史》写作“思”、“儿”、“勒”。比方南家思（Nankiyas）、速勒都思（Suldus）、巴鲁剌思（Barulas），用“思”而不用“惕”，札剌亦儿（Jalaïr）、塔塔儿（Tatar），用“儿”而不加“惕”，撒儿塔兀勒（Sarta’ul 就是回回），用“勒”而不改“惕”，皆可为证。我还疑心有用-n 字作多数的。晃豁坛（Qonğotan）的多数固作晃豁塔惕（Qonğotat），乞颜（Qiyan）的多数固作乞牙惕（Qiyat），为甚么乃蛮（Naiman）不作乃马惕（Naimat）呢？元代固有乃马台（Naimatai）、乃马真（Naimajin）的

人名，这不过是蒙古语变化的属格，不足证明它是多数。检遍《元秘史》，竟未发现乃马惕的写法，不论单数多数，皆作乃蛮。要说乃蛮是数目字（此言八），为甚么朵儿边（Dorbän，此言四，亦是部族名）有朵儿伯惕（Dorbät）的变化呢？若要解决这个问题，非比较阿勒台（Altaiques）系语言不能得到答解。我所举的这些例子，无非使人知道蒙古语多数不仅用“惕”，切莫仿效《蒙兀儿史记》，不但将蒙古语的多数一概变作“惕”，而且将非蒙古语的多数，甚至将梵语的多数，一概变作“惕”。

我这些批评，并不是在摘人之短而见己长，不过是因为有几部书已经具有“威权”。我译本书撰者 C. d'Ohsson 的名称，不敢规规矩矩译作朵松，而仍用旧译的多桑者，也是受了这种威权的影响。这些具有威权的撰述，不能说全书皆好，当然有些缺陷，我无非指明这点缺陷，使参考的人不致沿袭其误而已。除开此点以外，我以为别烈津本的剌失德书未重译以前，《元史译文证补》一书是可以参考的，《成吉思汗实录》、《蒙兀儿史记》二书，也是治元史的人离不开的佳作。

我译此书也不敢说好。从前在评田中所译多桑书一文中，曾经说过：“多桑书中错误散见，欲改之则与原文异，不改则与事实违，无论何人译是书，终不免吃力不讨好。”所以多桑书出版逾百年，尚无一人敢有翻译全部的勇气或傻气。我今竟敢将此书全部转为华言，只望读者谅我胆量之大，不敢望读者誉我译笔之工。

1934 年 4 月 10 日冯承钧识

目　录

第一卷　始成吉思汗终帖木儿

第二卷　自窝阔台汗迄蒙哥汗

第三卷

第 一 卷

始成吉思汗终帖木儿

绪　言

亚细亚之一大部，与欧罗巴之东方诸地，在13世纪时，曾受鞑靼地域（Tartarie）诸民族之侵略残破。先是有无数民族及游牧部落之互相为敌者，至是集合于同一麾下，侵入富庶之区，杀其人民，墟其城市。其统驭此种残猛好乱之部落者，盖为游牧于斡难（Onan）、怯绿连（Kéroulan）、秃剌（Toula）等水发源处，拜哈勒湖（Baïcal）东南诸高山中之若干贫苦部落之首领，其人名铁木真（Témoulchin），先在诸蒙古君主觊觎大权之战争中，历平诸敌；迨将诸蒙古部落泰半征服以后，复历降鞑靼地域之其他民族，遂称帝，而号成吉思汗（Tchinguizkhan）。先是诸鞑靼民族臣事中国北方之金国，至是成吉思汗率领人数甚众之骑士进略此国，达于黄河两岸，得捕获品甚众；复转而侵略中亚，残破河中（Transoxiane）、花剌子模（Khorazme）、波斯（Perse）等地。别又一方遣军继续侵略中国；一方遣军残破申河（Sind）、额弗剌特河（Euphrate）两岸之地，复由谷儿只（Géorgie）入黑海之北，略克里米亚（Crimée），躏斡罗思（Russie）之一部，破不里阿耳（Bulgares）于窝勒伽河（Volga）之上流。

成吉思汗残破波斯以后，还军唐兀（Tangoute），屠其民。唐兀者，原属中国之地也。成吉思汗至是得疾死，遗命诸子完成其世界侵略。

蒙古人在成吉思汗后最初几个继承人时，略定里海、太和岭(Caucase)、黑海以北之地，残破斡罗思，而使其地受其统治者垂二百年。已而历破波兰(Pologne)、匈牙利(Hongrie)二国，征服达曷水(Tigre)、额弗剌特水两岸及阿美尼亚(Arménie)、谷儿只、小亚细亚(Asie-Mineure)等地，灭报达(Bagdad)诸哈里发(Khaliphes)之国，取中国全境，取土番(Tibet)，斥地印度(Inde)至于恒河(Gange)以外。由是成吉思汗死后约五十年，其后裔君临之地几遍亚洲全境。

土地既广，势难以一君治之，由是分为四汗国。中国本部、土番以及鞑靼地域，迄于金山(Altaï)，为成吉思汗后人直辖之地，其第四继承人曾定都于昔之大都今之北京。其他三汗国则属其他成吉思汗系，而隶于中国皇帝。自金山以西迄于阿母河(Djihoun)，为察合台(Tchagataï)系之封国。里海、黑海以北，则臣服术赤(Djoutchi)后人。波斯则别有诸汗统治，此国诸汗与中国诸帝皆同为成吉思汗幼子拖雷(Touloui)之后裔。此三国之汗并受大都之册封。

四汗国建立之初，已含有分裂之迹。及蒙古人不复事侵略之时，分裂之端愈显。缘蒙古人之得势也，盖肇端于联合及服从；迨至君临诸地以后，君位之继承屡为成吉思汗后裔战争之原因。其大位属于最后一汗之后裔，然继位者不必为长子，应由诸宗王等推选一人为之。根据成吉思汗遗制，新君应由同族之人在一大会之中推举，君权须经其正式承认。此种成吉思汗系诸王既有此权，复有军队与广大封地，而诸王之数随代而增，每至国君缺位之时，非互以兵争，即与新君作战。察合台、术赤两系立国之历史，盖全由其争战所构成。察合台系之国灭于 14 世纪中叶，术赤系之国则亡于 15 世纪末年。

至 1336 年顷，波斯成吉思汗后裔之国亦因内乱而分解。君临中国之元朝，亦于 1368 年时被逐于中国之外。此后成吉思汗后裔之所能统治者，仅余中亚之游牧部落而已。

蒙古人之侵略业已变更亚洲之面目，旧之诸大国因以瓦解，诸王朝因以灭亡，诸民族间有消灭者。蒙古人足迹之所经过，仅见尸骨遍地，城市为墟，其残猛较之最蛮野之民族为更甚，于所略之地杀男妇婴孺，焚城市村庄，毁禾稼，变繁华之地为荒原。然其所以如是残忍者，并非愤恨与谋报复有以致之，且其认识所歼灭民族之名亦不甚久；脱诸国史书对于此点记载未能一致，必有信史书有言过其实者在也。

蒙古人于侵略之后，待遇残余之民如同奴隶；其幸而免于锋镝者，则不免呻吟于一种暴政之下。其治理盖不外乎腐败之成功。凡前之可贵可尊，皆贱之；其最腐败之人，如能尽忠于其残猛之主，则不难取得富贵与压制其同国人之势权。

由是观之，印刻其蛮野性之蒙古史，只能表示有丑恶之叙述。顾其与数国有密切之关系，欲详 13、14 世纪之大事，势有认识之必要。现存材料尚夥，可以取材也。蒙古人虽未留存史籍，然其所侵略诸国之载籍，可以借证，尤以译为欧洲语言之中国载籍，虽有不少缺点，然可资参考也。盖一国之研攻文字学术垂千百年，而首重历史之研究者，其所留存蒙古侵略统治时代之材料，必定甚多。考中国载籍所著录元朝诸帝钦订之重要著作，若记录成吉思汗、窝阔台(Ogotaï)、拖雷、贵由(Couyoue)、蒙哥(Mangou)等史事之“前编”[①]，若裒辑蒙古风俗与元代诸帝遗规之《经世大典》，若汇集元代法制之《大元通制》，皆此类也。然吾人今所识者，仅为两种历史概略之内容，是即宋君荣(Gaubil，撰《成吉思汗与蒙古诸帝史》)、冯秉正(Mailla，撰《中国通史》)、夏真特(Hyacinthe，撰俄文《成吉思汗系最初四汗史》)等撰述中所译之《续弘简录》与《通鉴纲目》二书是已。前一书苦干燥，且其事迹亦不连属。此外在斡罗思、波兰、匈牙利之史书中，亦志有其国被侵略时之大事；13 世纪中欧洲人之经行中亚者，亦遗有关于鞑靼地域游牧民族风俗习惯之记述。然其对于本书供给吾人最丰赡而最贵重之材料者，要为波斯与阿剌伯(Arabie)之史家，其对于蒙古人最善之撰述，现存巴黎图书馆“东方钞本丛书”之中。莱德(Leyde)图书馆亦藏有相类钞本，并承见示。顾此种材料非尽人可识者，兹特先为提要之说明，以便后来在本书中仅录其标题云。

全史　伊斯兰撰述家之言及蒙古人者，似应首数也速丁阿里额梯儿(Yzz-ud-din Ali Ibn-ul-Ethir)，其所撰世界史题曰“Kamilut-Tévarikh”或《全史》(巴黎图书馆阿剌伯文写本)者，始世界之创造，终于回历六二八年(公元 1231 年)。第 12 册于六一七年(1220)及以后诸年下，记述河中、波斯、达曷、额弗剌特二水沿岸、谷儿只、太和岭北蒙古人诸战役。谓为战役，无宁谓之曰破坏行为也。时著者居毛夕里城(Moussoul)，所闻波斯以西之事必可靠。撰文用阿剌伯文，其文体简略，有时疏陋，然其记载诚实，可得

① 钧案：多桑所指者盖为《五朝实录》。

言也。

著者额梯儿子阿里(Ali Ibn-ul-Ethir),以五五五年五月四日(1160年5月13日)生于达曷水畔之哲齐烈(Djéziré),后居毛夕里。毛夕里者,一小国之都城也,其王数遣之使报达。其人精研史事与伊斯兰神学,其纪年可以位于良史之列。闻其人朴质,博学,而信道笃,后于六三〇年八月(1233年5月)殁于毛夕里(见 Ibn Khalcan 撰《人名词典》题曰"Vafiat-ul-A'yan"者,巴黎图书馆阿剌伯文写本)。巴黎图书馆现存《全史》后半部六册,Michaud 君所撰《十字军书目》第二册撰有本书提要甚佳。

札阑丁传　《算端札阑丁忙古比儿的传》(Siét-us-Soultan Djélal-ud-din Mangoubirti),奈撒(Nessa)人阿合马(Ahmed)子失哈不丁摩诃末(Schihab-ud-din Mohammed el-Nessaouï)撰(巴黎图书馆阿剌伯文写本)。

算端(Sultan)札阑丁(Djélal-ud-din)者,花剌子模沙(Khorazm-Schah)突厥王朝之末主也。其父摩诃末(Mohammed)在位之时,适当成吉思汗侵入此国之年。摩诃末后为战胜之蒙古军所追逐,逃避于里海一岛中,未久得疾死。札阑丁奔印度,成吉思汗退兵以后,重返波斯,君临故国。然屡侵邻国,迨至蒙古军重至之时,始谋自保,然已无及矣。后逃往曲儿忒(Curdes)人所居山中,为土人所杀。

此书之著者自言为呼罗珊(Khorassan)北部奈撒城附近哈连答儿(Kharender)堡之堡主,札阑丁归自印度,彼曾事札阑丁为书记。据其自云:"我之受此职也,初存厌恶之心,已而因得利厚,不愿舍去。"旋被任为奈撒区之税课征收员,许其仍留宫廷服务,别以一副贰之官代其职。

札阑丁在位之时计有六年，其书记曾担任重要使命数次。札阑丁在阿米德（Amid）附近醉卧为蒙古军所袭之夜，著者亦在随扈中。据云："我执笔作书已逾半夜，睡正甜，仆役一人来告变，我急着衣上马，尽弃所有而逃。过算端帐时，见鞑靼骑适围其帐。我藏伏洞中三日，始至阿米德城，留此城二月，又至额儿比勒（Erbil），旋赴阿哲儿拜占（Azerbaïdjan）时，我一无所有，仅余希望。盖所经之地，人皆言算端尚存，适在聚兵，其实皆属因幻望而产生之流言。迨抵蔑牙发儿斤（Méyafarkin）时，乃确得其死讯。当时我颇厌世，宁与我主共存亡也。

"算端死后数年，我获读摩诃末子阿里（Ali）而以额梯儿子（Ibn-ul-Ethir）著名者所撰之《全史》，见其中所志算端摩诃末在位时代，与算端札阑丁在位数年之事，尚完备正确，我由是遂欲为此末主立传，缘其事迹有异于他主也。"

奈撒人摩诃末之书，都为一百零八章，始摩诃末花剌子模沙最后数年，迄于其子算端札阑丁六二八年（1231）之死。著者撰此书时，在六三九年（1241），所志其时在波斯见闻之事甚详，此与伊斯兰著作家所撰纪年之多按文抄袭者，未可同日语也。摩诃末所处之地位，足使其见闻较确，而其所撰之记录，虽仅附带言及蒙古，然实含有不少重要之事。其叙述简单自然，比较后此所言之二史为近事实，盖二史之撰者惟求悦读者之耳，不敢放言真相，未免文饰也。

世界侵略者传　《世界侵略者传》（Tarikh Djihankuschaï），术外因（Djouvéïn）人阿剌丁阿塔木勒克术外尼（Alaï-ed-din Atta-

Mulk Djouvéïni)撰(巴黎图书馆波斯文写本)。

本书分上下二篇。上篇记成吉思汗最后十年事迹,就中所言河中、波斯两地侵略之事较详,续述窝阔台、贵由两帝在位之事。中有《畏吾儿(Ouigour)传》一章,《哈剌契丹(Cara-Khitaï)诸汗传》一章,花剌子模沙突厥王朝之始末事迹,与夫成吉思汗退兵以后迄于其孙旭烈兀(Houlagou)统治时波斯之诸蒙古长官列传。

下篇首述蒙哥帝之当选,惟仅志其在位初年之事;然所言旭烈兀远征波斯、平复阿剌模忒(Alamout)堡亦思马因人(Ismaïliyens)之国之事则详。著者述此以刺客著名的国家之灭亡事迹时,节述波斯亦思马因派之历史,始以十叶派(Schiyi)支派巴迪尼派(Battiniyen)之起源,与埃及亦思马因派诸教主之史略,继述哈散撒巴(Hassan Sabbah)以来亦思马因派之事迹。

由是观之,本书著者虽殁于六八一年(1282),其《世界侵略者传》仅止于六五五年(1257)。阿剌丁生于呼罗珊之术外因区,父博海丁摩诃末(Bohaï-ed-din Mohammed),曾在蒙古长官治理波斯时代任波斯之一征税官者亘二十年。阿剌丁言其入父署服务时,年尚未满二十岁。其父随阿儿浑(Argoun)入朝新近当选之蒙哥帝时,阿剌丁曾随行。蒙哥既命阿儿浑重长波斯省事,乃以博海丁为波斯财政综理官,次年同还波斯。还未久,博海丁死,得年六十岁,疑曾以其子继其职。盖六五四年(1256)旭烈兀抵波斯时,阿儿浑被征入朝,曾以官吏三人随侍此宗王,而阿剌丁即其中之一人也。旭烈兀进平亦思马因派时,阿剌丁曾从军行。六六二年(1264)其弟苫思丁摩诃末(Schems-ud-din Mohammed)被擢为旭烈兀相,阿剌丁则被命为报达长官,辖伊剌克阿剌伯(Irac-Aréb)、忽即斯单(Khouzistan)两地。次年，阿八哈(Abaca)继父位，阿剌丁仍守其职，迄于六八一年(1283)之死。举凡在蒙古诸汗下管理公帑者，莫不遭遇苛待，故阿剌丁亦不免焉，观本书后此所记，可以知已。

处阿剌丁之地位，当然不能信笔直书。故自为赞颂根本残破其祖国并继续残害或压制诸回教国家之蛮夷功德之人，其言及成吉思汗暨其后裔也，颇表示尊崇；其推崇蒙哥帝也，尽揄扬能事。且在绪言之中，谓蒙古军之残破不少伊斯兰教地域，盖为一种必要之祸害，由是获其二益：一种为宗教的，一种为现世的。

据彼云："此世之祸福并出神意，盖由一种深奥的睿智及一种严格的公平之指挥，有以致之。最大之灾，若民族之离散，善人之失意，恶人之得志等事，皆经此神意断为必要者。神意秘密，非人智之所能测度者也。然吾人可以观察而其事之尽人得见者，则在六百年之后，一外国民族之侵略，完成我辈预言人之一种先觉，盖彼曾启示彼之宗教深入东西两界也。神意曾利用一种外国军队之侵入，以扬'可兰'(Coran)之军旗，以燃其火炬，以耀信仰之日光，俾及伊斯兰教馨香未达，而 tekbir 与 ézann 未悦人耳之诸地。盖今在此种东方地域之中，已有伊斯兰教人民不少之移殖，或为河中与呼罗珊之俘虏，挈至其地为匠人与牧人者，或因佥发而迁徙者。其自西方赴其地经商求财，留居其地，建筑馆舍，而在偶像祠宇之侧设置礼拜堂与修道院者，为数亦甚多焉。此外偶像教徒之儿童沦为穆斯林奴婢，曾在其教中养育成人者；偶像教徒之自愿改从伊斯兰教者；复次有成吉思汗系有数王，曾改信吾人之宗教，而为其臣民士卒所效法者，皆其类焉。"

著者嗣后颂扬蒙古人对于被征服者待遇之温和，而不以此言为可耻，并赞其宽待一切宗教，完全豁免一切教师暨诸教财产与夫慈善基金之赋税。彼由是断言仍应服从蒙古人，并引预言人之语为证曰："勿激怒突厥人，盖其人可怖也。"

阿剌丁复言历代以来人类因违犯而致天讨，摩诃末（Mahomet）曾求天主，无以惩罚其他民族之灾降之于其民族；上帝曾许穆斯林除受刀灾外，不受其他种种毁灭之害。"盖若无刀兵之劫，显然不能挽救大乱，少数善人将受恶众之压制，由是可见此种例外盖为有利于上帝臣仆而设。是故在回历七世纪之初年，摩诃末之民族既因享受地上幸福而致败坏，上帝欲惩罚其过，欲以一种可怖之教训昭示来代，然后使伊斯兰教发扬一种新光明，乃以武器付一罚过之人，然未久复表示其宽恕焉。犹之一善于治疾之医，以适当之药，治人身之病；至若诸良医中之良医，若欲复兴其民族，则用适应其气质之方法。"

著者言在六五〇年（1252）滞留蒙哥宫廷时，应友人之请，编此史书，要在使皇帝蒙哥之功业永垂不朽。然初以此事甚难，"盖人无良师之助，于学问文艺造诣难深，顾经世界变乱以来，学校被毁，学者被害，尤以当时文明中心硕学渊薮之呼罗珊境内为甚。预言人曾有言曰：'学问是一树木，其根在默伽（La Mecque）而其果在呼罗珊。'自经变乱以来，其地文士皆死于锋刃之下，其起而代之者，皆出身微贱之徒，仅知注重畏吾儿之文字语言。举凡官吏，甚至最高职位，皆由最贱之人任之。穷而无告者多已致富。凡阴谋者皆能备位将（Emir）相（Vézir），反奴为主。其冠博士之缠头巾者，皆自信为博学之人，而微贱者则列为贵族。当斯之世，学问与德行并缺，无识与贿赂交盛。凡正直者皆被贱视，凡邪恶者皆得势权。则学问与文艺所得之奖励从可知也。”

此种评论既苛，然与前此所持蒙古人杀穆斯林盖为造福穆斯林之说，颇为矛盾。著者续云，迄于二十七岁时，职务殷繁，无暇求有用之学识，且悔未从其父之训，致使光阴虚掷。然阅年久，义理熟，遂欲勉事补救，且数游河中、突厥斯单(Turkustan)与夫更东之地，身亲若干事变，兼闻其他诸事于博识可信者之口，故撰是书。阿剌丁之措词如此。根据东方人之判断，则以其无须求人原谅，第一流文豪史家瓦撒夫(Vassaf)对于《世界侵略者传》一书之文体与其史的价值，颇激赏之。然在一欧洲人视之，则病其文体铺张太过，颇惜著者在其文饰中未多列事实，而在其叙事中亦鲜所次第云。

瓦撒夫书 《土地之分割与世纪之推移》(Kitab tedjziyét-uemssar ve tezdjiyet-ul A'ssar)[①]撰人法即勒乌剌(Fazel-oullah)子奥都剌(Abd-oullah)，即以 Vassaf-ul-Hazret 或“陛下之赞颂人”著名者也，巴黎图书馆波斯文写本。

本书记述蒙古人之历史，始1257年(回历六五五)，终1327年(七二八)。书分五篇，志波斯、蒙古诸汗在位时代波斯所见之重要事迹，旁及中国诸蒙古帝与突厥斯单、河中成吉思汗系诸王之史事，与夫埃及(Egypte)、法儿思(Fars)、起儿漫(Kerman)、印度等地同时之历史。著者为使其书完备，复采《世界侵略者传》，撰成吉

---

① 伊斯兰诸著作家所用著作之标题，常不指明著作之内容，仅用叶韵谐声之字，取其悦耳而已。

思汗与其最初数继承人之史略，以殿其书之第四篇。

瓦撒夫书之体裁，一遵阿剌丁之书，彼曾言其史书盖继其前撰人而续撰者，可以见也。故其第六章径接旭烈兀灭亦思马因人之国以后讨伐报达之役。瓦撒夫于此处对于《世界侵略者传》曾为一种华丽赞扬之词曰："此书记述成吉思汗及其继承人诸大侵略之原因，其处置之强，其治理之严，其战术之巧，其承平时之政策，此书种种文体之优，从前无人可及，而其文笔之佳，亦并世无两也。"瓦撒夫续言其根据可信之人所言之事迹而笔录之，无所增损。其序文题年为六九九年（1300）。内有旭烈兀曾孙算端合赞（Gazan）之题赞。七一二年一月二十四日（1312 年 6 月 2 日），瓦撒夫以所撰之史书进呈于继合赞后嗣位之算端完者都（Oldjaïtou），时其书仅四篇，距脱稿之时已一年矣。瓦撒夫等待此机已久，至是始得丞相剌失德（Raschid）之庇，在孙丹尼牙（Soultaniyé）进谒算端。剌失德者，即后此所录《史集》（Djami ut-Tévarikh）之撰人也，以瓦撒夫为卓出之文学家，介之进谒算端。瓦撒夫请丞相转求算端，许其面诵祝贺即位之歌词，算端许之，聆其词未毕，数止之，询以其中一辞一喻之文义，由丞相或大断事官与撰者加以解释。瓦撒夫旋诵其所撰赞扬孙丹尼牙城之歌词。算端聆此二词，数表其赞赏之意，嘉其材，以己之袍服赐之，并赐"陛下之赞颂人"之号。瓦撒夫因此又撰一章，全述其此次晋见遭遇之隆。

瓦撒夫之文体铺张点染过度。其在第二篇序文中曾自云，编纂本书之时，脱其意仅在记述史事，则仅为简单之记事足矣。"然我于记述今日史事之中，兼欲使此书成为文藻之汇集，一切雄辩之模范，一切修词法之总汇；欲使最卓绝之文豪，皆承认我词句之选

择。句法之郁丽，引证之适当，文饰之丰美，非阿剌伯语或波斯语任何著者之所能企及，以我书与他书比较，不能不让我独步也。修词学中丰赡与简洁并重，夫人皆知，彼此二法，视情况用之，皆足赞赏。就简洁言，由其愉艳，可与两情人如愿之夜共比拟。第就冗长言，其足悦人，亦可与美女头上长垂而光可鉴人之辫发相提并论也。所以甚愿可尊敬之读者，赞成我文体之丰赡。”

案瓦撒夫书洵如上文所言，其史事可拟刺绣之底布，遍加文绣于其上，有时读者颇难于充满譬喻、参杂诗句引文之叙事中，得一事之始末。著者复以叶韵谐声之句法，发扬阿剌伯语之精萃。润色点染，固为得也，然于修史，颇难相应。

进呈后十六年，瓦撒夫增修此书第五篇，专记不赛因（Abou-Said）一代之事，止于七二八年（1328）。全书都为五篇，所辑波斯之蒙古王朝史料，洵可宝贵也。

史集　《史集》（Djami ut-Tévarikh），哈马丹（Hémédan）人阿不海儿（Abou-l-Khaïr）子法即勒乌剌剌失德（Fazel-oullah Raschid 亦名 Raschid-ed-dévlet，Raschid-el-hakk-vé-ed-din）撰，巴黎图书馆藏波斯文写本。

本书第一册专述蒙古人之历史，分为两篇：第一篇胪列成吉思汗时代鞑靼地域诸游牧民族之名称，举其部落，言其起源，志其所居之地。第二篇首述关于蒙古人发源与成吉思汗祖先之传说，继述此侵略者诞生以来之历史及其后裔之历史。在中国则止于铁木耳（Temour）时；在波斯则止于完者都时。兹二人皆在 14 世纪初年君临两国者也。又于每代之末，节述同时亚洲诸国帝王之事迹。

著者在此第一册七〇二年（1303）之撰序中云：“迄于今兹，关于蒙古民族者，关于其各部落之关系者，关于成吉思汗在生之事迹者，关于其诸继承人在位之史事者，吾人所得之记事，颇不完备。前之修史者仅据民众之传说，而任意布置之，其所记载之少数史事，曾经成吉思汗系诸王与蒙古民族之诸部长所否认。

“但在（波斯蒙古汗之）档库中，藏有正确无讹之史料残卷若干篇，系以蒙古语言文字写定，然鲜有人能读者。算端马合谋合赞（Mahmoud Gazan）欲以此种史料公诸世，编纂为书。七〇二年，以其事属其微臣阿不海儿子法即勒乌剌，哈马丹人别号医师剌失德者。命其博采时在朝中之中国、印度、畏吾儿、钦察（Kiptchac）等地学者之说，以补此种史料之缺。就中若大那颜（noyan）都元帅国中行政官孛罗丞相（Poulad Tchinksank）者，熟知突厥（Turc）民族之原来与历史，尤谙蒙古人之历史者也。本书重要之目的，则在保存重要事实，俾之流传后世。而尤有必要者，盖今人之能知一世纪以前之事者，为数甚寡。蒙古贵族之青年，且多不知其祖先姓名世系功业。

“奉命以后，我曾审查鉴别档库中所藏之记录，复博采诸国学者所供给之史料，撰成此书。我所重者，要在整理次第，叙述明晰而已。”

剌失德在第二序文之中，曾言七〇三年十月十一日（1304 年 5 月 17 日）合赞死时，此书尚未脱稿。晚至其继承人完者都时代，始获竣事。欲以新汗之名题于卷首，然新汗则以此书既发动于其兄合赞，乃命其题兄名于卷首。

剌失德续云：“算端完者都曾用其光阴，求取有用之学识。既读我书，并订正其误毕。以为时无世界史一书之存在，本国且未藏有外国编年之书。迄于当时，竟无一君主欲知外国之事者。然在今日，大地之国多属本人与成吉思汗其他后裔所统治。朝中所聚中国、印度、迦叶弥儿(Cachermire)、土番、畏吾儿、阿剌伯、富浪(Franc)等地之学者、天文家、历史家，为数颇众。各人必携有其国之史书，乃命我编纂如是诸国之史略。汗愿题名于书前，辅以大地各国之地志，附以舆图。并言使此书二册，益以我所补编之蒙古史，构成一种纪念汗名并世无两之著作。

"我奉命以后，遍访各国硕学之人，采集价值最重之史集，纂《世界史》为第二册，《地志》为第三册，而总名之曰《史集》。

"第诸史家大致非身亲其所叙之事之人，纵以当时人记当时之史事，亦应集所闻之说为之。顾世人口述之事，虽出一人之口，今日之说容有与明日之说异者，则不少国家远代之事，势非完全信史，不难想象得之。而且同一事实，因著者为传说所误，或所本来源不同，叙述应有分歧；抑或故意铺张若干事实，遗漏其他事实，甚至不欲明言真相，则一史家之欲撰信史者，势将无从着笔矣。第若恐有错误不实，不为记载，则史事不尽湮灭无存欤？由是观之，史家之天职，则在采取各国价值名贵之史书，博访学识鸿博之人。各民族记事方法容有不同，自难不无矛盾之点，然此非纂辑者之过也。例如吾辈穆斯林，吾人自信吾人之传说较其他民族之传说为正确，然不能用为纂修他国历史之根据，则不如据其所自信与所自记者之为得也。

"是亦我所遵之例也，故参考各国价值最重之史籍，研究证据较确之传说，然未敢自庆目的已达，盖欲作相类之事业者，必须具有鸿博之学识，此我之所缺者也。复次应有少年精力，不少余暇；

乃我始着手于衰朽之年，厕位国相之时。猥以菲材，时间皆消磨于综理国事之中。则本书难免含有错误，愿读者谅其情而宽宥之。”

刺失德又云：“算端见我所撰序文，曾语我曰，迄今所识史书中所载之事迹，容有不能符合其真相者。特以汝所举之理由，足为彼等辩解，而汝亦可以此自解。然若汝所编始成吉思汗迄于今日之蒙古史，为吾人最感兴趣之部分，其真实非从前修史者之所能及。此精通我祖宗历史者众口一词之证明也。”

由是可见此第二序文之撰时，应在奉完者都命增修二册之后。至若其第一册，乃奉合赞命专修之蒙古史也。其使吾人认识鞑靼地域之古民族，成吉思汗之祖先，以及此侵略家最初诸年之事迹者，仅有此书。其对于此点颇为紧要。所载之事固多已见前此著录诸史书之中，刺失德所录《世界侵略者传》之文尤夥；但刺失德书较为完备，次第方法较为井然，而其文笔简洁，尤合史体也。

刺失德书止于合赞汗之死，后经人续撰，止于不赛因在位之末年，质言之，其身死之七三六年(1335)也。此汗得视为波斯成吉思汗朝之末主，续撰人在《完者都传》前所撰短篇序文之中，曾言算端沙哈鲁八哈都儿(Schahroukh Bahadour，此王在 1405 年袭父帖木儿 Tamerlan 位)欲补修刺失德之史书，加入算端摩诃末合儿班答(Mohammed Khoudabende，案：即完者都)与其子算端不赛因八哈都儿(Abou-Saïd Bahadour)两代之事，以便续修帖木儿史。盖帖木儿史开始于不赛因死后之事变也。续撰人乃参考种种可信之载籍，续撰此两代之史事，体例一仿刺失德原书。此续撰人在钞本之后，曾著录其名，吾人知其为奥都剌(Abd-oullah)子麻速忽(Mass'oud)。而其成书之时，则在八三七年七月四日(1434 年 2

月16日)。

刺失德初为算端合赞侍医。1300年,合赞擢之综理波斯政务。1304年,完者都即位,命其仍守相职。1307年(七〇六),刺失德进呈其所撰之《史集》,颇受算端优宠。然在不赛因即位之初,遂不免遭受蒙古君主所任诸相之寻常结局。其政敌诬其进毒于完者都,因被断处死刑。而此以鸿博学识显著,并热心鼓励学术文艺之老人,于贤明治国亘十八年后,遂被腰斩。时在1318年(七一八)9月13日也。[①]

也里州志 《天堂之园》或《也里州志》(Kitab raouzatul-djennat fievssaf médinet il Hérat),额思菲匝儿(Esfézar)人木哇燕丁摩诃末(Moa'yen-ed-din Mohammed El-Esfézari)撰。额思菲匝儿,也里(Hérat)区中之一镇名也。巴黎图书馆藏波斯文写本。

本书所志,不仅也里一隅,并及呼罗珊全境。嗣述也里之历史,始阿剌伯人之侵略,终于著者在生之时。所言成吉思汗军队残破呼罗珊及蒙古统治此地时代之事甚详。

木哇燕丁言其曾在帖木儿后裔算端忽辛八哈都儿汗(Houssein Bahadour Khan)朝中任要职。八七三年(1468—1469),算端忽辛在卜撒因(Abou-Saïd)被杀后夺据也里,其编纂本书盖在此汗在位之第二十六年奉命为之也。

贵显世系 《贵显世系》(Mo'izz-ul-anssab),巴黎图书馆藏波斯文写本。

① 案:《东方富源》第1册及第5册中Et. Quatremère君所撰术外因人阿塔木勒克与哈马丹人剌失德两传,曾列举其著作,文甚佳,可资参考。

此写本内载成吉思汗系与帖木儿系诸王、公主之世系，及此两朝君主、妃嫔与诸重臣之姓名。佚撰人名，据言在八三〇年（1427）奉沙哈鲁八都儿汗（帖木儿子）命，编此系谱。案：帖木儿系止于死在九二三年（1517）之 Bédi-uz-Zéman，则后此有人增补，非出一手也。

世界史略 《世界史略》，西利亚（Syrie）文本，阿不法剌治（Grégoire Abou-l-Faradje）亦名把儿赫不烈思（Bar Hébræus）者撰。

此小编年史所记蒙古统治波斯时代之事，能补充阿剌伯与波斯史家之记载者甚微。著者所志成吉思汗侵略，与其最初数继承人时代之事，大都采自术外尼（Djouvéini）之书（案：即《世界侵略者传》）。惟时代距著者生时愈近，所记愈详；常记录伊斯兰史家几从未言及之东方基督教徒，尤详于其时毛夕里、额儿比勒两地之事，此其所长也。

把儿赫不烈思殁于 1286 年。后此不知经何人续修此书止于 1297 年。此续修部分所志乞合都（Guikhatou）、伯都（Baïdou）两代大事甚详。

此始于世界创造之编年史，盖为把儿赫不烈思撰述之第一篇。其第二篇志安都（Antioche）诸总主教之历史，止于 1285 年。其第三篇志雅各派（Jacobites）诸总管总主教以及聂思脱里派（Nestoriens）诸总主教之历史，止于 1286 年。然此二篇尚未传世。

《世界史略》之西利亚文本，已在 1789 年经德国考据家 Bruns 与 Kirsch 二人刊行，并附有拉丁（Latin）译文。惟错误甚多。后由：Ferdinand Gregor Mayer 订正，此订正本之标题为：Beyträge zueiner richtigen Ubersetzung der syrischen Chronik des Gregorins Bar Hebræus, Wien 1819, in-8.

阿不法刺治以1226年出生于马刺迪牙(Malattia)一名蔑里田(Mélitène)之地,医师名阿隆(Aaron)者之子也。早列名教师籍,二十岁时,雅各派总主教命之为豁波思(Gobos)主教,次年改刺哈班(Lacabène)主教,后为阿勒坡(Alep)主教。1264年时,被选为雅各派之总管(Maphrian),其位盖处总主教(Patriarche)与大司教(Métropolitain)之间。晚年应伊斯兰教数贵人之请,译其西利亚文编年史为阿刺伯文。今存之"Tarikh mokhtassir ud Duwel,"或《诸王朝史略》,内载始阿当(Adam)终1285年之事。而经Pocock于1663年在Oxford刊行,附以拉丁译文题曰"Historia compendiosa Dynastiarum"者,疑即是书。阿不法刺治对于神学、玄学、论理学、辩证学、伦理学、政治学、经济学、物理学、天文学、医学,皆有著述。其弟把儿扫马(Barsuma)曾继其总管之位者,已在阿不法刺治传后,著录阿不法刺治所撰此类学科之书目,共有三十一种。

突厥世系　《突厥世系》(Schédjére-i Turki),阿不哈齐八哈都儿汗(Abou-l-Gazi Bahadour-khan)撰(突厥语东方方言本)。

本书为一种蒙古人史略,始成吉思汗之祖先,终著者在世之17世纪初年。书分九篇:第一篇上溯至于阿当,在数页书中,记此第一人与蒙古人神话祖先中间之事,而假定蒙古人之神话祖先为Jafeth之后裔。第二篇止于成吉思汗之诞生。第三篇为此侵略家之传记。余六篇为其后裔之历史。

阿不哈齐书适应吾人所研究的蒙古史时代之部分,盖为节录剌失德书之文，文极简陋，毫无可取。

此书言之较详者，则为君临钦察、突厥斯单、河中、花剌子模等地术赤后人之历史，尤详于1506年迄此系后裔阿不哈齐死亡之1664年花剌子模诸汗事迹。此一部分可占全书三分之一。

阿不哈齐者，阿剌卜摩诃末汗（Arab Mohammed-khan）子而术赤之十二代孙也。以一〇一四年三月十五日（1605年7月31日）生于兀笼格赤（Ourgandj）。一〇五三年（1643）承花剌子模汗位，一〇七四年（1663—1664）死。死前未久，传位于其子阿奴失摩诃末八哈都儿（Anousché Mohammed Bahadour）。时其书尚未脱稿，遗命其子续成之。阿奴失乃续辑一〇五六年（1646）至阿不哈齐死年之事。

此书赖瑞典军官得传于世。先是瑞典军官在 Pultawa 被俘，而流放于 Tobolsk 者，得阿不哈齐所撰史书写本，译为德文。后在1726年，复经 Varenne de Mondesse 君由德文转为法文，在莱德刊行，标其题曰《鞑靼世系史》。后在1825年，得斡罗思宰相 Nicolas de Romanzow 伯爵之资助，将阿不哈齐原书在 Casan 大学印行两开本一册，合183页，以原本与译文对校，译文之不正确，不难见之。

以下著录诸书，皆涉及西利亚、埃及之历史者，所志埃及人与蒙古人之和战事较详。

贝巴儿思传　《由咱喜儿（Zahir）传采录之王德》（Kitab Hassan ul-ménakib is sériyet el montaza'at min iz-sirét is-zhahiriyét），书记沙非（Schafi el Katib）撰（巴黎图书馆阿剌伯文写本）。

是为1260迄1277年间君临埃及、西利亚之算端咱喜儿贝巴儿思(Ez-Zahir Beïbars)之传记。著者在序文中言此算端秘书名木哈亦丁阿不法即勒奥都剌(Mohayi-ud-din Abou-l-Fazel Abdoullah)者,曾撰《贝巴儿思传》。案日志其言行,谀颂其德未免过度,其文冗长,读之倦厌;沙非应其请,乃节录其文而成是书。

哈剌温传　《日岁之光荣》,一名《算端满速儿(Al-Manssour)传》(Téschrif-ul eyiam vé-l ou'ssour,bi-siret is soultan,el-Melik el-Manssour)(巴黎图书馆阿剌伯文写本)。

是为1280迄1290年君临埃及之算端哈剌温(Calavoun)之传记。此写本第一篇几全佚,第三篇篇首并缺,亦不详其撰人名。

算端王侯军队史　《算端王侯军队史》(Tevarikh us- selatin, ve-l-mulouk ve-l a'ssaker)(巴黎图书馆阿剌伯文写本)。

此写本仅存埃及算端哈剌温子阿不费特摩诃末(Abou-l-Feth Mohammed)之传记残文。著录七〇四及七〇五(1304—1306)两年之事。Katib Tchélebi之《人名词典》言著者名苫思丁叔札亦(Schems-ud-din el Schudja'yi),埃及人也。

诺外利书　《适应文学各科之成绩》(Nihayet ul-éreb fi funoun il-édeb)奥都瓦哈卜(Abd-oul-Vahhab)子、司教(Scheïkh)失哈不丁阿合马(Schihab-ud-din Ahmed)撰,此人即以诺外利(Novaïri)著名者也(莱德图书馆阿剌伯文写本)。

书分五部(fenn),适应文学之各科,每部又分为门(cassm)、为篇(bab)、为章(fassel)。

第一部言天体、气象,时季、地球与七种气候之区分。第二部言与同类关系中之形体之人与精神之人,并言政治学。第三部言动物界。第四部言植物界。第五部言教俗之历史。始阿当,终 14 世纪初年,著者享盛名之时。

此书第一册列举此大部著作之目录。Reiske 曾继 Koehler 所译阿不非答(Abou-l-Feda)之西利亚目录之后,在其所撰之 Prodidagmata ad Hagji-Chalifoe Librum mémorialem rerum a Mahammedanis gestarum 中 232 页以后,将此目录译出。

成吉思汗与其系诸王之历史,并见本书第五部第五门第十一篇中。著者首言其所本之史料云:"吾人简单叙述成吉思汗在生之事迹,始于其发迹,终于侵略诸国之时代。转录吾人所见之载籍,搜集世人之谈说。此帝国幅员虽广,惟距离发源地辽远,而同时代之史籍数种又已散佚,吾人既不能裒辑其一切史事,亦不能审其所载事实是否正确。然吾人以为对于事之显著者,未便缄默不言。所以吾人根据秘书之札阑丁史,与额梯儿子也速丁所撰之《全史》,记述此系诸汗之事。然未遵何种次序,至若其他诸人所撰同一问题之书籍,吾人未得见之,是以未能参考。此外吾人根据诸汗遣来聘使之所言,或行历其国诸人之所述,以补此二书之所未备。并补记此二著者身后之事迹。"

诺外利书中此一部分,非吾人所应采取蒙古史之史料者也。盖吾人不特有其所本之载籍,且并有其所未识抑未著录之材料。若术外尼书、剌失德书、瓦撒夫书之类,殆因其为波斯文,非彼等所熟习者也。特其埃及玛麦里克(Mameloucs)系诸算端之历史,所载埃及诸王与波斯、蒙古诸汗战争与外交之事颇详,足资参考之用。

著者以当时人记当时事,故曾在此埃及编年史中附带言及关于本人之若干事迹。其在六七七年(1278—1279)下云:"是年也,在十一月二十一日黎明之前夜,撰辑本书之摩诃末(Mohammed)子奥都瓦哈卜子、司教失哈不丁阿合马(著者列举摩诃末以上之世系迄于哈里发阿不别乞儿 Aboubékir),而以诺外利之名显于世者,诞生于赛德(Saïd)城之 Akhmim。"又在六九九年(1299—1300)下,志其父塔只丁阿不摩诃末奥都瓦哈卜(Tadj-ud-din Abou-Mohammed Abd oul Vahhab)曰 Tihiyen、曰 Coureischite,而以诺外利之名显于世者,在十二月二十二日(1300 年 9 月 8 日)殁于其讲习蔑力克礼(rit Malik)之开罗(Caire)撒里黑涅只迷(Salih Nedjmi)学院。其出生也,地在密昔儿(Misser)之马鲁纳(Ma'rounat)学院中,时在六一八年(1221)。

诺外利言其曾身经七〇二年(1303)黄牧场(Merdj-us-Sofar)之战役。时哈剌温子算端纳昔儿(Nassir)在此役中大胜蒙古军,然未言其在军中任何职。

同一著者在七一〇年(1310—1311)下,言其受任为西利亚官吏,时在算端纳昔儿在位之时也。据云:"我奉命赴特里波立(Tripoli)州为征收赋税官(Schib-ud-Divan)。任命状曾由博学之木剌(Molla)阿勒坡人马合谋(Mahmoud)子失哈不丁(Schihab-ud-din)笔撰,其子哈的(Cadhi)札马鲁丁亦不剌金(Djémal-ud-din Ibrahim)记录,上著年月为一月十五日(1310 年 6 月 14 日)。我在二月一日(6 月 30 日)自开罗出发,奉职迄于十月一日(1311 年 2 月 21 日),至是转任为军监(Nazir-ul-Djeïsch)。"诺外利任此职未久,故又在七一二年(1312—1313)下云:"我在五月(9 月)辞特里波立州军监职,复还开罗。"

此部埃及史与波斯、蒙古朝时代相应者，见于本书第五部第五门第十二篇中。

莱德大学图书馆现藏有诺外利书四开本十二册，历史部分几尽完备无缺。

埃及诸王史　《灿烂星宿，埃及诸王史》(En-nudjoum uz-zahiretfi mulouk missr v-el cahiret)，腾格里比儿的(Tangri-virdi)子札马鲁丁阿不木哈新亦速甫(Djémal-ud-din Abou-l-Mohassin Youssouf)撰，其人殁于八一五年(1412—1413)(巴黎图书馆藏阿剌伯文写本)。此编年史始于二二四年(838)，终于六九〇年(1291)。

马克利齐书　《诸王国志绪言》(Es-sulouk li ma'rifet duvvelil-mulouk)，司教塔乞丁阿合马马克利齐(Taki-ud-din Ahmed el-Macrizi)撰(巴黎图书馆阿剌伯文写本)。

此埃及史始于撒剌丁(Saladin)之灭法迪马朝(Fathimites)哈里发之国，终于八四五年(1441)。著者先撰有《埃及史》二部，记载阿剌伯人侵略以来之史事，此盖续编也。马克利齐(Macrizi)以七六六年(1364—1365)生于开罗，殁于八四五年(1441—1442)。

哈里发史略　Kitab fi-l adab is solttaniyet v-ed-duwel-ilislamiyet(巴黎图书馆阿剌伯文写本)。

本书分二篇：上篇言政治学，下篇志阿拔思(Abbassides，黑衣大食)、法迪马两朝诸哈里发之史略。著者之名在写本序文中已有一部分漫漶不明，惟知其曾居毛夕里，谒此城之王蔑力木哇咱木法合鲁丁(El Mélik el Mo'azzam Fakher-ud-din)，颇受宠遇，乃撰此篇，以资纪念。著者言将赴帖必力思(Tébriz)，惟写本尾载，书

成于七〇一年中，质言之，1302年初时，著者尚在毛夕里也。其人为阿里（Aly）派信徒，而其为撰此书之毛夕里王，乃波斯、蒙古汗之一藩臣，其欲赴之帖必力思，即此汗之都城。所以书中有赞扬蒙古政府之德之语。撒西（Sylvestre de Sacy）君在其《阿剌伯文选》中已见引之。

眼历诸国行纪　《眼历诸国行纪》（Messalik nl-abssar fi mémalik il-emssar），教长（imam）失哈不丁阿不阿拔思（Schihab-ud-din Abou-l-Abbass）撰。其人以乌马儿子（Ibn-ul-Omari）一名而显于世，缘其为哈里发乌马儿（Omar）之后裔也。

本书仅巴黎图书馆藏有一部，惟存其第二十三篇。其中记事始五四一年（1246—1247），迄七四四年（1343—1344）。所记者为西利亚、埃及之大事，用编年体，然较腾格里比儿的书与马克利齐书更为简略。

乌马儿子曾在西利亚、埃及之法署供职。以七四九年（1348）殁于大马司（Damas）。

伊斯兰教王朝史　《伊斯兰教王朝史》（Duvvel ul islam），司教苫思丁哲赫比（Schems-ud-din ez-Zéhébi）撰（莱德图书馆阿剌伯文写本）。

书分二篇：上篇始摩诃末，终四八七年（1094）哈里发木黑帖的（El Moctédi）之死。下篇止于七四四年（1343—1344），亦编年体。案年记载伊斯兰教世界中之大事，尤详于埃及、西利亚两地。此书疑为同一著者所撰别一编年史题曰《伊斯兰教史》（Tarikh-ul-Islam）者之节本。

乐园　《乐园》（Raouzat us-safa），哈完的沙（Khavend-

Schah）子摩诃末（Mohammed）撰，即以迷儿洪的（Mirkhond）之名而传世者也。其人殁于九〇三年(1497—1498)。多桑藏波斯文抄本。

此世界史第五册之蒙古史，世人多熟知之，盖辑《史集》、《世界侵略者传》、瓦撒夫书三书而成者也。13世纪后，其他诸伊斯兰教著作家记述成吉思汗与其后裔之事者，类皆取材于此三书。

木涅靖巴失书　《历数长之历史》（Tarikh Monedjim-Baschi），多桑藏突厥文写本四开本二册。

原书阿剌伯文，一〇五八年（1648—1649）即位之斡都蛮朝（Othoman）算端摩诃末四世（Mohammed IV）之历数星士长教士（dervisch）阿合马（Ahmed Efendi）撰。所记事迄于斡都蛮朝，止于一〇九三年(1682)。一一三二年(1720)时，大宰相大马的亦不剌金（Damad Ibrahim Pascha）命阿合马本摩诃末涅丁（Ahmed ben Mohammed Nédim）译此书为突厥文。

乞卜察汗书　乞卜察汗书（Tarikh Kiptchac-khani），乞卜察汗（Kiptchac-khan）撰，巴黎图书馆藏波斯文写本。

是为穆斯林世界史之节编，记事止于一一三八年（1725—1726），乃为进呈剌火儿（Lahaur）王赛甫倒剌奥都撒买的汗（Seïf-ud-devlet Abd-ous Samed khan）而撰。其文干燥无味。

此后吾人常引本书所本之史源，辄苦不能详举原书页数。盖东方写本未曾标明页数，间有经欧洲人标明者，纵举此本页数，然亦不能供持有同本其他抄本者之用。顾东方语言学者，欲检寻其出处者，在编年史中不难在每年之下求之。至若未严格采用编年之本，则可据标题求之。

本书所附之亚洲地图，乃经剌辟（Le chevalier Lapie）君根据已识最良之史料编制者。其间小亚细亚、波斯与波斯、印度间诸地，乃经此地理学者根据其研究十有余年之一大成绩而为采录，亦曾参考多数行纪。至若印度，则采用 Arrowsmith 之大地图与特别地图数种。中亚则参合斡罗思文诸地图与数种行程道里记载为之。例如由迦叶弥儿经行巴达哈伤（Badakhschan）、忽毡（Khodjend）至答剌速（Taraz）一道，所经者几全为迄今未识之地，观此图可以将其道里大为阐明。西伯利亚（Sibérie）则采取斡罗思地图数种，就中有 Kolyvan 之地图，并参考数种行纪为之订正。广大中国之地图，则采用中国地图，辅以不少天文学之测验，并取多数行纪订正之。总之全图皆根据最新之测验，并使用业已出版之一切报告编制之。

13 世纪初年亚洲各国之境界，则依历史记载为之划分。仅有三城史文不明，尚难详其方位，只能约略指定其所在而已。此即别失八里（Bischbalik）、海押立（Cayalik）、阿力麻里（Almalik）三城是已。

第　一　章

中亚之游牧民族——突厥与鞑靼之古国——其与中国之关系——13世纪初年之中亚——此时代之鞑靼种民族及其所居之地域——其风俗

亚细亚之中部，北有诸山系与西伯利亚为界，南界高丽(Corée)、中国、土番、细浑河(Sihoun)、里海，此种广大地带西起窝勒伽河(Volga)，东抵日本海，自太古以来，属于三种人种之游牧民族居焉，是即世人可以通称曰突厥、曰鞑靼(Tatares)或蒙古(Mongol)、曰东胡(Toungous)或女真(Tchourtché)者，是已。上述区别之所根据者，在此类民族之语言方面，较其形貌方面为甚。

中国史籍[①]在远古之时业已著录有中亚之游牧民族，而概名之曰北狄，记载其地之变乱，与夫历代建设之帝国。其在中国史中首先著录之强国曰匈奴，至公元93年时始灭。纪元2世纪半以前，建筑著名之长城连亘于此大国之北方全境者，盖为防御此种游牧部落之侵寇也。匈奴之后，继以亡于233年顷之鲜卑。嗣后占

① 中国载籍中所著录之中亚历史、地理、外国人名、地名，脱非、脱误太甚，将可为最堪宝贵之史料，惜所著录者常难辨识。

有鞑靼区域并进据中国北部之民族,则为拓跋,一名 Sotous[①]。5世纪初年柔然代兴,一百五十年后灭于突厥。时突厥帝国东起东海,西至里海,南接中国、土番(Tibet),北抵北冰洋。至唐天宝三年(744 年)时,中国与回纥(Ouigours)及其他邻近民族合灭突厥,由是回纥遂强。后至 848 年,回纥又为黠戛斯(Kirguises)所破灭。

10 世纪之初,有契丹(Khitan)者,兴于辽东之北,进据鞑靼地域,嗣取中国北境。至 1125 年时,鞑靼地域极东一带之别一游牧民族曰女真者,灭契丹,取中国三分之一之地,定都于中国本部,建国号曰金,斥地至于淮水,与宋国连界。时其国境东至日本海,西抵包括今日陕西一部之夏国或唐兀,西北逾沙漠与哈剌契丹(Cara-Khitaï)帝国相接,北界逾黑龙江(Amour)拜哈勒湖以外,尽有鞑靼地域,其游牧民族皆来朝贡。

此种好战之游牧部落,历代以来,屡为中国之患。其北邻贫乏,不足以启其贪心。当时之西伯利亚,尽为游猎于广大森林的游猎民族所居之区。由是在亚洲大陆之中,一如文化进步之次第,游牧民族处于游猎民族与务农民族之间,一旦有机可乘,鞑靼地域之牧人,即侵寇中国,而满其抄掠之欲望。蹂躏一地以后,即取其所掠之物与所虏之民渡漠而去。迨中国集兵以御时,则已远走,难于追击矣。其所建之长城,从来未能阻其侵入。中国政府常取羁縻方法,怀柔北边之诸游牧部落,利之俾守其境,以御其他民族,然此种政策常致祸乱。其最稳健之方法,则在不用兵,而离间诸部落之酋长,是即为中国政治家之主要标的也。中国用此离间政策,遂使

① 钧案:原文疑为索虏对音之误。

此种游牧民族臣服中国。诸单于(Tanjous)[①]诸汗(Khans)来朝者,则授以爵位,封册,袍印鼓纛。第若此种游牧部落集合于一具有手段与野心的酋长之麾下,则中国反受其制,不得不奉岁币求和,以满鞑靼诸酋难饱之贪欲。诸酋常遣使臣接受绢、帛、茶、银等物,而求以公主下嫁者,中国亦不能拒也[②]。

13 世纪之初,在上述地带之西部,自谦河(Jénisseï)、也儿的石河(Irtisch)上流以南,为突厥民族所居之地。若乞儿吉思(Kirguises)、畏吾儿(Ouigours)、乌古思(Ogouzes)、钦察(Kiptchacs)、哈剌鲁(Carloucs)、康里(Cancalis)、哈剌赤(Calladjes)[③]、阿合扯里(Agatchéris)[④]等民族者,五百余年来,为亚洲、非洲多数回教国君主发祥之部族。最东兴安岭以东松花江(Songari)发源之地,属于东胡种之民族,昔曾占领中国北部,今尚君临中国全国。至在大沙漠以北之中间地域,则为鞑靼种诸民族所处之地。此种民族在此时代中,曾集合于成吉思汗之麾下,遍躏亚洲全部与欧洲东方,肆其破坏与杀戮也。

此种鞑靼民族旧曾称藩于金国者,形貌、语言、风俗、习惯、迷信大致相类,其间部众最夥者为乃蛮(Naïmans)部落。居也儿的石河上流及大金山(Altaï)山脉连亘之地。西隔一沙漠,与突厥种之畏吾儿相接。北界小金山(Altaï),与突厥种之乞儿吉思、谦谦

① 钧案:原译,中国史籍之人有误读,故有此对音。

② 见冯秉正撰《中国通史》,巴黎刊,1779 年,四开本第 2 至第 8 册。De Guignes 撰《匈奴通史》,巴黎刊,1756 年,四开本第 1 册第 1 至第 6 篇。

③ 钧案:此非《元史》之哈剌赤,特求其谐音而已。

④ 钧案:此族未详,其名盖出剌失德书。

州(Kem-Kemdjoutes)两部之地为邻。东界哈剌和林(Caracouroum)诸山,与克烈部(Kéraïtes)连界。时克烈之居地达于斡难、怯绿连两河之源①,克烈部以北之地属蔑儿乞部(Mérkites)。别有斡亦剌部(Ouirates),则据有构成昔之谦河(Kem)今名Jénisseï之八水灌溉之地②。札剌儿部分为十部③,部各有长,结幕于斡难河畔,共有七十千户(Kuré)塔塔儿(Tatares)部居女真旧境边界附近捕鱼儿(Bouyour)湖一带。此女真民族者,即上言昔日占据中国一部与鞑靼区域全境之民族也。

汪古(Ongoutes)部隶于女真皇帝,为之守御长城。鞑靼民族谓长城曰Ongou,故以为此部名。

唐兀部占有中国西方大省陕西之一部与黄河诸源所在等地。10世纪时,此部之一部长于此建立夏国。

拜哈勒湖西广大森林之中,乃兀儿速惕(Orassoutes)、帖良古惕(Télengoutes)、客思的迷(Keschtimis)三部所处。此类部落以治疗之术著名于当时。西邻突厥种二族,曰乞儿吉思、曰谦谦州,以安哥剌(Angara)河为界,此河北之地,名曰亦必儿失必儿(Ibir-Sibir)。

拜哈勒湖东有忽里(Couris)、豁阿剌失(Coalaches)、不里牙惕(Bouriates)、秃马惕(Toumates)四部,合名曰巴儿忽惕(Bar-

---

① 案:此河在《世界侵略者传》与《史集》中常写作Kérouran。

② 此八水名Gueuk、On、Cara、Sedi、Acrai、Aca、Tchourtchés、Tchagan。剌失德书云谦河流注Angara河,阿不合齐书名第四水曰Sebi-coun,第五水曰Acari,第六水曰Acar。

③ 其名曰Tchates、Toucaraoutes、Coungcassaoutes、Ouyates、Bilcassan、Kouguer、Toulankit、Bouri、Schingcoutes。剌失德书别又云,札剌儿部居怯绿连两岸。

goutes)。居薛灵哥河(Sélinga)外,其地名巴儿忽真隘(Bargoutchin-Tougroum),盖其东北与鞑靼诸族所居之地连界也[①]。其北邻诸部曰不勒合真(Boulgatchines)、曰客儿木真(Kermoutchines)、曰兀良哈(Ourianguites),一名森林中人,最后诸部种属东胡[②]。

尚有雪你惕(Sounites)、曲儿鲁兀惕(Keurlououtes)、撒合亦惕(Sacaïtes)、忽儿罕(Courcans)诸族,亦经人列于此类民族之中,然未指明其所居之地[③]。

蒙古民族居地在拜哈勒湖之南,其部落甚多。可数者,游牧赤答(Tchida)河畔之伯岳吾(Bayaoutes),居于薛灵哥两岸之泰亦赤兀惕(Taïdjoutes),居于鞑靼、女真分界山系附近之弘吉剌(Coungcarates)。成吉思汗所自出之部落,则在伯儿合都(Bergadou)一名不儿罕合勒敦(Bourcan-Caldoun)诸山之中。有数水发源于此,或若注入拜哈勒湖之秃剌河,或若流入东海之斡难、怯绿连者是已[④]。

此类山岳与夫蜿蜒拜哈勒湖南之其他山系,遍布岩石,上覆青苔。山隙间生树木,山顶所积冰雪常年不见溶解。山谷之地大致皆为砂质。此地一带河流之沿岸,或为草地,或为松桦之林。

---

① 巴儿忽真为一河名,东来注入拜哈勒湖,Tougroum 犹言境界。今之达呼儿(Daourie)即由此名转出。今达呼儿地即在湖东,尚为不里牙惕族所居之地。

② 参照本卷末附录一。

③ 《史集·成吉思汗本纪》前所举鞑靼、突厥名称中,尚有一族名帖黑邻(Tekrines),一名蔑黑邻(Mekrines)者,既非畏吾儿亦非蒙古,质言之,既非突厥亦非鞑靼,所居地在畏吾儿国山地之中。

④ 见剌失德《史集》,可参考本卷末附录二所举一切蒙古部落之名称。

鞑靼地域处地甚高，故其气候较之欧洲同一纬度之气候为严烈。拜哈勒湖水每年冰结者常四五月，摄氏寒暑表零度下二十五度之寒度，不少见也，北极光、风暴、地震，亦常有之[①]。

此种鞑靼民族之容貌，与中国人尚相近，然与大地其他民族不难判别。眼褐色，斜向鼻，颊大颧高，鼻平唇厚，头面圆，带橄榄色，颐下少须，是其特征也。今日其后裔，若蒙古人、喀耳木(Calmoucs)人、不里牙惕人，尚复如是。其身长大致不逾中人，肩阔腰细。

剃发作马蹄铁形，脑后发亦剃。其余发听之生长，辫之垂于耳后。

头戴各色扁帽，帽缘稍鼓起，惟帽后垂缘宽长若棕榈叶，用两带结系于颐下，带下复有带，任风飘动。其上衣交结于腹部，环腰以带束之。冬服二裘，一裘毛向内，一裘毛向外。女子有高髻，然女服近类男子，颇难辨之。

所居帐结枝为垣，形圆，高与人齐。上有椽，其端以木环承之。外覆以毡，用马尾绳紧束之。门亦用毡，户向南。帐顶开天窗，以通气吐炊烟，灶在其中。全家皆处此狭居之内。

其家畜为骆驼、牛、羊、山羊，尤多马。供给其所需，全部财产皆在于是。嗜食马肉，其储藏肉类，切之为细条，或在空气中曝之，或用烟熏之使干。其人任何兽肉皆食，虽病毙之肉亦然。嗜饮马

---

① 见 Pallas 所撰《行纪》，法文译本，巴黎 1785 年刊第 1 册 378 页，又第 6 册 62 页。Ceorgi《斡罗思帝国行纪》，圣彼得堡 1775 年刊，四开本第 1 册 130 页以后。Du Halde 撰《中国及中属鞑靼地域志》，巴黎 1735 年刊，二开本第 4 册 20 及 22 页。Witsen，Noort en Oost Tartaryen 第三版 Amst. 刊，1785 年，二开本第 1 及第 2 册。

乳所酿之湩，名曰忽迷思（Coumiz）。

其家畜且供给其一切需要。衣此种家畜之皮革，用其毛与尾制毡与绳，用其筋作线与弓弦，用其骨作箭镞，其干粪则为沙漠地方所用之燃料。以牛、马之革制囊，以一种名曰 artac 之羊角作盛饮料之器。

此种游牧民族因其家畜之需食，常为不断之迁徙。一旦其地牧草已罄，则卸其帐，共杂物器具以及最幼之儿童载之畜背，往求新牧地。每部落各有其特别标志印于家畜毛上。各部落各有其地段，有界限之，在此段内，随季候而迁徙。春季居山，冬近则归平原，至是家畜只能用蹄掘雪求食。设若解冻后继以严冻，动物不能破冰，则不免于饿毙。马蹄较强，遭此厄较少，故在家畜中为数最众。是以畜养马群为鞑靼种族经济之要源。

其人妻妾之数，任其娶取。能赡养若干人，即娶若干人。欲娶女者，以约定家畜之数若干献之于女家两亲。各妻各有其居帐，为子者应赡养其父之诸寡妇。除其生母外，常能娶其父之寡妇为妻。兄弟亦应赡养寡居之嫂娣。女子颇辛勤，助其夫牧养家畜、缝衣、制毡、御车、载驼，敢于乘马，与男子同。男子不出猎捕之时，则多消磨其光阴于懒惰之中。世人责其人类多狡诈、贪婪、污秽，而沉湎于酒，盖其视酒醉非恶德也。

设有疾，则植一矛于帐前，除看护者外，无人敢入其帐。若死，其亲友则悲号，已而遽葬之，盖以为死者已受恶鬼之制也。人死，置肉乳于其前，素日亲密之人皆来献食。及葬，则在墓旁以其爱马备具鞍辔并器具弓矢殉之，以供死者彼世之用。其业已参加此种礼节者，应行过两火之间。死者之居帐与其所有之物皆净之，并设丧食以资纪念。

若诸王死，则在一帐中置死者于座上，前置一桌，上陈肉一皿，马乳一杯。及葬，则并此帐与牝马一，驹一，备具鞍辔之牡马一，连同贵重物品，置之墓中。秘其葬地，以人守之，不许人近。卸死者之居帐，至第三代时讳死者名，不许言之。

鞑靼民族之信仰与迷信，与亚洲北部之其他游牧民族或蛮野民族大都相类，皆承认有一主宰，与天合名之曰腾格里（Tangri）。崇拜日月山河五行之属。出帐南向，对日跪拜。奠酒于地，以酹天体五行。以木或毡制偶像，其名曰 Ongon，悬于帐壁，对之礼拜，食时先以食献，以肉或乳抹其口。此外迷信甚多。以为死亡即由此世渡彼世，其生活与此世同。以为灾祸乃因恶鬼之为厉，或以供品，或求珊蛮（Cames）禳之。珊蛮者，其幼稚宗教之教师也。兼幻人、解梦人、卜人、星者、医师于一身，此辈自以各有其亲狎之神灵，告彼以过去、现在、未来之秘密。击鼓诵咒，逐渐激昂，以至迷罔，及神灵之附身也，则舞跃瞑眩，妄言吉凶，人生大事皆询此辈巫师，信之甚切。设其预言不实，则谓有使其术无效之原因，人亦信之。

此种游牧之生活，颇易于从事军役。此辈之嗅觉、听觉、视觉并极锐敏，与野兽同能。全年野居，幼稚时即习骑射，在严烈气候之下习于劳苦，此盖生而作战者也。其马体小，外观虽不美，然便于驰骋，能耐劳，不畏气候不适。驯骑者意，骑者放箭时，得不持缰而驭之。此种民族惟习骑战，所以战时每人携马数匹，服革甲以防身。以弓为其主要武器，远见其敌，即发箭射之。其逃也，亦回首发矢，然务求避免白刃相接。其出兵也，常在秋季，盖在当时马力较健。结圆营于敌人附近，统将居中。人各携一小帐、一革囊盛乳、一锅，随身行李皆备于是矣。用兵时随带一部分家畜，供给其食粮。其渡河也，以其携带之物置于革囊之中，系囊于马尾，人坐囊上。

部落之长号那颜(Noyan)，亦号太师(Taischi)，服从其民族之主，其号世袭。各部落又分为队，每队各有其长。同队之人常同结营于一处。每年纳牲畜若干头于那颜，对于那颜为无限之服从。那颜得随意处分其财产，且得处分其身体。鞑靼游牧部落组织既同军队，故不断互为战斗。迨至其聚合于一首领之下之时，不仅征服亚洲，并且经略欧洲之一部云①。

① 可参考13世纪时经行鞑靼地域者之行纪，若迦儿宾(Carpin)之《行纪》，见Vincentii Bugundi Soecuium histpricum中，venetiis 1591年四开本，第29卷第71至第89章。又《鲁不鲁乞(Rubruquis)行纪》第2至第10章。又《马可波罗(Marco Polo)行纪》第一卷55、56、59、69等章，见Jean de Mandeviile书第38章。又海屯(Haïton)《东方史》第48章。见Bergeron之《旅行丛书》，La Haye 1735年刊二开本二册。近代旅行家之撰述言及蒙古人、喀耳木人、不里牙惕人之风俗者，谓此种民族尚保存其成吉思汗时代祖宗之风习。可参考Pallas，Samlungen historischer Nachrichten Mongolischen Vælkerschaften，St-Petersb. 1775 & 1801. 2 vol. in-4；Georgi，Bemerl kungen einer Rei se im Russischen Reiche，2 vol. in-4；Bergman，Nomadische Streifereyen unter den Kalmuken，Riga，1804，4 vol. in-8。

第　二　章

蒙古人之古代传说——成吉思汗之祖先——成吉思汗少年时代之事迹——其长数部——其初诸战——其与克烈汗之关系——克烈部之略志——铁木真与王罕合攻数种游牧民族——两王之结怨——铁木真之败——其遣使告克烈汗之语——王罕之败——其死——铁木真之战胜乃蛮部——乃蛮王之死——蔑儿乞部之降附——塔塔儿部之灭——铁木真之侵入唐兀——此国之略志

蒙古人不知文字，口传其祖先名称与其历史事迹。据说成吉思汗诞生之二千年前，蒙古人为鞑靼地域之其他民族所破灭，仅遗男女各二人，遁走一地，四面皆山，山名额儿格涅坤（Erguéné Coun），犹言险崖也。其地肥沃，避难二人之后裔名曰帖古思（Tégouz）与乞颜（Kiyan）[①]者。后人繁盛，分为部落。因地限山中，悬崖屹立，不足以容，乃谋出山[②]。先是其民常采铁矿于其中之一山，至是遂积多木，篝火矿穴。以七十鞴煽火，铁矿既熔，因辟

① 犹言急流。

② 史家剌失德亲闻目睹额儿格涅坤山之蒙古人之言，谓此山不甚险峻。

一道。成吉思汗后裔之为蒙古君主者，纪念此事，每于除夕召铁工至内廷捶铁，隆礼以谢天恩，蒙古民族之起源如此。蒙古云者，犹言简朴而孱弱也[①]。

约当8世纪中叶时，其已出额儿格涅坤山之数部落，移居斡难、怯绿连、秃忽剌（Tougoula）或秃剌等河沿岸者，其长名孛儿帖赤那（Bourté-Tchina）[②]。传八世至朵奔伯颜（Dounboun-Bayan），娶阿阑豁阿（Aloung-Goa）为妻，火鲁剌思部（Courlasse）之女也。生二子，曰别勒格台（Belguétei），曰别浑台（Bégonteï）。朵奔死后数年，阿阑豁阿复有孕。朵奔亲族责其不夫而孕，阿阑豁阿言，夜中数梦有光从庐顶天窗入，变为淡黄色少年，因以受孕[③]。复生三子，曰不忽合塔吉（Boucoun-Catgaui）、曰不思锦撒勒只（Bouskin-Saidji）、曰孛端察儿（Boudantchar）[④]。孛端察儿，成吉思汗之八

① 见《史集》。

② 此言苍狼。

③ 此种故事，亚洲凡开国之主类多有之。契丹建国主阿保机，在872年诞生之前，其母即见日入怀而受孕（见 Visdelou 撰《鞑靼地域史》81页）。剌失德撰述之时，在14世纪初年，曾推定阿阑豁阿生存之时在四百年前。据云："此种鞑靼民族之历史，仅持其不确实之传说，故皆暧昧不明。兹据今人之所知，著其起源与分为部落之事，朵奔伯颜、阿阑豁阿生存之时代，颇难确定。但考宝库所藏之成吉思汗系史，并旁采高年故老之说。可以上溯至四百年前，质言之，在阿拔思朝与撒曼朝（Samanides）之初年。"案剌失德所言之史书，殆指后此所言宝库所藏，经大官数人保管之金册（Altan Defter）也。

④ 见剌失德《史集》，冯秉正书第9册3页。夏真特神甫所译《元史》，题曰《成吉思汗系最初四汗史》（圣彼得堡1829年八开本）12页。剌失德所名之朵奔伯颜，在中国史书中作脱奔咩哩犍，在撒难薛禅（Sanang-Setsen）之《蒙古源流》中作多博墨尔根。据《蒙古源流》，阿阑豁阿是秃马惕部主郭哩岱之女；据冯秉正与夏真特所译之中国史书，阿阑豁阿生二子，曰博寒葛答黑、曰博合睹撒里直，无别勒格台、别浑台二人名，则阿阑豁阿寡居时仅生一子曰孛端察儿矣。剌失德与其他波斯史家撰述中用阿剌伯字译

世祖也。诞生之时,约在10世纪之初。兄弟三人传后甚众,后成若干部落,世人别号之曰尼伦(Niroun),质言之,"胁"也,示其来源纯洁,与其他诸蒙古种诸部有别。剌失德谓其与普通蒙古部落异者,犹之珍珠之与介壳,果实之于树木。此史家又云,此种部落为数虽众,然不难知各部落之起源,盖蒙古人与阿剌伯人同,皆能记忆其世系,而传之于子孙。与其教授宗教大意于子孙者无异也①。

孛端察儿之孙玛哈图丹(Makha-Toudan)②老死,遗七子③,其妻莫拏伦(Monouloun)所出也。

时有札剌儿(Djélaïres)部在怯绿连河上为中国皇帝之兵所攻击,被杀戮者甚众。有札剌儿人七十户,避兵逃至莫拏伦牧地,饥困,在莫拏伦诸子练习驰骋之地掘草根为食④。莫拏伦见有人掘毁其地,怒甚,驱车伤其数人。札剌儿人忿怨,尽驱莫拏伦马群以

写之蒙古名称,有时不尽确实无误,盖阿剌伯文不著韵母,而对于判别声母之音点有时省略也。所以吾人对于其中蒙古名称,尤特别对于成吉思汗祖先之名称,皆据《蒙古源流》订正。此书曾经史米德(J-J. Schmidt)君译为德文,题曰《撒难薛禅之东蒙古史》,圣彼得堡1829年四开本。此书在历史方面对于吾人毫无功用,但在研究蒙古语言方面颇可宝贵。盖同一学者曾刊布一种用斡罗思语与德国语解释之《蒙古语词典》,可补从前欧洲所有诸小字汇之缺也。

① 参考卷末附录三《成吉思汗祖先世系表》。

② 此人在剌失德书中作Doutoum-Menen,在中国史书中作咩撚笃敦(夏真特《四汗史字书》370页)。

③ 《史集》谓有九子。

④ 剌失德云,此地所食之根名曰速都孙(Soudou ssoun),然冯秉正书(五页)则谓其为人参。Pallas(第4册220页)云,赛合克鞑靼(Tatares Saigaks)及散处Kouznezk诸山中之贫苦部落,皆以植物野草之根为食,仿东胡人,求根于田鼠之穴,名此田鼠曰Kouloum。田鼠掘穴于草地之下,穴中有道互通,藏草根以备冬食。此外鞑靼人备有一种小锄,以为掘根之用。

去。莫挐伦六子不及衣甲，驰逐与战，莫挐伦虑难胜敌，令诸子妇载甲追从之，然未及至，六子已尽没矣。已而札剌儿人并杀莫挐伦，惟其孙海都(Caïdou)尚幼，乳母匿诸积薪中获免。先是其第七子纳真(Natchin)娶巴儿忽惕部之女，而留居其地。

至是纳真[1]闻其母及诸兄死，遽还。见老妪数人与海都仅存，欲复仇，并夺还被掠之物；然苦无马，幸有一骍马中道逸归，纳真得乘之，往侦札剌儿人。路逢父子二人乘马拳鹰行猎。二人相距微远，纳真识鹰为兄物。趋前给少者，询其是否见有一赤马引群马东行。少者答曰否。转问纳真来地有否凫雁，纳真曰有，愿导之至其地。行至河隈，出不意刺杀之。系马与鹰，趋迎后骑，给之如初。后骑问其子何为久卧不起，纳真以鼻衄对，乘隙又刺杀之。远见山谷中有马数百，童子数人守之，方掷石为戏。纳真乘高四顾，见无来人，乃尽杀童子，驱马拳鹰而还。取海都并诸老妪赴巴儿忽惕之地。

海都既长，纳真与巴儿忽惕之民奉之为主。海都既得众，以兵攻取札剌儿人，而役属之，定其主要驻所于黑河(Kara Keul)河畔，由是各处部落陆续归之。其民日众[2]。

海都所辖之地，在巴儿忽真隘地域之中，海都生三子，长曰伯升豁儿(Bai-Sangcor)。伯升豁儿生子名屯巴该汗(Toumbagai-khan)。屯巴该生九子，后裔各成部落。两百年间，繁殖甚众，1300 年时，已有户二三万矣。

---

① 案：此为一种鸷鸟之蒙古名称。

② 夏真特《元史译文》2 页以后，冯秉正书第 9 册 8 页。巴儿忽之地在拜哈勒湖之东，因有巴儿忽真(Bargoutchin)之水注入此湖，故以名其地。

屯巴该之第六子合不勒汗(Caboul khan),曾为蒙古诸部落一部之长。相传此汗曾入朝女真皇帝,女真帝惊其食量过人。一日合不勒酒醉,捋帝须,酒醒请罪,金主笑释不问,厚为之礼而归之。合不勒甫行,女真帝之臣言其恐为边患,乃遣使要之返。合不勒不受命,使者执之,合不勒乘间脱归。使者踵至,合不勒命诸奴杀之。

合不勒汗遗六子,并有勇力。号乞牙惕(Kiyoutes)[①],犹言急流也。其后遂以为氏。按前出额儿格涅坤山之民族已有是称,迨朵奔伯颜之后,繁殖既众,分为不少部落,各有其名,乞颜之称遂废,至是复又用之。当是时也,合不勒汗之妻弟赛因的斤(Saïn-Tékin)遘疾[②],延塔塔儿部之珊蛮治之,不效而死。其亲族追及珊蛮,杀之。塔塔儿部人怒,起兵复仇。合不勒诸子助其母族与之战,未详其胜负。其后海都曾孙俺巴孩可汗(Ambagaï Caan)[③]泰亦赤兀部之长也,求妻于塔塔儿部,塔塔儿人执之以献女真帝,女真帝方挟前此合不勒汗杀使之忿,乃钉俺巴孩于木驴上,此盖专惩游牧叛人之刑也。

俺巴孩既死,其宗亲谋复仇。其子合丹太师(Cadan-Taïschi)与合不勒汗子忽必来汗(Coubilai)、合不勒汗孙及成吉思汗父也速该把阿秃儿(Yissougaï Bahadour),约合击女真。忽必来在诸

① 钧案:乞牙惕为乞颜(Kiyan)之复数,应作 Kiyat。此处多桑有误写,译人不察,遂又有乞要特之讹译。

② 案:赛因的斤为合不勒妻豁阿忽勒忽阿(Coua-Coulcoua)之弟,豁阿此言美,弘吉剌部人也。

③ 俺巴孩者,海都汗第二子察儿合领昆(Tcherga Lingkoum)子速儿罕都豁赤纳(Sourcandou Goutchina)之子。Caan 者,Khacan 之省称也。剌失德云,Lingkoum 为中国官号,犹言大将军也。

兄弟中为最勇，遂继合不勒汗位。先是月斤别儿罕(Eukin-Bercan)亦经塔塔儿人执送女真，其被害也与俺巴孩同。至是忽必来偕蒙古部长数人，率师侵入中国，败敌兵，大获而还。

忽必来为蒙古人笃爱之英雄。蒙古人誉其歌声洪亮，如雷鸣山中。两手力强如同熊爪，能折人为两截，易如折箭。相传冬夜燃巨木取暖，忽必来裸卧火旁，火星炭屑坠其身而不觉，醒后以烫伤为虫螫。工饮啖，日食能尽一羊，饮马湩无算。

忽必来攻中国还，与所部数人行猎，遇蒙古朵儿边(Dourban)部落之战士，为所袭击，从者皆逃。忽必来马陷于淖，泥没马颈，乃登鞍跃登彼岸。朵儿边人至对岸，见其无马，乃曰："一蒙古人失马者有何能为?"遂释不追。

从者还言其死耗，成吉思汗父也速该已持馔往奠。然忽必来之妻不欲信其已死，曰："声震天空手如三岁熊爪之战士，不能为朵儿边人所得。其晚归必有故，不久必见其至。"

忽必来待敌退，至淖执马鬣引之出，重上马。自念曰："我为此种懦夫所袭击，不能无所得而归也。"见有马群经过朵儿边之地，急跃登其引马，驱马群而归。

忽必来之兄把儿坛把阿秃儿(Bartam Bahadour)，生四子，也速该把阿秃儿次居第三①。因英勇，被推为乞牙惕、尼伦诸部落长。屡与其他蒙古部落、中国人、塔塔儿人战。合不勒之后裔自杀治赛因的斤疾不愈之珊蛮以后，遂与塔塔儿部人为仇。1155 年，

① Yissoun 或 Yessou，蒙古语九数也，突厥、鞑靼诸民族视此为吉数。也速该犹言第九，Bahadour、Bagatour 为突厥语之别号，犹言勇也。

也速该战胜塔塔儿，杀其长二人，其一人名铁木真斡怯(Témoutchin-Oga)。及其还也，其一妻名月伦额格(Ouloun-Éké)[①]，斡勒忽讷兀惕部(Olconoutes)人也。适在迭里温孛勒答黑(Diloun Bouldac)山附近之地[②]，生一子，名曰铁木真，志武功也[③]。

① 月伦此言云，额格此言母。据《蒙古源流》，也速该一日与两弟行猎，见一塔塔儿人，名也客赤列都(Yéké Tchilatou)者，适至斡勒忽讷兀惕(Olconotes)部娶妇归，其人见三人至，有图己意，遂弃其妻而逃，遂为也速该所得。由是乌格楞额格(Euguelen-Éké)遂为也速该之妻，至1162年生一子，名铁木真(Témoutchin)(见《蒙古源流》译本63页)。

② 见《史集》。《蒙古源流》作斡难河附近之德里衮布勒塔克(Deligun Bouldac)地方(译本106页)。孛勒答黑，蒙古语犹言丘陵。中国载籍作跌里温盘陀(夏真特书38页，据《纲目》)，此山在斡难河畔(见Timkowski《行纪》，第2册226页)。

③ 铁木真一名，根据夏真特书后附《元史字汇》，在蒙古语中犹言精铁。此名曾与突厥语之铁木儿赤(Témourdji)相混。铁木儿赤，铁工也，由是人遂以为成吉思汗曾作铁工。观希腊(Crec)史家帕基迈儿(Pachymeres)、阿剌伯史家诺外利、传教师鲁不鲁乞、阿美尼亚王海屯等之所记，可以见已。此说现在蒙古人中似尚存在。Timkowski君在1820年自恰克图(Kiakhta)赴北京之途中，路经库伦(Ourga)西南一百九十三斡罗思里(Wersts)之答儿罕(Darkhan)山，闻答儿罕之义，犹言蹄铁工，盖因成吉思汗曾锻铁于此山下，故以名之。"答儿罕山蜿蜒南北。山脊险峻，花冈岩质。其间生植altagane Robinia pygmaea与其他灌木，其南麓下有蒙古人积石而成之鄂博(obo)。蒙古人每年来此祭奠成吉思汗，以示不忘。公爵阿海(Akhai)领地中有Schibétou与Schara-chorotou两站者，亦来祭奠此山。"(见所撰《北京行纪》，1827年法文译本155页、173页、179页)鄂博者，聚沙石土木为之，蒙古人祀神之处也(同上26页)。此种习惯或为上述纪念出额儿格涅坤山典礼之遗风。剌失德云，成吉思汗诞生之日，未能确知。惟据成吉思汗诸王与蒙古诸贵人之说，其在生年，案阳历有七十二岁，案阴历则有七十四岁又三月余；而殁于猪儿年(cacai-yil)秋月之十五日，核以回历，应在六二四年二月之初(1227年2月)。世人并知其诞生之年，亦为猪儿年，由是可考其生年在死年六干支前之猪儿年，而此猪儿年则始于五四九年十一月也(1155年2月)。然冯秉正所译之中国史书(8页)则位其生年于1162年(《蒙古朝史》2页注1)。《元史纲目》、《蒙古源流》皆谓其死年六十六岁，然则铁木真诞生于1162年矣。

由是观之，其以成吉思汗著名之人，盖生于今日两最大帝国国界之附近也。相传其生时右手握凝血。也速该之据地，在不儿罕哈勒敦之诸高山中[①]，斡难、怯绿连、秃刺三水皆发源于此。月伦额格又生三子：曰拙赤（Tchoutchi）、曰合赤温（Catchoun）、曰帖木格（Témougou）。其后裔并号孛儿只斤（Bourtchoukin），与其他乞牙惕（Kiyates）族相判别。孛儿只斤者，犹言灰色眼也。

也速该死时，铁木真仅年十三岁，所部之诸尼伦部落，不欲奉一童子为主，弃之往投塔儿忽台（Targoutaï）[②]。塔儿忽台者，蒙古诸部落中最强之泰亦赤兀部长海都汗之裔孙也。俺巴孩可汗被害之后，其族与泰亦赤兀部长共推嗣君，久而未决。其后不知主泰亦赤兀者为何人，仅知也速该死后，泰亦赤兀部以兵攻也速该子之时，其部长为阿答勒汗子塔儿忽台也。也速该妻见众离去，乃乘马执纛[③]。躬自追击之，仅邀其少数而还。

铁木真所部因有数部落之离贰，势遂衰微。诸部落中最要者曰札只剌（Djadjérates）部，部长札木合（Djamouca），别号薛禅（Satchan），此言贤也。札木合之族人名帖古察儿（Tégoutchar）者，牧地在亦鲁水（Irou），曾偕数骑进掠铁木真所属萨里川（Sari-

① 下述诸水发源之山系，今日蒙古、满洲人名之曰肯特山（Kentei）。

② 刺失德云，海都子、察儿合领昆子、速儿哈都豁赤纳（Sourcadougou-Tchiné）子、俺巴孩可汗子、合丹太师子、阿答勒汗（Adal-Khan）之子。

③ 纛（Toug）者，中国旗名。一长矛上悬土番之牦牛大尾也。是为中国皇帝之特用幢帜，其册封突厥、鞑靼诸藩王时，常以此物并鼓赐之（Visdelou《鞑靼地域史》97 页，又 Abel Rémusat《鞑靼语言之寻究》第 1 册 303 页）。由是突厥与鞑靼民族有 Toug 之名，惟无牦牛尾，则以马尾代之。此纛与鼓皆为受封及统率之表示。鲁不鲁乞名此牛曰唐兀牛，牛尾多毛，与马尾同，腹背毛长（见所撰《鞑靼地域行纪》第 28 章）。

Kihar)附近兀剌该不剌合(Oulagaï-boulak)之地[①]。有札剌儿人名拥只塔儿马剌(Djoudji Termela)者,其祖先因杀莫拏伦,降为铁木真祖先之奴,所居在其地附近。见帖古察儿至,乃匿马群中,射杀之。札木合以是为隙,遂与泰亦赤兀部合,而亦乞剌思(Ikirasses)、兀鲁兀(Ouroutes)、不哈斤(Boucakines)[②]、火鲁剌思四部亦归泰亦赤兀部。

铁木真幼年时,曾为泰亦赤兀部人所掳。其部长塔儿忽台,别号乞邻勒秃黑(Kereltouc),此言恨人者,以枷置其颈。闻铁木真荷枷时,有老妪为之理发,并以毡隔枷创之处。已而铁木真得脱走,藏一小湖中,沉身于水,仅露其鼻以通呼吸。泰亦赤兀人穷搜而不能得,有速勒都思(Seldouze)人经其地,独见之。待追者去,救之出水,脱其枷而负之归,藏之载羊毛车中。泰亦赤兀部人搜至速勒都思人之宅,严搜之,且以杖抵羊毛中,竟未得。迨搜者去后,此速勒都思人以牧马一匹并炙肉兵器赠铁木真,而遣之归。其人名舍不儿干失剌(Schébourgan Schiré)[③],后恐泰亦赤兀部人报怨,往投铁木真。铁木真不忘其德,厚报之。

铁木真别又经一大难,时从行者仅其二友,不儿古赤(Bourgoudji)[④]、不儿古勒(Bourgoul)二人,遇泰亦赤兀人十二骑,铁木

① 兀剌该此言红。不剌合此言泉,或其泉附近之一溪流。此水疑是 Oulengui 水,居斡难、英果答(Ingoda)两河之间,北注英果答河(参照 Ritter, Asien, band II, p. 271)。

② 钧案:《圣武亲征录》作那也勒,此处应是 Noyakin 之误。

③ 案:《蒙古源流》作托尔干沙喇(Torgan Schara)。

④ 钧案:核以《元秘史》字斡儿出、《元史》与《亲征录》博尔术、《蒙古源流》博郭尔济等译法,此处译名亦恐有误。

真独与战，敌骑十二矢并发，伤其口喉，痛甚昏坠马。不儿古勒燃火热石，投雪于石上，引铁木真口，以蒸气熏之，及凝血出，呼吸遂通。时雪大，不儿古赤执裘以盖伤者首，如是终夜，雪深至腰，足迹不移，及曙，以铁木真置马上卫之归。后赏二人之功，并授以答剌罕(terkhan)之号[①]。凡有答剌罕之号者，豁免一切赋税，独有其战利品全部，随时可入见其主，犯八罪不罚，惟在第九次犯罪后始罚之[②]。

嗣后铁木真纠集数部与泰亦赤兀部人战，胜之，是为其得志之起点。铁木真闻敌以三万骑至，乃急合其众一万三千人，待泰亦赤兀部人于英果答河支流巴泐渚纳(Baldjouna)小水之上，败之。水边有林，铁木真伐木燃火，执俘虏分八十镬烹之，至是诸小部落遂归附之。

1194 年，塔塔儿诸部之一部长蔑古真薛兀勒图(Moutchin Soultou)叛金，金帝麻达葛(Madagou)命丞相完颜襄往讨，并命诸游牧部落随军讨叛；铁木真久待此机而攻此蒙古人之敌部，闻之甚喜，乃纠合附近所部，自斡难河畔出发。时塔塔儿部为金兵所迫北退，铁木真进击之，杀其部长，获其辎重牲畜[③]。完颜襄赏其功，授

① 见《史集》。

② 见《世界侵略者传》，案：答剌罕之号似甚古，东罗马帝 Justin 曾遣使 Zémarcous 至突厥可汗室点蜜(Disaboul)所，590 年(钧案：应是 570 年之误)使臣别可汗时，可汗遣使臣名 Tagma 而有达干(Tarkhan)之号者偕之归。参照 Menander，in Exceptis de Legationibus。

③ 剌失德云，塔塔儿部在诸部中为最富。铁木真所获者，有银制摇篮一，上覆金锦衾，蒙古人从未见此贵重物品，颇为惊异，获之以后，大炫其事。

以札兀惕忽里(Tchaout-Couri)[①]之号,是为一种高等军职也[②]。

1195年,王罕之弟札合敢不(Djagambou)[③]投铁木真,纳之。次年克烈王亦至。克烈部,部众甚多,居斡儿寒(Orcoun)、秃剌两河沿岸,邻于哈剌和林诸山。有六部落:曰赤儿乞儿(Tchirkïr)[④],曰董合亦惕(Toungcaïte),曰秃马兀惕(Toumaoute),曰撒乞阿惕(Sakiate),曰额里阿惕(Eliate)[⑤],曰克烈惕(Kérait)[⑥],自从诸部并属克烈部长以后,由是皆名克烈。其风俗习惯语言与蒙古人颇相近,此部人奉基督教[⑦]。11世纪初年时,聂思脱里派之教师曾传教于此部[⑧]。

① 夏真特书39页引《纲目》,谓即招讨使。剌失德云,阿勒坛汗(Altan-khan)之丞相同时册授克烈部长脱斡邻勒(Togroul)以王罕(Ong-khan)之号。王罕犹言王也。案:汉语其义实作王。

② 见《史集》。剌失德又云,铁木真时年四十岁,世人所知其以前之事仅此。惟是铁木真诞生之年若在1161年,则在此时仅有三十三岁。冯秉正《中国通史》第9册9至20页。宋君荣《大成吉思汗史》,巴黎1739年四开本3至4页。《元史译文》1至14页。

③ 其人名克烈迪(Kéraiti)(钧案:应以后著之克烈歹一名为是)乃忽儿察忽思不亦鲁汗(Courdjacouz-Bouyourouc khan)之第三子。幼为唐兀人所俘,久居其国,为唐兀人所爱重,遂有札合敢不之号。剌失德云,札者犹言地,敢不犹言大将军。案:敢不为土番国王之号。

④ 钧案:此部《亲征录》作朱力斤,《元秘史》作只儿斤。

⑤ 钧案:《元史》本纪有怯里亦部,疑即此部,多桑脱k发声。

⑥ 钧案:《元秘史》仅著秃别干、董合亦惕、汪豁只惕三部名,《亲征录》仅有土伯夷、董哀二部,则仅有董合亦惕与此合。秃马兀惕疑是秃别干或土伯夷之变,他无考。

⑦ 见《史集》。

⑧ 阿不法剌治之《东方诸朝史》云,聂思脱里派总主教约翰(Jean,1001年至1012年居报达为总主教)得呼罗珊马鲁城(Marou)之大司教Ebed-Yeschou所致书云,有克烈部,在突厥境之东北。其王一日猎于其国山中,雪深迷道不得出,见一圣者语之曰,脱汝信仰耶稣基督(Jesus-Christ),我将救汝出险,示以归路。克烈王许之,圣者乃导之出。王回营帐后,召居其国内之基督教商人,询以教义,乃知未受洗礼,不得为基督教徒,然得一福音书,逐日礼拜,并遣人延我,或派一教士至其国授洗。惟其王曰,吾人仅食肉乳,如何能守斋戒?且言其国有二十万人,皆愿信教云云。总主教乃命大司教遣教

按基督教流行此种东方地域之中，为年久矣。1625 年曾在陕西省会附近掘出一碑，上勒 781 年年号，证明聂思脱里派之西利亚传教士，在 635 年时业已传教中国[①]。基督教在当时得中国皇帝之庇护，颇为发达，教堂日增。曾命西利亚籍诸主教分别管理。又考东方传教之史籍，聂思脱里总主教迪莫帖(Timothée)在 778 至 820 年掌教亚西利(Assyrie)之时，曾遣传教士赴亚洲极东之地。迪莫帖并曾劝诱突厥可汗入教[②]。

王罕之祖马儿忽思不亦鲁(Marcouz-Bouyourouc)，曾为塔塔儿部主纳兀儿不亦鲁(Naour-Bouyourouc)所俘，献之中国北方皇帝，钉之木驴而死。其寡妇欲复仇，伪降纳兀儿，献羊百头，牝马十匹，马湩百囊。囊盛一人，各执兵器，乘宴时出，杀塔塔儿汗及列席之塔塔儿部人。

马儿忽思遗二子，曰忽儿察忽思不亦鲁[③]，曰古儿罕(Gourkhan)，前一人嗣汗位。及其死也，遗六子，其中之脱斡邻勒杀其兄弟二人侄数人，夺王位[④]，而受中国皇帝册封为王。复以汗号列于王下，故名王罕。其叔古儿罕逃依其邻乃蛮部主亦难赤

师二人持圣瓶往其国授洗，并告以教仪。斋戒日禁止食肉，惟既无他食，许其食乳。阿不法剌治志其事在回历三九八年(1007)，西利亚著作家 Marès 在总主教约瑟(Joseph)传中所志亦同。可参考阿色马尼(Assemani)撰《东方丛书》，罗马 1719 年刊二开本第 3 册 484 页。

① 可参考 D'Herbelot 之《东方丛书》尾载此碑译文。

② 见阿色马尼《东方丛书》第 3 册 477 及 482 页。

③ 案：不亦鲁(bouyourouc)，突厥语统兵者之义。

④ 剌失德云，脱斡邻勒(Togroul)，鸟名也。此鸟从未有人见之，然在此种民族(突厥人与蒙古人)之中颇有名，与亚洲西方之 anca 相等。相传此鸟类秃鹫，其爪坚如钢铁，一蹴可杀他鸟二三百头。言此事者虽未见之，然闻猎者与游牧人言，常见天空同时一地坠鸟二三百，头断腹破爪碎，由是推想杀诸鸟者其力必极大，其爪应极坚利。

(Inandje)。亦难赤以兵助古儿罕,败脱斡邻勒。脱斡邻勒仅以百余骑奔投铁木真之父也速该所。也速该亲将兵逐古儿罕,迫之走唐兀,复夺部众归之王罕。王罕感德,遂持盏盟,誓与也速该永远友善,即鞑靼人所谓成为按答(anda)是矣。按答者,犹言盟友也[①]。

脱斡邻勒王罕(Togroul Ong-khan)在位多年,乃蛮人以兵助其弟额儿客合剌(Ergué-Cara),逐之奔哈剌契丹。求援哈剌契丹主而无效;资粮罄绝,仅余山羊数头,取其乳为食。既闻其故交也速该之子领有数部,欲往依之。1196年春,行至曲速兀(Keussu-gu)[②]湖,使人往告其至,铁木真自怯绿连河上流亲迎抚劳,征牲畜于臣民以赈给之。秋,二人会于秃剌河上[③],结为父子。

先是铁木真已灭不儿斤(Bourkine)[④]之一部;1197年春,又同王罕讨之,擒其二长撒察别吉(Satcha-Bigui)[⑤]、太丑(Taïdjou)。有游牧民族蔑儿乞部,亦名兀都亦惕(Oudouyoute),分四部:曰兀

① 此王罕在基督教徒中颇有名。盖亚洲之基督教徒以为东方有一基督教君主同时为基督教长老之存在,而名之曰长老约翰(Jean)国王。聂思脱里派教徒曾传布此说,盖传入基督教于此东方诸地者,即属此派教徒也。十字军至东方时,其说业已成立,所以最初传教鞑靼地域之传教师,详细探访此长老约翰国王。鲁不鲁乞曾云:其人到处有名,我经行其地之时(1253年),除聂思脱里派之少数人外,无人知其为何人。聂思脱里派所言其人灵异事迹甚夥,然聂思脱里派来自此地者,习于夸张,不足信也(见《鞑靼地域行记》第19章)。此类欧洲旅行家亦信有长老约翰国王之存在,然仅闻极泛之说。西利亚史家把儿赫不烈思云,王罕者,即基督教国王岳忽难(Yokhnan,Johan)是矣(西利亚文本437页)。至在迦儿宾鲁不鲁乞、马可波罗诸人迷离不明之记载中,皆谓此故事中之长老约翰国王,即在克烈诸王族中。

② 钧案:《亲征录》作曲薛兀儿,《元秘史》作古泄兀儿,多桑译写应有脱误。

③ 秃剌河发源于斡难、英果答二水之间,注入英果答水。

④ 钧案:《亲征录》作月儿斤,《元秘史》作主儿勤。

⑤ 别吉与突厥之Beg或Bey同,妇女亦有此号。

洼思(Ohoz)、曰木丹(Moudan)①、曰秃答哈邻(Toudacalin)、曰只温(Djioun),并属脱脱(Toucta)。是年秋,铁木真、王罕共伐之,败其一部落于薛灵哥河附近木勒彻(Mouldjé)之地。铁木真尽以其所获给王罕。次年,王罕部众稍集,遂不约铁木真,自侵蔑儿乞部,败之于秃哈儿客黑烈(Toucar kehré)②。杀脱脱之子帖坤别(Tékoun Bey)③,虏其弟忽秃(Coutou)、脱脱别子赤剌温(Djïlaoun),并及其族众牲畜,不以所获馈铁木真。脱脱遁走薛灵哥河外,拜哈勒湖东巴儿忽真之地④。

1199年,王罕、铁木真共伐乃蛮。先是乃蛮部长亦难赤必勒格不忽汗(Inandje Belga Boucou khan)⑤死,二子台不花(Taï-Bouca)、不亦鲁(Bouyourouc)争父妾,因结怨。不亦鲁率诸部退居金山附近乞湿泐塔失(Kizil-tasch)之山地⑥;台不花为长兄,保其父之驻地,而有其平原⑦。乃蛮诸部主于其汗号之上,或加古出

① 钧案:疑即《亲征录》之麦古丹。

② 钧案:《亲征录》作捕兀剌川,《元秘史》作不兀剌客额儿,此处译写应亦有误。

③ 钧案:《亲征录》作土居思别吉,《元秘史》作脱古思别乞,则此处应是(Togouz-Béki)之误。

④ 见《史集》。冯秉正书第9册9至20页,宋君荣书5页,《元史译文》14页以后。

⑤ 亦难赤,突厥语信徒之称。必勒格为官号(钧案:即唐译之毗伽)。不忽汗(钧案:元人曾译作卜古汗),乃以侵略著名之古畏吾儿王名(《史集》)。

⑥ 钧案:《亲征录》作黑辛八石之野,《元秘史》作乞湿泐巴失海子,海子容有误。惟多桑之 tasch 必为 basch 之误无疑。

⑦ 剌失德云,乃蛮,蒙古语犹言八也。其境包有大金山、哈剌和林诸山、额鲁亦撒剌思(Elouy Serass)诸山、也儿的石湖(Ardisch)、宰桑(Saissan)泊、也儿的石河(Ardisch),以及此河与乞儿吉思中间之山地,北界乞儿吉思,东界克烈,南界畏吾儿,西界康里。剌失德在"乃蛮"条后,著录有一邻居民族名昔斤别乞(Sikin biki)者,其王号哈的儿不亦鲁汗(Cadir Bouyourouc Khan),所部先较乃蛮、克烈两部为强,惟在成吉思汗时代,其势已衰。成吉思汗曾以此部隶于汪古部,其妇女与乃蛮部之妇女曾以美丽著名于当时。

鲁[1](Goutschlouc)之号,或加不亦鲁[2](Bouyourouc)之号。古出鲁者,此言强盛;不亦鲁者,此言统军。然台不花则号大王(Taï-vang),金帝之所封也。蒙古人讹大王为太阳(Tayang),故史书中之台不花多作太阳汗。兄弟二人既交恶,铁木真与王罕乃乘机袭击不亦鲁,夺其人畜甚众。不亦鲁奔乞儿吉思属谦谦州之地。乃蛮有将名撒亦剌黑(Saïrac)[3],别号可苦速(Gueugussu)[4],犹言病肺者。于是冬以军击敌,两军日暮列阵对宿,期明日战。时札只剌部长札木合别号薛禅者,嫉铁木真之势盛,潜之于王罕;王罕遂疑铁木真有他意,乃多燃火于阵地,潜移师去。铁木真见王罕离去,亦还其萨里川驻所[5]。

撒亦剌黑追王罕至额垤儿阿勒台(Iderou-Altaï),遇王罕之弟必勒哈(Bilka)、札合敢不二人,乃夺其眷属、牲畜、辎重。复进兵入克烈部边境,掠答勒都(Daldou)、阿马失剌(Amaschéra)两地之人畜。必勒哈、札合敢不二人仅以身免。奔告王罕,王罕命其子亦勒合鲜昆(Ilco Singoun)[6]御之,且遣使乞师于铁木真。铁木真即

① 钧案:此号亦作屈出律,唐译作句主禄。

② 钧案:唐译作梅录,五代译作秘录。

③ 钧案:《亲征录》作撒八剌,《元秘史》作撒卜剌黑,如多桑之译写不误,汉译之八卜皆应改正作亦。

④ 钧案:《元秘史》作可克薛兀,可以此名参证,惟《亲征录》之曲薛吾疑脱一字。

⑤ 钧案:此处原文仍作 Sari-Kihar,则即前之萨里川,亦即《元史》本纪之撒里怯儿。王静安疑与前萨里河同名异地,非是,且原文此下有注云,Kihar 蒙古语犹言平野,与《亲征录》撒里川川字之义亦合。

⑥ 钧案:此名在《元秘史》中作你勒合桑昆(Nilka Sangoum),而在《亲征录》中则作亦剌合鲜昆,《元史》中亦有作先髡者,一人名而有两种写法,未知孰是。要之多桑之 Ilco 应改作 Ilca,多桑于此下引剌失德之注释云,Singoun 汉语贵人之子也,然则以其为晚见的相公之称矣。

遣不儿古赤、木忽黎(Moucouli)、不鲁忽勒(Bouroucoul)[1]、赤老温(Tchilaocan)四人率师往援。援师未至,鲜昆已败。四将至,击乃蛮走。铁木真命将所夺还之人畜诸物尽归王罕。王罕德之,以衣一袭,金盏十,赐统将不儿古赤[2]。

已而铁木真弟拙赤哈撒儿(Djoutchi Cassar)再伐乃蛮,大败之,乃蛮之势遂弱[3]。

脱脱遣其弟忽秃、斡儿章克(Ordjank)二人求援于泰亦赤兀部。此部诸长汪忽哈忽出(Ongcou Hacoudjou)、忽怜(Couril)、忽都答儿(Coudoudar)、塔儿忽台乞邻勒秃黑会兵于大沙漠中[4]。1200年春,王罕与铁木真会于萨里川,共击泰亦赤兀部,追擒忽都答儿、塔儿忽台于月良兀秃剌思(Elenkout-Tourasch)[5]杀之。杀塔儿忽台者,速勒都思人舍不儿干失剌之子赤老温也。此战之祸首汪忽哈忽出,偕脱脱之两弟走巴儿忽真,忽怜奔乃蛮。

其他诸蒙古部落,哈塔斤(Cataguine)、撒勒只兀(Saldjiout)、朵儿边弘吉剌诸部,及塔塔儿之一部落,见铁木真又胜,皆不自安,乃聚而会盟[6]。诸部长共举刀斫一马、一牛、一羊、一狗、一山羊,

① 钧案:此人即《元史》之博尔忽,而多桑前此又写作不儿古勒者也。

② 见《史集》。《元史译文》17页。

③ 见冯秉正书22页。《元史译文》18页。

④ 剌失德云,汪忽哈忽出,犹言"甚怒"。塔儿忽台为人名。乞邻勒秃黑为别号,犹言嫉人也。剌失德又云,会集之地在斡难一带,是即蒙古之大沙漠。《元史译文》18页谓在斡难河上。

⑤ 钧案:此名与《亲征录》对音合,惟将首一韵母改e作eu可矣。此类脱误,多桑常有之。王静安《亲征录校注》谓拉施特书作恩古特秃剌思,乃沿《元史译文证补》之误,应作月良兀惕秃剌思。

⑥ 《元史译文》19页谓会盟之地在阿雷泉。

为誓曰:“天地听之,吾人誓以此诸牲之长之血为誓,设有背盟者,死与诸牲同!”[①]遂相约共击铁木真、王罕。弘吉剌部长特因那颜(Daïn-Noyan),成吉思汗之妻父也。潜遣人告变于铁木真,铁木真自斡难河邻近之虎儿图(Courtoun)湖,逆战于捕鱼儿湖,击溃其众。

及冬,王罕方自怯绿连河赴忽儿塔海牙(Courta-caya)[②]。其弟克烈歹(Kéraïdaï)曾以唐兀官号札合敢不而著名者,密与克烈部四将谋害其兄,然事泄。札合敢不奔乃蛮,依太阳汗。太阳汗者,王罕之敌也。王罕驻冬于忽儿塔海牙之地,铁木真则驻冬于女真边境扯克扯儿(Tchanga-tchar)之地。

铁木真驻冬以后,起兵讨伐同盟图己之诸部长:是为蔑儿乞部长阿剌兀都儿(Alac-Oudour)、泰亦赤兀部长哈儿罕太师(Carcan-Taïschi)、塔塔儿部长察兀忽儿(Tchaoucour)、客连黑儿(Kélenker)。诸人皆勇武而具野心,铁木真败之于平野,尽掠其物。

时有部长数人竞图统治蒙古诸部:是即乞牙惕不儿斤部长撒察、札只剌部长札木合、铁木真之弟拙赤哈撒儿与阿剌兀都儿等。铁木真较有能,或较有幸,除其弟外,并灭之。

1201年,弘吉剌、亦乞剌思、火鲁剌思、朵儿边、塔塔儿、哈塔

① 剌失德曰:数年前,成吉思汗曾遣密使一人至塔塔斤、撒勒只兀两部修好。依蒙古俗,须用意义不明与叶韵之词达其意。成吉思汗使者亦如是致词,部人不解。有一少年为释其意曰:“其与吾人无关系之蒙古民族,皆与吾人联合;我辈况属亲戚,尤应修好。”二部之人不从,侮詈使者遣之归,而与泰亦赤兀部相结,久与成吉思汗作战。

② 钧案:《亲征录》作忽八海牙,《元秘史》作忽巴海牙。多桑此处译名殆亦有误。

斤、撒勒只兀诸部会于揵河[①]，共立札木合为古儿汗。古儿汗，犹言大汗也。已而会盟于秃剌河畔，为誓曰："凡我同盟，有泄此谋者，如岸之摧，如林之伐。"言毕同举足蹋岸，挥刀斫林，驰众驱马，进击铁木真。然有名豁里歹(Couridaï)者，奔告铁木真。铁木真迎战，败之于叶的忽儿罕(Yédi-Courgan)[②]。札木合遁走，弘吉剌部降铁木真[③]。

1202年春，铁木真发兵于兀勒灰昔勒术亦术惕(Oulcouï-Sildjouïdjout)[④]，伐塔塔儿部。此部居捕鱼儿湖一带，地近女真边境。当时共有七万户，分六部：曰秃秃哈里兀惕(Toutou-calioutes)[⑤]河，曰亦勒赤(Iltchi)[⑥]，曰察罕(Tchagan)[⑦]，曰忽因(Couyin)[⑧]，曰帖剌惕(Térate)[⑨]，曰塔儿灰(Tercouï)[⑩]，各有其长，常互相侵略，曾与蒙古人交恶。至是铁木真败其亦勒赤、察罕二部。战前先谕其军，苟破敌逐北，见遗物慎勿顾，俟军事毕共分

---

① 剌失德谓在谦河(Kem)河畔，应有误。盖《元史译文》(20页)实作揵河也。

② 钧案：《亲征录》、《元史》本纪并作海剌儿帖尼火罗罕。《元史·抄兀儿传》作海剌儿阿带亦儿浑。考其原名，或是阿带火儿罕也。

③ 见《史集》。冯秉正书第9册21页以后。《元史译文》20页位其事于1200年下。

④ 钧案：《亲征录》作兀鲁回失连真河，《元秘史》作兀勒灰失鲁格勒只惕，似以《元秘史》一名为是。兀勒灰河发源于北纬47度之索岳尔吉(Soyolki，Soyoldji)山。此山在兴安岭山系之中，自东北至西南。界处蒙古、满洲两地之间。兀勒灰河注入戈壁中之一小湖以前，有一小水亦名索岳尔吉者来会，参照D'Anville地图。

⑤ 钧案：《元秘史》作都塔兀惕。

⑥ 钧案：《元秘史》作阿勒赤。《亲征录》作按赤。

⑦ 钧案：此名与《亲征录》、《秘史》所著录者同。

⑧ 钧案：疑即《元秘史》之主因。

⑨ 钧案：疑即《元秘史》之备鲁兀惕。

⑩ 钧案：疑即《元秘史》之阿亦里兀惕，又案：《元秘史》别有阿鲁孩塔塔儿者，疑即阿亦里兀惕一名单数之别译。

之。已而闻其诸父忽只儿(Coudjir)[①]、答里台(Daritaï)[②]、从弟阿勒坛(Altan)[③]三人背约[④]。铁木真命尽夺其所获,散之军中。三人遂怨,后投王罕所,嗾使王罕与铁木真失和。

蔑儿乞部长脱脱自巴儿忽真还,进击铁木真,又不胜。乞援于乃蛮部长弟不亦鲁汗。不亦鲁纠合朵儿边、塔塔儿、哈塔斤、撒勒只兀、斡亦剌诸部助之,兼欲复前此战败之耻。1202 年秋,连师进击王罕、铁木真。王罕、铁木真离兀勒灰河,退走哈剌温赤敦(Caraoun Tchidoun)诸山中。其敌兵蹑其后入山,会大雪严寒,士卒四肢多僵冻。入夜,人马纷坠悬崖下。及出险,已不复成列,乃舍敌不追。札木合帅师来应,见乃蛮失利,遂退。沿途掠诸部之立己为汗者,已而归附王罕。时王罕已会铁木真,共营于阿剌勒(Aral)[⑤]河畔。旋至以雪济水乏之大沙漠中,距哈剌温赤敦山不远之阿勒赤阿晃火儿(Altchia Coungour)地方驻冬[⑥]。铁木真在此地为其

① 钧案:《亲征录》作火察儿。

② 钧案:《亲征录》同,亦作答力台。

③ 钧案:《亲征录》作按弹,对音同。

④ 阿勒坛是把儿坛把阿秃儿第二子捏坤太师(Négoun-Taitschi)之子。忽只儿是忽必来可汗之子及合不勒汗之孙。答里台是把儿坛把阿秃儿之幼子。

⑤ 蒙古语犹言岛。

⑥ 剌失德曰:成吉思汗与王罕逾汪古(oncouh,剌失德以此名指长城)同驻冬于阿勒赤阿晃火儿(晃火儿,蒙古语犹言骍色马)之地。其地旧为弘吉剌部驻冬之所,亦后日宗王阿里不哥(Aric-Bouca)与其兄忽必烈(Coubilaï)皇帝会战之处。地在沙碛中,无水,居民以雪代之云。剌失德在《忽必烈传记》1261 年之战,谓战地在火者不勒答黑(Khaoudja Bouldac)山下,撒木勒台(Semoultai)湖附近,阿勒赤阿晃火儿之地。此外剌失德又言有一山系名曰札亦阿勒赤阿(Djaï-Altchia),似指契丹、蒙古分界之山,然则为兴安岭矣。殆以阿勒赤阿之名与晃火儿结合,以指发源阿勒赤阿山之小溪,盖有一同名之水,注入北纬 43 度之塔阿勒(Taal)湖也。D'Anville 所制地图无撒木勒台湖名,或已改名欤?剌失德误谓王罕、铁木真同逾汪古(长城)。其实二人所过之地尚在其北 4 度,是盖剌失德有时将长城与介于蒙古、满洲间之山系混而为一,有以致之。

长子术赤求婚王罕之女察兀儿别乞(Tchaour Bigui),并请以己女豁真别乞(Coutchin Bigui)字鲜昆之子忽失不花(Cousch Boca),然俱不谐,自是王罕与铁木真稍疏。

铁木真欲在乃蛮败后,进击札木合。兹见王罕容留之,颇不满。一日语王罕曰:"我之附君,犹沙漠中之白翎雀,冬夏皆居北地。至若汝之其他诸臣,则如鸿雁,冬近则向南飞矣。"王罕因疑札木合。而札木合亦乘双方婚事之不谐,谮铁木真于鲜昆。谓其密与乃蛮太阳汗通谋[①],二人遂相约图之。并引蒙古部长二人,及前此因所获被夺之铁木真亲族三人同谋。鲜昆言之王罕,王罕不从,鲜昆仍欲图之。伪若许以己女字术赤,遣人往邀铁木真来营赴宴,欲乘机擒之。铁木真往赴宴,道经明格里也赤哥(Minguélik-Itchiga)帐,明格里也赤哥曾娶铁木真之母为妻,劝其勿赴,铁木真遂还。

鲜昆谋既未遂,又于1203年春谋袭铁木真。王罕有将名也客扯连(Yéga-Tcharan)者,闻其谋,还帐对其妻子言之。会有供马湩之牧者二人闻其语,遂相约冒险赴铁木真所告变,铁木真即拔营,进至撒鲁的勒只惕(Seloudeldjit)诸岗,遣人赴卯温都儿(Mouondour-diss)山调来兵。近山有红柳林,时有阿勒赤歹那颜(Iltchidainoyan)之仆二人,因牧马见王罕军至,亟归报。铁木真在合兰真沙陀(Calantchin-Alt)[②]得报,亟上马,日甫出,两军已相见。铁木真士卒甚少,与诸将议进退。忙古部(Mingcoute)忽亦勒答儿薛禅(Couyouldar Satchan)奋勇先进,植其纛于敌后之忽

① 见《元史译文》23页。

② 此名亦可读作合剌勒真(Calaltchin),或合剌亦真(Calaï-tchin)。剌失德云,合兰真沙陀在女真边界之东,距兀勒灰河不远。

惕班山(Koutban)。铁木真率军突敌阵。赤儿乞儿部[①]、克烈部诸部中之最勇者也，先退。董合亦惕部亦败。蒙古军进逼王罕护卫。鲜昆面为弩伤。铁木真终以人数不及敌众，不免败逃[②]，其士卒多弃之去。退至巴泐渚纳，水几尽涸，仅余泥汁可饮。铁木真见从者在患难中尚相从不去，乃合手望天而誓众曰："至是以后，愿同诸人共甘苦。如若失言，愿同巴泐渚纳之泥水！"[③]遂自饮其水，以盏示诸将共饮之，诸将亦誓永不弃之而去。同饮此水者，后皆有饮水巴泐渚纳之人之号，而受重赏焉。至若来告变之二牧人，曰乞失里黑(Kischlik)、曰巴歹(Badaï)[④]者，后并授以答剌罕之号[⑤]。

既而铁木真赴斡儿(Or)河。至哈剌(Cala)河[⑥]附近客勒帖该合答(Galtakaï-Cada)之地[⑦]，有若干军队来从，共得四千六百人。沿哈剌河进，营于董哥(Tounga)湖畔，秃鲁哈忽儿罕(Tourouca-Courgan)之地[⑧]。遣亦勒秃儿斤部(Iltourkine)人额儿迪只温(Erti-Djioun)[⑨]往克烈汗所责之曰：

① 钧案:《亲征录》对称作朱力斤。《元秘史》作只儿斤。

② 剌失德云，此次合兰真之战，在蒙古人中甚有名，今尚有言之者。

③ 瓦撒夫书作巴泐渚纳泉，谓此名犹言泥水。案:斡难河北有一小湖，水不深，名曰巴泐只纳(Baldjina)，有图剌(Toura)小水从此而出，北流入英果答河。

④ 二人皆是蒙古客里古惕部(Kéligoutes)之人。阿不合齐书(突厥文本 33 页)谓客里古惕蒙古语犹言口吃，缘其祖有此疾也。

⑤ 见《史集》。冯秉正书第 9 册 26 至 32 页。《元史译文》20 至 26 页。

⑥ 此哈剌河殆为今之哈耳哈(Kalka)河。此水发源于兴安岭，注入捕鱼儿湖。

⑦ 钧案:《元秘史》客勒帖该合打答，此言半崖，非本名也。其上尚有本名斡峏讷屼，多桑此处应有脱文。

⑧ 钧案:《亲征录》作脱儿合火儿合。

⑨ 钧案:《亲征录》使名阿里海，《元秘史》有二人，曰阿儿孩合撒儿，曰速客该者温，多桑此处应亦有脱误。

“父汗：昔不亦鲁汗死后，汝据大位。杀兄弟二人，汝叔古儿罕逼汝走哈剌温哈卜察勒（Caravoun Cabdjal）[①]，汝在其地被围，非我父汝安能脱？我父以援兵付汝，汝以此兵击古儿罕于忽儿班别剌速惕（Courban-Belassout），迫之仅余二三十人逃往河西（Caschi）之地[②]，不复归。由是汝与我父结为安答。所以我尊汝为父汗，此我有造于汝一也。[③]

“君为乃蛮所攻，西奔日没之地。汝弟札合敢不在女真境，我亟遣人召还。比至，又为蔑儿乞部人所逼，我遣我兄弟二人往杀之，此我有造于汝二也[④]。

“汝困迫来归时，衣弊见体，如日之穿云。饥弱行迟，如火之衰熄。我即起兵进击营于木里察黑木阿勒（Mouritchac-Moual）[⑤]之诸部，夺其羊马辎重，悉以付汝。汝前瘦弱，半月之间，使汝丰肥，此我有造于汝三也。

“蔑儿乞部营于秃哈剌（Toucara）平原之时，我曾遣使至脱脱别吉所。名为使者，实为间谍。汝乘机进击此部，不先告我。汝夺脱脱与其弟之妻，掳其弟秃敦（Toudoun）[⑥]与其子赤剌温，掠蔑儿乞之兀都亦惕部，而不以一物予我。已而撒亦剌黑可苦速率乃蛮部人掠汝之兀鲁思（oulouss）。我遣四将领兵战败之，尽归所掠于汝，是我有造于汝四也。

① 据剌失德云，此二字犹言黑林，在别答剌（Bedra 即图剌）河畔。

② 即唐兀。

③ 见《史集》。

④ 见《元史译文》26 页。

⑤ 钧案：《元秘史》作木鲁彻薛兀勒。

⑥ 钧案：前作忽秃，此处应误。

“我如出儿秃门(Tchourtoumen)山上之鹰，飞逾捕鱼儿湖，为汝捕青足灰羽之鹤。质言之，朵儿边、塔塔儿两部，已而又逾曲烈(Keulé)湖，为汝捕青足之鹤。质言之，哈塔斤、撒勒只、兀弘吉剌三部，是我有造于汝五也。[①]

“父汗：汝应忆及出儿罕(Tchourcan)山侧，哈剌(Cara)河畔，我二人互约之语。如有蛇处我二人之间，使我二人语言奋激，勿中其计。绝交以前，必须当面解说。然汝不先审查人言，遽欲远我。父汗：汝为何即以我为汝降服之诸部攻我？汝为何不求宁息，而使汝诸子安卧？我为汝子，我从未言所得过少意欲更多，所得过劣意欲更善。譬如一车双轮，偶碎其一，驾车之牛努力引车，必致伤颈。则应解其羁勒，车既不行，盗必取之；或者仍使牛驾车，则势将饿毙，我非汝车之一轮乎？”

铁木真又使使者语其诸父忽只儿与从弟阿勒坛曰：“汝等欲杀我。然我先曾语把儿坛把阿秃儿之诸子与撒察、太丑[②]等曰：讵可使斡难河之地无主，屡让汝等长我诸部，而汝等不从，我曾引以为忧。我又语汝火察儿(Cotcher)[③]曰：汝为捏坤太师子，可就汗位，汝亦不听。复语汝阿勒坛曰：汝为忽必剌可汗(Coubila-Caan)[④]子，汝亦可为之，乃汝不欲。汝等反推我为汗，我乃受之。我曾声明保存父祖之遗业风习[⑤]，足证我未谋据大位，乃受一致之推戴，

---

① 见《史集》。《元史译文》26页。

② 把儿坛是铁木真之祖父，太丑是其诸父，撒察是其从兄弟行，皆属合不勒汗之后裔。

③ 钧案：此处与《亲征录》之译名合，则前此之忽只儿译写误矣。

④ 钧案：即前此之忽必来汗，《亲征录》之忽都剌，《元秘史》之忽图剌。

⑤ 见《史集》。

俾三河之源[①]，祖宗所居之地，勿令外人居之[②]。由是我以为既为多民之长，应以赠物付与属我之人。我曾夺取畜帐妇孺甚众，以付汝等。我曾为汝等围聚平原之猎物，为汝等驱逐猎物于山中[③]。汝等今事王罕，应知王罕性无常。遇我尚如此，况汝辈乎？”[④]

铁木真前在战中失其银饰鞍辔之骍色马，兹请王罕交还。并请王罕、鲜昆、札木合、火察儿、阿勒坛及其他诸部长等，各遣使一人来议和解，约会于捕鱼儿湖附近。

王罕闻使者语，责其子不从其向者之言，亦勒合鲜昆曰：“事势至今日，必不可已。惟有竭力战斗，我胜则并彼，彼胜则并我。”遂代诸人答铁木真使者，谓不遣人去，将进攻，以战决之[⑤]。

铁木真遣使于王罕后，进兵虏掠弘吉剌之一部落，而止于巴泐渚纳水畔。

王罕自合兰真沙陀战后，营于哈亦惕忽勒格惕沙陀（Caït Coulgat-Alt）。忽秃帖木儿（Coutou-Timour）、答里台、火察儿、阿勒坛、札木合等相与谋害王罕。王罕闻其谋，迎讨之，夺其辎重。于是答里台与克烈之撒乞阿惕部，蒙古尼伦之一部，归铁木真。火察儿、阿勒坛与塔塔儿部长忽秃帖木儿奔乃蛮汗。

1203 年，铁木真驻夏于巴泐渚纳。是秋，集兵于斡难河附近，谋击王罕。其弟拙赤哈撒儿自合兰真战后尽丧所有，并及妻子，猎

① 斡难、怯绿连、秃剌三河之源。

② 见《元史译文》28 页。

③ 见《史集》。

④ 见《元史译文》28 页。

⑤ 见《史集》。《元史译文》28 页。

以求食。至是至巴泐渚纳，与铁木真会。铁木真欲以计袭王罕，乃命拙赤之仆二人往王罕所，假为拙赤之语曰："我兄今既不知所在，我之妻子又在王所；我孤身野宿已久，以树枝为庇，以土块为枕。今欲与妻子相聚，不知王意如何？倘弃我前愆，念我旧好，即束手来归矣。"

王罕信之，因遣人随二使往，以牛角盛血与之盟①。二使偕克烈使者还，遥见铁木真纛。恐克烈使者逃还告变，乃下骑，伪言马蹄有石，请克烈使者执马蹄，俾能取石出。会铁木真至，命二使为向导，率军含枚夜行，驰至彻彻儿温都儿山（Tchet-cher-Ondour）②。出不意袭破王罕军。王罕父子脱走，行至乃蛮界上温兀孙（On-oussoun）③之地④王罕为乃蛮守边将二人所杀，以首献乃蛮王。乃蛮王见此老人被害，甚怒。乃保存其首，以银嵌之。鲜昆独脱走，入不里土番（Bouri-Tiber）⑤摽掠乞活，为其地人所逐。复走合失合儿（Caschgar）、兀丹（Khotan）接界之忽蛮（Coumam）⑥、曲

① 据 Hérodote（第 4 篇 70 则）之说，此种习惯粟特（Scythes）人有之。Pomponius Méla（2 卷 1 章）云，Axiacae（粟特民族）虽结盟亦不免流血，其缔盟者自刺血出。合同盟者之血共饮之。

② 蒙古语谓高邱曰温都儿。宋君荣书 10 页谓此诸山并在秃剌、怯绿连两水间，本章中所志诸地，吾人多不知确在何处。

③ 突厥语此言十水。

④ 钧案：《元秘史》作涅坤兀速。《亲征录》作捏坤乌柳（疑柳为孙之误）。则多桑之译名盖出臆造。原名应是 Nékoun-oussou，说见伯希和（Pelliot）撰《库蛮考》（1920 年《亚洲学报》）。

⑤ 见《史集》。迦儿宾亦著录有 Buri-Tabeth 之地，见所撰《鞑靼地域行纪》第 5 及第 7 条。

⑥ 钧案：应是曲先之误，盖《亲征录》作曲先，《元史》作龟兹，今库车也。

先彻儿哥思蛮(Keussatou-Tchar-Kaschmé)[①]之地。其地哈剌只(Calladjes)突厥民族之算端乞里赤哈剌(Kilidj Cara)[②]命人杀之,并杀其诸妻诸子,已而此王降成吉思汗。

铁木真平克烈部后,猎于尼蛮客黑烈(Niman-Kehré)之地[③]。旋还其斡耳朵[④],以待来春,进击新敌。

乃蛮王台不花而以太阳汗著名者,忌铁木真之势日盛,遣使至汪古部长阿剌忽失的斤忽里(Alacousch tekin couri)所,约合击此林木中之王。缘蒙古人居森林之地,故以此名轻之也。阿剌忽失以此谋告铁木真,并约与亲好[⑤]。铁木真闻乃蛮王谋已,欲先发制之。1204 年春,大会于帖麦该川,议伐之。群臣以方春马瘦,宜俟

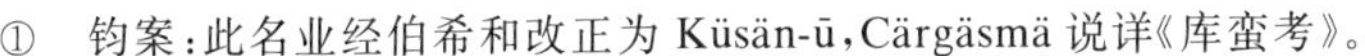

① 钧案:此名业经伯希和改正为 Küsän-ū,Cärgäsmä 说详《库蛮考》。

② 钧案:《亲征录》作黑邻赤哈剌。

③ 《元史译文》31 页作帖麦该川(Témégué)。

④ ordou 者,汗与诸妃以及从者所居庐帐之合称。此名出于 horde(游牧部落),然其义各别。属于一鞑靼君主之民众曰兀鲁思(oulouss),质言之人民也,一汗一部长一家长之领地则名由儿迪(yourte)。

⑤ 剌失德(在其叙述中国北边诸民族之第三章中)云:汪古部在成吉思汗时代以前,并在是时,隶于契丹之阿勒坛汗(钧案:契丹指中国,阿勒坛汗指金主),近类蒙古人,所部有四千户,契丹主名阿勒坛汗者,曾自女真海滨达于哈剌沐涟(Cara-mouran 即黄河),筑一长城,以防蒙古、克烈、乃蛮及其他游牧部落之侵入。哈剌沐涟发源于唐兀、土番,而界于契丹与 Tchin 及 Matchin(钧案:是为阿剌伯语中国及其都城之称,盖由梵语"支那"及"摩诃支那"两字转化而来。此处契丹指中国北部,后二名指南宋)之间。契丹帝雇汪古部人守此长城。蒙古人名此长城曰 ongou,突厥人则名之曰 Bourcourca。成吉思汗时,汪古部长名阿剌忽失的斤忽里。阿剌忽失,人名;的斤忽里,官号也。观此部长之名,汪古部殆为突厥种之民族。盖阿剌忽失为突厥语名,犹言杂色鸟。的斤为突厥诸游牧部长所用之尊号。忽里与金丞相所授铁木真官号中之忽里同。宋君荣书曾引中国史书,谓此部亦名白达达,故突厥种也(《蒙古朝史》10 页)。汪古部名不论本于长城,抑本于中国人名曰阴山之汪古山(此山在山西之北,亘延东西),然此民族之实在名称,未能知之也。

秋高马肥，然后进兵。然铁木真叔[1]斡赤斤那颜（Utchukin Noyan）与弟别勒兀台（Belgouteï）曰："何可以马瘦为辞？应亟进兵！先发以制自矜夺我弓矢之乃蛮。君辈以其地大畜众，然不足畏也。乘此攻之，俾后人云，我辈已擒太阳汗，天知吾人必擒之也。"铁木真是其言，遂进兵。未至乃蛮境，顿兵驻夏。及秋，复进兵，太阳汗至自金山，营于杭海山（Khangcaï），与蔑儿乞王脱脱、克烈别部长阿邻太师（Alin-Taischi）、斡亦剌部长忽秃哈别吉（Coutouca Bigui）、札只剌部长札木合，暨朵儿边、塔塔儿、哈塔斤、撒勒只兀诸部合兵。两军相距不远时，铁木真营有一马惊走敌军中。乃蛮人见马瘦，以为蒙古骑弱，太阳汗与众将谋诱之深入，待其更疲，然后击之。其将火力速八赤（Courissou-Badjou）即杀克烈汗之戍将也，怒曰，汗父亦难赤可汗勇战不回，其背及其马后，从未使人见之。太阳汗为所激，乃弃其诱兵之策。

两军既见，铁木真命其弟拙亦哈撒儿主中军，而自列阵备战。札木合见蒙古军容严整，谓其左右曰："乃蛮视此军若一群山羊、绵羊，以为能灭之，不使留蹄皮；今吾观其气势，殆非往时矣。"遂引所部兵遁去。是日蒙古与乃蛮战于一狭谷中，胜负久未决。至晡，乃蛮始败走[2]。乃蛮王负伤，退之一山，昏绝。诸将呼之，火力速八赤且言其宠妃菊儿八速（Keurbassou）在其帐中盛装待之。太阳汗流血过多，卧于地，仍不醒。火力速八赤语其他诸将曰："与其见之

① 钧案：恐系弟之误。

② 迦儿宾（第五条）谓在1246年往谒驖靼皇帝时，经一狭谷中，即昔日成吉思汗率蒙古军血战败乃蛮军与哈剌契丹军之处。杀戮甚众，余军逃，其不能逃者，被俘为奴。

死，勿宁回战，使汗先见我等战死。”遂同下山，与蒙古军战。铁木真见其勇不畏死，欲免之。诸将拒不降，皆殁于阵。获菊儿八速，铁木真纳之。

乃蛮军溃走纳忽山（Nacou）诸崄地，夜中坠崖，死者不可胜计[①]。蒙古军擒太阳汗掌印官畏吾儿人名塔塔统阿（Tatatunga）者。铁木真问其怀太阳汗金印欲何之，塔塔统阿答曰：“臣职也，将求故主授之耳。”铁木真嘉其忠，问是印何用，对曰：“出纳钱谷，委任人材，一切事皆用之，以为信验耳。”铁木真善之，命居左右。是后凡有制旨始用印章，仍命掌之，并命教太子、诸王以畏吾儿字书国言[②]。

是役为鞑靼地域诸民族久念不忘之一战。拙赤哈撒儿将中军，谨慎勇武，功最大，铁木真赏其勋，列其位次于其他诸亲族上。战后塔塔儿、朵儿边、哈塔斤、撒勒只兀诸部皆降，惟蔑儿乞部不降逃走。太阳汗子屈出律（Goutschlouc）奔诸父[③]不亦鲁汗所。蔑儿乞部长脱脱亦逃依不亦鲁。

铁木真追击蔑儿乞部至塔儿河（Tar），兀洼思（Ouhouse）部长答亦儿兀孙（Daïr-Oussoun）言不愿战，率所部降，献女忽兰（Cou-

① 见《史集》，《元史译文》31 页以后。

② 成吉思汗子窝阔台即位时，命司内府玉玺，其人死年未详，曾受追赠，可参考 Abel Rémusat 译《元史类编・塔塔统阿传》，见《亚细亚杂纂新编》第 2 册 61 页（钧案：《类编》文大删节，且脱书国言三字，译文亦劣，致在后来发生不少误会，兹据《元史》改正）。冯秉正书 39 页。Klaproth 撰《高加索谷儿只行纪》，1814 年八开本第 2 册 522 页。前人撰《畏吾儿语言文字考》，见所编《柏林图书馆汉满印本写本目录》，巴黎 1822 年两开本 54 页。

③ 钧案：《元史》作太阳汗兄，本书未言为兄为弟。

lan)于铁木真。谓所部缺马畜，不能从军行。铁木真乃分散兀洼思蔑儿乞部为队，每队百人，置一将以统之，命守辎重。军行后，其人复叛，掠军中物。守辎重之蒙古战士结合与战，却之，夺回所掠物，叛人遂逃。

兀都亦惕蔑儿乞部退守兀亦合勒忽儿罕(Ouïgal-Courgan)塞，被迫出降。其余蔑儿乞部木丹、秃答哈邻、只温三部，亦先后降。铁木真进攻困守薛灵哥河附近忽鲁哈卜察勒(Courou-Captchal)塞中之答亦儿兀孙部，此部亦降。

其后未久，铁木真得其劲敌之一人，盖札木合为其左右执以献也。铁木真以其为安答，不欲杀之，然诛执献之从者，罪其卖主也。以札木合并其亲属以及所余之从者，付其侄阿勒赤台，已而阿勒赤台杀札木合。闻曾先后斩其肢体。札木合曾言斩之诚当，设其得敌，待之亦如是也。自呈其四肢关节于行此毒刑者，促速断之[①]。

北地诸游牧部落既多降附，铁木真进讨无援之塔塔儿。此部在中国之北为最富之民族，其秃秃哈里兀惕部强逾诸部。铁木真败塔塔儿，屠其部人，虽妇孺亦不免，铁木真命尽歼之，勿留一人，然其诸妃中有二妃属塔塔儿种，诸将之妻亦有数人属此部，曾密救塔塔儿之儿童，得免死。拙赤哈撒儿之妻亦塔塔儿人也，求其夫免杀其所分得之俘千人，故亦有五百人得免。后铁木真闻之颇怒其违命。此外有若干塔塔儿人因逃而获免，则此部族未曾全灭。所以在成吉思汗之诸继承人时，不仅见有塔塔儿将，且有塔塔儿

---

① 见剌失德书“沼列亦惕(Djouriat)”条。剌失德在《成吉思汗传》中未言札木合之死，而在本条中亦未指明其死确在何时。

军也[①]。

此民族虽灭，然其名不久即由灭此部者之侵略而传于世界，今尚用以指来源不同之种种民族。中国人曾将漠北诸地同一种族之游牧部落一概名之曰鞑靼。考其故，或因此种民族中与中国最邻近者为鞑靼，或因鞑靼最为富强也。中国人与西域之交通，尤足以使其所指游牧属部之概称流传于各地。盖当成吉思汗初盛之时，此种民族业已经其西邻诸国称为鞑靼。由近及远，而至欧洲极西，乃此种侵略者实轻视其所灭之民族，而不以鞑靼自承，足证非自称也[②]。

铁木真征服鞑靼地域诸好战的游牧部落以后，其眼光遂及中国，盖中国之极端富盛，在历史中常启北方牧人之粗野的贪心也。迄于是时，铁木真因战利而获得者，仅有人、畜、牧地而已。至若天产、人工所出较为贵重复杂之产物，乃为后来侵略之成绩。铁木真既将蛮野民族征服不少，遂取得剥夺亚洲南部文明民族之势权。其最先尝试者，厥为西夏。蒙古人初名此国曰河西（Caschi，Coschi），续名之曰唐兀惕（Tangoute）[③]。此国包括陕西西北部，及长城西北邻近诸区。东南与女真或金国接界。其都城夏州，即今陕西北部之宁夏。西夏诸王之祖李继迁，土番一民族之酋长，即中国

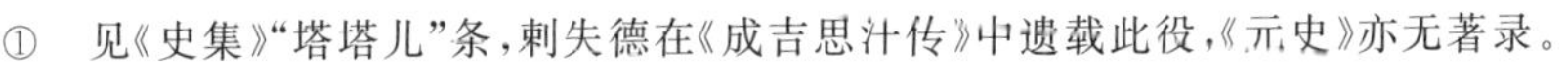

① 见《史集》“塔塔儿”条，剌失德在《成吉思汗传》中遗载此役，《元史》亦无著录。

② 鲁不鲁乞云，彼等不欲人称之曰鞑靼，盖真正鞑靼（塔塔儿）实为别一民族也。可参照本卷末附录四。

③ 汉语河西，犹言黄河以西之地，当时陕西北部属西夏国，故以名之。剌失德云，成吉思汗侵略西夏国时，其子窝阔台适生一子，即以河名之（钧案：史作合失[Caschi]，盖河西之讹译也）。后因好酒，幼死，顾其死在其父生前，由是废河西之名，而名其国曰唐兀，然唐兀则自称曰夏国。

人所称之党项者是已。来自中国、土番分界之山中，进据黄河沿岸。宋朝建国以前，继迁时为银州观察使，约当10世纪末年时，叛宋，降于契丹主。1043年，其孙赵元昊复称藩于宋，宋册元昊为夏国王。12世纪时，又称臣于金。1205年，成吉思汗侵入此国大获而还时，西夏国王为李纯佑，继迁后之第七主也①。

① 见冯秉正书第7册84至623页，又第8册40至126页。宋君荣书50页。Du Halde《中国志》第1册50页。《史集》。末一书云，成吉思汗先围极坚之塞，名额邻里乞（Elinliki，Ekinléki，liki），数日拔之，平其塞。旋进攻一大城，名客连鲁失（Kelenklouschi，一作客连忽失〔Kelenkouschi〕，又作阿撒斤客鲁思[Assakinkelouss]），亦拔之，掠其城。蒙古军侵入国内以后，驱骆驼甚众，获战利品甚多而去。《元史译文》35页云，岁乙丑（1205），帝征西夏，拔力吉里寨，经落思城，大掠人民及其橐驼而还。力吉里之对称Laïri，唐兀语犹言圣山也（参考夏真特《四汗史》后附字汇369页）。剌失德谓成吉思汗时唐兀主名车王沙的儿古（Li-vang Schadirgou）（钧案：《亲征录》作失都儿忽），然在成吉思汗在位时，此王之后尚有数王。

第　三　章

大会——铁木真称帝号成吉思汗——二侵唐兀——乞儿吉思与谦谦州之降附——斡亦剌之降附——讨伐屈出律与脱脱——三侵唐兀——畏吾儿之降附及此民族事略

塔塔儿诸游牧部落既平，铁木真应有适合其新势权之尊号。1206年春，遂集诸部长开大会（Couriltaï）于斡难河流附近之地，建九斿白旄纛。珊蛮或卜者阔阔出（Gueukdjou）者，常代神发言，素为蒙古人所信奉。兹庄然告铁木真曰："具有古儿汗（Gour khan）[①]或大汗尊号之数主既已败亡，不宜采用此有污迹之同一称号。今奉天命命其为成吉思汗（Tchinkguiz khan）或强者之汗。"[②]诸部长群赞其议，乃上铁木真尊号曰成吉思汗[③]。时年四十四岁[④]。

术人阔阔出，别号帖卜腾格里（Bout-Tangri）[⑤]，此言天像，给

---

① 蒙古语古儿犹言全体，则古儿汗犹言全体之汗。

② 蒙古语 Tchink 犹言刚强．guiz 表示多数之语尾助词，汗为可汗之缩称。

③ 见《世界侵略者传》第1册。《史集》。冯秉正书第9册41页。夏真特书译《元史》及《纲目》35及40页。

④ 剌失德云时年51岁。《元史》纪年始于是年。

⑤ 钧案：原文有脱误，兹取《元秘史》译名。

蒙古人，谓其常乘一灰斑色马至天上，蒙古人因是颇尊崇之。凡事皆与铁木真言，放言无忌，且欲当权。铁木真颇恶其人，兹既无须其助，乃命其弟拙赤俟其入帐发言无状时即杀之。已而此术者入，妄言犹昔。拙赤勇力绝伦，因号哈撒儿[①]，以足蹴之出帝帐，即毙之。阔阔出父名明格里（Minguélic），蒙古晃豁坛部（Congcotan）之千户，成吉思汗母月伦额格之后夫也。汗待以优礼，常置之座右，位于诸臣上。兹见拙赤蹴其子出，以为子不致死，拾其子帽，及闻子毙，遂闭口不言，仍效忠于成吉思汗。其他三子皆为千户[②]。

大会之后，成吉思汗发兵征乃蛮。时不亦鲁已袭兄[③]太阳汗位，猎于突厥人所称兀鲁塔黑[④]附近速札河（Soudja）旁。成吉思汗出其不意，袭擒之。兀鲁塔黑（Oulougtag）为小金山之西支，在巴勒哈失湖（Balcasch）上，西伯利亚与古突厥地分界之山也。杀不亦鲁，尽获其眷属牲畜。其侄屈出律，太阳汗子也，与蔑儿乞王脱脱奔也儿的石河上。

1207 年秋，成吉思汗以唐兀不纳贡，再征之。掠其地一部而还。

同年，遣使者二人往谕乞儿吉思、谦谦州两部之王来降。乞儿吉思，突厥种，据地广大，南界小金山，与乃蛮接境，东南界薛灵哥

① 哈撒儿（Cassar），蒙古语一切猛兽之概称，可参考阿不哈齐书突厥文本 40 页。

② 见《史集》。

③ 钧案：亦可作弟。

④ 此言大山。

河,东北抵安哥剌河[1]。剌失德谓其地多游牧,而城村亦不少[2]。7世纪中,乞儿吉思(黠戛斯)称臣于中国。759年,复隶统治当时鞑靼地域之畏吾儿(回纥)。百年后,起兵灭畏吾儿之国,遂代回纥而主其地。中国皇帝册封之为汗,然其立国为时亦不久也[3]。至是乞儿吉思、谦谦州二部各有其王,号亦纳勒(Inal),其一王名兀鲁思亦纳勒(Ourous-Inal)[4],两王皆称臣于蒙古汗,遣使献白眼鹰[5]。

1208年夏,成吉思汗避暑于其自有领地中。是秋,进兵也儿的石河,再征屈出律及脱脱。斡亦剌部长忽秃哈别吉遇蒙古军,不

① 钧案:《元史·地理志》作昂可剌。

② 见《史集》。冯秉正书第9册42页。

③ 冯秉正书第6册。Visdelou《大鞑靼地域史》,见D'Herbelot《东方丛书补编》,Maestricht 1776年二开本78页以后。

④ 剌失德在其《中亚部族志》中,述乞儿吉思事云:"乞儿吉思、谦谦州两部连界,分为二国。其地一面邻于蒙古,一面以泰亦赤兀部所居之薛灵哥河为界,第三面抵于流至阿必儿失必儿(Aber Sibir)境上之安哥剌河,第四面与乃蛮境之地域山岳相接。忽里、巴儿忽、秃马惕、巴亦鲁克(Baïlouk)四部属蒙古种,居巴儿忽真隘之地,亦与此大国为邻。其国多城村,亦有游牧人民不少。其主皆号亦纳勒。此国最著名之地名Djenin an bidi(?)。其王名……(巴黎图书馆所藏写本二部并佚王名)。另一部分则名Bidi Ouren(?)(后又作Bidi Afroun),此地之王名兀鲁思亦纳勒",其中声母音标脱漏,致使此二地名之译写不甚确实。乞儿吉思之地为谦河所经,即斡罗思人所名之Enisseï水。谦谦州部疑居小谦河(Kemdjik)畔,此河自西东流,在北纬46度之间注入谦河,Kem-Kemtchyk-Bom为置于Kemtchyk河口中、俄(斡罗思)两国分界界标之名(Klaproth撰《关于亚细亚之记录》第1册26页《中俄国境篇》)。10世纪阿剌伯之地理学者Ebn Haoucal(莱德图书馆藏写本)亦位置乞儿吉思之地在成吉思汗时之居地中。567年,东罗马帝遣使突厥可汗室点密之使臣Zémarque《行纪》中,亦著录有乞儿吉思之名。突厥可汗曾以Khérkhis民族之女奴一人赐东罗马使臣。

⑤ 阿不合齐书(突厥文本50页)谓其鹰头爪喙眼皆红。《元史》云,"是岁(1207)遣按弹、不兀剌二人使乞力吉思,既而野牒亦纳里部、阿里替也儿部皆遣使来献名鹰。"参照夏真特书40页。

战而降，因用为向导，进击屈出律、脱脱于崭河（Djem）[①]。脱脱殁于阵，其弟与其诸子逃畏吾儿国；屈出律亦走别失八里而至苦叉（Coudja）[②]。复自是走依突厥斯单之大汗廷，此国在畏吾儿、河中两地之间，当时名曰哈剌契丹。其主契丹种，故以名其国[③]。

1209年秋，成吉思汗三征唐兀。夏主李安全遣其世子率师来战，败之。克委剌哈城（Ouiraca）[④]进至克夷门，复败夏师。薄其都城中兴府，府在黄河西岸，今宁夏府也。引河水灌之，堤决，水外溃，遂撤围还。遣人入中兴招谕夏主，夏主纳女请和[⑤]。

成吉思汗还鞑靼地域，畏吾儿王遣使来纳款。畏吾儿，突厥种也。国境西南与乃蛮接，旧居斡儿寒、秃剌、薛灵哥三河之地，此三河皆发源哈剌和林山中。始隶突厥，唐太宗（在位年始626至649）时，臣于中国。中国设官于各部以治之。其长世袭，中国授以高级军职。其一王在中国载籍中名曰骨力斐罗者，乘突厥之乱，于745年夺据其地，中国皇帝册封之为不可汗（Boucou-khan），是为畏吾儿（回纥）开国之祖。其境东抵大沙漠所止之山，西至金山，然立国甫逾百年，至847年时，乞儿吉思与中国合灭之。至是畏吾儿

① 钧案：《元史》两《速不台传》皆作蟾河，《巴而术阿而忒的斤传》中作襜河，兹从《亲征录》译名。

② 突厥斯单小城名，在哈剌沙儿（Kharaschar）之西。

③ 见《史集》。

④ 按委剌哈唐兀语犹言通墙道。oui此言中，ra此言墙，ca此言通道，见夏真特书379页。此城不识其所在，其名在《史集》中作额里哈（Erica），疑即《马可波罗行纪》中之Egrigaia（Marsden本52章235页）。

⑤ 见冯秉正书第9册43页。《史集》言此役云：秋，成吉思汗第三次侵入唐兀，进至额儿剌哈（Erlaca，别一写本作额里哈），纳夏主女，凯旋而还。钧案：《元史》城名兀剌海，则其对称是Ouracai。

仅保天山之一小国，其后王号亦都护（Idi-cout）。亦都护者，突厥语国主之称也。驻别失八里城[1]，称臣于中国。畏吾儿人先奉之宗教为珊蛮教（Schamanisme），与亚洲北方其他诸部族同。其教之巫者曰珊蛮（Cames），即此粗野宗教之教师也。其后归依佛教。因受文化，由游牧而变为农人。基督教亦曾流行于此民族之中，国有文字，与萨婆（Sabéens）文字颇相类。

1125年顷，此国臣事哈剌契丹帝国。缘有辽国宗室，因国为女真所灭，走西域，建哈剌契丹国。畏吾儿既称藩，遂置一长官以监其国。成吉思汗平定漠北诸部时，其王名巴而术阿而忒的斤（Bardjouc-Art-Tikin）。1209年春，哈剌契丹所置长官名少监（Schoukem）者，聚敛，巴而术不能堪，遂杀少监于哈剌火州（Cara-Khodja）。1210年夏，成吉思汗闻其事，遣使者阿勒不秃黑（Alb Outouk）、答儿拜（Derbay）二人使其国。亦都护厚礼之，命近臣二人偕使者入朝成吉思汗，并致其诚款曰："比闻威望，将遣使通诚，告以新与哈剌契丹绝交事。不意使者降临，喜出望外。譬如云开日现，重睹新光，冰泮得见清水，失望之余，继以欣欢。今献其国，愿为子为仆。"先是脱脱之弟与其四子于嶄河败后，投畏吾儿，其王拒不纳。成吉思汗已知其事，1211年春，成吉思汗三征唐兀还其斡耳朵时，畏吾儿王已奉珍宝来觐[2]。同时哈剌契丹古儿汗之别二藩臣亦入朝。其一人是突厥哈剌鲁部长海押立王阿儿思兰汗（Arslan khan），其一人是阿力麻里王斡匝儿（Ozar）。已而斡匝儿

① 钧案：原注今乌鲁木齐误，应改作济木萨之北。

② 见《史集》。Visdelou 译《续弘简录》（《东方丛书补编》138页）。Klaproth《关于亚洲之记录》第2册331页以后。

出猎，为屈出律所执杀。成吉思汗命其子昔克纳克的斤(Siknak tékin)袭父位，以长子术赤之女妻之。阿儿思兰汗亦尚成吉思汗朝之公主[①]。成吉思汗并许以己女阿勒屯别吉(Altoun-Bigui)字畏吾儿王[②]。

① 见《世界侵略者传》第1册。

② 参阅本卷末附录五。

第　四　章

成吉思汗之叛金——契丹或辽国——女真或金国——成吉思汗之进兵中国——侵入山西、直隶——金兵之败——辽东契丹之叛附成吉思汗——金国都城之变及金帝允济之被害——其侄吾睹补之即位——金夏之战——成吉思汗第二次侵入中国——残破山西、直隶、山东等地——议和——金帝迁都汴京——蒙古军第三次侵入中国——取中都——攻汴京

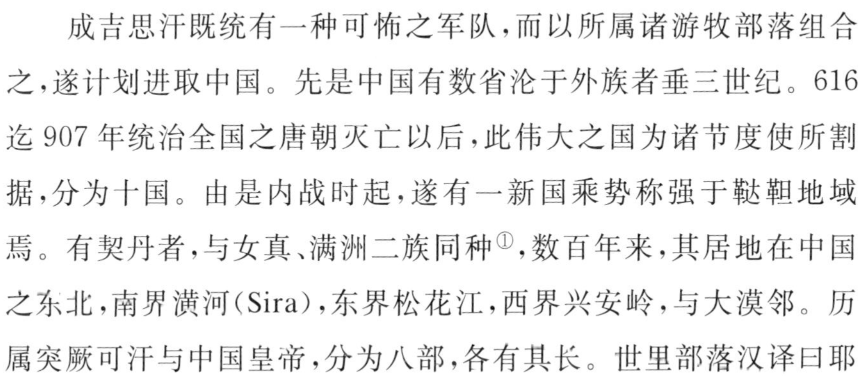

成吉思汗既统有一种可怖之军队，而以所属诸游牧部落组合之，遂计划进取中国。先是中国有数省沦于外族者垂三世纪。616迄907年统治全国之唐朝灭亡以后，此伟大之国为诸节度使所割据，分为十国。由是内战时起，遂有一新国乘势称强于鞑靼地域焉。有契丹者，与女真、满洲二族同种[①]，数百年来，其居地在中国之东北，南界潢河(Sira)，东界松花江，西界兴安岭，与大漠邻。历属突厥可汗与中国皇帝，分为八部，各有其长。世里部落汉译曰耶

---

① 剌失德似不知有中亚三大游牧种族，若突厥种、若鞑靼或蒙古种，若女真或满洲种之判别。故云“哈剌契丹(因国亡，故别号黑契丹，哈剌犹言黑也)皆为游牧民族，其地与蒙古邻，兹二民族语言容貌习惯多相类”。钧案：剌失德且不分别契丹与哈剌契丹。

律者，居今巴林(Parin)旗之地。其长阿保机[①]者，统一诸部，历降中亚诸民族，于916年称帝。阿保机死后十年，其属地东至海，西抵金山。其子德光以军助中国之一叛将，使之成帝业，定都于汴，即今黄河南岸之开封府是已。中国之新帝割直隶、山西、辽东之十六州于德光，以报其援立之德，并约年纳岁币绢三十万匹，上表称臣。然嗣帝不守约，德光遂兴兵取黄河以北诸地，下汴京，俘其帝北去。937年，契丹帝从华俗，改国号曰辽，汉语镔铁也。

唐亡以后，五代历都开封。960年顷，宋朝开国，几尽统一中国全境。此朝诸帝曾与契丹战，谋复前此所割之十六州。1004年，契丹侵入中国以后，宋帝遂与之和，约岁纳银绢于辽。

契丹立国垂二世纪，其君主曾采用中国之制度礼俗，翻译汉籍为契丹语。920年时，阿保机为此曾命制契丹文字。惟文化之进步，遂不免尚武精神之衰微。由是英武君主之后，继以柔弱无所作为之君主，遂启女真民族一战士之野心焉。女真民族诸部落游牧之地，北至黑龙江，西抵松花江，与契丹旧境分界。其长有名阿骨打者，纠集少数部众于麾下。于1114年时叛契丹，历败契丹军。次年自立为女真皇帝，国号Aïdjin couroun，汉言金国。阿骨打曾云，辽以镔铁为号，取其坚，然亦变坏；惟金不变不坏，故以为国名。

阿骨打尽取辽国之地。以1123年死。死后二年，其嗣主获辽之第九与第末主耶律延禧，辽国遂亡。计自立国以来，共有二百十九年矣。

---

① 《史集》所志与成吉思汗父同时之中国君主条中，名此君主曰Djoulidji Apaki(上一字亦可读若Djoulendji)，钧案：即啜里只阿保机之对音。

女真之灭辽，宋亦与有力焉。宋固恢复直隶被割之地，然未久即觉此新国之强，较契丹国为害更大。1125 年，女真即侵入中国。次年进至黄河，围宋都汴京，时暗弱无能之宋帝，因求和入女真营，女真并其宗室三千人，俘之北去。宋帝之弟一人得脱走南方，宋人奉之为帝。

金人略定中国北部，复渡江，取临安。历胜以后，于 1142 年与宋帝和：金人不特保存其所掠之地，宋人且应年纳岁币银二十五万两，绢二十五万匹，称臣于金。两国境以淮、汉二水为界，直隶、山西、山东、河南及陕西南部并归金人。由是宋帝徙都临安，即今浙江杭州是已。

逾二十年，金人又举兵南侵。至 1165 年时，始停战议和。金许宋人减岁币；正敌国之礼，改君臣之称为叔侄。1206 年宋人伐金失败，复乞和，纳岁币如前。

金国诸帝于 12 世纪中叶时，定都于今之北京，而名之曰中都。占据中国三分之一之地，采用中国礼法制度，仿契丹先例亦制女真字。其语言与今日君临中国满洲人之语言同。

当时金人统治之地遍及鞑靼全境。其旧主契丹变为金之臣民者，于 1162 年叛金，金以兵讨平之。先是金与蒙古战，连年不能克。1147 年，乃割地与之议和，蒙古长自是始号曰汗①。中国载籍所载此一事，与蒙古人所传成吉思汗叔祖忽必来汗之说相合②。

① 见冯秉正书第 7 及第 8 册。《大鞑靼地域史》81 至 124 页。

② 当此时代中国北部属于金帝者，诸鞑靼民族则名之曰乞塔（Khitaï）。乞塔者，契丹也，其实契丹人所居之地在此时仅有一极小部分，至若辽东则名之曰哈剌乞塔（Cara-Khitaï），别言之，黑契丹也。然据剌失德云，金国自称乞塔哈剌乞塔女真肃良合

蒙古新主既决定进兵中国，且冀不堪受女真压制的契丹人之助，会金国新易君，亦有机可乘也。1209 年，金帝麻达葛死，第七主允济[①]嗣立。1210 年有诏至蒙古，传言当拜受。蒙古主问金使曰："新君为谁？"使曰："卫王也。"蒙古主遽南面唾曰："我谓中原皇帝是天上人做，此等庸懦亦为之邪？何以拜为！"即乘马北去[②]。

军备完成之后，成吉思汗命脱忽察儿（Tougoutchar）率骑二千，留镇新附诸部，并卫其斡耳朵。1211 年 3 月，发自怯绿连河，南侵中国。出师以前，登一高山，祈天之助，解带置项后，脱其衣纽，

（Soulangca）以及唐兀之地，概名之曰赵忽惕（Tehaocout），别言之，赵国也，此名疑是假诸汉人者。中国人名称属于金人之北地曰京师（Khanzi），属宋之南地曰蛮子（Manzi），鞑靼人则名之曰南家思（Nangkiyass）。中国人自称其全国曰中国，此国且用朝代之名以名其国。是以纪元前 3 世纪时名曰秦国。印度人曾为保存此名，而以传之于最西诸国。名中国北部曰支那（Tchin），南部曰摩诃支那（Mahatchin），或大支那。此波斯人与阿剌伯人 Tchin 及 Matchin 二名之所自出，质言之，皆秦与大秦之对称也。复次金人名主儿扯（Tchourtchés），中国人则名之曰女真，至名契丹，则曰契丹达子。并见《史集》第 2 卷第 2 章。Abdallae Beidavei《中国史》。冯秉正书第 10 册 86 页。金国都城今名北京。然在女真统治以前，名曰燕京或燕都，亦称中京。阿骨打之第三继承人，于 1153 年徙都于此，置大兴府，名曰中都，鞑靼人则名此都城曰汗八里（Khanbalig），质言之，汗城也。金之都城有五：一为辽东之辽阳州，曰东京；二为山西之大同府，曰西京；三为今之北京，曰中都，或中京；四为河南黄河南岸之开封府，曰南京；五为中国北方老哈（Loha）河畔之大宁府，曰北京。

① 允济是汉语名，其女真语名是 Tchong-heï，谥号卫绍王。

② 见冯秉正书第 9 册 50 页。宋君荣书 14 页。夏真特译《元史》及《纲目》43 页。《纲目》云：1206 年铁木真称帝以前，金帝命卫王允济往静州受贡，奇铁木真状貌，归欲请兵攻之，金帝不许（夏真特书译文 40 页）。夏真特注云：静州在长城北，都儿班忽忽惕（Dourban-Coucout）旗中，距大同府约三十程（钧案：原文作 lieue，每单位合四公里，多桑书以此单位与伊斯兰著作中之 fersenk 相近，故常用之。今为行文之便，概译作程。然其所代表之华里，亦不尽相符。例如方志谓白登城在大同府东百十里，而多桑书则谓其相距仅有一程，则不及华里八里矣）。宋君荣书（13 页）所志同一事，谓静州（钧案：疑应作竫州）今名归化城（Coucou khotoun），在北京西，北纬 40 度 49 分，东经 4 度 48 分。

跪祷曰:“长生之天,阿勒坛汗[1]辱杀我诸父别儿罕、俺巴孩二人,脱汝许我复仇,请以臂助;并命下地之人类以及善恶诸神联合辅我。”[2]

蒙古汗偕其四子术赤、察合台、窝阔台、拖雷同出兵。汗治军严。依突厥、鞑靼诸民族旧法,分其军为千人、百人、十人队伍。主队者曰千人长、百人长、十人长,万人队曰秃绵(Touman),统将领之。汗命由传达军令之秃阿赤(touadjis)传于万人长转达于下。

蒙古军全为战骑,每人有革制甲一、兜一、携弓一、斧一、刀一、矛一,及仅需草原之草为食之马数匹,有畜群甚众随军之后。军队急行时,每人自携少量之肉与乳[3]。

成吉思汗之达长城,须经约有一百八十程之地,必须经行蒙古语名称戈壁(Gobi)之地,即汉语所称之沙漠也。距怯绿连河不远,即见此种沙迹。其中偶有童山,盐湖散布,草水甚少,林木绝无[4]。

① 案 Altan 或 Altoun,突厥语与蒙古语金也,阿骨打朝诸帝皆以金为号,鞑靼人则称之曰阿勒坛汗。

② 见《史集》。

③ 见《世界侵略者传》第 1 册。迦儿宾《鞑靼地域行记》第六则。马可波罗《东方行纪》第 1 卷第 56、第 59 章。

④ 欧洲诸旅行家曾志有成吉思汗进取中国所经沙漠一部分之情形。神甫张诚(Gerbillon)于 1696 年随康熙帝自北京赴怯绿连河时,曾将其行程载入日记中,此日记已为 Du Harde 刊布。见所撰之《中国及鞑靼地域志》,La Haye 本第 4 册 368 页以后。此外近有两俄人之行纪可考:一为 Timkowski 之行纪,其人于 1820 年自恰克图赴北京,次年由北京返恰克图。其行纪由一隐名译者从俄文译为法文,曾经 Klaproth 校订,附以图解刊布之,题曰《经行蒙古赴北京之行纪》,巴黎 1827 年八开本二册。别一人为道院长夏真特,彼于掌道北京十年之后,曾偕 Timkowski 还国,亦将北京至俄国边界之行程撰为《蒙古志》。圣彼得堡 1828 年本。其第一篇志其行程道里,第二篇述蒙古及其居民状况,第三篇根据中国载籍节述古代以来鞑靼民族之历史,第四篇摘录隶属中国的蒙古人之法律。

蒙古军经行此中国、蒙古间之大高原，进向山西。山西边界有土城，城有戍楼，5、6 世纪时之君主所建也。自黄海以达国之极西境，以防鞑靼游牧部落之侵入。

先是金将纳合买住守北鄙，知蒙古将侵边，奔告于金主。金主曰："彼于我无衅，汝何言此？"买住曰："近见其邻部附从，西夏献女；而造箭制楯不休，非图我而何？"金主以其擅生边隙，囚之。及蒙古兵至，金主乃释买住；而遣西北路招讨使粘合合打求和。蒙古主不许，金主允济乃命诸万户长独吉千家奴、完颜胡沙、纥石烈胡沙虎率军讨之。胡沙虎者，西京留守也[①]。

蒙古初用兵时，得汪古部长阿剌忽失的斤之助。汪古部为金守御长城之北，兹叛金，引蒙古军入[②]。

成吉思汗败金将定薛，取大水泺、丰利两地。9 月，其将哲别(Tehébé)进取屏障西京之乌沙堡，独吉千家奴、完颜胡沙未及设备，蒙古兵奄至，拔之。并下乌月营，蒙古军乘胜破西京东一程之白登城，遂攻西京。凡七日，胡沙虎弃城突围遁去。蒙古军以精骑三千蹑其后，进至中都以北不远之昌平州。金兵丧师大半，蒙古军遂取西京及宣德府(宣化府)、抚州[③]。

金主命招讨使完颜九斤、完颜万奴率兵驻守西京东方不远之野狐岭，完颜胡沙率重兵为后继。成吉思汗闻金兵至，乃进兵獾儿

---

① 见《纲目》译文 47 页。

② 见《史集》"汪古"条，据云，其后未久，阿剌忽失为其部将所杀，改奉其侄先昆(Sengoun，钧案：疑是将军二字之对音，亦《五代史》中相温之别译也。其人或指镇国)为部长。剌失德谓蒙古人谓长城为汪古，故以名此部。

③ 中国城名，自 13 世纪以来多已改称，以后于括弧中附著今名。

鞘。九斤遣麾下明安问蒙古举兵之故，明安反降于蒙古，以虚实告之，蒙古军遂与九斤等战。金兵大败，人马蹂躏，死者不可胜计。蒙古乘锐而前，胡沙畏其锋不敢拒战，引兵南行。蒙古兵踵袭之，至浍河堡，金兵又大败，胡沙仅以身免。10 月，蒙古兵乘胜取德兴府（保安州）。游兵至居庸关，关在峻崖之上，有长约四程之峡道通中都。守将完颜福寿弃关遁，哲别克之。金中都戒严，禁男子不能辄出城。蒙古游骑至中都城下，金主欲南奔，会卫卒誓死迎战，蒙古兵损折颇多，金主乃止。寻以胡沙怯敌，降其官，将士以其罚轻，由是更不用命。11 月，蒙古所向皆胜，遂袭金群牧监驱其马而去。

同时术赤、察合台、窝阔台三王各将一军取山西长城外之六州[①]；别军徇下直隶北部，而至于海。

1212 年春，蒙古兵取昌、桓二州[②]。统将木忽黎取长城外黄河与桓州间诸堡以后，成吉思汗进围西京大同[③]。金将纥石烈、九斤即率重兵往救，成吉思汗大破之于貛儿觜。8 月，败金将奥屯之军，尽殪之。复攻西京，不能克[④]，遂解围，率诸军退归长城以北。

成吉思汗之攻金也，辽东之契丹亦叛金助之。辽宗室耶律留哥者，仕金为北边千户。蒙古兵起，金人疑辽遗民有他志，留哥不自安，遁至隆安，聚众以叛。1212 年初，遣使附于成吉思汗。会成吉思汗亦命按陈那颜往与之约共图金，留哥乃与按陈刑白马白牛，

① 云内、东胜、武、朔、丰、竫六州，似皆在阴山长城之间，黄河支流图尔根河灌溉之地。今有归化城与废城数所。

② 并在北京东北北鞑靼地域之内。

③ 钧案：蒙古兵得城旋弃，兵退，金人复据守之。抑多桑取材来源不同，遂致一事两见欤？

④ 据《元史译文》54 页，及宋君荣书 18 页，皆谓成吉思汗在城下中流矢，遂退还。

北望折矢以盟[①]。金主遣完颜胡沙帅军六十万讨留哥，并悬赏以购其首。留哥求救于其新主，成吉思汗以三千骑助之，留哥败金兵，以所俘辎重献蒙古主。1213 年 1 月，蒙古主遣统将哲别自中国率兵进取东京辽阳。哲别见城坚难下，欲以计取。即退数日程之地，留其辎重，选良马急驰还，乘金人不备，袭取其城[②]。留哥既取契丹之地，从者甚众，成吉思汗命之为辽王。

1213 年中，蒙古汗复入中国，再取前所弃而为金人复得之诸城。8 月，复取直隶北部之宣德府，遂攻德兴府。蒙古主幼子拖雷与其婿赤乞(Tchiki)[③]先登拔之。赤乞者，阿勒术(Aldjou)之子也。成吉思汗进至宣德东南十五程之怀来县，败金将完颜纲、高琪，杀戮甚众，伏尸四程之地。蒙古军追至北口[④]，知金人在居庸关屯重兵，难由此进兵中都。乃留可忒薄刹[⑤]。顿兵拒守；自将别众西行，取太行之紫荆关，败金兵于山西、直隶界上之五回岭。进拔中都西不远之涿、易二州，同时契丹将讹鲁不儿献北口降。

当是时也，中都变起：先是去年 4 月，金主罪其将胡沙虎，罢其官。是年 6 月，复用之为右副元帅，使将兵屯中都城北。丞相徒单镒与诸大臣谏，不听。蒙古兵在居庸关，而胡沙虎日务驰猎，不恤军事，金主遣使责之。胡沙虎遂谋作乱，妄称知大兴府徒单南平谋反，奉诏入讨。召南平至北郭，胡沙虎手刃杀之。入宫，以其党易

---

① 见冯秉正书 51 页。宋君荣书 16 页，谓盟地在沈阳北四、五十程之金山。

② 见《史集》。《元史译文》54 页。

③ 钧案：《亲征录》作赤渠，《元史》作赤驹、赤苦、赤窟，《元秘史》作赤古。

④ 钧案：应是居庸北口，原作古北口，必系译人误释。

⑤ 钧案：此处原为乾隆改订的克特卜齐之对音 Ketebdji，非出剌失德书，洪氏以为剌失德书作喀台布札，谓为二人，不知是否直接本于剌失德书，尚待考也。

宿卫,明日以兵逼金主出居卫邸。越数日,遣宦者杀金主于邸,时在是年9月也。

胡沙虎欲僭位,既而见众望不属,乃奉受封于河南彰德之宗王完颜珣,女真名吾睹补者为帝。十月珣至中都即位。

哲别自辽东还至涿州,蒙古汗遣之攻居庸、南口,破之。进兵至北口,与可忒薄刹军合。既而又遣诸部精兵五千骑,令怯台(Kota)、哈台(Khata)二将窥取中都。

会蒙古军至皂河,欲渡高桥。胡沙虎病足,乘车督战,蒙古军大败。翌日再战,胡沙虎创甚不能出。期高琪以军五千拒之,高琪失期不至,胡沙虎欲斩之,金主以其有功,谕令免死。胡沙虎乃益其兵,令出战,戒之曰:"胜则赎罪,不胜斩汝!"高琪出战大溃,自度必为胡沙虎所杀,乃以军入中都,围胡沙虎之第。胡沙虎闻乱作,登后垣欲走,衣绊坠而伤股,军士就斩之。高琪取其首诣阙请罪,金主赦之,以为左副元帅。

蒙古侵金之时,夏国亦进兵逼其西境。先是金、夏和好已八十年。成吉思汗第三次侵夏之时,夏主求援于金,金不以援至。1210年,夏遂与金绝,与蒙古和。1213年终,夏取金泾州。

时金人降蒙古者甚众。蒙古主分降军四十六都统,并蒙古军分道共进,留怯台、哈台二将窥中都之北。年终分兵为三道,进取黄河以北诸州。术赤、察合台、窝阔台三子将右翼,进取山西。拙赤哈撒儿将左翼,进取直隶沿海之地,大掠辽西一带。成吉思汗自与幼子拖雷将中军,徇直隶、山东,至于黄河。三蒙古军凡破金九十余城。时金中原诸路之兵皆佥往山后防遏,悉佥乡民为兵,上城守御。蒙古尽驱其家属来攻,父子兄弟往往遥呼相认,由是人无固志，故所至郡邑皆下。黄河以北能自保者，仅余九城[①]。蒙古军在北方三省席卷金帛、子女、牛马羊群而去。

是役也，在1214年之首3月。至4月，蒙古诸军集于中都西之大口，蒙古诸将请乘胜破中都，成吉思汗不许。乃遣二使告金主曰："汝山东、河北郡县悉为我有，汝所守惟燕京耳。天既弱汝，我复迫汝于险，天其谓我何？我今还军，汝不能犒师以弭我诸将之怒耶？"金丞相高琪言于金主曰："鞑靼人马疲病，当决一战。"完颜福兴曰："不可。我军身在都城，家属各居诸路，其心向背未可知。战败必散；苟胜亦思妻子而去。莫如遣使议和，待彼还军更为之计。"金主然之，遂遣使求和。成吉思汗欲得其公主。4月，金主吾睹补以前主允济之女为己女，及金帛童男女各五百，马三千与之。成吉思汗遂退兵，金主令福兴送至居庸关北。成吉思汗既出居庸关，收所虏男女皆杀之，其数不可胜计。

5月，金主既与蒙古和，大赦其国内。以国蹙兵弱，不能守中都，乃议迁于汴。汴者，金之南京也。谏者皆不纳。6月，命平章政事完颜福兴左丞抹撚尽忠奉太子留守中都，遂与六宫启行[②]。

金主至中都西南五程之良乡，令契丹军元给铠，马悉复还官。契丹军皆怨，遂作乱，杀其主帅。而推斫答（Tchoda）、比涉儿（Beïscher）、札剌儿（Tchalar）三人为帅，还向中都。福兴闻变，以兵阻中都南二程之卢沟桥，斫答击败之。契丹军势既盛，遣使乞降

① 大名府、真定府、清州、云州（今河北赤城县）、邳州、海州、沃州、顺州（今北京东北六程之顺义县）、通州（今河北通县）。

② 案：《元史》名完颜福兴，剌失德书则作丞相（Fouking），然冯秉正、宋君荣二书皆名其人曰承晖。

于成吉思汗,并求其助。

成吉思汗驻夏于鱼儿泺[①]。闻金主南迁及斫答之叛,乃决弃和约,命撒勒只兀部人三木哈拔都(Samouca Bahadour)率蒙古军,明安率女真军,往会斫答之契丹军合围中都[②]。

蒙古统将木忽黎在前此侵金诸役中,为成吉思汗之副。兹命其进兵辽东,以援留哥,缘金兵已复取辽东之大半也。

金主吾睹补闻蒙古复进兵,恐太子有失。8 月,召之至南京。太子既行,中都人心愈危。蒙古军围中都,城中因大饥馑。金主得完颜福兴告急表,命统将永锡、乌古伦庆寿率军往援。李英运粮大名,以救中部,并以重军护送。1215 年 4 月,英被酒,与蒙古军遇于霸州北,大败,尽失所运粮。英死,永锡、庆寿军闻之皆溃。自是中都援绝,内外不通。福兴与尽忠会议,期同死,尽忠不从。福兴即还第,辞家庙,作遗表付令史师安石,皆论国家大计,及平章政事高琪奸状,且谢不能终保都城之罪。散家财于僮仆。而自仰药死,时在 1215 年 6 月也。

中都妃嫔闻尽忠将南奔,皆欲偕行。尽忠恐为己累,绐之曰:“我当先出,与诸妃启途。”乃挈其所亲出城,不复反顾。

蒙古兵入中都,吏民死者甚众。宫室为蒙古兵所焚,火月余不灭。时成吉思汗驻夏于桓州[③]。遂命失吉忽秃忽(Schiki Coutou-

① 此湖在 Korloss 旗中,蒙古语今名 Tchagas-soutaï,地图上作 Baïbour-tchagan-nor,见夏真特书 438 页。

② 三木哈拔都:《元史·太祖纪》作三摸合。《石抹明安传》作三合拔都。明安即石抹明安。

③ 810 年契丹人所建,在今独石口东北十九程,及多伦(Dolon)湖之西南。蒙古人今名之曰 Courtoun-Balgassou,见夏真特《四汗史》426 页。

cou)[1]等三人赴中都劳明安，并检视中都帑藏。时金守藏官奉金币为拜见礼，失吉忽秃忽独不受。及还，成吉思汗问忽秃忽曰："曾否受馈？"对曰："未敢受之。"蒙古汗问其故。对曰："今既城陷，其物悉属我君，他人不得私有。"成吉思汗遂以忽秃忽知大体，厚奖之。责其余二使。

成吉思汗得辽后裔名耶律楚材。楚材父仕金，终尚书右丞。自为中都左右司员外郎。中都陷，遂降。成吉思汗召见之，语之曰："辽、金世仇，朕为汝雪之。"对曰："臣父祖尝委质事之；既为之臣，敢仇君耶？"成吉思汗重其言。见其美髯宏声，知其明于星术，乃处之左右，不复离，凡有征伐皆使卜之。蒙古俗习用羊胛骨卜吉凶。汗亦自灼羊胛以符之然后行[2]。

师安石奉完颜福兴遗表至汴，金主追赠郡王之号。已而抹撚尽忠亦至，金主释不问，仍以为平章政事。未几以谋逆伏诛。

成吉思汗甫得中都，即欲谋取南京。11月，在鱼儿泺命三木哈率万骑，自西夏趋西安以取潼关。潼关处黄河南岸，为陕西通河南之门户。三木哈攻之不能下。乃由嵩山小路趋河南之汝州，进取汴京。至距汴京二程之地[3]。金山东援兵至，击败蒙古兵。三木哈退陕州，适河冰合，遂渡河北去。

金主遣使乞和于成吉思汗，成吉思汗要求去帝号，割河以北地，和议遂不成。

---

① 钧案：此名见《元秘史》，《亲征录》作忽都忽那颜。

② 见《纲目》译文108页。Abel Rémusat《亚细亚杂纂新编》第2册64页《耶律楚材传》。

③ 钧案：杏花营距汴京二十里，则多桑以一程作十里矣。

1216 年 11 月，三木哈克潼关，取陕州等城。进至南京附郭，旋以兵微复退。当时金人与蒙古守战之术，可以下表概之。金御史台言："兵逾潼关、崤、沔，深入重地。近抵西郊，彼知京师屯宿重兵，且未叩城索战。但以游骑遮绝道路，而别兵攻击州县。是犹火在腹心，而拨置于手足之上。若专以城守为事，中都之危，又将见于今日。况公私蓄积，视中都百不及一，此臣等所为寒心，愿陛下察之。请以陕西兵扼潼关，与副元帅蒲察阿里不孙为犄角之势。选在京勇敢十数将，各付精兵数千，随宜伺察，且战且守。复谕河北，亦以此待之。"金主付尚书省议之。时高琪欲以重兵屯驻南京以自固，不顾州县残破。乃奏言："台官素不习兵，备御方略非其所知。"事遂寝。由是阿骨打所建之国已近末日矣[①]。

① 见夏真特《四汗史》42 至 84 页引《纲目元史》。冯秉正书第 9 册 44 至 75 页。宋君荣书 13 至 30 页。《史集》。《元史》仅案年记载大事，《纲目》所志较详，然漏举 1212 年之诸战役，而以 1213 年之战役位于是年之中。剌失德书尤简，所志诸役未著年月，因是不能辨别 1211 年、1212 年、1213 年之战役。最初见之年月，则为蒙古三军蹂躏中国北部进至黄河还集于中都附近之事。然其所志亦不正确，盖剌失德谓在 1213 年春末，而中国史书则谓在 1214 年也。

钧案：多桑间接所本之中国载籍，大致为《元史》、《续通鉴纲目》、《续弘简录》三书。顾西京之取与獾儿觜之战，《续纲目》系于辛未(1211)年下，《元史》、《续弘简录》则系于壬申(1212)年下，多桑不明出处，故两著之。其实为一事，非剌失德书别有异文也。又西夏之委剌哈城，乃是乾隆所改卫喇喀一名转为西文之讹。其实西文原无是名，前未察，故未改正。应仍以兀剌海一名为是。

第五章

成吉思汗之还蒙古——蔑儿乞部之灭——秃马惕部之征服——讨辽东之叛——遣木忽黎总统诸军经略中国——四侵唐兀——太阳汗子之走哈剌契丹——此国之沿革——屈出律汗与花剌子模算端之结合共图哈剌契丹帝——屈出律之取哈剌契丹——蒙古军之侵入哈剌契丹国及屈出律之败亡

1216年春，成吉思汗还怯绿连河之斡耳朵[①]。命统将速不台(Souboudaï)往征蔑儿乞末王脱脱之弟及三子，并命与脱忽察儿先遣前锋之军合[②]。时蔑儿乞王弟及子纠合残部于金山。速不台等进至崭河，败之，尽灭蔑儿乞部，杀脱脱之弟忽秃及脱脱之二子，虏脱脱之第三子忽勒秃罕(Coultoucan)，以献成吉思汗长子术赤。忽勒秃罕善射，号麦儿坚(Mergan)。术赤欲见其能，命之射。忽勒秃罕发矢中的，又发第二矢中前矢。术赤惊其能，遣使求父免其死。成吉思汗言其为所亲经略土地人民既众，敌种之后不可留，遂杀脱脱之末子。

---

① 剌失德书谓还斡耳朵为鼠儿年事，则在回历六一一年，公元1215年矣。

② 钧案：《亲征录》系其事于丁丑(1217)年下。

秃马惕，好战之民族也。地与乞儿吉思相接，其部长拜秃剌速哈儿(Baïtoula Soucar)[①]乘蒙古主之远离，遂叛。1217 年，成吉思汗命不儿忽勒[②]讨平之，然不儿忽勒阵殁。不儿忽勒行前托其亲属于成吉思汗。至是汗语不儿忽勒之诸子曰："自是以后将代为彼等之'心肝'。"后颇善待之[③]。

成吉思汗之讨秃马惕也，征兵于其邻乞儿吉思部。乞儿吉思部不从，亦叛去。成吉思汗命长子术赤往讨之。术赤履冰渡谦谦州河，讨平此种民族而还。

先是金人重取辽东之城甚夥。1214 年 8 月，成吉思汗命木忽黎进取金之北京。木忽黎令部将萧也先率千骑为先锋，也先曰："兵贵奇胜，何以多为?"谍知金人新易东京留守将至，也先独与数骑邀而杀之。怀其所受诰命，至东京，谓守门者曰："我新留守也。"入据府中，问吏列兵于城何谓，吏以边备对。也先曰："吾自朝廷来，中外晏然，奈何欲陈兵以动摇人心乎?"即命撤守备，曰："寇至在我，无劳尔辈。"是夜下令，易置其将佐部伍。三日，木忽黎至，入东京不费一矢，已而得辽东全境之地。

1215 年，木忽黎进兵攻金北京，即辽西老哈河西岸之大宁府也。3 月，金北京守将银青率重兵御于花道，败还，婴城自守。其

---

① 钧案：《亲征录》作带都剌莎合儿，可以互证。惟第一字之发声不知孰误，然《元秘史》则作豁里秃马惕之那颜歹都忽勒莎豁，言其人时已死，其妻统率部众。豁里，蒙古语犹言老也。

② 钧案：即《元史》之博尔忽，《亲征录》之博罗浑，《元秘史》之孛罗兀勒。

③ 见《史集》。剌失德书"许兀慎(Houschines)"条云，那颜不儿忽勒，许兀慎部人也。始在成吉思汗所为庖人长(Boukaoul)及膳夫(Baverdji)，嗣后历为百夫长、千夫长、万夫长，终为右手军统领博尔术(Bourdji)之副。此二人为成吉思汗之爱将，出兵时常恐其有失。

将二人杀银青，推寅答虎为帅。木忽黎命史天祥等趋兵进攻，寅答虎遂举城降。木忽黎怒其降缓，欲坑之。萧也先曰："北京为辽西重镇，既降而坑之，后岂有降者乎？"木忽黎从之。奏寅答虎权北京留守，以契丹将吾也而（Ouyer，Oyar）[①]权兵马帅府事以镇之。

先是去年锦州张鲸聚众十余万，杀节度使称王，已而降成吉思汗。1215年，汗命鲸率万人从征直隶。鲸至平州（永平府），称疾逗留。木忽黎先知鲸有反侧意，以萧也先监其军。1216年1月，也先执鲸诛之。

6月，鲸弟致愤其兄被杀，据锦州叛，称王，据六州地。12月，木忽黎率军讨之，兵近锦州，城坚守固。木忽黎欲诱其出，遣吾也而等攻溜石山，又遣蒙古不花屯永德县。致果遣军出援溜石，蒙古不花引兵趋之。木忽黎得报，夜半引兵疾驰，遇于神水县东，夹击败之。遂进围锦州，致遣将出战，又败还城。守月余，其将高益缚致出降，木忽黎斩之[②]。

辽东、辽西既平，成吉思汗召木忽黎还。1217年2月，汗驻秃刺河上，大奖其功，授以中国封号曰国王。[③]都行省承制行事，赐黄金印曰：子孙传国世世不绝。使统诸军，经略中国。且谕曰："太行之北，朕自经略；太行以南，卿其勉之。"赐自建九斿大旗。仍谕诸将曰："木忽黎建此旗号令如朕亲临也。"木忽黎率军二万三千[④]。同

---

① 钧案：《元史》作撒勒只兀部人，兹作契丹将，不知何所本。

② 见《纲目》及《元史译文》74页、75页、83页、86页。宋君荣书26及30页。

③ 木忽黎，札剌儿民族之察惕部（Tchate）人也。

④ 汪古部一万，忽失忽勒部（Couschicouls，钧案：《亲征录》作火朱勒部，如多桑译写不误，火朱勒疑是火失火勒之误）一千、兀鲁兀部四千、亦乞剌思部二千、忙古部（Mingcoutes）一千、弘吉剌部三千、札剌儿部二千。

万夫长吾也而、秃花(Toghan)所将其国之契丹、女真军,南伐金国。万夫长,即中国人所称之元帅(Vang-schaï)也[①]。

1218 年,成吉思汗四征西夏,围其都城。夏主李遵顼奔西凉,即今甘肃之凉州府也[②]。同年高丽降蒙古。

至是,成吉思汗遂欲取西域,盖乃蛮末汗之子屈出律僭夺哈剌契丹之帝位,已六年矣。

哈剌契丹帝国,辽朝一宗王所建国也。金灭辽,辽末帝耶律延禧之族耶律大石[③]者,为节度使。因得罪,不自安。率骑二百走陕西之西北。会其地诸州诸部王众,得精兵万余,西向突厥斯单。请假道于回鹘(Ouïgours)王毕勒哥[④],毕勒哥迎之至邸,献马、驼、羊甚多,愿质子孙为附庸,送至境外。耶律大石徇下合失合儿、鸭儿看(Yerkend)、兀丹诸地[⑤],并取突厥斯单[⑥]。时突厥斯单属可汗马合某(Mahmoud),突厥君主,而自号系出波斯古史著名之额弗剌昔牙卜(Éfrassiyabes)朝之第二十王也。既失突厥斯单,仅余河中(Transoxiane)一地。越数年,哈剌契丹侵入河中,遂降为哈剌契丹之藩国[⑦]。已而花剌子模亦为耶律大石之兵所残破。花剌子模朝之第二代主阿即思(Atsiz)请和,年纳三万金钱为岁币[⑧]。由

① 见冯秉正书第 9 册 79 页。宋君荣书 32 页。《史集》。

② 见冯秉正书 84 页。《元史译文》91 页。

③ 《史集》作秃石太傅(Touschi Taïfou)。

④ 钧案:原名应是 Bilga,乾隆妄改作必里克,是以多桑在此处作 Bilik。

⑤ 见冯秉正书第 8 册 399 页。Visdelou 书 10 页以后。《史集》。

⑥ 阿剌伯与波斯人谓自细浑河达中国大沙漠之地曰突厥斯单,或突厥人之国。然在狭义中,则指细浑河较近之地,东以畏吾儿合失合儿为限。

⑦ 见木涅靖巴失书第 2 册诸突厥可汗章。

⑧ 见《世界侵略者传》第 2 册。

是大戈壁与阿母河间，土番诸山与西伯利亚诸山间，其地尽属耶律大石。1125年遂号古儿汗。古儿汗犹言大汗也。定都八剌撒浑（Bela-Sagoun）。耶律大石信佛教，佛教因成国教。此创业主善骑射，深知中国文学，曾为辽之翰林，后谋恢复辽国而未果成，以1136年死。子夷列年幼，遗命皇后塔不烟权国称制。至1142年，夷列始亲政。后于1155年死。子直鲁古年幼，遗命以妹普速完权国称制。1167年直鲁古始即位①。1208年（回历六〇四——六〇五）乃蛮汗子屈出律奔哈剌契丹时，直鲁古尚在位。屈出律至，直鲁古厚待之，并以女字之。

直鲁古专事娱乐游猎，不理政务。已启畏吾儿王、河中汗、花剌子模算端三大藩离贰之端。其婿亦谋废之，而夺其位。乃蛮王子曾诱直鲁古统将数人使从己，苟能招集其父之残部，将不难达其愿也。遂请于直鲁古，许其往招乃蛮残部之流亡于叶密立（Imil）、海押立、别失八里三地之间者，愿以此军专供其主之用。哈剌契丹主喜从之，厚赠以赆其行。授以屈出律汗之号，突厥语犹言强王也。

屈出律至其地，其父旧部果集其麾下。蔑儿乞部长经成吉思汗军击走者，亦来从。屈出律率之西向，其士卒入哈剌契丹境后，即肆劫掠，欲有所获者，亦相率从之。然其军尚微，不足藉之得国也。时花剌子模波斯主摩诃末（Mohammed）者，已脱直鲁古之属藩，撒麻耳干（Samarcand）河中汗斡思蛮（Osman）且臣附之。屈出律乃约花剌子模主共图哈剌契丹，许事成以西方诸州界之。会

① 见冯秉正书第8册399页。Visdelou书10页以后。

哈剌契丹以斡思蛮不附，遣军进讨撒麻耳干。摩诃末急往救，未至，哈剌契丹军已解围去。盖屈出律适进攻，故招此军还也。

屈出律乘哈剌契丹军遣调在外，进掠讹迹邗(Ozkend)城中古儿汗之宝藏，已而欲袭八剌撒浑。古儿汗虽年老军微，仍率以出战，大破其敌于真不只河(Tchinboudje)畔。屈出律失利退走，将弃其所图也。

然摩诃末已与斡思蛮连军侵入哈剌契丹境，败统将塔尼古(Tanigou)之军于答剌速河外。塔尼古既被擒，其溃卒遂掠其本国。八剌撒浑之民欲附摩诃末，冀其来援，闭城不纳古儿汗士卒，士卒围攻。城民守十六日。城破，居民被屠，死者四万七千人。

时古儿汗帑藏空虚。其统将马合某别(Mahmoud Baï)多财货，恐被迫献金，乃建议将其士卒所夺于屈出律之财宝入官，诸将怨而离去。屈出律乘古儿汗之将卒离散，于 1211 或 1212 年(回历六〇八)袭执古儿汗。然仍留其帝号，敬事之，至死不衰。事变之后二年，古儿汗死[①]。

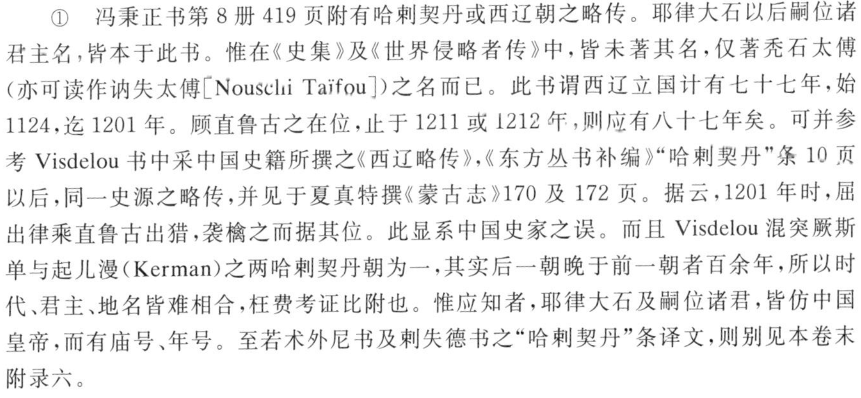

① 冯秉正书第 8 册 419 页附有哈剌契丹或西辽朝之略传。耶律大石以后嗣位诸君主名，皆本于此书。惟在《史集》及《世界侵略者传》中，皆未著其名，仅著秃石太傅(亦可读作讷失太傅[Nouschi Taïfou])之名而已。此书谓西辽立国计有七十七年，始1124，迄 1201 年。顾直鲁古之在位，止于 1211 或 1212 年，则应有八十七年矣。可并参考 Visdelou 书中采中国史籍所撰之《西辽略传》，《东方丛书补编》"哈剌契丹"条 10 页以后，同一史源之略传，并见于夏真特撰《蒙古志》170 及 172 页。据云，1201 年时，屈出律乘直鲁古出猎，袭檎之而据其位。此显系中国史家之误。而且 Visdelou 混突厥斯单与起儿漫(Kerman)之两哈剌契丹朝为一，其实后一朝晚于前一朝者百余年，所以时代、君主、地名皆难相合，枉费考证比附也。惟应知者，耶律大石及嗣位诸君，皆仿中国皇帝，而有庙号、年号。至若术外尼书及剌失德书之"哈剌契丹"条译文，则别见本卷末附录六。

屈出律既据哈剌契丹大位，欲服阿力麻里汗斡匝儿，数以军讨之。终乘其出猎，袭擒杀之。合失合儿、兀丹两地亦不附。先是古儿汗执乞失合儿汗子，投之狱。至是屈出律释之归。然甫抵合失合儿城门，为城人所杀。屈出律遂遣军残破其地。时当收获之时，毁禾稼而去。如是者二三年。其地人民饥困，不得已遂降。相传乃蛮部人多信基督教。兹屈出律又从其妇古儿汗女之言，信奉佛教。及其征服兀丹也，欲强其人民弃伊斯兰教，而改信基督教或佛教。召集伊斯兰教教师于城下之一平原中，而谕之曰，有人欲与之辩论此教教义者，可来前。由是伊斯兰教师之长(Imam)阿剌丁摩诃末(Alaï-ud-din Mohammed)近向屈出律，热烈辩护伊斯兰教。屈出律怒其抗命，遂詈及教主摩诃末(Mahomet)。教长恚甚，呼曰："真教之敌，愿以土覆汝之舌！"屈出律命执之，施以拷掠，强其改教。教长不从。遂以其人钉于所居道院之门。自是以后，遂虐待其国中之诸穆斯林。

成吉思汗雅不欲其旧敌之安然窃据一国汗位，故于1218年(六一五)西征时，命那颜哲别率二万人往讨屈出律。蒙古军甫近，屈出律即逃合失合儿。哲别入城，宣布信教自由，城民尽屠屈出律士卒之居民舍者。蒙古军追逐屈出律，至巴达哈伤，执斩之①。

成吉思汗闻哲别之胜利，遣使谕之，勿因胜而骄。王罕、太阳汗、屈出律汗及其他诸汗，皆因骄而致败亡也。此哲别即后来布蒙古之军威于阿美尼亚、谷儿只、斡罗思等地者，乃亦速惕(Yissou-tes)部人也。先是久为铁木真之敌，铁木真败亦速惕部，哲别与同

① 见《世界侵略者传》第1册。《史集》。

部溃众逃匿不出。铁木真一日出猎,偶见其在围中。欲进擒之,其将不儿忽赤[①]请与之斗。铁木真以白口之马假之[②],不儿忽赤出射哲别不中;哲别射较精,发矢射不儿忽赤马仆,以是得逸去。已而困甚,遂降成吉思汗。汗知其勇,命为十夫长,以功历擢为百夫长、千夫长,终为万夫长。至是讨平屈出律汗,获白面马千匹,以献成吉思汗,而偿前此所毙其主一马之失[③]。

由是蒙古主斥地至于哈剌契丹。合失合儿、鸭儿看、兀丹并列版图。此三地之人多信伊斯兰教,工技巧,务农商及机械术。以鞑靼地域之出产,与中国及印度之出产相贸易[④]。成吉思汗之国遂与算端摩诃末之国相接。此繁荣邻国之富庶,不免启鞑靼地域诸游牧部落之贪心,未久此蒙古侵略者得藉词而开边衅焉。

---

① 钧案:即《元史》之博尔术。

② 剌失德曰,蒙古语作察罕阿蛮忽剌(tchagan aman coula),突厥人与蒙古人谓白斑栗色马曰忽剌(coula),即德国语之 schweissfuchs。此忽剌不可与忽阑(Coulan)相混,盖忽阑指野驴也。

③ 见《史集》"亦速惕"条。蒙古语哲别犹言木镞箭。

④ 见马可波罗书第 29 章 31 及 32 页。

第 六 章

花剌子模帝国——历渐强大——算端摩诃末与哈里发纳昔儿之失和——进攻报达——算端诸子之封地——其军队之组合——其母之当权——成吉思汗之遣使传语——至自鞑靼地域的数商人之被杀于讹答剌——成吉思汗之备战——其使臣之被杀——花剌子模蒙古两军之战于突厥斯单——成吉思汗之进兵花剌子模国——摩诃末之筹备防守

花剌子模帝国建设于塞勒术克朝(Seldjoukides)废址之上,而又兼并数国,其地遂自细浑河达波斯湾,自申河(Indus)达伊剌克、阿剌伯(Irac-Aréb)、阿哲儿拜占。13 世纪初年,此国之主阿剌丁摩诃末(Alaï-ud-din Mohammed)者,突厥奴名讷失的斤(Nouschtékin)之后裔也。讷失的斤先为塞勒术克朝算端灭力沙(Mélikschah)臣某之奴,后归算端为执水瓶隶,嗣授花剌子模长官。当时伊斯兰教诸朝史所供给突厥奴隶跻身高位之例,颇不少见,缘此族之俘虏,美容貌,力强而执事勤,颇见重于波斯也[①]。突厥人信奉偶像,游牧里海西北诸地者,常互相争战,互掠童孺,售之

① 见本哈兀哈勒(Ebn Haoucal)撰《地理志》,莱德图书馆阿剌伯文写本。

于贩卖奴隶之商人，而转贩于波斯等地。伊斯兰教诸国之王侯、贵人，以重价购之，授以伊斯兰教教义，多养之成为军人。亚洲诸贵人之卫士仆役甚夥，即以此种突厥奴隶为之。其得主宠者，于脱奴籍后，常跻内廷与军中之高位，为一州之长官。设有机可乘时，亦得成为君主①。

由是观之，伊斯兰教诸国在突厥民族侵入以前，已见有突厥奴隶权重而势强者矣。波斯因阿剌伯人之侵略而使其文化落后者，后至诸哈里发统治时代，重复兴盛。在15世纪中叶，又为乌古思(Ogouzes)种所据。乌古思者，出于里海、细浑河间沙碛中之突厥游牧民族也②。塞勒术克(Seldjouk)之诸孙，曾率此种残猛牧人，略地至于地中海沿岸。其部落繁多，屯驻于此广大帝国之各地。曾使波斯、阿剌伯、西利亚、阿美尼亚、希腊之居民受制于其蛮野行动之下。自是以后，波斯与邻近西方诸地之历史，仅为兵侵盗寇残毁之单调的叙述而已。复次，此种塞勒术克族之突厥酋长，统治诸州而为其部众之专制主者，互相攻伐，不久遂与中世纪欧洲之诸大

① 定都于哥疾宁(Ghiznin)之古儿朝(Gour)之末主失哈不丁马合木(Schihab-ud-din Mahmoud)者，仅有一女，喜购突厥奴，渐擢之致高位。一日其近臣某愿其得子，俾能以国传之。算端答曰："我现有子数千，足以守吾国也。"1205年，此算端死，其诸州果为诸突厥守将所割据。其中有塔只丁亦勒都思(Tadj-ud-din Ildouz)者，成为哥疾宁主。迨此新君欲以其名列于公共祈祷中时，伊斯兰教博士(Oulémas)以其未脱奴籍，拒不从。塔只丁不得已，乃遵伊斯兰教法律，请求加秃丁(Ghiat-ud-din)脱其籍。加秃丁者，失哈不丁之侄与嗣君也，仅得保古儿小国，始力拒之，终乃许之。见《乐园》第4册，并见木涅靖巴失书"古儿君主"条。

② 伊斯兰教史家之撰塞勒术克朝之历史者，未明指乌古思侵入波斯以前所居之地域，仅在本哈兀哈勒之《地理志》中，数言此种信奉偶像之游牧部落，在10世纪偕其畜群游牧于花剌子模河中间之荒芜平原而已。

藩相类。每有君位继承，即见内讧之局。凡君主之经其党诸“别”（Bey）推戴者，势须以其大部分之大权移转于诸人之手。卒致此塞勒术克之帝国，在12世纪末年时，因混乱而致灭亡。

其终致波斯、塞勒术克系之死命者，即属讷失的斤之一后裔。讷失的斤子忽都不丁摩诃末（Coutb-ud-din Mohammed）继父位，而获有阿剌伯人侵略前花剌子模[①]故君所旧有花剌子模沙（Khorazm-Schah）之号。摩诃末子阿即思继立，数以兵攻其主君辛札儿（Sindjar）。辛札儿者，灭力沙之子也。哈剌契丹之军兴，阿即思势不敌，乃奉岁币于古儿汗。1157年，辛札儿算端死，阿即思子亦勒阿儿思兰（Il-Arsslan）夺据呼罗珊之西部。1194年之战，阿儿思兰子塔哈失（Tacasch）击杀塞勒术克朝算端脱黑鲁勒（Togroul）而取伊剌克阿只迷（Irac-Adjém）之地。辛札儿、脱黑鲁勒既相继死，波斯之塞勒术克两系遂亡。塔哈失因得哈里发纳昔儿（Nassir）之册封，而为其所领诸地之主。由是伊兰（Iran）帝国遂由塞勒术克系之突厥，移转于花剌子模之突厥矣。

1200年，阿剌丁摩诃末继父位，取巴里黑（Balkh）、也里两州，遂全有呼罗珊之地。已而祃椤答而（Mazendéran）、起儿漫亦并属之。先是花剌子模奉岁币于哈剌契丹帝，计有三世。至是摩诃末颇以朝贡此偶像教之主君为耻，自恃力强，欲脱藩属。会撒麻耳干河中汗斡思蛮亦古儿汗之藩臣也，不堪哈剌契丹所置诸州监征贡赋长官之需索，亦劝摩诃末自主。并许脱离桎梏以后，奉摩诃末为主君，以所纳哈剌契丹帝之同一岁币奉之。

---

① 其实在读音应读若Khovarazm。

摩诃末遂欲乘机与哈剌契丹绝。会有哈剌契丹使者来受岁贡，案旧例得列坐算端之侧。时摩诃末新战胜里海北荒原信奉偶像教之钦察民族，意气更骄。怒使者之敢与抗礼，命执使者磔杀之。

摩诃末于挑衅后，遽举兵入哈剌契丹境，然战败，并一将被俘（回历六〇五年，公元 1208—1209 年）。俘将因诡认算端摩诃末为奴，越数日，议赎金毕。遣奴归取赎金，俘之者许之，且遣人卫送其奴还，算端摩诃末因是得脱归。先是流言算端已死，其弟阿里失儿（Aly-Schir）已自立于塔拔里斯单（Taberistan），其诸父额明木勒克（Emin-ul-Mulk）本也里长官，亦谋自立为君。及摩诃末归，众情乃安。

回历六〇六年（公元 1209—1210），摩诃末与其藩主撒麻耳干算端合兵再伐哈剌契丹。于费纳客忒（Fénaket）渡细浑河，败塔尼直所将之敌军，乘胜取突厥斯单一部分地，而抵于讹迹邗，置戍将以守之。花剌子模国中之民，以战胜偶像教徒，举国大欢，尊敬算端尤甚。诸邻国君主皆遣使来贺。国人于算端名后加以别号，曰“地上上帝之英灵”，并欲依俗于其诸名号后，奉以第二亚历山大（Alexandre）之号。然摩诃末取辛札儿之称，以其较吉，缘此塞勒术克朝之君主在位有四十一年也。

算端还花剌子模国都，以女妻斡思蛮汗，置花剌子模长官于撒麻耳干，以代哈剌契丹之使者。已而斡思蛮与此长官不相能，遂悔不应改事新主，乃仍称臣于古儿汗。尽杀其都城中之诸花剌子模人（回历六〇七年，公元 1210—1211 年）。摩诃末闻讯怒，遽兴兵进讨撒麻耳干。士卒逾城而入，杀掠三日。进克子城，斡思蛮身衣殓服，颈系刃，诣摩诃末前跪伏请罪。算端欲宥之，然其女嫁斡思蛮者，怨其夫宠西辽古儿汗女而辱己，且命己侍古儿汗女宴，力请杀其夫，遂并其满门杀之。摩诃末由是并河中之地，而徙都于撒麻耳干①。

时古儿旧国之地自也里达恒河。1205 年古儿朝四传之主算端失哈不丁死。印度诸州悉为其所置戍将所割据。算端摩诃末亦取巴里黑、也里两州。失哈不丁之侄马合木仅保古儿之地，且须称臣纳贡于花剌子模算端。马合木在位七年，为人刺杀于宫中(回历六〇九年，公元 1212—1213 年)，时论谓为算端摩诃末所主使。摩诃末之弟阿里失儿，与兄有隙，曾逃依马合木，居卑路斯忽(Firouzgouh)，至是自立为古儿王。求兄册封，摩诃末遣使往授册命。阿里失儿方衣赐服时，使者突拔刀斩之。立出其主诏命以示众，由是古儿国亦并入花剌子模。

先是有突厥统将者，算端失哈不丁之旧臣也。乘古儿帝国之分解，据有哥疾宁之地。回历六一二年(公元 1215—1216)摩诃末攻取哥疾宁。在此旧都所藏文牍中得哈里发纳昔儿致古儿诸算端书，言花剌子模沙有大志，谋兼并，宜讨击，且嘱其与哈剌契丹连兵。先是摩诃末初即位时，古儿朝之末二主以为有机可乘，谋取呼罗珊西部之地，果兴兵与摩诃末战。至是摩诃末见书，遂怨哈里发②。

① 见《全史》，巴黎图书馆阿剌伯文写本，第 12 册 204 页。《世界侵略者传》第 2 册。

② 见《世界侵略者传》。《史集》。《乐园》。

哈里发纳昔儿[1]自 1180 年以来君临报达，常谋抑制花剌子模之国势。顾自力甚微，盖哈里发之领地，仅限于伊剌克阿剌伯、忽即斯单两地之中。所余旧日帝国之广大领地，历经阿剌伯、波斯、突厥诸朝所割据。自回历第三世纪以还，波斯一地曾见有塔海儿（Tahérides）、琐法儿（Soffarides）、撒曼（Samanides）、娑匐的斤（Sebuktékines）、蒲亦（Pouyides）、塞勒术克诸朝之兴亡。诸朝之主固视受地于报达，然其请求哈里发之册封者，无非对其民表示其得国之正而已。阿拔思朝之诸哈里发，只能享有伊斯兰教人民视为君权之两种特权：即公共祈祷与货币中列哈里发之名是已。诸哈里发处塞勒术克统治时代，在其报达都城之中，且常不能自主。

迨波斯之塞勒术克帝国仅保伊剌克阿只迷一地。而当其末主脱黑鲁勒（Togroul）在位之时，哈里发纳昔儿曾乘乱而谋其强邻之瓦解。或鼓煽其内乱，或乞援于花剌子模王塔哈失，冀塞勒术克朝灭亡以后，能获有伊剌克阿只迷之一部。顾自塔哈失略取此地以后，不欲以地让哈里发。哈里发虽数求之而不能得，终不能不册封此势力较强之新国。及摩诃末继承父位以后，纳昔儿又唆使古儿算端加秃丁乘花剌子模之新易君，兴师讨之。时加秃丁已据巴里黑、也里两州，冀得其余呼罗珊之地，遂与花剌子模战。然未几死，其弟失哈不丁继立。续以兵侵入花剌子模，然在安的火德（Endekhod）附近，为算端摩诃末军及哈剌契丹援军万人所败，全军尽覆，遂不得不乞和。

① 其全名为阿不阿拔思阿合马·纳昔儿里丁亦剌喜（Abou-l-Abbas Ahmed，En Nassiru Li din illahi），义谓神明信仰之辅。

摩诃末既取哥疾宁，始知向者之战，哈里发实构之，遂怨纳昔儿。自以君临大邦，拥兵四十万，国势远过塞勒术克，冀得如塞勒术克算端故事，遣一长官莅治报达，公共祈祷列己名，并册封己为算端。乃遣亲信之法官（cadi）乌马儿（Omar）赴报达请命。哈里发不许，谓向许低廉朝（Déïlémites）、塞勒术克朝诸王置官于报达者，以有大功于哈里发也。今日无承认有一保护人之必要，且摩诃末领土既广，反不自足，而觊觎及于哈里发之首都，殊可怪也。

摩诃末怒，决夺阿拔思系承袭哈里发之权。惟此事欲使人民视为正当，须经诸教长之许可，乃以此问询诸律士曰："设有一王者以称扬帝语，灭绝真教之敌，视为一生光荣，乃为一哈里发之怨恨所掣肘，如是王者能否废此哈里发，而代以较为正大者欤？设摩诃末[①]辅佐人之位，依法当属忽辛（Hussein）之后裔，而为阿拔思家所窃据，应如何？且阿拔思系诸哈里发常不能尽伊斯兰教长应负之一重要义务。若保障伊斯兰边境，及兴神圣战争，而使异教民族改从正教或纳贡赋者，又应如何？"诸教长以一裁决书（fethva）宣告，在此情况中废立为正。算端摩诃末恃此教义之裁决，遂承认阿里（Ali）之后裔忒耳迷（Termed）之赛夷德（Seyid）族人阿剌木鲁克（Ala-ul-mulouk）为哈里发，令此后公共祈祷中及新铸钱币上除纳昔儿名。

当时波斯、阿里派徒甚众，以为摩诃末婿阿里一族在六百年后恢复教主之权，此其时矣。算端摩诃末由是举兵，执行废黜纳昔儿之裁决，拟先取伊剌克阿只迷之地。会有突厥统将名斡兀立木失

① 钧案：此处指预言人而言。

(Ogoul-mousch)者,夺据此地,输款于算端摩诃末。哈里发阴使巴迪尼派人刺杀之,缘亦思马因派之王曾以刺客数人助哈里发,而哈里发曾用之刺杀默伽王也。斡兀立木失既死,伊剌克阿只迷之公共祈祷中遂削算端名。哈里发并命法儿思、阿哲儿拜占二邻国主往取其地。摩诃末闻讯,兼程进,一战败之。擒法儿思王撒的(Sa'd),撒的割二堡,许纳其岁赋三分之一,乃得释。已而败阿哲儿拜占阿塔卑(Atabey)月即伯(Euzbec)之兵,月即伯遁走[①]。算端诸将欲追之,算端曰:"一年擒两国主,其事不祥。"遂止不追。月即伯还国后,遣使纳贡称臣。

算端既平伊剌克阿只迷,遂进兵报达(回历六一四年,公元1217—1218年)。纳昔儿遣司教失哈不丁昔喜儿比儿的(Schihab-ud-din Sihirverdi)充议和使,其人通神学而负重望。时算端营于哈马丹附近,司教儿经困难,始得入谒算端于帐中。算端亵服褥坐,见司教不答礼,亦不命之坐。司教向算端用阿剌伯语振其雄辩,赞扬阿拔思之家世,极颂哈里发纳昔儿有盛德。次引预言人摩诃末之口述教戒(hadiss),谓不得加害于此名族之人。舌人译其词毕,摩诃末答曰:"哈里发之德殊不称若人所誉,我至报达将以真具如是美德之人承教主位。至若是人所引预言者之戒,须知阿拔思家之人,悉生长于狱中,多终身处于囹圄。然则其为害于阿拔思最甚者,即此本家之人。"司教答言:每一哈里发之即位,誓遵上帝之经典,及预言者之言行,务使规律适应境遇。设其为公益以为必

① 撒的为撒勒合儿(Salgarides)朝之第五主,其祖父升豁儿(Sancor),谋都的(Mevdoud)之子,而撒勒合儿(Salgar)之孙也,曾为一突厥部落酋长,臣事塞勒术克朝,于1148年时乘此朝之衰,夺据法儿思之地。月即伯者,亦勒迭吉思(Ildéguiz)之第五继承人。亦勒迭吉思者,塞勒术克朝之突厥奴,约当1160年时,君临阿哲儿拜占。

须禁锢某某等，则此等处置未可谴责也。司教虽善辩，算端绝不为动。司教还报达，纳昔儿知和平无望，遂谋缮守。摩诃末则在哈马丹处分伊剌克阿剌伯之地，为军事封地及税区，且已预备文状矣。

算端之前锋万五千骑，进向火勒汪(Heulvan)。第二军继进。虽值秋初，降雪甚厚。花剌子模军行至额塞德(Essed-Abad)山中者，士马多冻死。已而复为突厥、曲儿忒等部落所邀击，大蒙损害，全军几尽覆没。时人迷信，以为此事本于天怒，故使摩诃末视为轻而易举之事遽遭失败[①]。摩诃末既不得志于报达，又虑蒙古之勃兴，遂置哈里发为后图。仅留伊剌克阿只迷若干时，经划此州之事。以其地封其子罗克那丁忽儿赛赤(Rokn-nd-din Goursaïdji)。其后未久，分封诸子。以起儿漫、碣石(Kesch)、木克兰(Mukran)畀加秃丁迪思沙(Ghiath-ud-din Tiz-schah)，以古儿国故地哥疾宁、范延(Bamian)、古儿、不思忒(Boat)等地畀札阑丁忙古比儿的(Djélal-ud-din Mangou-birti)[②]。幼子斡思剌黑沙(Ozlag-schah)母为突厥伯岳吾部人，与摩诃末母秃儿罕可敦(Turcan Khatoune)同部。故斡思剌黑沙特为祖母所钟爱。摩诃末将顺母意，定为储嗣，畀以花剌子模、呼罗珊、祃桚答而之地[③]。

---

① 《全史》云：是为此阿拔思名族之一种有幸的天佑。盖有人欲加害此族者，立即受罚。所以花剌子模沙未久即感受空前之否运。史家术外尼记述同一事件，亦云：一人运败之时，凡事皆为命运所阻。其人虽具有卓绝之智慧，非常之能力，成熟之经验，亦不免焉。先是摩诃末命运甚佳，凡有所欲，莫不如愿。忽然大厄降于其身，其攻报达之役，盖为其发端也。

② 此名突厥语犹言天赐。忙古(Mangou)犹言长生天。比儿的(birti，virdi)犹言赐。

③ 见《史集》第2册。《世界侵略者传》第1册。《札阑丁传》，奈撒人摩诃末撰，巴黎图书馆阿剌伯文写本。《乐园》第3及第4册。

摩诃末分封诸子之地，多属新并之疆土，难期其效忠于花剌子模朝。花剌子模帝国人民之关系相同者，仅有宗教。顾教中宗派繁多，往往为同一地域穆斯林永远结恨之源。诸民族习受桎梏已久，故不难屈服于摩诃末战士兵威之下。其人泰半除其帐幕外无故乡，除其牲畜外无财产。花剌子模军大致以突厥蛮（Turemans）与康里人为之。前者为塞勒术克族率以侵略伊兰之突厥乌古思部之后裔。其体貌风俗方言，因气候之变迁，及与波斯居民通婚之故，微有变改。乃名之曰突厥蛮，俾与其他突厥人有别。突厥蛮者，波斯语近类突厥之谓也。康里人来自花剌子模湖北，与里海东北之荒原。其部长女嫁摩诃末父，因徙居花剌子模。缘康里民族之一支伯岳吾部汗贞克失（Djinkeschi）女秃儿罕可敦嫁算端塔哈失[①]。有康里部长数人因为外戚，遂率其部落归花剌子模算端。其部众勇健，常为摩诃末建功勋。秃儿罕可敦既当权，以是擢之为大将。顾统军者兼州长，权势甚重。由是康里大将在国中拥有大权，摩诃末渐不能制。既难必诸将之服从，且须满足其野心。此种好战部落，未脱北方游牧部落残忍之性，土著和平之民，往往遭其侵暴，军行所过，城市丘墟。

算端母秃儿罕可敦赋性刚强，党于外戚，而为之长，其权遂与子侔。每有可敦与算端之令旨同至一地，其事虽同，而意趣违反者。臣下则择其宣发时日较近者行之。摩诃末每得一州，必割一大邑以益其母封地。可敦有书记七人，皆属功能卓绝之人。可敦

① 突厥康里人在13世纪初年居札牙黑水（Jaïk）东之荒原，西与突厥、钦察人为邻。此二游牧民族后皆为蒙古人所灭。据奈撒人摩诃末之《札阑丁传》，伯岳吾部为叶麦克部（Yémeks）之一支，按此叶麦克部昔必包括于康里概称之内。

自于令旨上书其徽号曰："世界与信仰之保护者，宇宙之女皇秃儿罕。"其题辞为："仅有上帝为我庇身之所。"并自号曰忽答完的只罕（Khoudavend-Djihan），犹言世界之女主也。

兹举一事，用见算端母权势之重。可敦有旧奴名纳速剌丁（Nassir-ud-din）者，因宠而跻相位。然其人非相材，而贪黩，算端恶其人，常严责之。摩诃末至你沙不儿（Nischabour）命毡的（Djend）人撒都鲁丁（Sadr-ud-din）为此城法官（cadhi）。谕以官由己授，非宰相恩，勿纳之贿。然有人告此法官，谓仅算端之宠不可恃，不赂宰相为非计。撒都鲁丁惧，乃囊盛金钱四千，外钤印记，以馈纳速剌丁。算端常遣人密察其相行动，侦者即以闻。摩诃末命其相献囊，封印尚未启。及法官入谒，算端对众询其曾以何物献宰相，法官言未献一钱，继之以誓。算端掷示囊金，法官失色。遂立黜其职，命折宰相帐，覆宰相首，"遣之归投其女主人之门"。

纳速剌丁遂赴花剌子模，缘道仍使人待己以宰相礼，裁决政务如故，无敢谓其已罢黜者。将入花剌子模，秃儿罕可敦令居民无问贵贱阶级，出郊迎劳。有 Hanéfi 派之博士长不儿罕丁（Burhan-ud-din）后至，谢以病，故迟来。宰相曰："非病也，意不欲也。"越数日，罚输十万金钱佐军。先是可敦之幼孙斡思剌黑沙受封于花剌子模，至是命纳速剌丁为之相。纳速剌丁贪黩愈甚，索巨金于花剌子模之一征税官。算端在河中闻其事，命使往斩纳速剌丁首，赍以归报。母可敦闻之，待使者至，命其立赴省中，谒纳速剌丁。且令其代传算端语，若曰："相位非汝莫属，仍守汝职。勿使国中有一人不用汝命，不服汝威。"使者不能违，竟转述如可敦旨，由是权势愈重。奈撒人摩诃末曾曰，"算端虽破灭国主甚众，然不能惩罚一奴”，盖指此也。

算端自伊剌克还，经你沙不儿，留数旬。复自是赴不花剌(Bokhara)，而成吉思汗使三人适至。三人皆穆斯林，原属算端之臣民。其一为花剌子模人马合木(Mahmoud)，其一为不花剌人阿里火者(Ali-Khodja)，其一为讹答剌(Otrar)人亦速甫(Youssouf)，奉蒙古汗命，献中亚之出产，若银锭、麝香、玉器及名曰 tarcoul 之重价白毛毡袍等物①。并致成吉思汗之辞曰：“我知君势之强，君国之大。我知君统治大地之一广土，我深愿与君修好。我之视君，犹爱子也。君当知我已征服中国，服属此国北方之诸突厥民族。君应知我国战士如蚁之众，财富如银矿之丰，实无须觊觎他人领土。所冀彼此臣民之间，得以互市，则为利想正同也。”

成吉思汗言其视摩诃末如己子者，实欲其称臣也。亚洲之君主鲜识根据平等独立原则之政治交际，常用父子、兄弟、叔侄等称，以判服属之等差。算端夜召三使中之马合木入见，语之曰：“汝本花剌子模人，我知汝忠诚可恃，若以实告，并于将来以成吉思汗之举动来告，将有重赏。”即取宝石镯一与之，为不食言之左券。遂询之曰：“成吉思汗征服桃花石(Tamgadj)②，信否？”对曰：“此一大事，孰能虚构？”算端曰：“我之国大，汝所知也。顾乃敢谓我为子！彼虏何物，兵力几何？”马合木见算端有怒意，不敢直对，仅言蒙古

① 史家诺外利云，此种毡袍以白驼毛织之，其价最贱亦需 50 底那儿(dinars)，疑即《马可波罗行纪》(第 63 章)所言唐兀都城 Calacia 中之 zam-biloti，以白毛及驼毛织成，其物最美，故商人以之运赴各地。

② 此名盖指中国。阿剌伯与波斯古地理学者曾著录有 Tamgadj 之国，然所指甚泛，希腊史家 Théophylacte(ap. Stritter，Turcicorum 第 4 章第 31 则以后)所著录之 Tavgas，疑即此国。Klaproth 曾考订其为中国(《亚洲学报》第 7 册 227 页)。

汗兵何能与算端兵共比较。算端色稍霁，乃以好言遣三使归[①]。

先是鞑靼地域之诸游牧部落以劫夺为生，至是诸部既皆臣属。成吉思汗乃为地方行旅谋安全，于诸大道中设置卫士，其外国人之赍可注意之商货来者，则导之达蒙古汗廷。哈剌契丹帝国亡，摩诃末之领地遂达突厥斯单之中心，与臣属蒙古主之畏吾儿国相接。屈出律汗所君临者，仅合失合儿、兀丹、鸭儿看等地。有摩诃末之臣民三人，皆穆斯林，运载绢布入蒙古境。其一人先见成吉思汗，对货唱价甚昂。蒙古汗怒曰："此人以为吾辈从未见此类绢布！"命人出所藏以示，并出示所掠花剌子模国之货物。召余二商人至，其人不敢论直，以贡献为词。蒙古主乃厚给其价，并偿前商之直。命厚待三商，处以白毡新幕。于其将归，成吉思汗令诸王、诸那颜、诸将等各出私赀，遣信仆一两辈，赍随以往。购易花剌子模珍产。有众约四百五十人，皆穆斯林也。行次细浑河上之讹答剌，守将亦纳勒术(Inaldjouc)而有哈亦儿汗(Gaïr-khan)号者，欲没入所赍，乃拘执诸人，指为成吉思汗之间谍，以告摩诃末遽命杀之[②]。

相传成吉思汗闻报，惊怒而泣。登一山巅，免冠，解带置项后。

① 见《札阑丁传》。

② 见《世界侵略者传》第1册。《史集》。《札阑丁传》撰者奈撒人摩诃末者，当时人也。记述此事，谓来至鞑靼地域之商人仅有四人，皆算端之臣民，此说较类真相。此书且著四人之名：曰讹答剌人乌马儿火者(Omar khodja)、曰蔑剌合(Méraga)人额勒札马勒(El Djémal)、曰不花剌人法合鲁丁(Fakhr-ud-din)、曰也里人额明丁(Emin-ud-din)。守将亦纳勒术以闻，谓此四人似为间谍，盖其访问贸易外之事。与讹答剌居民言谈中，辄使居民忧心东北，且言不久将见其未能逆料之事。算端命守将监视之，守将以为算端不复顾及此事，竟擅执诸商，杀人而夺其物。案：《世界侵略者传》之撰者，曾为成吉思汗孙之相。而《札阑丁传》之撰者，则在摩诃末子所任书记职也。

跪地求天，助其复仇。断食祈祷三日夜始下山[①]。

惟在进兵花剌子模以前，必先除其旧敌屈出律。遂遣使臣一人名巴合剌(Bagra)者，往花剌子模索罪人。巴合剌父曾仕于算端塔哈失之朝。成吉思汗并遣二蒙古人为副使。至摩诃末所，传语曰："君前与我约，保不虐待此国任何商人。今遽违约，枉为一国之主。若讹答剌虐杀商人之事，果非君命，则请以守将付我，听我惩罚；否则请即备战。"

顾哈亦儿汗为母算端之亲属，摩诃末虽欲惩罚，抑执之以献，势所不能。盖诸大将权重，不受算端之制也。遂杀巴合剌，剃蒙古副使二人须而遣之归[②]。

此种不合人道举动以后，复继之以其他敌对行为。算端集军于撒麻耳干，将往击屈出律。忽闻秃黑脱欢(Touc-Togan)王率其蔑儿乞部人，阑入咸海(Aral)北之康里国内。摩诃末乃取道不花剌，向毡的进军，以却此外来游牧部落。及至毡的，则闻屈出律已灭，此蔑儿乞部人为其同盟，已为一蒙古军所追击。自度所率之兵不足，乃还撒麻耳干，续调新军，再至毡的。行至此城之北，遂蹑两军之迹，至哈亦里(Caïli)、哈亦迷赤(Caïmitch)二水间，见一战场，伏尸遍地，一蔑儿乞人伤未死，询之，则言蒙古人已得胜，适拔营去。算端乃蹑蒙古军去路，越日及之。方欲进击，蒙古主帅[③]遣使来言，两国未处战争中，且曾奉命，若遇花剌子模军，当以友谊相待，请分所获蔑儿乞部之人与物以犒军。时摩诃末自恃兵多，乃答

① 见《世界侵略者传》第1册。《史集》。

② 见《札阑丁传》。

③ 《札阑丁传》及《全史》皆谓此主帅即成吉思汗之长子术赤。

蒙古主帅曰:“成吉思汗虽命汝勿击我,然上帝命我击汝。我欲灭诸偶像教徒以答天庥也。”蒙古军不得已应战。先却花剌子模军左翼,进捣摩诃末所在之中军。中军将溃,会算端子札阑丁所将右翼获胜,见父危,急以右翼趋援,阵势始整。战至日暮始息。入夜蒙古军燃火甚夥,旋疾驰而去。比晓,距战地已二日程矣。

此次之战,摩诃末始不敢蔑视蒙古。曾告其亲幸者曰:“我遇敌多矣,未见有如此军者。”及还撒麻耳干,遂以爵号封地赏诸将[①]。

蒙古主灭屈出律并其地以后,遂于1218年(六一五)[②]大会诸王重臣,定策往征摩诃末[③],组织出征之军队。是年终[④],命其弟斡赤斤那颜留守蒙古,自索大军启行。次年,驻夏于也儿的石河畔,休养士马。是秋进军,畏吾儿王、阿力麻里王昔克纳克的斤、哈剌鲁汗阿儿思兰,皆来会。

摩诃末虽有战士四十万,然闻蒙古军近,颇以为忧。盖其人数虽优于成吉思汗军,然花剌子模军纪律之严,士卒之盲从其主,耐

---

① 《全史》(第12册)云:“鞑靼之侵入尚有别一原因,而不能在书中著录者在也。”此语盖隐喻当时盛传哈里发纳昔儿召来蒙古军而报摩诃末来侵旧怨之事。此事亦经《全史》证其有之。此书于回历六二二年下述纳昔儿死事云:“设波斯人所言为实,则唆使鞑靼侵入伊斯兰诸国者即为此人。闻曾遣密使赴蒙古,脱诚有是事,则罪莫大焉。”马克利齐之《埃及史》所志更实。本书于回历六二二年(1225年)下记纳昔儿死事,先言其毁誉。续云,“当其在位时代,鞑靼人残破东方(埃及人与西利亚人名波斯曰东方),彼实为其动因。盖其为花剌子模沙阿剌丁摩诃末之欲得报达以为都城,故作书召蒙古人之来侵也。”

② 以后回历年皆分注于括弧中。

③ 见《札阑丁传》。《世界侵略者传》第1册。《史集》。

④ 钧案:谓回历年终,屠氏谓多桑书作是年冬,然多桑书原无是语也。

苦服劳战斗之习惯，皆不及蒙古军。况摩诃末军作战之动因，亦不及其敌之有力。盖其所防卫者，为一种无关系之居民。纵胜，于居民亦鲜有所利。至若蒙古人侵入富庶之地，则有人类贪欲可为鼓煽。夫欲获胜，必须摩诃末才勇远出敌人之上方可。顾其当此危急之时，仅表示惶惧，一筹莫展。彼自即位以来，陆续开拓疆土，已至极盛之时。不敢与其所激怒之蛮酋一决胜负，彼应聚集军队与敌在平原决战者，乃将军队散处河中、花剌子模诸城之中，而自身远避战地。或谓此策乃出数将之建议，或谓其信星者言，谓天象不吉，不利于战。又有一史家谓其中成吉思汗谗间之计。有讹答剌人名别都鲁丁（Bedr-ud-din）者，摩诃末攻取讹答剌时，父叔及亲属数人悉为摩诃末所害，自身亦被免职。因矢志复仇，投蒙古汗，献离间策，谓乘摩诃末母子不和，以计使摩诃末自信有人图己。别都鲁丁乃伪作秃儿罕可敦亲党诸将致成吉思汗书曰："我等举部自突厥斯单入花剌子模，从算端摩诃末者，以其母故也。我等为之战胜数国主，而为花剌子模辟其土地。乃今算端遽忘母恩而怨其母。可敦欲我等为之雪恨，仅待大军之至，即相率以从。"成吉思汗使人故遗其书，使算端得之。算端遂疑诸将，乃分其军于诸要堡，俾其不能为患[①]。此说似非真相。有谓摩诃末诸将不欲与敌作野战，是则较为可信[②]。即算端本人亦自信以为蒙古人于剽掠残破平地以后，将必饱载而归也。

① 见《札阑丁传》。

② 见《史集》。

第七章

成吉思汗之至花剌子模边境——河中之侵略——遣军追逐摩诃末——摩诃末之走死阿必思浑岛——其母妻之被俘——其二子之死——花剌子模之侵略——巴达哈伤之降附——拖雷之侵蹦呼罗珊——算端札阑丁之走哥疾宁——其胜蒙古军于巴鲁弯——其诸将之离心与大部士卒之携贰——其走申河——成吉思汗进击札阑丁——申河之战——八剌秃儿台两将之渡申河——哥疾宁之掠杀——也里马鲁二城之毁灭——札阑丁溃卒之结局——巴里黑之毁灭——成吉思汗之归蒙古

1219年(六一六)秋，成吉思汗自也儿的石河畔进兵往击大食(Tadjiks)国。大食者，信仰偶像教之蒙古人与突厥人以名穆斯林之称也[①]。蒙古军直抵细浑河畔之讹答剌城，缘道无御者，遂预备

① 昔日西利亚人大致名阿剌伯人曰 Tayoyé，此多数也，单数则作 Tayoyo。并曾特以是称名西利亚沙碛中最重要之阿剌伯游牧部落曰 Tayi 者。古 Chaldéens 人则名之曰 Tiyia，古波斯人曰 Tazi，阿美尼亚人曰 Dadjik。迨至信奉伊斯兰教之阿剌伯人侵略波斯、河中两地以后，细浑河东之突厥人则称此种地域为大食之国，质言之阿剌伯人之国也。蒙古人又仿突厥之例，名穆斯林曰 Tadjik 或 Tazik。故在此时之史籍中，常用此名与突厥相对，不问其人为突厥、为波斯、为阿剌伯，只须其为城乡之穆斯林，一概名

侵入河中。河中一地，穆斯林名之曰河外(Mavera-un-nehr)，缘其地处乌浒水(Oxus)外，及乌浒、细浑两水之间，西隔沙碛与花剌子模相望也。太古以来，即为突厥民族所处。8世纪初，地属哈里发，遂奉伊斯兰教。蒙古来侵时，波斯人与阿剌伯人之城居者为数不少，其境况亦甚富裕。至若游牧之突厥，则牧其牲畜于此地达于里海之沙地中。

成吉思汗分军为四：第一军察合台、窝阔台二子将之，留攻讹答剌。第二军长子术赤将之，从右方进取毡的。第三军从左方进取别纳客忒(Bénaket)。以上二军之目的，则在细浑河畔诸城。成吉思汗则自将中军，进向不花剌，以断摩诃末与河中之交通，而绝受围各城之援。

讹答剌城既被围，城人亟缮外城与子城之守备。城中粮储甚足，哈亦儿汗[①]统兵亦众，更有哈剌札汗(Caradja-khan)之援兵万骑。被围攻五阅月，军民志气消沉，援军之将唱降议。守将以前杀商人，得罪蒙古，自度无生理，乃言以死报主恩。哈剌札见其不降意决，乃乘夜独率所部精兵出城，欲遁，为蒙古军所执，哈剌札请改事成吉思汗以免死。二王以其不忠于其主，于询得城中虚实后，并其部下诛之。

蒙古军遂拔讹答剌，驱民于野，俾能纵掠。守将率残军退保子

之曰大食。至若突厥、鞑靼种之游牧部落，则一概名之曰突厥。成吉思汗与蒙古人自称曰突厥者，盖具有此概意之突厥也。惟不自承为塔塔儿云。据《史集》(第一篇"哈剌鲁"条)，成吉思汗既受哈剌鲁王阿儿思兰汗降附以后，曾以一女字之。命其自是以后改名曰阿儿思兰西利亚乞(Arslan Siriaki)，犹言西利亚人阿儿思兰，质言之，大食人阿儿思兰。缘蒙古汗曰，"吾人不能以汗号授之也"。

① 花剌子模主以汗号授诸将，故其人有汗称。

城，又相持一月。部下伤亡几尽，子城亦陷。守将贾勇巷战，蒙古人欲生致之，诸面肉薄以进。守将率从卒二人登屋格斗，从卒倏死，箙中无矢，犹持砖以掷人，妇女在墙上以砖授之。已而众寡不敌，虽奋仆数人，终为敌兵所缚。送之至撒麻耳干蒙古汗营，成吉思汗命熔银液灌其耳目，为前此被杀之不幸商人复仇。蒙古军夷平讹答剌之子城，驱未杀之民向不花剌[①]。

术赤一军向毡的者，道次细浑河畔之昔格纳黑（Signac）城。遣一穆斯林名哈散哈只（Hassan Hadji）[②]者谕其开门降，其人先往鞑靼地域经商，因仕成吉思汗。哈散欲先谕居民，然后致传达之词，然甫启口，民众即口呼上帝，群击杀之。

术赤下令进攻，不许休止。士卒更番迭进，连攻七日，拔其城，尽屠居民，术赤命哈散之子守此无人之地。自此连下讹迹邗、巴耳赤邗（Barkhaligkend）、额失纳思（Esehnass），进逼毡的。此边州守将忽都鲁汗（Coutloug-khan）[③]夜遁，渡细浑河，逾沙碛而走兀笼格赤（Kourkandj）。术赤遣使者名真帖木儿（Tchintimour）者，往谕毡的降。城中无主，人民混乱，不知所从。见真帖木儿至，居民更加骚动，欲杀之。真帖木儿举昔格纳黑之前事劝诫，且伪与立约，誓引蒙古军他去，不入毡的城。城民乃释之归。

已而毡的居民见敌兵至，自恃城高不为备。然蒙古军树梯环登，逾城而入，驱居民于野，以未抗拒，得免死，仅戮侮詈真帖木儿者数人。纵掠九日后，始许野外露处之居民入城。蒙古汗子命不

① 见《世界侵略者传》第1册。《史集》。《札阑丁传》。

② 哈只犹言巡礼人也。

③ 忽都鲁，突厥语犹言有福。

花剌人阿里火者为毡的长官，其人曾仕其父，并奉使至摩诃末所也。术赤旋分兵下其邻城养吉干（Yengui-kend）[①]，城在细浑河畔，距花剌子模湖二日程。先是畏吾儿军有万人从征，至是许其还国，别募突厥蛮之游牧部落万人以补其额，使那颜台纳勒（Taïnal）统之赴花剌子模。然此军在途不复约束，乘台纳勒率前锋先行，叛杀其代将。台纳勒闻变驰还，击杀大半，余众遁马鲁（Mérv）、阿母（Amouyé）二城。

第三军仅五千人，阿剌黑（Alac）、速格秃（Sougtou）、脱海（Togaï）三将统之[②]。进取别纳客忒，守城之突厥康里将卒，逾三日始乞降，蒙古军许其不死。然既降之后，驱城中人于城外，别置军人于一处，刀矢并发，尽歼之。分工匠于诸队，集聚丁壮，役以攻城。

此军复进向忽毡，忽毡守将帖木儿灭里（Timour-Mélik），骁将也[③]。以精锐千人退守细浑河中一岛之堡垒。岛距两岸远，矢石所不及。蒙古军寻得讹答剌等处蒙古兵二万、土民五万之助，乃编土民什百为队，以蒙古将校督之。运石于三程外之山中，以填河。帖木儿灭里曾造甲板舟十二艘，覆以毡，用醋浸黏土厚涂之，以御火攻之器。每日出六舟薄两岸，从舟隙发矢，射蒙古军。蒙古军累被帖木儿灭里夜袭，多所损折。已而帖木儿灭里计穷，势不

① 突厥语犹言新城。

② 钧案：此三人曾经那珂通世之《成吉思汗实录》考订为《元朝秘史》卷八诸功臣中之阿剌黑、速亦客秃、塔孩三人，或不误也。

③ 《世界侵略者传》誉帖木儿灭里之勇，谓著名之 Rustém 生若同时，仅能为其执袍服而已。

支，夜以七十舟载士卒辎重，自帅精锐驾甲板舟，列炬烛川沿流而下。蒙古军曾在别纳客忒附近以铁绠横锲河中。乃断其绠，诸舟陆续随流而下，两岸追兵不绝。帖木儿灭里闻汗子术赤于毡的附近细浑河夹岸置重戍，两岸置弩，并结舟为梁，阻绝川途，乃舍舟乘马陆行。见蒙古兵追击，止而与战；待辎重前进，然后再行。如是数日，部卒本少，及是益减，不得已弃辎重，已而从卒次第亡失尽，单骑败走。蒙古三骑尾随不舍，势逼。视箙中仅余三矢，一矢镞已失，取射最近追骑，贯其一目，同时斥后二骑曰，尚有二矢在，速退。二骑遂反走。帖木儿灭里至花剌子模城，复自是往依札阑丁，相从至于此王之死。

成吉思汗自帅其子拖雷进向不花剌。行近匝儿讷黑（Zernouc）镇，镇民皆避入堡。成吉思汗遣答失蛮（Danischmend）往谕降，堡中守卒胁之。答失蛮呼曰："我木速蛮（musulman）[1]，亦木速蛮之子，奉成吉思汗命，来拯汝等于深渊中。汗率大军距此不远，汝等若稍抵抗，霎时堡垒屋舍将平，血淹田亩矣；降则身家得保。"居民感悟，遣代表奉馈礼赴汗营。汗怒匝儿讷黑官吏不亲纳款，命召之来。官吏惧而来谒，然汗善待之。令民出镇，签丁壮为兵，编作一队，备不花剌攻城之役。余民听还家，堕堡而去。

自是募一突厥蛮为导，取人迹罕经之途，以向讷儿（Nour）。前锋塔亦儿把阿秃儿（Taïr-Bahadour）遣人至讷儿镇招降，仍如前恩威并谕。居民踌躇不决，已而招降使者数至，乃开门纳款，塔亦儿不驻而去，送镇中代表赍馈礼至成吉思汗营。汗命速不台至讷

① 钧案：木速蛮犹言穆斯林。

儿。速不台谕居民曰："汝等应以获保性命为足；况家畜农具一不夺取，第应出镇外，不许别携一物。"居民既出，蒙古军遂纵掠。汗寻至，问居民所纳其主税额若干，居民以千五百底纳儿对。汗命如额输前锋营，许不额外再有诛求。居民立脱妇女耳环，已足供其半额矣。

1220年3月（六一七年一月），成吉思汗进至不花剌[①]，士卒继至，屯于此大城之四围。城内有兵二万，蒙古军陆续攻城数日，守城诸将度不支，夜率全军出走。蒙古军出不意，被袭，急退。然算端、诸将不乘胜进击，反遁走。蒙古军乃整列追之，及诸阿母河畔，鏖杀殆尽。

明日，城中遣教长、绅耆等出城纳款。成吉思汗入城，过大礼拜寺，骑而入，问此是否算端之宫。有人答言此上帝之宅也，遂在祭坛前下马，登讲座台二三级，大声言曰："野草已刈，速以物来饲吾属马。"城人遂入市仓取谷。蒙古兵运《可兰经》椟置庭中，以代马槽，践伊斯兰教之圣经于马蹄下。诸蛮人置酒囊于寺中，召舞者歌女入寺歌舞。蒙古兵亦自唱其国歌，声彻四壁。当其娱乐之时，律士、教师则执奴隶之役，为之护视鞍马。

如是者一二时，成吉思汗出城，赴祈祷场，不花剌居民盛会时聚祷之处也。命居民集于是场，汗登坛，问众中孰最殷富。众举二

① 术外因人阿剌丁丞相云，Bokhara之名出于Bokhar，火袄教慕阇（mages）语，犹言学问中心也。此名与畏吾儿及中国偶像教徒（犹言佛教徒）所称之寺宇Bokhar名称完全相类，然在此城建立之时，实名蔑只客忒（Medjketh）也。不花剌在地理家本哈兀哈勒时代，内城周围约方一程，外有罗城，周围有十二程。堡垒园囿村庄并在其中。此地理家云："窣利（Sogd）水经其附郭，堡与城接，城外之地虽甚饶沃，然居民甚众，所产不足供其食也。"

百八十人以应，其中九十人外国籍。汗招之使前，谕以算端之挑衅，及己不得已而用兵之意。既而曰："应知汝曹已犯大过，而人民之长负罪尤重。设汝曹问我所言何据？我将答汝曹曰，我为上帝之灾，设汝曹无大罪，上帝曷降灾汝曹之首？"次言地上财宝知取之，勿劳汝曹自献，然应速告地中伏藏。命诸人指出管家之仆，强之呈献其主财宝。每富人以一蒙古人监之，每日日出即引至汗帐之前[①]。

时犹有花剌子模兵四百骑，未能随大队出城，退据内堡。蒙古军将攻之，先宣告于市，凡能执兵者皆应来前，违者死。及诸壮健者出，遂命其执内堡填壕之役，已而置炮攻之。凡十二日，内堡破，尽歼堡中守者。而攻堡之蒙古兵与居民为堡中人所伤亡者，为数亦不少也[②]。

内堡既拔，下令迫不花剌居民出城，附身衣服外，不许携带一物。居民既出，遂纵掠。凡违令未出城者，搜得辄杀。《全史》撰者阿里额梯儿曰："是日也，极不幸。仅闻男女老少悲啼永诀之声，蛮人在此种不幸人之前辱其妇女，男子力不能抗，惟有相对饮泣。中有数人，宁死不愿睹此惨象。若法官别都鲁丁（Bedr-ud-din），若教长鲁克那丁（Rokn-ud-din）与其子，见其妻女被辱，曾奋斗而死。"拷掠富豪，强其指出藏金所在。蒙古军终在城中各处纵火。

① 见《世界侵略者传》第1册。

② 见《全史》第12册266页。此书撰者颇表愤慨之意，谓蛮人填壕时所用之物，虽圣座与《可兰经》亦不免焉。又据《世界侵略者传》所载，蒙古兵在内堡中杀三万人，内有著名贵人不少，没入妇孺为奴婢。案：三万之数未免言过其实，吾人宁取当时人《全史》撰者之说。

城内房屋仅大礼拜堂与若干宫室以砖建筑，余悉木房，遂付一炬[①]。

成吉思汗离此焚余之不花剌，移军进向撒麻耳干。两城相距有五日程，军循窣利河行。此河风景甚美，两岸园圃别墅相望。成吉思汗分兵攻取沿途所经之答不昔牙(Deboussiyé)、撒儿的勒(Sertel)两堡；自率大军径向撒麻耳干。不花剌之俘民随军后行，颇受虐待，其疲不能前者，辄杀之[②]。算端以突厥、波斯兵四万守撒麻耳干，命良将统之[③]。缮增堡垒，城防甚固，人皆以为可能久守。成吉思汗知之，故先略取四周之地，然后进军撒麻耳干城下。其他三军已取河中北方诸地，亦来会，并驱土著丁壮至。汗以骑兵先达城，翌日部队俘虏继至。俘虏每十人为一队，队执一旗，诸队陆续来至城下，俾城人知其兵多。城人见之，果以俘虏为战士。蒙古主环城视察形势者两日。第三日晨遣签军与士卒进击，城民中有勇士一队出城御敌，然花剌子模兵不敢与蒙古军战，未出援。蒙古军诱城中勇士至埋伏所，诸人无马，中伏尽殁[④]。此战遂使城中人丧失士气。守兵以康里人居大半，康里人自以为突厥与蒙古人为同种，将必受善待，因怀去就。成吉思汗许收录康里兵，由是康

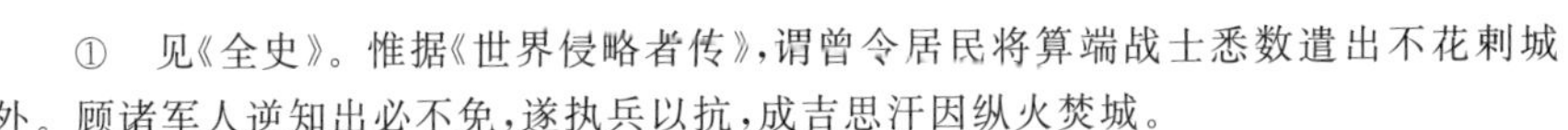

① 见《全史》。惟据《世界侵略者传》，谓曾令居民将算端战士悉数遣出不花剌城外。顾诸军人逆知出必不免，遂执兵以抗，成吉思汗因纵火焚城。

② 见《全史》267 页。

③ 见《札阑丁传》。据术外尼云，撒麻耳干守兵共逾十万，内突厥兵六万人，大食或波斯兵五万人。剌失德所志兵数亦同，顾剌失德所志蒙古军侵入河中之事，盖全录术外尼书者。《全史》则谓守兵有五万人。

④ 见《全史》268 页。术外尼则谓花剌子模统将数人率守兵出城击敌，战至晚始休。花剌子模军损千人，仅俘敌若干人而还。

里兵携眷属、辎重出城降。第四日将攻城，城中之法官、教正(moufti)率诸律士赴成吉思汗营纳款，汗善谕之归，遂开城降(回历三月，公元4月)。首即堕其壁垒，命居民悉出城，违者杀无赦。仅许法官、教正及其亲从等留城中，闻其数甚众[①]。蒙古兵纵掠城市，搜杀藏匿之人甚夥。

是夜有突厥将名阿勒卜汗(Alb-khan)者，率兵千人自堡突围出走，追从算端。达曙，蒙古兵诸面同时进攻内堡，薄暮攻入堡内。有勇士千人退守礼拜寺，力抗不降，蒙古兵纵火焚杀之。

至是将康里、波斯人分置两处。聚康里人于平原中，收其兵械马匹。依例外国降卒应改衣蒙古装束，薙额上发结辫，兹亦命康里人为之以安其心。至夜尽屠之，死者康里兵三万。统将巴里失马思汗(Barischmaz-khan)、脱海汗(Togaï-khan)、撒儿昔黑汗(Sarssig-khan)、兀剌黑汗(Oulag-khan)等二十人，其眷属、马匹、辎重皆为蒙古军所得。

撒麻耳干居民被杀者为数亦众。括余民，成吉思汗取工匠三万人，分赏其诸子、诸妻、诸将，搜简供军役者，数与之同。尚余居民五万人，出赎金金钱二十万，然后许其还城。成吉思汗驱新编撒麻耳干之丁壮一部渡阿母河，所余丁壮以付诸子等，率以进攻花剌子模。嗣后屡有征调，此种不幸之人获归故乡者为数无几，撒麻耳干全州人丁几尽虚耗[②]。

撒麻耳干城有算端之战象二十头，象奴以献成吉思汗，请给象

① 据术外尼云，其数致有五万。

② 见《世界侵略者传》第1册。《史集》。《全史》第12册267页。

食。汗问象食何物，答言食草。乃命放象于野，后皆饿死。

初，成吉思汗抵撒麻耳干城下时，即命亦速部人哲别那颜、兀良哈部人速不台把阿秃儿，二人各将万骑，往追算端摩诃末。谕以径追算端，若遇重兵，则勿战，而待大军之至；设摩诃末不战而逃，则追随勿舍。沿途诸城降者免之，抗者灭之。

当蒙古军进躏河中之时，摩诃末离战地甚远，神志沮丧，且濡染及于臣民。先是建筑撒麻耳干堡垒之时，摩诃末曾至此堡濠边，濠与河水相接。摩诃末曾云："鞑靼兵众，投鞭足以填之。"及闻蒙古兵侵入河中境内，乃弃撒麻耳干，取道那黑沙不（Nakhscheb），沿途辄语居民速自为计，其士卒将不能卫之也。集文武将吏议方略，诸人意见不一，愈使其一策莫展。诸宿将曾建议，河中已无暇可救，应以全力防呼罗珊、伊剌克。召集散处各处之兵，合成一军，并尽征木速蛮，共守阿母河线。别有人劝摩诃末赴哥疾宁，纠集诸军以抗鞑靼，纵然不胜，可奔印度。摩诃末以此策万全，从之，遂向哥疾宁。道经巴里黑，其子鲁克那丁之相阿马都木勒克（Amad-ul-mulk）适自伊剌克阿只迷封地奉命来见。缘鲁克那丁恶其相，然因其为摩诃末所信任，又不敢得罪，故借故遣之来，因以远之。阿马都木勒克自度处境之难，固欲托庇于算端所；然伊剌克为其故乡，而眷属又在彼处，恋不能舍，遂劝摩诃末赴伊剌克，谓其地人财俱足，可以御敌。摩诃末子札阑丁时从父，深不以此二退兵策为然，欲阻蒙古兵逾阿母。乃请于父，设父决赴伊剌克，则乞假兵柄与敌一战。且云："俾处败创之时，使人民不得诅咒。谓迄于今兹重征吾属赋税，及处危难之时，乃弃吾属，一任鞑靼人之蹂躏。"然摩诃末不从其言，反斥其少不更事。谓吉凶有定，灾祸之来，孰能

抗之？不如待天象有利于我之时[①]。

算端离巴里黑前，遣一支队赴忒耳迷、撒麻耳干间之般札卜(Pendjab)诇敌情。旋闻报，不花剌陷，继报撒麻耳干降，遂急离巴里黑。扈从、军士皆突厥人，诸将皆秃儿罕可敦之戚也。中途谋杀算端，事泄，摩诃末夜易寝幕防之。晨起视空幕，攒矢已满。遂严警备，疾驰抵你沙不儿(回历二月十二日，公元4月18日)，以为蒙古兵不遽渡阿母河。然三星期后，侦知敌骑已入呼罗珊(回历三月七日，公元5月12日)，乃借行猎为名，携少数随从出阿剌克门，离你沙不儿。城民旋得讯，遂大惊惧[②]。

自撒麻耳干遣往追逐摩诃末之二军，在般札卜不用舟梁渡阿母河。蒙古军以牛皮裹树枝作鞄，藏军械服用于中，系鞄于身，手握马尾，随以泳水，举军截流而济[③]。

哲别、速不台两将长驱直入呼罗珊。是时呼罗珊民物繁庶，分四郡，以马鲁、也里、你沙不儿、巴里黑四城为郡治。蒙古军将至巴里黑，城民纳币迎降，蒙古军置一守将以镇之。进至匝维(Zavé)，城人闭门，拒不献粮，蒙古军不欲顿兵于此，舍之而去。守城者登陴击鼓辱詈蒙古军，蒙古军遂还攻其城，三日拔之，尽屠其民，焚毁

① 见《札阑丁传》。《世界侵略者传》第1册。

② 见《世界侵略者传》第1册。

③ 见《全史》第12册268页。修士迦儿宾所志鞑靼人渡河之情形相同，所异者系鞄于马尾，人坐鞄上，用两棹助以渡河。可参照 Vencentii Speculum 第4册第31卷第17章450页。又希腊史家 Nicétas Choniates(ad. an. 1154：ap. Stritter, Mem. Popul 第3册929页)亦云，突厥(Turcs Patchinakes)渡秃纳河(Danube)时以革裹软木，紧系之，使之滴水不透。身坐其上，手握马尾，兼奉马鞍及军器，使马若帆，用鞄作船，横断秃剌河极易。

所不能取携之物而去。进向你沙不儿，执土民使誓告算端踪迹。分遣使者至诸城谕告成吉思汗将率大兵至，若拒不降，将蒙最大不幸。其降者则置一带印(tamga)之蒙古守将以镇之。设拒降之城守备不固，则攻破之，守备完整，则弃之前进，盖其志专在追获算端也。

算端去你沙不儿后，丞相、法官、教正三人共摄此城留守事，以待新任长官舍里甫丁(Schéréf-ud-din)之至。舍里甫丁本宦官，奉算端命自花剌子模来，在道得疾，未至你沙不儿三日程，客死。其从官恐卫卒夺其资装，秘丧不发。三留守之一人托言郊迎，率兵出城赍行李入城，然舍里甫丁之卫卒千人不愿留城内，去而追从算端。翌日，才出城三程地，蒙古军前锋已近你沙不儿，闻而追击，杀之(回历三月十九日，公元5月24日)。

蒙古军进至你沙不儿城下，谕令开门。城民请俟其主就擒后降附，先馈军粮，蒙古军受之而去。其后他队连日经过城下，亦咸受供给。最后那颜哲别至你沙不儿(回历四月一日，公元6月5日)，召留守者出谒。留守假平民三人官，奉粮馈物[①]。哲别授以成吉思汗之檄，檄用畏吾儿文，其文略曰："檄告守将贵人、平民等知之：上帝以大地之国自东迄西付我一人，降者保其身家，抗者并其妻女家属杀之。"同时命以粮供应蒙古军之至城下者，勿以火拒水，勿恃城坚守众，否则将完全毁灭[②]。

时有伊斯兰教与异教之军人，与夫谋剽掠之乱民，从此二蒙古

① 见《世界侵略者传》第1册。

② 见《史集》。

军者，为数甚众，追随摩诃末之踪迹，进军甚速。躏所过之地，掠其马匹牲畜。速不台之经行火木思(Coumouss)而向伊剌克阿只迷也，历破哈不珊(Khabouschan)、徒思(Thouss)、额思法剌因(Esféraïn)、达蔑干(Damégan)、西模娘(Simnan)诸城。伊剌克阿只迷，波斯之一州也。有一沙漠与呼罗珊、法儿思、起儿漫三地相隔绝，其间有数山蜿蜒其间，山巅终年积雪，阿剌伯人故名其地曰只巴勒(Djibal)，犹言山地也。统将哲别逾祃拶答而至剌夷(Rayi)城下，与速不台会，共袭破此城，杀男子，虏妇孺，所为暴行，前所未闻也[①]。

摩诃末自你沙不儿出奔其子鲁克那丁营，时鲁克那丁已集伊剌克军三万人于可疾云(Cazvin)城下。摩诃末集此军诸将，共谋防御之策。以罗耳(Lour)王赫匝儿阿思卜(Hézar-Asb)[②]意志坚强，召与之谋。史书言此小国王赴召时，见王幕七拜，算端命之坐。及罗耳王还邸，摩诃末遣丞相阿马都木勒克偕统将二人往与之共谋防御事。罗耳王以为罗耳、法儿思以山为界，算端应急赴山后，其地物力丰饶，不难召集罗耳、黍勒、法儿思、舍班哈烈

---

① 见《全史》271 页。《乐园》云，剌夷城先是有宗教派别之争，诸派交恶。阿不哈尼菲(Abou-Hanifé)派之信徒曾焚毁沙非亦(Schafiyi)派之礼拜寺，沙非亦派之信徒因恨而通款哲别，及城陷，尽杀哈尼菲信徒。已而哲别以为卖其同教者忠顺亦不可恃，乃并屠沙非亦派信徒。

② 赫匝儿阿思卜者，曲儿忒人阿不塔海儿(Abou-Taher)子。先是阿不塔海儿奉其主法儿思王命，取罗耳之地，已而叛，自王罗耳。1160 年时，赫匝儿阿思卜嗣位，取黍勒(Schoules)之地。黍勒者，游牧部落也。失地后徙居法儿思境内，后哈里发纳昔儿授赫匝儿阿思卜为阿塔卑(见 Tarikh Gouzidé 第 4 卷第 2 章)。

(Schébankarés)诸部之步兵十万[①],以扼诸山隘口,而阻鞑靼之侵入。脱胜,可振士气,而治其畏敌之疾。算端以为罗耳王之献此策,盖欲利用其以制其邻法儿思之阿塔毕,遂谢曰:“待强敌去后,再谋此阿塔毕也。”

摩诃末甫决定留守伊剌克,即得剌夷不守之警报。随从之王侯贵人,畏蒙古人甚,一闻此讯,争先出奔,士卒亦溃。算端与诸子避往哈仑(Caroun)堡,途遇蒙古兵,不识其为算端,发矢射之。算端马负数伤,仍忍痛而趋,负其主入哈仑。摩诃末仅留一日,易健马,进向报达。算端甫离堡,蒙古兵至,以算端在堡中,急进攻,已而知其已去,解围追之。途中捕得算端放还之向导数人,询知算端逃向报达。然算端实已趋他道,蒙古兵失其踪迹,遂杀导者而还。

摩诃末既改道,驰向可疾云西北数程之撒儿只罕(Serdjihan)堡,堡在高山上[②]。居七日,又奔岐兰(Guilan),复由岐兰奔祃拶答而。既至,几孑身无长物矣。

时蒙古兵已入祃拶答而,破其都会阿模里(Amol)及其商业城市阿思忒儿(Aster-Abad)。摩诃末谋于来迎之诸异密(émir)[③]欲知何堡可以避兵。诸人劝其暂避入里海中近于祃拶答而诸岛之一岛,摩诃末将从之[④],留居海岸一村落中数日。传记家奈撒人摩诃

① 黍勒人与舍班哈烈人皆曲儿忒种,以游牧为生,前者居忽即斯单之北部,后者居法儿思之北部。

② 参照 Safi-ud-din Abd-oul Moumin 撰阿剌伯文《地名辞典》(Merassid-ul-ittild ala essmaï il-emkinet vébel-bécd)。只罕奴马(Djihan-Numa)书刊本 297 页。撒儿只罕,波斯语犹言世界之头。

③ 钧案:异密官号从唐译名。

④ 见《世界侵略者传》第一册。

末曾云："算端逐日诣礼拜寺，为其五次祈祷，使教长为诵《可兰经》。因悲泣，遂对上帝发愿，将来如能光复旧物，必使国内悉遵正义而行。"无何蒙古兵至。祃拶答而有一小国名曰客不的札蔑(Kéboud-djamé)，其王鲁克那丁(Rokn-ud-din)因摩诃末夺其地而杀其从父、从兄，遂恨算端而投蒙古军，复有其国，导蒙古兵至。摩诃末亟登舟出海，陆上发矢射之，有敌兵数骑跃马入海逐舟，尽溺死。

时摩诃末已得肋膜炎病，自知将死。乘舟离岸时叹曰，君临之国不少，乃无数肘之土可作坟墓。既而登一小岛，喜其地安宁，结幕居焉。祃拶答而沿岸居民以粮物来献，算端皆授以官职或食邑之制书。有时须亲书之，盖随从诸人多已遣赴诸子所也。数年之后，札阑丁恢复故国之一部时，凡以此类制书献者，皆授以尊荣。其以算端摩诃末所赐之小刀或手巾出示者，亦重赏之。

摩诃末自知病势日重，乃召诸子札阑丁、斡思剌黑沙、阿黑沙(Ac-schah)等至，取消前此命斡思剌黑沙嗣位之旧诏。谓非札阑丁不足以光复故国，遂亲取佩刀系其腰，命诸子对之委质，并励守忠不贰。不数日死，葬于岛中[①]。仓卒无殓衣，即以其衬衫裹葬之[②]。此灭国不少、斥地甚广君主之结局，如斯而已。

诸史家对于摩诃末之毁誉不一：曾仕成吉思汗诸孙为丞相之

① 诸史家名此岛曰阿必思浑岛(Abisgoun)，或阿必思浑海之岛，别言之，里海之岛也。阿必思浑为海边之一镇市，祃拶答而州朱里章城(Djourdjan)之海港也(参照本哈兀哈勒之《地理志》)。距阿必思浑镇数程之远，有三岛，其中一岛即为算端摩诃末避兵之所。此镇之名曾为里海全海之名，波斯人亦名里海曰塔拔里斯单海，曰可萨(Khazares)海。

② 见《札阑丁传》。

术外因人阿剌丁与哈马丹人剌失德，对于花剌子模帝国之灭，曾以详细记载留示吾人。此二史家皆谓摩诃末处危难之时，畏敌甚，而又笃信星者之说，遂致一筹莫展。且不应以其怯敌之意流露于外，致使军民志气消沉。当敌人任其喘息之时，则以娱乐为事。闻摩诃末未走伊剌克以前，留居你沙不儿之三星期中，全以其光阴消磨于宴饮乐舞诸事，左右尽娱乐之人，此州官吏竟委弃政务，而专为之觅求舞人歌妓云云。然当时之一著作家阿里额梯儿之批评，则又不同。据云："摩诃末博识，尤精通法学，喜接学者、律师、教师而厚待之。其为人喜勤劳，不嗜奢华游乐，关心国事，为人民谋幸福。"史家哲赫比谓其勤励果敢，惟野心勃勃，致使其常为不义，而嗜杀人[①]。诸史家之毁誉虽不一致，然摩诃末当蒙古兵侵入时之怯敌行为，实无以自解也。

先是摩诃末弃阿母河防之先，曾遣使至花剌子模，促其母偕其后宫避兵祃拶答而境内[②]，会成吉思汗之使者亦至。成吉思汗因摩诃末母子不和，遣其近臣答失蛮往离间之。答失蛮转达汗言，谓汗知算端不孝其母。算端之将校有一部分愿助蒙古军，然汗无意侵入秃儿罕可敦所主花剌子模之地。请遣亲信之使者来，面达可敦之意，他日诸地完全略定后，将以呼罗珊之地奉可敦云。秃儿罕可敦置不答，及闻算端退走之讯，乃尽率摩诃末之诸妻、诸子，轻赍珍宝，弃花剌子模而去。意以为蒙古军战胜饱掠后，不久必退出本国。而摩诃末昔年兼并之诸国王侯皆在花剌子模狱中，恐己去后

① 见《伊斯兰教王朝史》。

② 见《世界侵略者传》第 1 册。

生变，乃于濒行之先，尽出此等系囚投之阿母河中。由是伊剌克塞勒术克朝末主脱黑鲁勒之二子，巴里黑王父子，忒耳迷主，范延王，镬沙（Vakhsch）王，昔格纳黑主之二子，古儿末主马合木之二子，及其他王侯数人，尽死。惟牙即儿（Yazer）王子乌马儿汗（Omar-khan）以此行达其故国，留作向导。乌马儿汗颇献忠诚，然将至牙即儿，秃儿罕可敦亦断其首[①]。

祃拶答而诸山中，有亦剌勒（Ilal）堡，险峻难攻。摩诃末前至祃拶答而，欲其母并眷属避兵此堡。至是秃儿罕可敦取道的希思丹（Dihistan），入居此堡。统将速不台追摩诃末经此堡下，留兵一队攻之。亦剌勒堡常多雾雨，得水易，居民从未疏池蓄水以备旱。及堡被围，久不雨，此事向鲜有之。被围数月后，守兵渴甚，不得已乞降。蒙古兵入据之日，云雾蔽天。俘秃儿罕可敦及其子之诸妻子，送蒙古主营，时蒙古主适在围攻塔里寒（Talécan）也。摩诃末诸子虽在稚年，成吉思汗尽杀之。以算端之二女赐察合台。察合台自纳一人，以其一转赐其家臣木速蛮哈别失阿米的（Habesch-Amid）。算端之第三女则归成吉思汗之侍臣答失蛮为妻。算端别有一女名罕速勒坛（Khan-sultan）前嫁撒麻耳干主斡思蛮而寡居者，为叶密立城（Imil）之一染工所得，亦以为妻。成吉思汗挈秃儿罕可敦归蒙古，后在 1233 年殁于和林。可敦之相纳速剌丁同被俘，甫送至塔里寒，即杀之[②]。

初亦剌勒堡将下时，一阉官知札阑丁拥重兵在外，劝可敦破围

① 见《札阑丁传》。《世界侵略者传》第 1 册。

② 见《世界侵略者传》第 1 册。《札阑丁传》谓成吉思汗长子术赤请罕速勒坛于其父，成吉思汗以赐之，后生数子。

往依之。可敦答言宁受敌俘之痛，不愿往依其孙，其深恨其孙也如此。

摩诃末之珍宝亦为蒙古主得。先是算端走伊剌克，路经比思塔木城（Bisttam）时，以宝石盈十箧付一从校，命交额儿迭罕堡（Erdéhan）守将。堡甚高，在祃拶答而、伊剌克两地分界山中，处剌夷之北，险峻难取。及蒙古兵至堡前，许守将不死，守将遂献算端珍宝，送致蒙古主营[①]。

摩诃末死后，其三子从海道赴巴勒罕湾（Balkhan）中之曼乞失剌克（Mankischlak），复自是赴花剌子模。始秃儿罕可敦之仓卒出奔也，都城未置留守，遂呈乱象；见诸王至，全城大欢。未久有兵七万集于诸王麾下，此军诸将皆突厥、康里人。始利斡思剌黑沙暗弱易与，冀得便宜各遂其野心，及知其以位让兄，而札阑丁性情坚决，大权必不甘旁落，则大失望，阴谋杀新算端。札阑丁闻其谋，1221 年 2 月 10 日（六一七年十二月十五日），即出奔呼罗珊。前由忽毡得脱之守将帖木儿灭里以三百骑从，疾驱横断花剌子模、呼罗珊两地十六日程之沙漠，而至奈撒[②]。

成吉思汗取撒麻耳干后，屯兵于撒麻耳干、那黑沙不两城之间。1220 年春夏两季皆驻于此。是年秋，修养士马毕，遂续进兵。闻摩诃末诸子驻兵花剌子模城中，乃命术赤、察合台、窝阔台三子率兵断其归路。同时命在呼罗珊之蒙古军，戍守沙漠南界一带。札阑丁至奈撒时，已有蒙古逻骑七百人屯于此地附近，札阑丁猛击

① 见《札阑丁传》。

② 见《札阑丁传》。《世界侵略者传》第 1 册。

败之，遂赴你沙不儿。奈撒人摩诃末曰："是为木速蛮对于蒙古军第一次之获胜也。"札阑丁之两弟较为不幸：札阑丁出走之后三日，闻蒙古军进向花剌子模之讯，亦奔呼罗珊。蒙古军蹑其后，甫至奈撒附近之哈连答儿堡，蒙古军即踵至。堡属《札阑丁传》之撰者摩诃末。此蒙古军原为等待花剌子模军之追从其新算端者，不知斡思剌黑沙、阿黑沙二王之在哈连答儿堡中。堡主摩诃末之侄出御敌，俾二王得及时脱走。然蒙古军侦得脱走者为二王，即不战而追。及诸一小村曰维失忒（Vescht），二王列阵以战，蒙古兵败。二王恃胜不设备，忽又有别一敌军至，再与之战，二王殁于阵，蒙古兵以矛贯其首徇示州中。

维失忒之乡民搜花剌子模兵尸身，得宝石甚夥，廉价售之。缘蒙古兵无所用，故不取，而为乡民所得也[①]。

蒙古兵入花剌子模，进薄其都城兀笼格赤（Keurcandje）[②]。兀笼格赤亦名花剌子模，与州名同也。此大城跨阿母河两岸，阿母河自阿母城下入花剌子模境，流入阿剌勒湖（Aral）[③]，咸水湖也。花剌子模境内仅有阿母河两岸适于耕作，故两岸城村相望。惟出此狭隘地带之外，皆为沙碛[④]。自摩诃末三子出奔以后，城中无主，共推突厥统将忽马儿（Khoumar）为帅，以其为算端母族故也[⑤]。围攻尚未开始，花剌子模军先大失利。蒙古前锋游骑进至

① 见《札阑丁传》。

② 阿剌伯人曾变其名曰者儿札尼牙（Dejrdjaniyé），蒙古人则名之尼赤（Orcandje）。

③ 咸海。

④ 见本哈兀哈勒《地理志》。阿剌伯文《地名辞典》"花剌子模"及"兀笼格赤"条。

⑤ 阿不哈齐书（突厥文 64 页）谓其人为秃儿罕可敦之兄弟。

城门，似欲掠牲畜，城中人大出步骑逐之，蒙古伏兵突出，追者伤亡甚众。余众溃入城内，蒙古兵亦从而入，然因人数太少，旋退出。诸王率大军至，使人招谕，许不加损害。术赤且命人告城民，言其父已以花剌子模封彼，彼愿其都城完全无缺，已下令禁止损害云云。城民明大势者欲降，且故算端曾自阿必思浑岛以手诏谕花剌子模之居民曰："汝等应感余恩，一如感我父祖之恩。兹为爱汝等计，特致劝告之词，设力不能御敌，最良之策莫若乞降。"然城民不从。

蒙古军乃退治攻具。境内无石，不足供炮击，则多伐桑木以代炮石之用，于未投射之先，渍水增其重量。攻具未备之前，仍以威胁利诱，劝城民出降。会征发所略诸地之丁壮至，命执填濠之役，十日而工毕。至是蒙古军遂欲取横跨阿母河两岸之桥梁，遣兵三千人往，尽没，守者胆益壮。然其足使此城久攻而不能下者，要为术赤、察合台二王之失和，号令不一，纪律亦弛。花剌子模人利用此事，屡使蒙古兵多所损伤，六阅月而城不下。诸王遣人赴塔里寒，告蒙古主损兵甚众而城难下之事。成吉思汗廉得其情，大怒，改命窝阔台总统围城之军。窝阔台乃和解两兄，申严约束，军气复振。已而下令总攻，守者遂不支。蒙古兵梯登入城，以石油浇先见房屋，纵火焚之。花剌子模兵虽败，仍奋勇巷战，节节防御，妇孺亦参列行间。如是七日，花剌子模人数甚众之城民，被困于三坊之中，始乞降。遣警长往见诸王曰："吾属已受王等之严威，使吾属感王等之恻隐，此其时矣。"术赤怒曰："彼等以抗拒而没我军之一部，则迄今受其严威者为吾曹；乃反谓彼等受吾曹之严威，兹吾曹将使彼等一受之。"遂命驱民尽出城外，令技师、工匠别聚一所，其从之

者，遣送蒙古，皆得免死。然有不少匠人惮远谪，以为居民可免死，因混处其中而不出。蒙古兵分居民配诸队间，以刀锹矢尽屠之[①]。免者惟幼妇儿童，夷为奴婢。屠后掠城中余物，决阿母河堤，引水灌城，庐舍尽毁，藏者皆死。史家阿里额梯儿云："其他诸城之陷，余民或潜匿，或遁走，或藏积尸中而得免。惟花剌子模之人免于兵者，尽溺于阿母河水中。"

有司教名捏只木丁（Nedjm-ud-din），居花剌子模城，诸王闻其德望，城未被围前，劝其来蒙古营中避难。司教答曰："我安处花剌子模人中，已有七十五年。今彼等既处危境，不忍弃之。"竟死城中[②]。

成吉思汗驻夏于那黑沙不之草原，休养士马毕，进围阿母河北岸之忒耳迷。谕城民开城堕堡垒，不从，攻十日拔之。尽驱其民出城，分配诸蒙古队屠之。有一老妇将受刃，呼曰："有美珠愿献。"及索其珠，则云已咽入腹中，乃剖腹出珠。成吉思汗以为他人亦有咽珠之事，命尽破诸死者之腹以求之。

成吉思汗驻冬于薛蛮（Séman），分兵躏其东诸地，入巴达哈伤，降之[③]。同时命汗子拖雷率兵入呼罗珊，残破此美丽州郡。及春，阿母河北诸地或毁或降，悉皆略定，成吉思汗遂涉浅滩渡阿母河。巴里黑城遣使迎献重币。此著名大城虽降，犹不免于全灭。

---

① 据阿剌丁、剌失德二史家之说，每一蒙古兵杀二十四人，计兵士之数凡五万人也。剌失德云，匠人遣送蒙古者，数有十万。

② 见《札阑丁传》。《世界侵略者传》第1册。《史集》。《全史》。

③ 阿剌伯语《地名辞典》云：巴达哈伤俗称巴剌黑伤（Balakhschan），缘其地诸山产宝石，尤以红宝石名Balakhsch者为著名，故以名其地。其地当波斯商人赴土番之孔道。

成吉思汗得札阑丁驻兵于哥疾宁之报，欲进军，念留此民众之城于后路为非计，遂以检括户口为名，驱巴里黑之民出城，尽屠之。蒙古兵入城焚掠，全城灰烬，夷其堡垒而去。

成吉思汗由是进至讷思来忒忽堡(Noussret-couh)[①]，堡在塔里寒山地中，势险固。戍兵勇健，诸将攻之六阅月而不能下[②]。成吉思汗乃驱俘虏于前敌，退者斩；蒙古兵造木架，运土成丘，高与敌垒等，置炮猛攻堡内。守者计穷，全军突围出走，骑兵窜山得脱，步卒尽殪。攻之凡七月，始拔其堡。蒙古兵去后，堡中生人叠石无存[③]。

蒙古兵毁堡之时，拖雷亦全毁呼罗珊，还军父所。先是哲别、速不台二将追逐摩诃末时，已躏此州之一部。二将所下城邑，各置将以戍之。顾其军行后，不复有蒙古兵至，会有风传算端胜敌于伊剌克者，前此慑于威者，至是意气遂振。徒思之义兵长遂杀此城蒙古戍将，送首于你沙不儿。有一蒙古校驻兀思秃哇(Oustoua)，守遣赴伊剌克两军之马匹牲畜者，闻其事，率所部三百人入徒思，杀叛兵大半，夷其城垒，以待略取呼罗珊一军之至。

1220 年秋，拖雷奉命进军呼罗珊之时，曾命成吉思汗婿那颜脱合察儿(Togatchar)[④]将万骑为前锋，进向奈撒。部将别勒忽失(Belgousch)所领分队先至城下，别勒忽失中流矢死。蒙古兵为复

① 此言得胜山。

② 见《世界侵略者传》第 1 册。《史集》。

③ 见《全史》第 12 册。

④ 钧案：此人与前之脱忽察儿或非一人。

仇，遂围奈撒[①]。

先是摩诃末遁走伊剌克时，曾遣使往谕奈撒居民，谓今来寇之敌，作战与其他民族异。最良之策莫若弃城市避入沙漠或诸山中，盖鞑靼人或者饱掠即去，则居民应逃避以全其生，否则必须重建堡塞以守也。缘此城堡寨，前此算端塔合失取奈撒时业已经其削平，改为耕地。然奈撒居民不欲遁走，遂重建之。

脱合察儿兵至奈撒城下，役俘虏签军架炮二十具以攻城，并强其负梃以破城，退者斩之。猛攻十有五日，城壁裂一大口。其夜蒙古兵登此，黎明入据城内，尽驱其民于野，命其互相反缚两手。奈撒人摩诃末云："此种不幸之人，从之而不敢违，脱其散走山中，大半可以逃免。及其互相反缚以后，蒙古兵不分男女老幼，攒射屠之。死者或为奈撒居民，或为他处人民来此避难者，计共有七万人。"

后三日，蒙古军分兵围哈连答儿堡，此堡即属奈撒人摩诃末。此传记家志其事云："是时我适在堡中，堡在山上，势险峻，为呼罗珊最坚诸堡之一。相传自伊斯兰教输入此东方地域以来，此堡即属余祖。顾其地处全州之中心，凡脱走之俘虏，与避兵之民众，多走集于此。若干时后，鞑靼人见此堡不能下，乃索棉布袍万袭，及其他物品，以作退兵之价。其实彼等已饱掠奈撒城之物，尚犹未厌。我允其所求，备衣物送敌军前，然人皆知鞑靼见人必杀，无人敢作使者。最后得二老人愿效死，托其子女于我而后行，蒙古兵拔营前果杀之。"

---

① 见《世界侵略者传》第1册。

同一传记家又云:“此种蛮人散布呼罗珊境内,每至一地,即聚乡民,驱之赴其欲取之城,役之使司攻城器械。全境忧惧,人皆自危,致使被俘之人反较居家之人为安。凡地主亦应率其臣民,携其战具,从鞑靼军。至其所欲取之城下,违者则攻其堡而屠其人。”[①]

1220 年 11 月(六一七年九月)脱合察儿进至你沙不儿,欲取其城。攻城之第三日,守陴者射杀脱合察儿。蒙古军代将者以兵力薄,不足拔此大城,解围去。分军为二队,自率其一攻撒卜咱瓦儿(Sebzevar),三日拔之,尽杀其居民七万人。其一入徒思境,取诸堡,若哈儿(Car)、那罕(Nocan)二堡皆下,居民尽被屠杀[②]。

拖雷本军入呼罗珊,先攻马鲁沙喜章(Merv-Schahidjan),州中四大城之一也。前为塞勒术克朝、灭力沙、辛札儿两算端之都城,城在平原中,土地肥沃,处马鲁水(Merv-er-roud)一名木儿合卜水(Murgab)者之傍岸。算端摩诃末弃阿母河而出走时,曾遣使至马鲁,传谕是城官吏士卒退保附近之蔑剌合堡,留城之居民不能迁徙者,可降蒙古军。当时摩诃末之畏敌,已濡染及于诸臣。马鲁长官别海木勒克(Behaï-ul-mulk)以蔑剌合堡不足恃,去而之阿剌塔黑堡(Alatac)[③]。有官吏数人仍返马鲁,其余则散走他所。代别海木勒克守马鲁者,与教正,主降蒙古;法官与赛亦德族长则主守。哲别、速不台兵至马鲁境内之马鲁察克(Maroutchac),马鲁城即遣使纳款。会有曾任摩诃末护卫之突厥蛮将名不花(Boca)

① 见《札阑丁传》。

② 见《世界侵略者传》第 1 册。

③ 据可疾云尼(Cazvini,Iklim IV)书云,阿剌塔黑位于塔拔里斯单境内之一高山上,四围山势险峻。

者，纠合同种人为一队，袭据马鲁。主守之城民，州中之突厥蛮人，以及避蒙古人之征调而来奔者，群集其麾下。

先是马鲁之前长官抹智儿木勒克（Modjir-ul-Mulk）随从算端至于其从忒耳迷出奔之时，算端死后，还至马鲁附近。军民附之者皆从之，因夺据马鲁。不花孤立无援，亦服从之。由是抹智儿木勒克欲自立为君，自称王室血胤，盖其母前在算端后宫，遣嫁时已受孕也。

教正之主降蒙古者，与距马鲁六日程撒剌哈夕（Sérakhss）之法官有姻好。时撒剌哈夕已置有蒙古戍将，教正遂与此法官秘密勾结，抹智儿木勒克知其事，秘而不发。然教正自泄其秘，一日在礼拜寺宣教，无意中言："使蒙古之敌尽死。"闻者大恚，群诘之。教正狼狈自辩，谓其口出此语，实与心违也。抹智儿木勒克先疑之，至是益信。然无谋叛之显证，不敢加刑于此明法之人。未几得其致撒剌哈夕法官之书，召犯鞫问，坚不肯承，示以手书，噤不能答。抹智儿木勒克命之出，诸卫卒尽出手刃毙之，陈尸于市。

时别海木勒克已弃阿剌塔黑堡，赴祃拶答而投一蒙古军将。自称已据马鲁，设许其仍为府主，愿每岁命每户出棉衣一袭以献，蒙古将遂命其从军行。行次薛合里斯单（Schéhristan），闻马鲁内乱，乃致书于抹智儿木勒克，谓彼此不应争长官之位，蒙古军势甚盛，不可抗，彼于瞬息之间灭你沙不儿。今有蒙古兵七千，征调兵一万，进向马鲁。本人亦在军中，敢自托友谊，函请谋自全之策。城中绅豪闻之惊惧，议出避难，既而疑其虚妄，执讯赍书来使二人，尽得事实，遂杀二使者。蒙古兵亦见为别海木勒克所欺，杀之。

抹智儿木勒克惊定，遣兵往执撒剌哈夕法官至，罪其亲赍馈物献那颜哲别,并受蒙古撒剌哈夕长官职。先是此法官曾杀某人,兹以付被杀者之子,处以复仇之刑。时有若干时不闻敌兵之讯。马鲁城中之绅豪与抹智儿木勒克偷安旦夕,不复为备。已而阿母城长官来报,蒙古兵已在阿母城前渡阿母河,今踵其后而至。旋果有蒙古兵八百人进击屯于马鲁附近之突厥蛮,战方酣。适又有突厥兵二千人自花剌子模来,扰蒙古军背,阵斩殆尽,俘六十人,徇于市而杀之。突厥蛮人既战胜,乘势欲奉阿母城长官为主,不欲再从抹智儿木勒克。然谋夺马鲁城而未果,乃大掠马鲁附近一带之地,以泄忿。

至是拖雷之军抵马鲁城下,军凡七万,有一部为被略诸州征发之兵。时突厥蛮军万骑尚屯马鲁城外不远,蒙古军设伏诱之,杀其一部,余众溃走,尽夺其所有并所掠马鲁城外之牲畜无算。

次日(公元 1221 年 2 月 25 日,回历六一八年一月一日),拖雷率五百骑周视城垒。七日之间,全军悉集城下,乃下令进攻。守兵从诸门出城突击二次,皆被却还。蒙古军终夜环城守望,不使一人得脱。次晨,抹智儿木勒克遣一德高望重之教长使蒙古军,拖雷以好言饵之而遣之归。抹智儿木勒克遂奉厚币亲至蒙古营[1]。

拖雷许其仍守旧职,赦马鲁城民不死,以荣袍赐此长官,且言欲见其友从,授以禄位。抹智儿木勒克乃悉召之来,及至,拖雷尽缚之,并缚抹智儿木勒克。饬举马鲁最富之人,簿录得商贾地主二百人,并录工匠四百人,悉召赴蒙古营。遂纵兵入城,驱居民尽出,命各人携其眷属与随身衣物以行。凡四日,城始空。拖雷在平原

① 《世界侵略者传》第 1 册。

施金座，坐其上，命引所俘将卒至，对众斩之。居民见者皆泣，继而分别男、女、幼童，配置诸营。居民别离，哭声震天。惟工匠四百及童男女若干得免死为奴，余尽被杀。撒剌哈夕之签军因其法官被杀，为复仇，其屠杀之残酷尤胜于蒙古兵也。拷掠富豪，使指藏金所在，大掠城市。以塞勒术克朝算端辛札儿墓中有殉宝，发其墓，而火其墓堂，夷平马鲁之城堡[①]。

此残忍不下于其父之蒙古汗子，于离此屠场进躏你沙不儿以前，曾命土豪一人为此荒城之长官，并置蒙古戍将一人以镇之。居民有匿土窟中者，闻蒙古军行始出，其数约有五千人，然其得庆更生之时亦不久也。旋有继至之蒙古军往从拖雷者，亦欲见马鲁人之流血。其统将命此辈不幸之人以衣盛麦，出城饷军，及城民出，尽杀之。此军继进，路遇逃民悉屠杀无遗。别有一军随后至者，亦尽杀所见之人。

拖雷进军你沙不儿，此城距马鲁十二日程。你沙不儿云者，波斯语撒婆儿(Sapor)城之义也。昔在库萨和(Cosroës)[②]朝时代，为呼罗珊之都城。昔人且以伊兰名之，伊兰者，波斯古称也。此地未及百年，曾毁二次。1153年，算端辛札儿在位时，突厥乌古斯之游牧部落叛，呼罗珊遭其蹂躏。又在1208年时，遭地震。然你沙不儿旋见兴复，拖雷率军进围此城，为其姊夫[③]脱合察儿复仇时，

① 见《全史》第12册。《世界侵略者传》第1册。《全史》谓马鲁一带约有死者七十万人。《世界侵略者传》所志之数尤众。据云，有德高望重之赛亦德族人也速丁(Yzz-ud-din)，曾偕数人在十三日间计算死者之数，逾一百三十万。而尸骸之隐伏未发现者，尚未计焉。

② 钧案：此从唐译名。

③ 或妹夫。

城内人民甚众也[1]。先是蒙古游骑至你沙不儿附近者,辄为城人所害,如是数月。城民逆料蒙古必来复仇,遂坚其守备,城上置发弩机三千,发石机五百。蒙古军攻具亦强。首先残破你沙不儿四围全州之地,继对城设置发弩机三千,发石机三百,投射火油机七百,云梯四千,炮石二千五百担,而附近诸山尚可供给炮石不少也。攻具既多,士卒复众,围城中望之夺气。遂遣呼罗珊之大断事官率教长、绅耆同赴拖雷营请降,并许纳岁贡于蒙古主。拖雷不许,大断事官被留。翌日拖雷巡城一周,训厉将士,环城同时进攻,是日为星期三日也。(公元 1221 年 4 月 7 日,回历六一八年二月十二日)昼夜战不息,比晓,濠堑已平,城墙裂七十口。蒙古兵诸面攀登而入,街巷屋舍皆成战场。星期五日,则蒙古兵为脱合察儿复仇之日。脱合察儿之妻,成吉思汗之女也,将万人入城,所见辄杀,如是四日,猫犬无遗。拖雷闻前此屠马鲁时,民匿积尸中得免者不少,至是命尽断被害者之首,三分男女小儿之首,聚之为塔。毁城历十五日,城市遂墟。后人于其遗址上播种大麦焉。惟工匠四百免死,徙之北方。其潜藏土窟之民亦不免,缘拖雷曾留兵一队于此搜杀藏者,故居民死于窟中者为数甚多[2]。

四五年后,札阑丁复国时,曾将此荒地宿藏之物供扑买,扑买人应岁输三万底那儿。后掘者常于一日之中获得此数,有时且过之[3]。

时呼罗珊境内仅也里一城未下,拖雷移军攻之。其别将分蹦

---

① 见阿剌伯语《地名辞典》“你沙不儿”条。只罕奴马书 320 页。

② 见《世界侵略者传》第 1 册。《史集》。《全史》。

③ 见《札阑丁传》。

徒思者，在此城附近发哈里发诃仑剌失德（Haroun-er-Raschid）与哈里发阿里后人十叶派最崇奉之阿里剌齐（Ali-er-Razi）之墓。拖雷顺路躏忽希斯单（Couhistan），进薄也里城下。此城在你沙不儿东北，相距五日程，四山环绕，中一平原，村聚园囿遍布[①]。此城长官杀拖雷谕降使，励所部奋勇死守。蒙古兵诸面同时进攻，战甚烈，凡八日，长官殁于阵。城中人有议降者，拖雷知城中战守之意不齐，遂召降。如立降许免死，城人遂降。拖雷仅杀札阑丁之官吏士卒一万二千人，命一穆斯林为长官，置一蒙古将以镇之。越八日，拖雷奉父命还会师于塔里寒[②]。

当蒙古军侵入呼罗珊之时，有一突厥蛮小部落名哈夷罕里（Cayi-Khanli）者，居于马鲁沙喜章附近之马罕（Mahan）区中，畏大敌而西徙，居阿美尼亚所属阿黑剌忒（Akhlatt）之地。其后八年，蒙古兵侵入斯地，则又徙小亚细亚。时此部落之首领名额儿脱黑鲁勒（Ertogroul），统四百四十户。鲁木（Roum）算端畀以东罗马帝国境上昂果剌（Angora）附近之一地，赐号曰兀只别（Oudj-Bey），其爵视欧洲古封建时代之公侯。及其死也，其子斡思蛮（Osman，Othman）继立，逐渐蚕食东罗马帝国之地而广其封疆。1300年，蒙古人灭小亚细亚之塞勒术克朝后，诸守将分据此国之时，斡思蛮遂于其小境内亦自建一国，号算端，是为斡思蛮国之

① 见Kinneir《波斯帝国地志》，伦敦1813年四开本181及184页。只罕奴马书309页。

② 见《世界侵略者传》第1册。《也里州志》。

始祖[①]。

成吉思汗灭塔里寒后，驻夏于其附近山中。(1221 年)察合台、窝阔台二子还自花剌子模。长子术赤自取兀笼格赤后，即渡细浑河北去。是秋，成吉思汗闻札阑丁拥重兵据哥疾宁(Ghazna)，遂进军往攻之。道经客儿都安堡(Kerdouan)，留攻一月，拔而夷之。逾欣都山(Hindou-kesch)[②]，此山山系东延，构成印度北界。逾山后，围攻范延堡，察合台之一子木阿秃干(Moatougan)伤矢卒。其祖钟爱此孙，悲愤之极，下令疾攻。堡陷，不赦一人，不取一物，概夷灭之。成吉思汗欲是地沦为荒墟，故百年之后尚无居民也。

察合台丧子时适他往，毁范延时始还。成吉思汗命人秘其事，伪言其子他适。越数日，汗与三子共食，佯作怒色，责诸子不从命。语时属目察合台，察合台惧，跪而自明，父命死不敢违，汗犹反复前词谴责之。既而曰："汝言实欤？汝能践言欤？"察合台亟曰："宁死必不违所言。"汗乃曰："汝子木阿秃干亡矣，不许汝悲。"察合台闻言，如受电击，然犹自制不流泪。食毕出，始一泻其悲痛之情[③]。

先是成吉思汗屯兵一队于谢飏斯单(Zabilistan)[④]，以为成吉思汗与拖雷所统一军之声援，至是为札阑丁所败。初札阑丁横断

---

① 见木涅靖巴失书第 2 册。Sa'd-ed-din Efendi 撰《史冕》(Tadj-ut-Tevarikh)，多桑藏突厥文写本。

② 钧案：即史籍僧传中之大雪山。

③ 见《世界侵略者传》第 1 册。《史集》。

④ 钧案：哥疾宁一地梵语名作漕矩吒，见《大唐西域记》。阿剌伯语名谢飏，见《新唐书》。《西域记》云，大都城号鹤悉那，即指 Ghazna 也。蒙古语译名有时赘鼻音于后，故有哥疾宁之称，一如河西之成合申也。

花剌子模沙漠，于奈撒附近击退蒙古逻骑后，赴你沙不儿，欲至其旧封之地哥疾宁。居你沙不儿三日即行，行甫一时，蒙古兵蹑踪而至，亟追之。(公元 1221 年 2 月 10 日，回历六一七年十二月十五日)算端命其一将拒之歧路，已而自从别道逸。蒙古军追其将而失算端踪迹，算端于是日一日之间已走四十程矣。至柔任(Zouzen)，欲入城息鞍马，城民拒不纳，且胁之曰：若蒙古兵蹑踪而至城下进击时，城民将于陴上投石共攻之。札阑丁遂即夜行。翌日蒙古军果至柔任，追逐算端至也里道上，不及而返。三日后，札阑丁安抵哥疾宁城，其地人大致皆奉命，故诸部之兵来集其麾下。

哥疾宁一地，一岁以来，已经变乱数次：古儿人摩诃末阿里哈儿蒲思忒(Mohammed Ali Kharpoust)先奉算端摩诃末命镇守哥疾宁。摩诃末弃细浑河出走时，其舅父额明灭里(Emin Mélik)封地在也里州中，欲远离战地，遂率所部二万突厥康里人，弃算端而去。路经哥疾宁州，将至哥疾宁城二三日程前，先遣使请于哈儿蒲思忒，指定一地俾其屯军，以待时局之定。哥疾宁长官，与诸部将答曰："吾属古儿人，君等突厥人，不能同处。算端既为各军指定屯驻之地，请各守其地。"额明灭里再三请而无效，时札阑丁之相撒剌哈夕人苫思丁(Schems-ud-din)在哥疾宁，以哈儿蒲思忒拒算端至亲不纳，形同叛逆，乃与子城守将同谋除之。设宴招饮于近郭园林，酒酣，守将手刃之，二人亟还城。古儿兵营于距城半程之地，闻主将死，皆溃。额明灭里遂入城，行长官事。

已而闻有一蒙古军取道不思忒进军，额明灭里率军往御。然以兵单不足敌，遂退也里，时丞相苫思丁偕行，额明灭里囚之于客出兰堡(Ketchouran)[①]。哥疾宁城无主乱起,城民杀子城守将以祭哈儿蒲思忒之灵,公推忒耳迷人剌齐木勒克(Razi-ul-mulk)为长官。会有胡鲁只(Khoulloudjes)[②]、突厥蛮两部之人,多从河中、呼罗珊避兵来哥疾宁境内,聚集于富楼沙(Ferschaour)[③]平原中,隶赛甫丁阿格剌黑(Seïf-ud-din Agrac)麾下。哥疾宁新长官剌齐木勒克谋击之,而取此印度之地。战不利,阵殁,部兵多被杀。其弟月木答忒木勒克(Oeumdet-ul-mulk)原与兄共掌兵事,兹代之镇守哥疾宁。已而可不里(Caboul)长官以兵来攻,围之于子城四十日。城将下,而札阑丁相苦思木勒克(Schems-ul-mulk)[④]被札阑丁释出狱,遣之至哥疾宁,备供张,围遂解。七日后,札阑丁入哥疾宁,由是诸部军皆来集麾下。额明灭里率所部之突厥康里人重返哥疾宁,算端以女妻之。阿格剌黑灭里自富楼沙率所部胡鲁只突厥蛮人,可不里长官偕阿匝木灭里(A'azam Mélik)率所部古儿人皆来会,总以上诸军凡六七万骑。

1221 年春,算端率此军发哥疾宁,进向范延附近之巴鲁弯(Bérouan)。益前进,击蒙古军之围攻瓦里安(Valian)堡者,袭败其前锋,杀千人。围堡之蒙古军遽退与本军合;札阑丁亦归巴鲁弯之辎重营。归后八日,失吉忽秃忽率蒙古军至。

① 钧案:此堡疑是《元秘史》之出黑扯连。

② 木涅靖巴失书第 2 册云,胡鲁只部原阿剌伯人,后与突厥诸部混合,游牧于申河(Sind)、恒河二水之间。

③ 亦作 Ferschabour,俗称 Berssavour。此城与其辖境隶剌火儿(Lahaur),在剌火儿、哥疾宁两城之间(见阿剌伯语《地名辞典》),现代地图作 Pischaver,钧案:此从古译名。《西域记》作布路沙布逻。

④ 钧案:即前之苦思丁。

初，失吉忽秃忽以三万人屯可不里、谢飓斯单之边地山中：一方侦视札阑丁之行动，一方为成吉思汗行军之声援。至是闻其围攻瓦里安一军之失利，即引军进攻。札阑丁亦进军，两军遇于巴鲁弯之原。算端以额明灭里为右翼，阿格剌黑为左翼，命骑士尽下马，各系其马缰于腰而战。其右翼先为蒙古军万人所破，旋得中军左翼之援，阵势复整。两军反复冲突，互有损伤甚重，胜负不决。及夜，各退还营。蒙古帅欲绐敌，乃命各骑缚毡象人置手牵从马上，骑卒以手扶之，俾花剌子模军知其有援军至。诘朝，算端诸将望见敌兵列阵两行，果以为得援，议退，札阑丁持不可，下令仍如昨日步战。蒙古军见昨日之战阿格剌黑军最勇，因悉锐击左翼。左翼攒射之，矢如雨集，蒙古军却而复进。花剌子模军阵殁五百人，于是札阑丁吹角，全军上马，大呼突击蒙古军，张战线以围绕之。忽秃忽曾令其军视其纛所在勿失，已而其部下见将被敌围，遂溃走。顾原中溪涧纷错，马多颠踬，敌骑较健，驰而追杀，死者大半。

是役也札阑丁虽胜犹败。盖分卤获时，额明、阿格剌黑争欲得一阿剌伯骏马，不相让，额明怒举鞭挞阿格剌黑首。算端熟知康里人不服过，不加责让，阿格剌黑愤恚，即夜率所部胡鲁只突厥蛮退走富楼沙，并说古儿部长阿匝木灭里离叛而去。算端挽之归，不从。由是算端所部仅余突厥兵及花剌子模兵而已，遂返哥疾宁。又闻成吉思汗亲将大军为忽秃忽报战败之耻，乃退向申河而去[①]。

成吉思汗闻败讯，怒而不形于色，仅语忽秃忽，谓其狃于常胜，

① 《全史》(284 页)云，札阑丁战胜后曾遣人告成吉思汗曰："如汝欲指定战场一处，余将赴之。"

未受挫折，今遭此败，当以为戒。缘其抚育忽秃忽至于成人，视之若子也。先是成吉思汗平塔塔儿部，得忽秃忽，在襁褓中，时其妻孛儿帖(Bourté)尚无所出，常有抚养一子之意，成吉思汗遂以忽秃忽赐之[①]。至是忽秃忽败还，成吉思汗即下令整军疾驱，进向哥疾宁。在途二日，行不及炊。至巴鲁弯战场，令忽秃忽及别一将指示两军布阵处，汗以不善择地切责之。进至哥疾宁，则算端已行十有五日矣。城民不抗而降，置一长官名牙剌洼赤(Yelvadje)者以治之。仍率军追逐札阑丁，及之于申河河畔。时札阑丁已以书招离去之诸部长，速以军来会；诸军纵许来，时已无及矣。成吉思汗闻其敌将于次日渡河，即夜疾进，击斡儿罕(Orkhan)所将之花剌子模殿后军，命布阵数列，对河作偃月形，进围札阑丁之少数军队，黎明，下令进攻。蒙古军进薄算端军，破其右翼。右翼统将额明灭里见士卒死大半，自走富楼沙，蒙古军杀之于道。左翼亦败。札阑丁仅余七百人，奋勇进战，数欲突围出。蒙古军欲生致算端，不发矢。战至日中，札阑丁见重围不开，乃易健马，复为最后一次之突击。蒙古军后却，札阑丁忽回马首，脱甲负盾执纛，从二十尺高崖之上跃马下投，截流而泳[②]。(1226 年)成吉思汗进至河畔见之，指示诸

① 《史集》“塔塔儿”条志忽秃忽被其义父钟爱之一事云：“一日成吉思汗因天时酷寒，于大雪中徙其营幕，道遇群鹿，忽秃忽时年十五岁，语成吉思汗斡耳朵之总管那颜古出忽儿(Goudjoucour，钧案：疑即《元秘史》卷九之木匠古出古儿)曰：雪深鹿行迟，欲猎取之。那颜许之往猎，薄暮停顿时，尚未见还。成吉思汗询忽秃忽何往，答言猎鹿未归。汗怒曰，此子将必冻死。甫欲以车辕击古出忽儿，而忽秃忽还。言仅见有鹿三十头，已杀二十七头。汗喜，命人往寻死鹿，果见诸鹿倒仆雪中。”

② 《札阑丁传》云：“札阑丁因此马曾救其渡申河，后此从不乘骑，善养之至于梯弗利思(Tiflis)陷落之时。”

子，言此人可供诸子效法，止将卒之欲泳水往追者。蒙古兵发矢射从渡之花剌子模兵，死者甚夥[①]。尽歼岸上残兵，虏札阑丁眷属，杀其诸子[②]。札阑丁曾将其所有金银悉投申河中，蒙古汗使善泅者没水求之，取得一部分以出。

札阑丁既跃马横断申河，于对岸战地稍下流登其东岸，其始孑身无人从，既而部下将士效之得渡者次第来集。此等残兵百物皆缺，遂抄掠所至地方之兵器、马畜、衣服。术的（Djoudi）王以骑兵千人步兵五千人来逐，算端以四千骑击走印度兵，射杀其长，多所卤获。寻闻蒙古兵一队将至，乃向底里（Dehli）退走[③]。时印度北方诸州，自古儿国分解以后，悉为脱奴籍之诸突厥将领所割据，其中最强者为剌火儿、木勒坛（Mouletan）全境及信度（Sind）一部分之君主纳速剌丁哈剌札（Nassir-ud- din Caradja），与底里王苫思丁亦勒的迷失（Schems-ud-din Iletimisch）二人[④]。

追札阑丁之蒙古二将曰八剌（Béla）、曰秃儿台（Tourtaï），奉成吉思汗命追敌渡申河，不得札阑丁踪迹。先破必牙（Biah）寨，进围木勒坛。知此城附近无石可备炮攻，预以河中弃车载石往，围攻之。城不难下，然蒙古兵不耐酷热，解围去。不欲深入印度追逐

---

① 术外尼书云：“据身经此战者言，花剌子模兵死者之众，一矢之远，河水为赤。”

② 据《札阑丁传》，札阑丁军败时，退至申河河畔，其母、其妻及后宫妇女皆至前呼曰：速赐我等死，免受俘虏之辱。札阑丁乃命沉之于河云云。然他书未载此事，《世界侵略者传》明言其妻妾被虏。此二书所志战时不一。《侵略者传》谓在回历七月中（公元 8 月），《札阑丁传》则谓在回历十月二十二日星期三（公元 12 月 9 日）。后说较近真相。至若作战之地，诸书皆未明指何地。

③ 见《札阑丁传》。《世界侵略者传》第 1 册。《史集》。

④ 见《乐园》第 4 册。木涅靖巴失书第 2 册。《史集》成吉思汗同时诸王传。

札阑丁,遂躏木勒坛、剌火儿、富楼沙、灭里蒲儿(Melikpour)诸州之地,重渡申河,取道哥疾宁,与就归途之大军合。

先是成吉思汗既遣八剌、秃儿台二将后,自率大军于 1222 年春沿申河右岸上溯行,以哥疾宁城将来或资敌用,命窝阔台往灭之。窝阔台至哥疾宁,藉词简括户口,命居民尽出。除工匠免悉送蒙古外,余悉屠之。已而纵掠,继以毁坏,由是二百余年来一强国之都会遂成荒址[①]。

同时宴只吉带(Iltchikadaï)奉命率师往平也里之乱,当时呼罗珊境内未受兵祸者,仅余此城也。始也里既降,居民常思乘机脱蒙古桎梏,储积粮械,托言将来供从蒙古军之用。及闻札阑丁战胜忽秃忽之讯,叛机遂启。也里附近不远八的吉思(Badghiss)境内有堡曰哈里温(Calioun)而后以纳剌秃(Nerretou)知名者,处悬崖之巅。欲至堡下者,仅一径可通,径长半程,路狭二人不能并行[②],因是矢石所不能及,蒙古兵攻之两次而不能下。堡民虑其复来,并征调也里之签军来攻,欲诱也里人相与同叛,乃致书于也里城二长官阿不别乞儿(Aboubékir)、明格台(Mingtaï)[③]伪言欲降。然恐蒙古军虐待,欲汗赐一纸书许免死。二长官许之,保汗书不日至,惟应先恢复两地之交通,此纳剌秃居民之所欲者也。遂以勇士七十人乔装商贾,藏兵器货物中,分道入城,杀二长官,城民应之。尽杀阿不别乞儿、明格台之一切亲从,自举文武长官各一人共治城事。

① 见《史集》。

② 见《也里州志》第 4 篇第 4 章。

③ 钧案:此名韵母若误,似可改作《元秘史》功臣中之蔑格秃。

宴只吉带奉命平乱，先征调签军五万，率以往攻也里。城民力拒，城中诸首领互誓死守，故蒙古兵屡为所却。久之，围城中人有一部分议降。宴只吉带乘城中人意见不齐，遂拔其城，尽屠其民。(回历六一九年五月二日，公元1222年6月14日)计围城已六阅月又十七日矣。蒙古兵入城后杀掠焚毁凡七日，相传死者一百六十万人。

宴只吉带略其珍宝，并幼年俘虏数千，送蒙古主营，已而还师与大军合。其后未久，复遣兵二千人赴也里，搜杀城民之脱死者，计杀二千人，至第三日还。城民有十六人匿山中，山势险峻，未及于难。久之不见蒙古兵复至，始敢还城，见街衢尚伏尸遍地，其他避难者亦来相合，共得四十人，寄栖大礼拜寺中①。

马鲁被屠后，居民避地者爱乡情切，不久渐归。邻近流亡知是地肥沃，亦多徙居。时有札阑丁部将一人率少数兵来据此城，杀拖雷所置波斯人之为长官者，蒙古兵一队五千人，自那黑沙不来，尽戮其民，分毁其城诸坊。命一穆斯林名阿黑灭里(Ac-Mélik)者，率若干人留马鲁，使搜杀逃民。阿黑灭里遍搜各处，民藏不出。乃令召唤祈祷之教士在召唤塔上呼居民出为公共祈祷，穆斯林闻声出，悉被捕戮。如是四十一日，此城不幸之人大受前所未闻之残害，马鲁遗民仅存数人而已②。

成吉思汗在申河畔歼灭忠于札阑丁之残军后，遣军往击弃札阑丁而出走之诸军，时此诸军要将业已互相残害矣。先是阿格剌

① 见《也里州志》第12篇第13及第14章。

② 马鲁城自是荒废。迄于15世纪初年帖木儿(Tamerlan)汗子沙哈鲁在位之时，始命人重建其城，招致居民。见只罕奴马书317页。

黑弃花剌子模算端而去时，偕阿匝木灭里赴别客儿哈儿（Bekerhar），阿匝木之封地也。阿格剌黑留其地若干时，还向富楼沙。甫行抵第一站，即遣人往告阿匝木，请勿留其仇人居其境，仇人云者，盖指统有胡鲁只部五六千户之讷黑章答儿（Nouh-Djandar）也。阿匝木以为际此危急之时，穆斯林不宜相仇，率五十骑驰往，欲平阿格剌黑之怒。阿格剌黑拒不允。二人共饮，阿格剌黑醉，遽上马率百骑赴胡鲁只部营。讷黑以其来释怨修好，率诸子出迎。阿格剌黑见之怒甚，拔刀欲击之，讷黑之士卒群起杀阿格剌黑。阿格剌黑之士卒闻主将死，以为讷黑、阿匝木二人同谋，遂执杀阿匝木，进袭讷黑营，并其诸子杀之。此外别有一战，古儿部人死伤甚众。至是蒙古骑兵一队与波斯步兵一队，追击胡鲁只、突厥蛮、古儿三部余众，三部余众多被歼灭，其余溃散[1]。

窝阔台既屠哥疾宁，遣使驰告其父，请许其进围昔思田（Sistan），成吉思汗以天暑止之。是夏驻夏于蒙古人所称巴鲁弯之原，掠其附近诸地[2]。至是（公元 1222 年 6 月）始在略定诸地设置达鲁花赤（Darougas）[3]。及八剌、秃儿台二将还，遂率大军行，至古纳温豁儿罕（Gounaoun-Courgan）堡附近，窝阔台来会。是冬驻冬于申河河源附近不牙客的威儿（Bouya-Ketver）之山地中，时军中瘟疫流行。

1223 年春，疫止。成吉思汗遂决定取道印度、土番（Tubbet）

---

① 见《世界侵略者传》第 1 册。

② 见《史集》。

③ 见夏真特书 125 页引《纲目》。

而还蒙古[①]。行前以俘虏甚众，命配置每帐十人或二十人，令其舂米以供兵食，七日舂毕。一夜之间，尽杀此种俘虏，军遂就途。欲取道土番而进，行数日，因所经之途山岳起伏，森林遍布，难于通行；遂返富楼沙，改循前赴波斯之来路退军。

逾范延诸山，驻夏于巴哈兰(Bacalan)之地，时其大部辎重原留于此也。及秋复行，路经巴里黑附近，尽杀居民之还城者。一年之间，此州余民仅恃猫犬之肉为食，缘蒙古人习食肉乳，只须牧场以饲牲畜[②]。曾将敌地谷粮毁灭，居民之能脱死者，蒙古军行后仍不免于饿殍。成吉思汗还渡阿母河[③]，至不花剌城，命撒都只罕(Sadr-Djihan)引见深通伊斯兰教教理之人，得法官一人名额失来甫(Eschref)及宣教师一人。成吉思汗闻此二博士所说明之伊斯兰教要义与规条，皆以为然，惟不以赴默伽巡礼一事为是，以为全世界皆为上帝之居宅，任在何地祈祷，皆得达于帝所，不必拘拘一地。进至撒麻耳干，城中绅耆出迎，成吉思汗以为上帝既使其战胜算端摩诃末，乃命用其名而为公共之祈祷。诸法官、教长群请豁免

① 中国史书志有一种神话，谓成吉思汗因此班师。《通鉴纲目》云：蒙古主进掠印度，次铁门关。侍卫见一兽，鹿形马尾，绿色而独角，能为人言。谓之曰：汝君宜早还。蒙古主怪之，以问耶律楚材。对曰：此兽名角端，解四夷语，是恶杀之象。今大军西征已四年，盖上天恶杀，遣之告陛下，愿承天心，宥此数国人命，实无疆之福。蒙古主遂班师(夏真特书119页，冯秉正书108页)。《史集》谓成吉思汗之东还，盖因唐兀之叛，欲回师平之。案：成吉思汗回蒙古约一年后，固曾进兵唐兀，大肆焚杀，然当时唐兀主实无谋脱桎梏之迹。

② 《全史》(275页)云：鞑靼人仅食肉，而其马仅食草，并以蹄掘草根为食，故所食常不缺。

③ 见《世界侵略者传》第1册。此书记述蒙古军残破呼罗珊诸役以后曾云："其有闲暇时间之人，记述此时之事者，虽涉及一地之事，亦须不少时间。况我于旅行之暇，处事务繁多之时，当然不能详为叙述也。"

赋役,许之[①]。蒙古汗在此城遣使召术赤率其诸子来见。先是术赤与察合台失和后,遂渡细浑河北,日行猎自娱,至是汗命其驱猎物来会。1223 年冬,成吉思汗驻冬于撒麻耳干之地,及春启行。军行时,汗命摩诃末之母妻及诸亲属等立于道旁,大声长号与花剌子模帝国作最后之诀别。行次细浑河畔,察合台、窝阔台二子来会。先是此二人猎于不花剌附近,在冬季中,每星期曾献猎物五十担于父所。

1224 年,成吉思汗驻夏于豁兰塔石(Colan-Taschi)之地。术赤不至,惟遵父命驱猎物无数至豁兰塔石。中有野驴甚多,成吉思汗乃先纵猎,士卒继之。诸兽远道奔窜,足力已疲,徒手可搏。围猎既餍,取所得野驴各烙印于其毛上,志而纵之。

1224 年夏冬二季,成吉思汗全在道中。其二孙忽必烈(Coubilaï)、旭烈兀(Houlagou),即后来君临东西两国之名主也,自叶密立河附近,及乃蛮、畏吾儿旧日分界之地来见。忽必烈时年十一,射获一兔,旭烈兀九岁,获一鹿。蒙古俗儿童初猎者,应以肉与脂拭中指,兹成吉思汗亲为二孙拭之。复行至不哈速赤忽(Bouca Soutchicou)之地,设宴犒赏其军。1225 年 2 月还其斡耳朵[②]。

成吉思汗至是筹备往征唐兀;然吾人记述此事以前,请先言中途来会之哲别、速不台二将在前传布蒙古兵威达于欧洲边境之事。

① 见《也里州志》第 5 篇。

② 见《世界侵略者传》第 1 册。《史集》。

第　八　章

续志哲别、速不台二将远征之役——残破伊剌克阿只迷、阿哲儿拜占、阿阑三地——败谷儿只人——谷儿只、设里汪两地之抄掠——败阿阑人及勒思吉人——侵入钦察地域——败斡罗思人——残破斡罗思南部——侵入克里米亚半岛——败不里阿耳人——此军之还蒙古——蒙古军之重复残破伊剌克阿只迷

算端摩诃末走死之后，奉命追逐算端之哲别、速不台二将，遂完成其残破伊剌克阿只迷之寇钞。先是剌夷城已为蒙古军所毁，忽木(Coum)继之[①]。至是进迫哈马丹，此城之市长奉重币迎降，蒙古军置一戍将而去。破赞章(Zendjan)后，攻拔可疾云城，城民短兵巷战，大伤蒙古兵。卒以力不能抗，全城被屠，死者四万余人。

二将军行所过，肆其焚杀，进向阿哲儿拜占都城帖必力思。阿哲儿拜占、阿阑(Arran)两地以库儿(Kour)水为界，并属突厥王月即伯。月即伯，只罕帕鲁汪(Djihan Pehluvan)之子也。其祖亦勒

---

① 《乐园》云，哲别以军进迫忽木之时，军中之穆斯林以城中居民属剌非疾(Rafezis阿里派)，劝哲别尽屠之。哲别遂杀其男子，虏其妇孺。

迭吉思，钦察人，被售于波斯为奴，为伊剌克阿只迷之塞勒术克朝算端所得，后脱其奴籍，历擢至高位。1146 年时，以阿阑、阿哲儿拜占两州赐亦勒迭吉思为采地。四十八年后，伊剌克之塞勒术克朝灭亡时，亦勒迭吉思之后裔仍保有其封地。1197 年月即伯嗣位，仍袭其父祖之阿塔卑之号。阿塔卑者，犹言太傅。始塞勒术克朝诸算端以此职授其臣之为诸子傅者，至是遂变为国主之称。

蒙古军进迫帖必力思之时，月即伯年老而嗜酒，不欲以兵拒，遂馈货币、衣服、马畜等物而请和。

二蒙古军遂退出阿哲儿拜占境外，驻冬于里海沿岸木干(Mogan)之原。盖是冬甚寒，雪大而道路梗塞，木干之地草肥而气候较为温和也。蒙古军便道侵入谷儿只，败谷儿只军万人，斩馘大半。

始谷儿只人以蒙古兵驻冬于木干，天寒未必即出；方分遣使者往说阿哲儿拜占及河间[①]两地之王，要与同盟，俟来春并力击敌。不意蒙古兵于冬寒之时，侵入谷儿只之境。其地之突厥蛮人及曲儿忒人平日常受基督教徒之凌虐，蓄怨已深。闻蒙古兵进略此基督教民之国，多应幕而投蒙古麾下，冀得乘机报复，且可饱掠富饶之地以自肥。蒙古军以此辅佐军为前锋，命月即伯之玛麦里克部人名阿忽失(Accousch)者统之，入谷儿只境，所向焚杀。将抵梯弗利思，谷儿只军来御，阿忽失军力战不利，多所損伤；而谷儿只军亦因以疲弱，蒙古军乘势继进，突击败之，(回历六一七年十二月，

① 钧案：多桑书原作美索波塔米亚(Mésopotamie)，第此为欧洲人之称，此言河间，故译其义而不取其音，应遵名从主人之例，改称为哲吉烈(Djeziré)。

公元1221年2月)斩杀过半[①]。

及春(回历六一八年,公元1221年)蒙古兵退向帖必力思,此城又以重馈献。蒙古兵遂进围蔑剌合(Méraga)[②],此城属一女王,女王居鲁亦答儿(Rouïder)堡中。蒙古兵仍驱穆斯林俘虏攻城,退者斩之[③]。越数日,蔑剌合城陷。蒙古兵屠其居民,焚其所不能取携之物。居民之避匿者,则命俘虏高呼鞑靼已去,诱居民出,而被杀者为数亦众[④]。

蒙古兵自蔑剌合进向额儿比勒,以山路险隘,骑不并行,乃转向伊剌克阿剌伯。哈里发纳昔儿见国境有被侵之虞,亟征额儿比勒王木偰非儿丁(Mozaffer-ud-din)、毛夕里王别都鲁丁(Bedr-ud-din)、河间王灭里额失来甫(Mélik Eschref)[⑤]之兵人援。额儿比勒、毛夕里二王各遣军进屯答忽哈(Dacouca),义兵从者甚众。惟额失来甫未能遣军来赴,盖十字军已取答米耶忒,其兄大马司王木

① 《全史》云:"此辈鞑靼人之所为,古今皆未见其例。此曹来自中国附近之地,进兵不及一年,竟抵阿美尼亚、伊剌克诸地,将来有人读吾书所记之此种事变者,我敢信其必不以此记载为实。深愿上帝为伊斯兰教及穆斯林遣派一防卫之人,盖自预言人诞生以来,世人之受祸从无有逾于今日者。一方河中、呼罗珊、伊剌克、阿哲儿拜占等地悉为鞑靼人所残破,又一方面西北方罗马帝国外之富浪人(Francs)又自其国侵入埃及,夺据答米耶忒(Damiette),穆斯林不能驱之使去,而此国其他诸地将有被侵之虞也。"同一史家后又云:"穆斯林受祸之要因,盖为算端摩诃末之亡,而使其国不能防卫所致。"

② 钧案:此又一蔑剌合,与第六章所著录者非一地。

③ 诺外利书云:蒙古军置俘虏于前,其为敌兵所杀害者,故以此种不幸之人为多。蒙古兵攻取一地之后,辄杀此种俘虏,而以邻地之俘虏代之。

④ 《全史》云:闻有一鞑靼妇人入蔑剌合之一民宅,尽杀宅中之人。人以其为男子,不敢与抗;及见其为女子,其所俘之一穆斯林遂起而杀之。又闻蔑剌合一居民之语云:有一鞑靼人入一居民过百之街中,陆续尽杀其居民,竟无一人敢自卫者。

⑤ 钧案:此名在第四卷中又作阿思剌夫(Aschraf)。

阿匝木(Moazzam)促其率兵往援其长兄埃及算端哈米勒(Kamil),额失来甫以兵直就埃及防御之途也。

额儿比勒王既屯答忽哈,哈里发遣军八百人来会,并许将遣大军至,命速进击鞑靼。额儿比勒王遣使告哈里发,言兵少不足进攻,若教主能许其统率万骑,自信可以驱此虏于波斯境外。哈里发不能应,而蒙古军亦未进击,盖蒙古军侦悉答忽哈已有一军屯驻,然未知其虚实,未敢进击也。伊斯兰教军见无援至,自度兵少不能与敌战,遂各还其本部。

此军既散,蒙古军遂进向哈马丹,结营城外,命其所置戍将征发银布以饷军。城民以去岁业已输纳,不堪一再苛索,以前与蒙古军缔约者为市长(Réiss),遂群赴市长所,诉言彼等业已罄其所有输纳此虏,尚受其戍将之凌辱,今实无物可献也。市长曰:"吾曹势既弱,除牺牲财产外无他法。"城民遂责市长不应对待城民较之对待异教徒为苛,至有詈之者。市长见城民愤怒,乃言愿从城民所议,由是决定驱蒙古戍将于城外,准备缮守。民众闻此决议,遂杀戍将。

蒙古军下令围攻,城民戴律士长(Fakih)为帅,开门突击。首二日战甚勇,蒙古兵大受损折。至第三日,城民以律士长不能骑马,往请市长代将,然市长已携家从地道出亡,城民气遂沮。虽有死守之决心,惟不敢复出战;蒙古军以死伤多,将欲退。及见城民中止突击,料其意沮,剧攻入之。居民短兵巷战不敌,卒受屠戮,亘数日,仅藏伏地穴者得免,蒙古兵焚城而去。

蒙古军北还,破额儿迭比勒(Erdébil)。旋于第三次进至帖必力思城下,月即伯闻警避往纳黑出汪(Nakhtchouvan),留守帖必力思之将励民防守。蒙古军知此城防御甚严,仅索银布而去。进拔撒剌卜(Sérab)屠之。已而进屠阿阑境内之拜勒寒(Baïlécan),先是此城居民请蒙古使者来城议和,而背约杀之[①]。蒙古兵遂进攻,城外无石,伐大树以代炮石,攻拔其城,尽杀其男子,女子则辱而后杀,刳孕妇,戕其胎。(回历六一八年九月,公元1221年10月。)遂向干札(Gandja),阿阑之都城也。此城居民常与谷儿只人战,以勇敢闻。蒙古军知不易与,索得银币、衣服若干,即进兵入谷儿只境。[②]

时有一谷儿只军已预备防守其国,蒙古军分为二:哲别以五千人设伏;速不台迎战佯败,诱敌入伏中,谷儿只此军三万人,多半覆没。谷儿只女王鲁速丹(Rhouzoudan),著名王后塔马儿(Thamar)之女也。兄阔儿吉剌沙(George Lascha)新死,嗣位为女王。大将军伊万涅(Ivané)总管全国军事,闻败讯,仓卒集新军以防蒙古军之深入。新军慑敌兵威,不敢待敌至,遂委谷儿只南部于敌,退保梯弗利思[③]。

蒙古军以谷儿只险隘遍国内,不敢深入,遂饱戴卤获。进掠设里汪(Schirvan),破其都城沙马乞(Schamakhi),肆掠之。并取打

① 见《全史》。

② 见Assar-ul-Bilad第五篇"拜勒寒"条。

③ 《全史》撰者阿里额梯儿适在毛夕里。曾志有云:闻谷儿只奉使谒毛夕里王之某贵人言,谷儿只畏敌之甚,致使蒙古军自信所向无敌。此辈蛮人从不败逃,且不降敌。一日俘一鞑靼人,其人自投马下,首触崖石而死。莱纳勒都思(Raynaldus)所撰《教会年鉴》第1册534页1224年下载有二书:一为女王鲁速丹书,一为大将军伊万涅书,皆致教皇Honore者。书云:鞑靼兵入谷儿只,以十字架前导,使人信其为基督教徒,而不虞其有敌意。鞑靼兵用此术曾杀谷儿只人六千。已而谷儿只人尽起,杀此辈蛮人二万五千,俘虏甚众,驱其余卒于境外云云。此二书所言似非真相。

耳班(Derbend)城,然舍子城而不取。时设里汪沙[1]避兵子城中,蒙古军欲北逾太和岭,苦无向导,乃伪与设里汪沙剌失德(Raschid)约和,请剌失德遣使来议。及使者十人至,皆其国之贵介也,蒙古兵杀其一人,并胁其余人曰:“其不善导蒙古军逾太和岭者视此。”

蒙古军逾山后,阿兰(Alans)或阿速(Ases)部、勒思吉(Lezguis)部、薛儿客速部(Circasses)、钦察部,合兵来御,两军接战,胜负未决。蒙古军习用故智,使人绐钦察部人曰:“彼此皆突厥,曷必助异族而害同类?不如言和,吾曹愿馈以汝曹所欲之金钱、衣服。”钦察人为其甘言重币所饵,遂弃其同盟军而去。蒙古军进击其他诸部,败之。躏诸部地,及塔儿乞(Terki)城,复出不意进袭钦察兵之散归各地者,杀戮甚众,所获超过其所馈之物[2]。

钦察人,突厥之游牧部落也,据有昔日可萨之地,垂二百年,平原广袤,处黑海、太和岭、里海之北。西起秃纳(Danube)河,东抵札牙黑河[3],与东罗马帝国(Byzance)及匈牙利(Hongrois)、斡罗思、不里阿耳(Boulgares)、康里诸部为邻,斡罗思人昔名钦察曰波罗维赤(Polovtsi),匈牙利人及罗马人则名之曰库蛮(Coumans)[4]。此库蛮之名,今尚在库班一名中保存之。库班者,即指

① 钧案:沙犹言王,《元史·曷思麦里传》作失儿湾沙。

② 见《全史》第 12 册 272 至 279 页。

③ 钧案:Jaïk 即今之乌剌(Oural)河。

④ 今日库班河(Couban)名必出库蛮(突厥语诸方言中 b 及 m 声母常相互用)。库班水发源于明格烈里(Mingrélie)北方太和岭中,至塔蛮(Taman)峡附近流入黑海。昔人所称库蛮之突厥,犹之今人所称库班之鞑靼也。当时钦察十一部落之名,今尚可考。埃及算端纳昔儿(Nassir)在位时代,有埃及人名 Beïbars Rokn-ud-din 而别号掌印官

黑海以北巴鲁思蔑斡惕的(Palus-Méotide)[①]以东之钦察旧壤也。

钦察人闻蒙古兵不意来袭之讯,仓皇委其最良草原于敌,退走边地。蒙古兵遂驻冬于钦察地域之中心[②]。有钦察一万户渡秃纳河,避兵于罗马帝国,东罗马帝术安都迦思(Jean Ducas)抚而用之。分其一部屯于忒剌思(Thrace)、马薛丹(Macédoine)两地,后颇遭其抄掠之害,余徙小亚细亚[③]。其逃往素日受其侵寇之斡罗思部境内之钦察部人,为数亦众。当时斡罗思之东境,不逾窝勒伽(Volga)江之支流斡迦(Oka)河。境内分为数国,其君主皆属哇烈格(Varége)人或斡罗思(Rosse)人鲁里克(Ruoik)之后裔。9世纪时,鲁里克曾将的涅培儿(Dniéper)江东方北方之诸斯拉去(Slaves)民族征服,嗣后遂概称此种民族曰斡罗思人。鲁里克之后嗣以国分属诸子,而奉一有大公之号者为主君。诸大公以乞瓦(Kiew)为都城,垂数百年。至1169年时,徙都于兀剌的迷儿(Wladimir),至是诸藩已多不奉号令,互相争战,互夺土地,邻近诸

(Dévadar)者,殁于回历七二五年,或公元1325年者也,曾用阿剌伯文撰有《伊斯兰教国史》,题曰 Zobdet-ul-filret, fiterikh-ul-Hidj-ret,已将钦察诸部著录,同时史家诺外利,曾采录于其《埃及年历》之中。吾人今又据诺外利书获知之。当此时代,埃及之玛麦里克部人多属突厥种之钦察,被掠卖于埃及为奴。其人常跻高位,且有君临埃及者。其十一部之名:曰脱克撒巴(Tokssaba)、曰叶迪牙(Yetia)、曰不儿只乌格立(Bourdj-Ogli)、曰额勒别儿里(Elberli,钧案:疑即《元史》之玉里伯里或玉耳别里,虞集撰《句容郡王碑》作玉黎北里)、曰晃火儿乌格立(Coungour Ogli)、曰安彻乌格立(Antchogli)、曰都鲁惕(Dourout)、曰非剌纳乌格立(Felana Oali)、曰者思难(Djeznan)、曰哈剌孛儿克里(Cara-beurkli)、曰克能(Kenen)。案:乌格立(Ogli)突厥语犹言子,哈剌孛儿克里犹言黑帽。

① 钧案:即阿卓甫(Azoff)海之古称。

② 见《全史》第12册279页。

③ 见 Stritter 撰《民族记》,Memorioe Populorum 第3册984页。

部乘其内哄，又从而侵略之。其西北受匈牙利、波兰（Pologne）、里秃安（Lithuaniens）、里温（Livoniens）、芬（Finois）诸部之侵。而其南部则屡受更较可畏之敌人钦察部之入寇，肆其抄掠，虏其人民。

其携家族及士卒避入乞瓦国内者，有一汗名忽滩（Coutan）曾以女妻伽里赤（Calitch）王密赤思老（Mestislaw）。至是遂献骆驼、马牛、美婢于其婿而乞援，谓侵入钦察境内之鞑靼，不久将来侵斡罗思之领域。密赤思老遂集斡罗思南部诸王于乞瓦，议御敌事。决议与钦察部联合抵御鞑靼，并遣使至速思答勒（Souzdal），求援于大公阔儿吉（George）。诸王各还本国调发军队。

密赤思老纠合乞瓦、兀剌的迷儿、司抹连斯克（Smolensk）及诸小王之兵进至的涅培儿江畔，蒙古军遣使来，言无犯斡罗思部之意，所讨者仅其邻部。况此部平昔侵扰斡罗思部有年，应乘此时期而谋报复，与蒙古军结合，同分卤获。且在宗教一方面言，蒙古人只信有一上帝，尤应与相结以讨崇拜偶像之钦察也。斡罗思诸王不受其绐，杀使者十人，遂渡的涅培儿江，虏敌军之前锋将，以畀钦察部人杀之。进至董河（Don）邻近之迦勒迦河（Kalka）[①]，蒙古军引退，欲诱斡罗思军远离其境，然后击之。斡罗思军渡迦勒迦河后，蒙古军乃备战。（公元 1223 年 5 月 31 日）伽里赤王自信可以胜敌，不与乞瓦、彻儿尼果夫（Tchemigow）二王相约，是日独与敌战。然其士卒及钦察部人皆为蒙古军所败，伽里赤王亟逃，弃其将卒，尽焚迦勒迦河上之舟，其军得免者仅十分之一。死者六王，钦

① 钧案：《元史·速不台传》作阿里吉河。

察部人复乘势杀败卒而夺其马。

乞瓦王营于河畔一高岗上，曾目击此军之败，而不出营进援，仅仓卒谋守御，然已无及矣。蒙古军一面分兵追逐溃军，一面进击乞瓦之军。乞瓦王力抗三日，嗣见第二蒙古军至，始乞降。惟求免死，并免二婿死，二婿亦斡罗思部之小王也。蒙古将许释之还，并继以誓，然获之以后，尽杀之。杀之之法甚酷，蒙古兵缚置诸王于地，覆版其上，坐版上宴饮以庆胜利，诸王尽死。

此种蛮人遂长驱直入斡罗思境，沿途无抗者。伽里赤王逃还其国，兀剌的迷儿大公阔儿吉先得斡罗思南部诸王求援之讯，已遣军在途，至是闻败讯，亦引退。司维亚脱波勒(Sviatopol)之那窝果罗(Novogorod)之城民闻蒙古军至，不能敌，相率执十字架出城乞免死，蒙古军尽杀之，死者万人。蒙古军在斡罗思南部肆其焚杀，自的涅培儿江畔进躏阿卓甫海沿岸之地。入克里米亚半岛，取其富庶之城速答黑(Soudac)，此城属吉那哇人(Génois)，而纳贡于钦察，当时为黑海南北诸国商品汇聚之所[①]。

1223年(六二〇)终，蒙古军离此西方诸地，侵入不里阿耳部境内。此部之民务农，信奉伊斯兰教及基督教，居地在窝勒伽、哈马(Cama)二水上流，利用此二水与邻近之斡罗思人及里海沿岸诸国互通贸易[②]。以北方之出产，若皮革、蜡蜜等物，经由钦察境输入波斯、花剌子模等地[③]不里阿耳人闻警，亟遣军拒敌，蒙古军设

① 见 Michel Scherbatoff 撰《斡罗思史》，圣彼得堡1771年四开本第2册509至521页。Karamsin 撰《斡罗思帝国史》，圣彼得堡1816年八开本第3册227至236页。

② 见《斡罗思帝国史》第1册第9章，又第3册270页。

③ 见本哈兀哈勒撰《地理志》。Mass'oudi 撰 Mouroudjuz-Zeneb 第15章。

伏败之,阵斩甚众。成吉思汗二将远征之役至是告终,遂取道撒哈辛(Sacassin)[1]而还,与自波斯就蒙古归途之大军合[2]。

先是算端摩诃末与诸子在可疾云城下闻蒙古军残破剌夷城之警报,仓皇散走之时,算端子鲁克那丁之受封于伊剌克者,走起儿漫。此州柔任城之长官以兵来附,遂人起儿漫都会,夺此州长官之财货,散给士卒。居七月,归伊剌克。有伊剌克豪族札马鲁丁摩诃末(Djémal-ud-din Mohammed)者,欲据有伊剌克之地,鲁克那丁将攻之,进营于剌夷附近。忽闻蒙古将台马思(Taïmass)台纳勒以军进逼之讯,鲁克那丁亟退据速敦阿完的(Sutoun-Avend)堡。堡在剌夷附近,高踞悬崖,素称难取。蒙古兵围攻六阅月,攀登拔之。擒鲁克那丁,命之跪拜蒙古汗,鲁克那丁不屈,并亲从同被杀[3]。

① 巴库(Bacou)之地理学者云:撒哈辛为可萨境内之一大城,其居民分为四十部落,境内有外国人及商人甚众,天气极寒。撒哈辛之居民多奉伊斯兰教,所居房屋以枞木为顶。有一大河流经其地,此河较达曷水为大,所产鱼类繁多。中有一种富于脂肪,居民取之,以供数月燃灯之用。鱼肉价甚贱。此河冬日结冰,可以徒涉,河宽约一千零四十步。今撒哈辛之地业已陆沉,已无迹可寻。然其附近现有别一城,为其地君主之都会,即别儿哥(Barca)之撒莱(Séraï)城是已。可参考 El Bacouyi,Telkhiss-ul Assar vé A'djaïb ul Mélik-il cahhar,巴黎图书馆写本。案:撒哈辛之名,令人回忆塞种(Sakes)之名。塞种,粟特(Scythe)民族也。在此时代之一千三百年前,居住里海之东,药杀水(Jaxartès)之南。昔曾侵入南方诸地,取大夏(Bactriane)及阿美尼亚最富庶之一州,此州遂以撒哈辛(Sacassène)为名(见 Strabon 书第 11 卷第 8 章)。钧案:此撒哈辛应是《元秘史》卷 11 之撒速惕及卷 12 之薛速惕。

② 见《全史》第 12 册,可参照本卷末附录 7,《全史》所志关于蒙古军远征太和岭及黑海北诸地之事之译文。术外尼书于记载哲别、速不台远征一章中,未言太和岭北诸役,惟在章末结论云:观此记事,具见蒙古人势力之强。质言之,具有万能者之势权,其一支队侵略国土如是之多,竟无一民族敢与之抗云。

③ 鲁克那丁被杀之年月,诸书概未著录,似为 1222 年(六一九)时事。可疾云人 Zaccaria 在其所撰之《地理志》(Assar-ul-Bilad)中"秃马温"(Dunbavend)条下曾云,鲁克那丁在 1221 年(六一八)困守此剌夷附近堡中。惟剌失德书则谓在卑路斯忽堡。

札马鲁丁闻鲁克那丁死，冀保有哈马丹之地，遂输款于蒙古。蒙古将赠以荣袍，伪示册封之意，命其来谒，以见降附之诚。及至，则并其从者尽杀之[①]。

1224年（六二一）初，成吉思汗驻冬于撒麻耳干之时，有蒙古军一队三千人自呼罗珊来，袭击营于剌夷附近之花剌子模兵六千人，败之。入剌夷，尽屠前此脱死复还之城民，大掠而去。既而陆续屠灭撒维（Savé）、忽木、柯伤（Caschan）三城。先是忽木、柯伤二城不当蒙古进军孔道，得免，至是亦被残破。蒙古军至哈马丹城，复肆焚杀。前此锋镝之余，至是皆不免。此蒙古军复入阿哲儿拜占，追击剌夷败溃之花剌子模兵，多所残害，余众避入帖必力思。蒙古军进营于此城附近，遣人谕其主月即伯曰："若为藩臣，应执花剌子模人以献，否则将以敌人视之。"月即伯不敢拒，杀战士数人，送其首于蒙古营，并生执余众以献。蒙古军所求既遂，且得厚赠。遂去帖必力思，而归呼罗珊[②]。此第二次之侵入，遂完成伊剌克阿只迷之破坏。呼罗珊已被残破，惟河中一地所受蒙古兵之害较上述二地为轻云[③]。

---

① 见《札阑丁传》。术外尼书。剌失德书。

② 见《全史》阿里额梯儿云：鞑靼人之所为如此，其军不过三千人，而花剌子模军倍之。月即伯军数较两军合计之数为多，然月即伯不敢抗，花剌子模军亦不知自保。吾人惟有祈上帝为伊斯兰教及穆斯林遣派一可能保护吾属之人，盖穆斯林今受莫大之灾害。男子被杀，财产被掠，儿童被俘，女子沦为奴婢或供牺牲，而全境皆被残破也（见《全史》297页）。

③ 见《世界侵略者传》第1册。术外尼云：成吉思汗所蹦伊斯兰教诸地，居民存者不及千分之一，昔之十万人口者，今不满百。同一著者又云：纵然无一妨碍呼罗珊、伊剌克阿只迷两地居民繁殖之事，自此时以迄再兴之时，恐不及蒙古来侵以前居民十分之一也。

然波斯之患尚未已也。将来更有残破,而呻吟于一种野蛮桎梏之下,而妨其兴复者,尚有年也。

蒙古军蹂躏亚细亚西部之事,警讯达于东罗马都城。东罗马帝术安都迦思亟为诸堡储粮增械,其民惊畏鞑靼之残暴,至信其戴犬头而食人肉云[①]。

① 见 Pachymeres 书第 1 册 87 页。Stritter《民族志》第 3 册 1028 页。

第九章

术赤之死——侵入唐兀——高丽之降附——木忽黎之经略中国北部——金宋之战——木忽黎之死——其子孛鲁之接统其军——成吉思汗之侵入唐兀——此国之侵略与灭亡——成吉思汗之死——其归葬蒙古

成吉思汗甫还其斡耳朵，即闻其长子术赤之死讯。先是成吉思汗命术赤侵略里海、黑海北方诸地①，术赤不行，成吉思汗已不悦。及自波斯还蒙古也，沿途数召之至，术赤称疾不来，当时术赤实有疾也。有一蒙古人自术赤之地来者，汗询以术赤近状。其人言身甚健，行前尚见其出猎。成吉思汗因确信其子违命，乃目之曰叛逆，曰疯人。怒甚欲讨之，命窝阔台、察合台先将前锋行，本人亦将出发。会其子死讯至，成吉思汗大恸。知其人言不实，所见出猎者盖为其部将，而非术赤本人。欲逮治其罪，则已逸去矣。

术赤殁年三十余，诸妻妾所出子女约有四十人。其母孛儿帖初孕时，蔑儿乞人乘铁木真不在，入庐帐掠孛儿帖去。王罕索之于

① 史家剌失德谓此种北方地域包含亦必儿失必儿、不里阿耳、钦察、巴只吉(Baschguirdie)、斡罗思、薛儿客速等地而言。

蔑儿乞王，始放还。在道举一子，名曰术赤。术赤，蒙古语犹言客也。铁木真遣往迎其妇者，乃以面裹其身，盛以袍，置马上，而奉之归[①]。后裔君临里海、北海北方广大帝国，而使斡罗思称藩垂数百年之开国始祖之出生也如此。

成吉思汗残破波斯之时，其将木忽黎则在经略中国北方。前此蒙古主所取诸城，军退以后，多为金守。蒙古仅保中都及直隶、山西北边之地而已。金帝吾睹补际此短期偷安之时，反又树一新敌。淮水以南中国之地属于宋朝，以今之杭州为都城。宋帝宁宗坐观蒙古与金之战，利金之势衰，不纳岁币于金。金恐树新敌，不敢责其背约。金帝吾睹补且欲与宋议和，命人草牒文，惟其臣以文有哀祈之意，徒示微弱，恐不得其助，反受其侵，事遂寝。及成吉思汗退兵之后，金丞相术虎高琪劝金帝，以宋罢岁币为名侵宋以广南疆，而偿北地之失，金帝从之。1217 年，遣军渡淮，取数城，分兵攻略各地。未几蒙古兵复至，金帝悔与宋绝，乃乘胜遣使往议和；宋人不纳使者，由是和好遂绝。

1217 年，木忽黎率蒙古、契丹、女真诸军复入中国。同时有一蒙古军侵入唐兀，进围其都城。时夏主李遵顼已袭父李安全之位，闻警奔西凉[②]。木忽黎南攻保定府内之遂城、蠡州，皆下之。11 月，取大名府，第一次战役遂终于此。1218 年终，复自大同府进略山西之地，取其首府太原。金守将力战不支，城破自缢死。平阳守臣亦自杀。汾州、潞州二城守将于城破后皆力战而死。是年木忽

① 见《史集》。

② 甘肃省凉州府。

黎徇下山西八要城。次年,尽取山西之地。而金将张柔之降蒙古者,则奉命徇下直隶之地。

先是金帝之失中都也,命苗道润为中都经略使,贾瑀为副。二人素有隙,1218 年,瑀刺杀道润。道润部将张柔召道润部曲,告以复仇之意,众遂推柔为长。柔方会兵趋中山(定州),而蒙古兵已出燕京西南二十五程之紫荆关。柔与战,马跌为蒙古兵士所执,至军前见主帅明安。柔立而不跪,左右强之,柔叱曰:"彼帅我亦帅也,大丈夫死即死,终不偷生为他人屈。"明安壮而释之。其溃卒稍来集,明安恐柔为变,质其二亲于燕京。柔以忠孝不两立,遂降。蒙古以柔为河北都元帅。

1219 年 5 月,张柔奉命南下,克数城。柔必欲为苗道润复仇,而贾瑀据守一寨,柔攻之不下。乃断其汲道,瑀穷乃降。柔缚瑀剖心以祭苗道润,遂引兵次于满城。金之直隶统将武仙以兵攻之,柔卒破仙兵,斩杀甚众,乘胜取数城。先后败武仙部将二人,由是直隶诸城望风降附,柔之威名震于河北。

当是时也,高丽国亦降成吉思汗。1218 年,契丹人金山元帅六哥欲脱蒙古羁勒,领众窜入此国,攻拔江东城据之。蒙古将哈只吉扎剌领兵征之,高丽王遣军助蒙古军,共讨灭六哥。此次蒙古军之侵入,遂使高丽降附。次年,高丽王瞮称臣于成吉思汗,许每年贡方物。

1220 年,木忽黎自山西进至保定府附近之满城,使其将蒙古不花败武仙部将之兵,仙遂以真定等城降于木忽黎。木忽黎以汉人史天倪权知河北西路兵马事,仙副之。

史天倪于蒙古第一次侵入中国时,即降成吉思汗。其父见蒙古兵南侵，所向残破，惟降者皆得免，乃率永清城之老稚数千人，于1213年诣涿州军门降。木忽黎欲以之为万户，其父辞，乃以授天倪。后数建大功，至是乃言于木忽黎曰："今中原粗定，所过犹纵钞掠，非王者吊民伐罪意也。"木忽黎善之，即下令禁剽掠，遣所俘老幼，军中肃然。

1220年初，金帝以南北军事之失利，欲归咎于术虎高琪。会高琪使奴杀其妻，归罪于奴而杀之以灭口。事觉，金帝下高琪于狱，杀之。以胥鼎为丞相。

木忽黎进兵山东，至东平[①]金将严实以所部直隶南部、河南黄河以北及山东之彰德等八府州诣军门降。旋取济南，时胥鼎以重兵屯黄陵冈，遣步兵二万袭济南，木忽黎以轻兵击走之。遂会大军薄黄陵冈。金兵阵河南岸，示以死战。木忽黎曰："此不可用长兵，当以短兵取胜。"令骑下马，引满齐发，己亦下马督战，果大败之，溺死者众。木忽黎遂进围东平。月余，留严实屯守。自趋洺州（广平府），分兵徇河北诸地。1221年6月，守东平之金将蒙古纲以粮道绝，弃东平南走。

1221年11月，木忽黎由东胜州[②]涉河，引兵而西，欲取道唐兀，进取陕西，入河南而趋金之南京。夏主闻之惧，遣塔海监府等宴木忽黎于河南，且遣塔哥甘普将兵五万属焉。引兵东行入葭州，金将遁走。已而攻破绥德州之两寨，夏主遣迷仆帅众会之。迷仆问木忽黎相见之仪，木忽黎曰："汝主见我主，即其礼也。"迷仆曰：

① 钧案：此处东平疑是山东之误。

② 今托克托。

“未受主命，不敢即拜。”因引众去。至是木忽黎进攻延安，迷仆始贽马而拜。

12月，金将合达以兵御之，不胜，丧失七千余人。合达走入延安城，坚壁不出。木忽黎以城池坚深，猝不可拔，乃留军围之，而自将南攻鄜坊等州。1222年，陕西诸城多下，木忽黎遂趋长安，使兀胡乃太不花屯守之，遣安赤将兵断潼关。

先是1220年8月，金帝遣乌古孙仲端奉国书至成吉思汗营请和，金帝称蒙古汗为兄，成吉思汗不允。1222年秋，金帝复遣同一使臣赴西域，见成吉思汗请和。汗谓曰：“我向欲汝主授我河朔地，令汝主为河南王，彼此罢兵，汝主不从，今木忽黎已尽取之，乃始来请耶?”仲端乞哀，汗曰：“念汝远来，河朔既为我有；关西数城未下者，其割付我，令汝主为河南王，勿复违也。”仲端乃归。

1223年2月，木忽黎攻凤翔府，昼夜苦战，四十余日不下，将由河中(蒲州府)北还。金元帅侯小叔袭河中，破之，杀蒙古帅石天应，焚浮桥而退。木忽黎以天应子斡可代领其众。4月，木忽黎自河中帅师还至解州闻喜县，疾笃，谓弟带孙曰：“我为国家助成大业，干戈垂四十年，无复遗恨。所恨者汴京未下耳，汝等勉之。”言讫而卒，年五十四。子孛鲁嗣，接统其军。

1223年11月，金帝吾睹补卒，年六十一，计在位十一年。子宁甲速汉名守绪者嗣立，请和于宋。同年宋宁宗死，其养子嗣立，是为理宗。

宋将彭义斌取山东太半之地，蒙古将武仙闻之，乃与义斌结合。1225年3月，武仙杀都元帅史天倪而据真定。国王孛鲁即命天倪弟天泽嗣兄河北西路都元帅。3月，天泽以兵击武仙，败之。

复取真定，武仙奔西山。

蒙古守中山（定州）将汉人李全[①]亦与彭义斌结合，义斌兵势大振。4月，遂围东平，围四阅月。8月，城中食尽。严实乃与义斌连和，义斌与严实合兵下真定，道西山，与蒙古将孛里海[②]等军相望。义斌分实以帐下兵，阳助而阴伺之。实知势迫，即赴孛里海军与之合，共击义斌。史天泽复以锐卒略其后，遂擒义斌，说之降，义斌厉声曰："我大宋臣，义岂为他臣属耶？"遂死之。于是清河以东之山东州县复为实有。

李全据有山东北部[③]，屡与蒙古战，终不利，遂困守益都（青州府）。蒙古郡王带孙围之一年，城中食尽，至以人肉为食。1227年6月，力竭遂降。蒙古带孙承制授李全为山东淮南行省，得专制山东，岁献金帛。

中国北部战争亘十五年，地多残破。金人尽弃河北、山东、关陕，惟并力守河南，保潼关，东西二千余里，立行四省，帅精兵二十万以守御之。1227年，金帝复遣使请和蒙古，时成吉思汗适在侵略唐兀也。兹请续述此侵略家最后时代杀人流血之事：

1223年，夏主遵顼传国于其子德旺，1225年终。成吉思汗自其斡耳朵率师伐夏，以西夏纳仇人亦勒合鲜昆，及不遣质子也。1226年2月，兵入西夏，留其子察合台率一军为后援，自率窝阔台、拖雷二子行。3月取亦集乃、黑水等城。夏避暑于浑垂山，取甘肃等州。秋取西凉府搠罗、河罗等县，遂逾沙陀至黄河九渡，取

① 钧案：此人与山东李全应是二人。

② 钧案：此人与《辩伪录》卷四之博剌海纵非同属一人，亦应同名。

③ 钧案：此与前之李全应为二人。

应里等县[1]，所至焚杀。《纲目》云："其民穿凿土石以避锋镝，免者百无一二，白骨蔽野。"成吉思汗于是役中，在所略中国之地，见其仓库无斗粟尺帛之储，于是群臣咸言，虽得汉人亦无所用，不若尽杀之，使草木畅茂，以为牧地。耶律楚材曰："夫以天下之广，四海之富，何求而不得？但不为耳。诚均定中原地税商税，酒醋盐铁山泽之利，周岁可得银五十万两，绢八万匹，粟四十余万石，何为无用哉？"成吉思汗命其试为之，然其理财计划在窝阔台汗在位时代始克实行。

中国史书云：夏亡时，蒙古诸将争掠子女财币；耶律楚材独取书数部、大黄两驼而已。既而军士病疫，惟得大黄可愈，楚材用之，所活万人[2]。

是年 8 月，夏主德旺死，子睍立。12 月，成吉思汗进攻西夏都城（宁夏府）附近不远黄河东岸之灵州。夏遣嵬名令公来援，汗渡河击夏师败之，遂破灵州。驻兵盐州川[3]。

1227 年 2 月，成吉思汗留兵攻西夏都城，自率师渡黄河，攻积

① 见《元史译文》33 页。

② 见《纲目译文》139 及 154 页。

③ 见《元史译文》133 页。冯秉正谓夏兵三万人尽没。剌失德云，蒙古兵攻下多城，适破迭儿薛该（Derssekaï）（钧案：《元秘史》作朵儿篾该［Dormegaï］即灵州也）之时，闻唐兀王失都儿忽（Schidourcou）汉名李王者，率兵五十万自其都城亦儿哈亦（Ircaï）而蒙古语名亦儿哈牙（Ircaya，钧案：《元秘史》作额里合牙）者出发。成吉思汗亟进兵往击，次于一平原中，其地囚哈剌沐涟（黄河）之水涨溢，湖沼遍地，是时冰合，遂战于此。唐兀兵死者三十万人，有人见死者倒置者有三人，盖蒙古俗每有死者十万，则以一尸倒置也。Vincent 之《史鉴》（第 29 卷第 83 章，又第 30 卷第 95 章）所志二条，可证波斯史家之说。据云：鞑靼人屠杀敌地之居民后，习计其数，每杀千人，则倒置一尸于高地。其破梯弗利思以后，曾倒置七尸于各地，表示其所屠之数共有七千。

石州。3月，破临洮府。4月，西北破洮河、西宁二州，同时遣其弟斡赤斤那颜(Utchéguen noyan)攻信都府，拔之[①]。

5月，成吉思汗次平凉府西之龙德，拔德顺等州。6月，遣唐庆等使金，自避暑于六盘山[②]。先是在去年命窝阔台会统将察罕之兵进至南京，遣唐庆入城索取岁币。1227年，察罕取西安府境内诸寨之大半，兵入凤翔、汉中两府境。金遣完颜合周、奥屯阿虎至六盘山乞和，金帝所馈之物有美珠满盘，成吉思汗以之分赏诸将之穿戴耳环者；其无耳环者至穿耳以求之。馀珠散之地上，任人取之[③]。

先是1220年辽王耶律留哥死，成吉思汗弟帖木格斡赤斤(Témoucou-Utchuguen)[④]时留镇蒙古东方之地，承制以留哥妻姚里氏权领其众。至是姚里氏率三子见成吉思汗于西夏[⑤]。跪见时，汗赐之酒，慰劳甚至。姚里氏曰："留哥既没，辽东无主，其长子薛阇扈从有年，愿以次子善哥代之。"汗大誉薛阇之功，举其在西域河中之战绩，谓不可遣，当令善哥袭其父爵。姚里氏拜且泣曰："薛阇者，留哥前妻所出，嫡子也，宜立。善哥者，婢子所出，若立之，是私己而蔑天伦，婢子窃以为不可。"汗叹其贤，许以薛阇袭爵。姚里

① 见《元史译文》136页。

② 见《元史译文》136页。冯秉正书第9册127页谓六盘山在固原州西二十里。夏真特神甫谓在平凉府境，固原州治西南七十里（参照所撰俄文《蒙古志》）。案：此城在北纬36度东经10度之间。剌失德云，六盘山在女真（金国）、南家思（Nanguiass宋国）、唐兀三国境上。

③ 见《世界侵略者传》第1册。

④ 钧案：即前之斡赤斤那颜。

⑤ 钧案：《元史》卷149《耶律留哥传》云，见帝于河西阿里湫城。案：阿里湫即《元秘史》卷12之额里折兀，宋、元之西凉府，今武威也。

氏还时，赐以河西俘人九口，马九匹，白金九锭。币器皆以九计，盖蒙古人视九数为吉也。

汗召薛阇谓曰："尔父能割爱以尔事朕，其情贞悫可尚。朕以兄弟视尔父，则尔犹吾子。尔父亡矣，尔其与吾弟孛鲁古台[①]。并辖军马为第三千户。"薛阇欲行，汗留之，俾其亲见西夏都城之攻拔[②]。

西夏都城时已不支，7月，夏主李晛遂遣使请降，惟请宽献城之期一月，蒙古汗许之，并谓自是以后视其若子。汗次清水县之西江，其地在今秦州之东约十二程之地[③]，汗得重病。先是去年3月汗在翁古答阑忽都克(Ongou-tâlan-coudouk)[④]之地得梦，预知死期将届。窝阔台、拖雷二子驻兵于附近五六程之地，汗召之至，与共朝食毕，时将校满帐中，汗命诸人暂避，密语二子曰："我殆至寿终矣，赖天之助，我为汝等建一广大帝国。自国之中央达于诸方边极之地，皆有一年行程。设汝等欲保其不致分解，则必须同心御敌，一意为汝等之友朋增加富贵。汝等中应有一人承大位，将来我死后应奉窝阔台为主，不得背我遗命。察合台不在侧，应使其无生乱心。"[⑤]至是在疾中，诸子惟拖雷在侧。汗临危时谓左右曰："金

---

① 钧案：即第二章著录之别勒兀台。

② 见冯秉正书第9册78至126页，宋君荣书25至53页。

③ 见《元史译文》136至137页。考D'Anville地图，清水县属陕西，在北纬34度42分、东经10度18分之间。《元史》谓成吉思汗死于萨里川哈老徒之行宫，此二名皆属蒙古语名，疑其士卒以此名名其汗身死之汉地。

④ 此三字蒙古语犹言翁古旷野之井。其地似在阴山(Ongou)附近，按阴山在陕西或唐兀北边不远。

⑤ 见《史集》，《世界侵略者传》。

精兵在潼关，南据连山，北限大河，难以遽破。若假道于宋，宋、金世仇，必能许我。则下兵唐、邓，直捣大梁，金急必征兵潼关，然以数万之众千里赴援，人马疲弊，虽至弗能战，破之必矣。”[①]汗同时嘱诸将，死后秘不发丧，待唐兀主及期出都城来谒时，执杀之，并屠其城民。后诸将果如命而行。汗病八日死[②]。时在 1227 年 8 月 18 日，年 66 岁，计在位 22 年[③]。

诸将奉柩归蒙古，不欲汗之死讯为人所知。护柩之士卒在此长途中遇人尽杀之。至怯绿连河源成吉思汗之大斡耳朵始发丧，陆续陈柩于其诸大妇之斡耳朵中。诸宗王、公主、统将等得拖雷赴告，皆自此广大帝国之各地奔丧而来，远道者三月始至。举行丧礼后，葬之于斡难、怯绿连、秃剌三水发源之不儿罕合勒敦诸山之一山中。先时成吉思汗至此处，息一孤树下，默思移时，起而言曰：“将来欲葬于此。”故其诸子遵遗命葬于其地。葬后周围树木丛生，成为密林，不复能辨墓在何树之下。其后裔数人，后亦葬于同一林中。命兀良哈部千人守之，免其军役。置诸汗遗像于其地，香烟不息。他人不得入其中，虽成吉思汗四大斡耳朵之人亦然。成吉思汗死后百年，尚保存如是也[④]。

① 见《元史译文》137 页。《纲目译文》143 页。

② 见《世界侵略者传》，《史集》。

③ 见《元史译文》137 页，《纲目译文》139 页。《元史》未言唐兀主之生死。《纲目》则云，夏主睍力屈出降，遂絷以归。

④ 见《史集》。马可波罗（Bergeron 本第 1 卷第 53 及第 54 章）云：成吉思汗葬一山中，山名阿勒筛（Alchai）。嗣后其族及其诸嗣汗皆择葬地于此，虽死地远在百日行程之外亦然。凡运大汗之柩葬于阿勒筛山中者，护柩之人在道遇途人尽杀之。杀时语之曰：往侍吾主。此辈以为被杀之人侍从故主如同生时。其所杀者不仅人类，道遇马匹亦杀以供其故主之用。今汗（忽必烈）之前汗蒙哥（死于 1259 年者）之柩迁葬之时，护柩

之士卒在道所杀之人数逾二万。马可波罗又云(第 61 章):自哈剌和林向北行,逾阿勒筛山,至巴儿忽之地,其地广四十日程。案:巴儿忽惕之地名巴儿忽真者,在拜哈勒湖之东,则阿勒筛山在斡儿寒(Orkhon)河附近之哈剌和林城之东北矣。宋君荣书(54 页)谓当时成吉思汗族之蒙古贵人云:成吉思汗所葬之山名曰汗山,处北京子午线西,北纬 47 度 54 分、东经 9 度 3 分之间。根据此说以检 D'Anyille 之地图,则斡难河源有肯特汗山(Kentey-han),由是观之。根据剌失德、马可波罗、宋君荣诸氏之说,可以确定成吉思汗及其朝数汗之葬地,应在斡难、怯绿连两水发源地之附近矣。Jean de Mandeville(《行纪》第 39 章)云:大汗死,则以少数人奉其遗体至葬地,结帐置木座,奉死者于其上。座前置桌,设馔以祭之。引牝马一匹及其驹入帐中。凡帐中诸物皆与帐并葬穴内,以土填平,使其不为人所识。鞑靼人以为死者如生,所以对于其帝奉一帐以居之,设馔以食之,奉乳以饮之,奉财货以供其用,奉一牡马以供乘骑,一牝马以供产驹。皇帝死后,无人敢在其家族前言及故主,盖恐惊其亡灵也。中国载籍中之《辽史》言契丹之创业主阿保机死后,其妻述律杀契丹贵人数百以殉之,俾其往侍故主云(见夏真特《蒙古志》第 2 册 160 页)。

第十章

成吉思汗作战优越之原因——其军队之性质——其军制——其围猎——其法令——其妻妾

成吉思汗遗一广大帝国于其诸子，其中大部分皆为荒芜之地，游牧部落居焉。别一部分则经其军队所残破，人民减少。其士卒得亚洲之卤获而致富者，视此位列本族于其他民族上，而蔑视大地诸君主之人，如同神灵。前此鞑靼民族中最窘苦者，莫逾蒙古。此辈昔在气候不良之下，鞑靼地域最高地域之中，度其游牧生活。仅部长独有铁镫[①]，其贫可知。此种若干半野蛮之游牧小部落之酋长，与否运相抗者，为时久矣。终致遂其野心。其始也，战胜其所奉之主君，已而降人聚其麾下，率以陆续征服其他诸鞑靼民族。终率之进取中国及波斯之地，而以此种繁盛国家饱其贪欲。其经略之地广大无垠，奉之为主者，何啻民族百种？其在狂傲之中，竟欲完成世界之侵略，自以为天以国付之。卒于破坏之中得疾而死，尚嘱诸子续成其伟大计划。

成吉思汗之胜利，盖因其意志之强，才具之富，而使用一切方

① 见《世界侵略者传》第1册。

法有以致之。凡有机可乘，皆以狡计阴谋济其兵力之穷。其破坏行为有类天灾。威名远播，致使被侵之民族畏慑而不敢自卫。历来蔑视人类之人，无逾此侵略家者。而具有野心之首领所部军队之适于其计划者，亦莫逾斯人。部众常以游牧为活，任在何时，生活皆同士卒。负灶以行，只须地有牧场供其马畜之水草，即足自给。由其战争之习惯，行动之迅速，益以成吉思汗纪律之严肃，故优于其他诸国军队。鞑靼地域诸部落，凡能执兵者皆为战士。每部落分为十人小队，就十人中选一人为之长，而统其余九人；合十夫长九人共隶于百夫长一人；九百夫长属一千夫长；九千夫长属一万夫长。君主之命令由其传令之军校达于诸万夫长，复由万夫长按次以达十夫长。各部落各有其居地，设有攻伐，需要士卒，则于每十人中签发一人以至数人。禁止将校收录他队之人于本队之中，虽亲王亦不得收容欲背其首领来投之人。此种禁令愈使隶属关系巩固，下之服从上命，毫无限制。成吉思汗对于将校之有过者，只须遣派一最微贱之臣民，已足惩之。此将虽在极远之地，统兵十万，亦应遵守使者所传之命。若为受杖，则应伏于地；若为死刑，则应授其首。术外尼云："此与他处所见者异[①]，一旦有金钱购入之奴、厩中有十马、其主之为君者，则不复以恶言加之。其受命统率军队者，尤应重视可知也。凡统将之因财富名望而有威权者，鲜不以兵抗其恩主。此种将校每至出征之时，不问为击敌，或却敌，必须有数月之准备，索军饷于国库。士卒之额在平时已有虚

① 他处盖指伊斯兰教诸国之统将而言。

报，检阅时势须互相假用士卒以补其阙。”[①]

鞑靼则反是。其战士不特无饷，每年且应献纳于其长，马若干匹，畜若干头，毡及他物若干事。人不因从军而免其赋役，其妻，或留居其庐帐之他人，应代其负担之[②]。成吉思汗云：“人不能如太阳在在皆能照临也。设若夫在战中，抑在猎中，其妻应整理家务。俾汗之使臣或其他旅客顿止其庐舍者，见其家整而供客之食丰，此足为其夫之荣。则知妻之能即可知夫之能。”

成吉思汗欲诸将时常使其士卒有所准备，俾能奉命立即登骑出发，汗曾云：“其善将十人者，堪以十人委之。第若十人长不知驭其小队，我则并其妻子一同处死，在十人中别选一人以代之。”汗命诸将于每年初亲来聆其命令训教，曾云：“应来聆训而留其营地者，其命运将如一石之坠入深水，一矢之射入芦丛，将亡而不存。此辈不堪典兵也。”汗欲诸将勤教子弟骑射角力，俾其冀在其勇武之中得富贵，如同商人在布帛中置金锦及其他贸易之珍物也。

汗自言其用人常各视其所能。据云：“智勇兼备者，使之典兵。活泼跷捷者，使之看守辎重。愚钝之人则付之以鞭，使之看守牲畜。我由此意，并由次序纪律之维持，所以威权日增，如同新月，得天之保佑，地之敬从。我之后人继承我之威权者，能守同一规例，将在五百年千年万年之中，亦获天佑。上帝将恩宠之，人类将祝颂之，则在位久而尽享地上之乐矣。”[③]。

汗曾嘱其诸继承人，用兵以前，必须检阅其队伍，审视士卒之

① 见《世界侵略者传》第1册。

② 见《世界侵略者传》第1册。

③ 见《史集》。

兵械。每人除弓、矢、斧外，必须携一鑢，用以砺弩，并携一筛、一锥及针线等物，缺一者罪之。兵械最备者，并持一微曲之刀，头戴皮兜，身衣皮甲，甲上覆铁片。蒙古汗曾遗留有作战及待遇降民与侵略地之训教[①]。其条规未留传至于今日，仅于当时之著作中窥见其一二记录。然蒙古侵略亚、欧诸国之历史，以及13世纪欧洲旅行家之行纪，已足使吾人知其战术之要略也。

成吉思汗进取一地以前，先使人谕其主来降，其谕降语颇简略，而殿以是语云："设汝不降，将来之结果仅有上帝知之。"[②]其君主为蒙古之藩臣者，必须以人为质。献其户口之数，于各地设置蒙古长官。献纳重赋，其额常以本地出产十分之一为准。出产云者，包括人类而言，盖此辈蛮人视人类如同牲畜也。其不战而降之民族之命运，亦不能优于被侵略地之民族，惟其破坏较缓而已。终不免蒙古戍将之专擅与诛求，盖其一切行为皆印刻有野蛮弊政之痕迹也。

蒙古出征以前，先集诸宗王、统将为大会(Couriltaï)，决定军队之构成，十人中调发若干人，会师之地域及时期。成吉思汗未入敌境之前，必先侦其国内状况，招敌境中怨望之人作内应，或以掠其同国人之物饵之，或以高位诱之。蒙古兵侵入一地，各方并进，分兵屠诸乡居民，仅留若干俘虏，以供营地工程或围城之用。其残破一地，必屯兵于堡寨附近，以阻戍兵之出。设有大城难下，则先蹦其周围之地。围攻之时，常设伏诱守兵出，使之多所损伤。先以

① 见《世界侵略者传》第1册。

② 见《世界侵略者传》第1册。

逻骑诱守兵及居民出城，城中人常中其计。蒙古兵环城筑垒，驱俘虏于垒下，役之使作最苦而最危险之工事。设被围者不受其饵，抑不畏其威胁，则填平壕堑，以炮攻城。强俘虏及签军先登，更番攻击，日夜不息，务使围城中人不能战而后已。成吉思汗曾在中国、波斯两地募有工师，制造当时所用之战具。蒙古兵之毁敌城也，水火并用，或用引火之具，或引水以灌之。有时掘地道攻入城内，有时用袭击方法，弃其辎重于城下，退兵于距离甚远之地，不使敌人知其出没，亟以轻骑驰还，乘敌不备，袭取其城。蒙古兵之围一城也，未下而解围去之事甚鲜。设城堡地势险要，难以力取，则久围之，且有围之数年者。蒙古兵多用诈术，不惜为种种然诺，诱敌开城，城民之过于轻信开城乞降者，蒙古兵则尽屠之。虽先发重誓，许城民不死，亦然。凡大城皆不免于破坏，居民虽自动乞降，出城迎求蒙古兵之悲悯者，仍不免于被屠。盖蒙古兵不欲后路有居民，而使其有后顾之忧也。此辈不重视人命，仅见有立时之卤获，与其畜群之牧地而已①。

敌军逼近之时，则亟将散处各地之兵集于一所。蒙古兵宁用诈术破敌，而不常使用兵力。此辈并不以侠勇自负，观其作战之法，可与猛兽共比拟，务必尽其所能，袭破敌军，诱之中伏。设敌兵力强，则退走数日行程之远，或据一险要，以待援军之至。其在包围战中，若见被围者之勇抗，则开围之一面，于被围者溃走不成列时击之。有时佯败，诱敌来追。顾蒙古人武装轻，每人各有马数

① Vincent之《史鉴》（卷29）所志13世纪蒙古民族之情形，忠实无误，大致取材于1245年教皇使者之行纪。盖当时教皇曾遣教士四人往说近地之鞑靼人归向基督之教也。

匹，迨见敌骑疲弊之时，则易健马驰还击之。抑于退走时展其两翼，返而合围敌兵之轻进者。其遇敌也，先在远处发矢，败走时亦控弦以射，仅于战胜时使用白刃。其队伍遵守一定信号，运用极其敏捷。其散逃者及战时不战而肆掠者，皆处死刑。

蒙古兵在远征之中，每年休养士马数月。然于进至屯驻地以前，必先躏其四围之地甚远，俾能自保，然后饱载所掠之物，休兵于其地。役使所俘之多数俘虏，是皆因年幼貌美而获免之男女也。此辈不幸之人，命运较死于蒙古兵锋镝之下者更为可悯，体无完衣，饥饿疲弱，待遇如同最贱之牲畜①。军中之幼妇万千，习于亚洲人之奢侈，遵守东方风俗及回教法律，生长于深闺之中者，曾见其亲属被杀，自身被虏，而随此种貌丑行恶之蛮人，以供其玩具之用。

成吉思汗为安全保其略地，不惜尽屠其居民，毁其城堡。破坏盖为蒙古战略中之一要则，成吉思汗在其训教中，曾命将不降者及叛者尽歼之。根据鞑靼民族之残猛的战事法律，败者之眷属、财产皆为胜者所得。设在一地丁口繁众，蒙古兵则除其所欲保存者外，余尽杀之。设其留存若干以供攻击其同国人之用者，退兵时仍不免于一死。

蒙古人由其强迫俘虏之劳役，由其征发藩国或战败民族之签军，由其收容贪得文明国家卤获之其他游牧民族于其麾下，由其在最危险之境况中役使俘虏及辅助军队。种种事实，所以虽在长期

① Vincent de Beauvais 书（第 29 卷第 26 章）云，有时鞑靼人预选一奴以供后来殉葬之用。

远征之中，多数围城流血之役，蒙古兵数未见减少。而其游牧生活尤足使其不受南方气候之害也。

成吉思汗曾云：“在平和时，士卒处人民中必须温静如犊；然在战时击敌，应如饿鹘之搏猎物。”

一日言诸将之能云：“人之最勇者，无逾也速台（Yessoutaï），长行不疲，不感饥渴，人莫能也。然不可使将兵，盖其视将卒犹己也。凡为将者必须能感饥渴，推己及所将之士卒，应使军行有节，爱惜士马之力。”

成吉思汗一日问那颜不儿古赤，人生何者最乐。答曰：“春日骑骏马，拳鹰鹘出猎，见其搏取猎物，斯为最乐。”汗以此问历询不儿古勒等诸将，诸将所答与不儿古赤同。汗曰：“不然，人生最大之乐，即在胜敌，逐敌，夺其所有，见其最亲之人以泪洗面，乘其马，纳其妻女也。”①

成吉思汗在其教令中嘱诸子练习围猎，以为猎足以习战。蒙古人不与人战时，应与动物战。故冬初为大猎之时，蒙古人之围猎有类出兵。先遣人往侦野物是否繁众，得报后，即命周围一月程地内屯驻之部落，于每十人中签发若干人，设围驱兽，进向所指之地。此种队伍分为左翼、右翼、中军，各有将统之，其妻妾尽从。此种队伍进行之时，各方常遣军校以野物之状况及驱至何所等事报告其君主。其始也猎围甚广，嗣后士卒肩臂相摩而进，猎围逐渐缩小。至所指之地，止于周围二三程之猎围，以绳悬毡结围以限之。猎者应注意其行列，怠者杖之。汗先偕其妻妾从者入围，射取不可以数

① 见《史集》。

计之种种禽兽为乐。及其倦也，则止于围中之一丘上，观宗王、那颜、统将等射猎，其后寻常将校继之，最后猎者为士卒。如是数日，及禽兽已少，诸老人遂至汗前，为所余之猎物请命，乃纵之，俾其繁殖，以供下次围猎之用。至是掌膳之臣俵散猎物，共宴乐八日后，诸队伍各还营地①。

成吉思汗仿中国制度，于大道上设置驿站，以供官吏使臣旅行之需。由居民供给驿马，驿递夫之食粮，以及运输贡物之车辆，亦由居民供应之。定有一种规章，使用驿马者应遵守之。先是经行鞑靼地域之外国人，常受其地多数独立部落之劫掠。自是以后，有一种严重之警巡，道途遂安②。

成吉思汗以法律严禁当时鞑靼民族中流行之恶习，汗曾云："先是窃盗奸通之事甚多，子不从父教，弟不从兄教，夫疑其妻，妻忤其夫，富不济贫，下不敬上，而盗贼无罚；然至我统一此种民族于我治下以后，我首先着手之事，则在使之有秩序及正义。"③

其法典对于杀人、窃盗、通奸、鸡奸等罪，处以死刑。其于第三次丧失他人寄托之财货者，其收留逃奴或拾物者，其在战中拾得衣物或兵械而不归还其主者，其以巫蛊之术害他人者，其在决斗中偏助一人者，并处死刑④。犯罪者除现行犯外，非自承其罪者不处

① 见《世界侵略者传》第1册。

② 见《世界侵略者传》第1册。《史集》。

③ 见《史集》。

④ 见阿合马本马克利齐(Ahmed Ibn-ul-Macrizi)撰《埃及志》(Kitab ul movaïz v-el itibar, bi zikr-il Khittat v-el Assar)，巴黎图书馆阿剌伯文写本，第三册"大侍从官"(Hadjib)条。

刑，然常用拷掠使之自承。窃盗之物不重者仅予杖[1]。

成吉思汗曾以鞑靼民族之若干迷信订入法律，以为无数毫无关系之事实，可以致灾，或致雷殛，此其所深畏者也。故严禁溺于水中或灰烬之上，严禁跨火、跨桌、跨鍱，禁洗涤衣服，应服之至于破敝。成吉思汗不愿人言物污，其意以为凡物皆洁[2]。

其杀所食之动物，必须缚其四肢，破胸，入手紧握其心脏，如仿穆斯林杀牲者，则应如法杀其人[3]。

成吉思汗欲蒙古人于进食时，对于在座之来宾，必须大加款待，不许拒绝。主先尝馔，然后奉客，虽地位悬绝者亦如是也[4]。

成吉思汗颇反对饮酒无节，据云："醉人聋瞽昏聩，不能直立，如首之被击者。所有学识艺能，毫无所用，所受者仅耻辱而已。君嗜酒则不能为大事，将嗜酒则不能统士卒，凡有此种嗜好者，莫不

① 见鲁不鲁乞撰《鞑靼地域行纪》第 10 章，马可波罗撰《东方行纪》第 1 卷第 60 章。

② 见《世界侵略者传》第 1 册。《史集》。《埃及志》。鲁不鲁乞（第 9 章）云：蒙古妇女从不洗涤衣服，以为洗后悬晒时，必致天怒，而遭雷殛。从不洗濯食盘，仅以热羹涤之，涤毕仍以羹置釜中。迦儿宾所志亦同。Pallas（Samlungen hist. Nachrichten 第 1 册 131 页）引有史家迦阿不哈齐书所载成吉思汗之法令，谓今日喀耳木人尚谨守此法，不以水涤家用器物，仅以干草或毛毡拭之。迦儿宾（Jean du Plan Carpin）云：鞑靼人不敢以刀触火，不敢以刀取肉于釜中，不敢在火旁以斧击物，此外尚有迷信不少，疑皆因恐得罪五行所致。

③ 见《世界侵略者传》第 1 册。《史集》。《埃及志》。喀耳木人杀羊仍用此法。Pallas（第 1 册 128 页）云：以羊仰卧，而洞其胸，入手出其心脏。此即成吉思汗时代输入蒙古民族中杀牲之法。喀耳木人亦云然也。

④ 见《埃及志》。《史鉴》第 29 卷第 75 章所志亦同。据云：蒙古人性极贪，至欲尽得所见他人之物，常张手以求之，闭手以拒人求，吝啬之极。虽畜群富饶，仅杀病畜而食。家财虽富，从不以赈贫者。然其惟一可赞赏之行为，则在凡见来宾，皆奉食以饷之也。其进食方法极不洁净，甚至食鼠、犬、猫肉而自甘，且闻其炙煮人肉为食云。可并参照迦儿宾之《行纪》。

受其害。设人不能禁酒，务求每月仅醉三次，能醉一次更佳，不醉尤佳。然在何处觅得此不醉之人欤？”

成吉思汗命其后裔切勿偏重何种宗教，应对各教之人待遇平等。成吉思汗认为奉祀之神道与夫崇拜之方法毫无关系。本人则自信有一主宰，并崇拜太阳，而遵从珊蛮教之陋仪。

各宗派之教师、教士、贫民、医师以及其他学者，悉皆豁免赋役。

成吉思汗轻视亚洲君主所习用之尊号，曾命其后裔勿采用之。所以继承诸人仅称曰汗，或可汗。诸宗王可径称其主之名，此名在书信及封册中，毫无何种荣号附丽其间。成吉思汗中书省所撰之文书，措辞简洁，不喜波斯文体浮华之弊[①]。当时征服西域河中之时，曾录用算端摩诃末之书记某，会得哲别报告，言及毛夕里王别都鲁丁卢卢（Bedr-ud-din Loulou）妨其进取西利亚事。成吉思汗命此书记作书谕毛夕里王，口授其词曰：“天以大地之国委付吾人，其降附而任我军之通过其境者，得保有其家国财产；拒者仅有天帝知其运命。设别都鲁丁来降，则以友待之；否则大军一至，毛夕里之运命，不堪问矣。”书记乃用波斯语撰此书，文体极为浮华，伊斯兰教国王冠号概未遗漏。成吉思汗命侍从官答失蛮翻译为蒙古语，闻之不悦。语此书记云：“此非我所授之词也。”书记答曰：“习用之文体如此。”成吉思汗怒曰：“是足为叛人也！汝作此书，毛夕

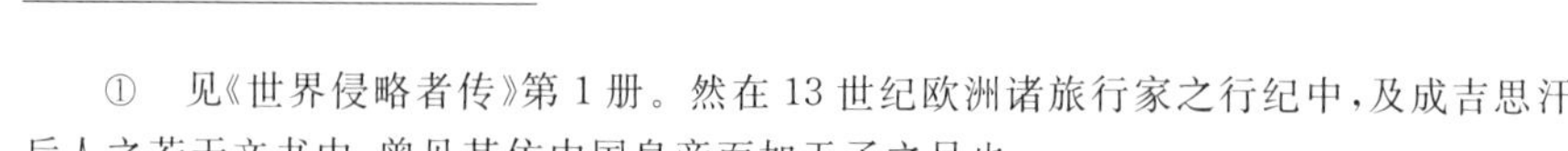

① 见《世界侵略者传》第1册。然在13世纪欧洲诸旅行家之行纪中，及成吉思汗后人之若干文书中，曾见其仿中国皇帝而加天子之号也。

里王见之必更骄盈。"遂杀其人[①]。

成吉思汗曾命将其法令训教用畏吾儿字写蒙古语,传示国中蒙古青年。此种法规名曰《大法令》(Ouloug Yassa)[②],由其后裔保藏之。国有大事,诸王集议,取此卷子本之成吉思汗遗教出,敬谨读之[③]。成吉思汗以其子察合台秉性严肃,特命其监督法令之施行。汗曾曰:"后人若不遵守彼之超出他人上而巩固其政权之训教者,若不在在维持严格之服从者,则其国不久必将动摇,而其衰微可计日而待也。至是欲求成吉思汗晚矣。"

汗又云:"我之后人将必衣金锦,食美食,跨骏马,拥美妇,而不一思此乐之基于何人也。"[④]

成吉思汗之妻妾近五百人,诸妾皆得之于各国俘虏或蒙古妇女之中者。按照当时成立之蒙古俗,而为成吉思汗后人遵守者,君主与诸宗王皆得选美女于诸部落中。凡属于十人队者,由百夫长选其最美者献之千夫长,千夫长复选以献万夫长,万夫长复选以进之于汗。汗所不留者,则或赐之诸妻为侍女,或还其家[⑤]。

成吉思汗诸妻中有大妇之号者五人,位最高。第一人名孛儿

① 见《史集》。

② 钧案:此系突厥语名,故与蒙古语名异。

③ 成吉思汗法令之规条,散见于术外尼书、剌失德书、《史鉴》、《埃及志》等著作中。《埃及志》乃得之于其友者,其人曾在报达之木思坦昔儿(Mostanssir)学院文库中得见《成吉思汗法令》一部也。可参照此书第3册"侍从官"条。剌失德书中有一段,似谓此种法令乃在1225年自波斯还其斡耳朵时编纂成文。盖剌失德云:"至是,此汗遂发布详细法令焉。"

④ 见《史集》。

⑤ 见《世界侵略者传》第1册。迦儿宾云:皇帝欲索某人之女或姊妹者,其人应立进之。每年或每二年或三年,集其国之女子亲选之,留所喜者,余以赐其宫廷之人。

帖，有夫人(fougin)之号。夫人者，中国皇帝所授后妃以下之称也[①]。孛儿帖者，弘吉剌部长特因(Taïn)那颜之女也，生术赤、察合台、窝阔台、拖雷四子及五女，并配诸部长。蒙古家族中位最高之妻，权较余妻为大，所生子之地位亦随母而尊。故孛儿帖之诸子地位优于余子。诸妻位次第二者曰忽兰，蔑儿乞一部长之女也。生一子曰阔列坚(Coulgan)。位次第三及第五者曰也速哈惕(Yissoucat)、曰也速伦(Yissouloun)，姊妹二人，皆塔塔儿部人也。位次第四者曰阔阔出(Gueukdjou)，金国皇帝之女也。此外成吉思汗诸妻中尚有王罕之侄女一人，太阳汗之寡妇一人，余妻皆属诸将及诸游牧部长之女[②]。

成吉思汗一夜息于阿必哈(Abica)[③]帐中，阿必哈者，王罕侄女，而札合敢不之女也。汗夜得恶梦，及醒，语阿必哈曰："今得恶梦，天欲我以汝赐他人。"遂劝其勿怨。语毕大声问帐外何人番卫，是夜卫者为那颜客惕(Kehti)[④]闻呼自言其名。汗命之入，告以赐阿必哈之意。客惕惊不敢对，汗语以所言实。遂以阿必哈所居之斡耳朵并其侍从衣物、马群、牲畜尽赐阿必哈，仅留主膳官一人、金盏一尊以为遗念。阿必哈遂为客惕之妻。客惕者，蒙古兀鲁兀部

① 见冯秉正书第6册40页。

② 见《史集》。

③ 钧案：《元秘史》卷8作亦巴合。《元史》卷120《术赤台传》作木八哈。木应为亦之讹，洪武本《元史》虽亦作木，然其根本脱误之例，颇不少见，则此名应改作Ibaca。

④ 钧案：《元秘史》作主儿扯歹。《元史》作术赤台。此二名皆是(Djourtchetaï)之对音，犹言"女真的"。多桑此处译写疑误。抑多桑以其事属主儿扯歹之子客台，则客惕是客台之误。

之那颜，统率左翼军四千户者也[①]。

① 见《史集》"蒙古兀鲁兀部"条。成吉思汗与孛儿帖生五女，长女豁真别吉(Coutchi Bigui)下嫁亦乞剌思部帖浑秃忽(Tégoun Toucou)之子，次女扯扯干(Tchitchégan)下嫁兀都亦惕蔑儿乞王忽秃哈别吉之子秃剌勒赤(Touraldji)，三女阿剌海别吉(Alacaï Bigui)下嫁汪古王之子镇国(Tchincouï)，四女秃马伦(Toumaloun)下嫁弘吉剌王之子古儿干(Gongan，钧案：古儿干即《元秘史》之古列坚，犹言驸马。此人应是本书第四章著录之赤乞，此处脱人名)，五女阿勒塔伦(Altaloun)下嫁斡勒忽讷惕部长太丑(Taïdjou)之子察威儿薛禅(Tchaver Satchan)。并见《史集》。

附录一　林木中之兀良哈

史家剌失德曰：林木中之兀良哈(Ourianguites bisché)，盖以其人居广大森林之内，故以为名，不可与蒙古种之兀良哈相混也[①]。不居帐幕，衣兽皮，食野牛羊肉。缘其人无牲畜，而轻视游牧民族也。父母之欲其女畏惧者，则云将以之偶一使其牧羊之人，曾见有女因绝望而自缢者。兀良哈人迁徙时，用野牛载其衣物，从不出其所居森林之外。其居屋以树枝编结之，用桦皮为顶。剌桦树取汁以饮，汁甚甘。其人以为世人之有福者，莫逾本部之人；而以为城居之人，甚至游牧民族，生活最苦。兀良哈人所居之地，山岳屹立，森林遍布。天时酷寒，冬日常猎于雪中，以名曰察纳(tchana)之板系于足下，持杖撑雪而行，如同舟子之撑篙于水以行舟，其行平地抑升降山岭，甚为迅捷，常易获其所欲捕之野牛或其他动物。猎获以后，以猎物载之身后之橇上，每橇可载二三千明(menn)[②]。其不善于使板者则伤足，尤以下降时为最险；第若善用之，则可迅达远地，此事非亲见者不能信有之。算端合赞(14世纪初年君临波斯之蒙古汗)闻有其事，召其部人至，命献技，始知人

① 钧案：此林木中之兀良哈，《亲征录》中作火因亦儿干，《元秘史》作槐因亦儿坚，犹言林木中百姓。自为一部。王静安谓非别有火因亦儿干一部，误也。

② 每明合二斤。

言非伪。此种察纳在突厥斯单、蒙古斯单（Mogolistan）等地多用之，尤以巴儿忽真隘中忽里、乞儿吉思、兀儿速惕、帖良古惕、客思的迷、秃马惕等部为甚（见《史集》第1卷第2章林木中“兀良哈”条）。案：此与Joh. Gottll. Georgi撰《斡罗思帝国行纪》第1册242至286页所言今日东胡人之生活完全相类。斡罗思语名橇曰sani。居住今日西伯利亚东部广大地域内之东胡人，自称其地曰兀良海（Ouriangkhai），此与13世纪时蒙古人名称此种民族之名同也（参照Abel Rémusat撰《鞑靼语言之寻究》，巴黎1820年四开本第1册4页）。鲁布鲁乞（第39章）亦著录有兀良哈（Orengay）人，谓其足系光滑小骨，奔走于冰雪之上，其速可取走兽飞鸟。

附录二　中亚诸部族

刺失德在其《史集》第一篇中，列举中亚之突厥民族。凡以形貌语言与纯粹突厥有异者，概不分别，皆以突厥名之。首举阿不阿勒札（Abou Aldja）子的卜巴忽亦（Dib Bacouyi）子哈剌汗（Cara-khan）之子乌古思（Ogouze）之后裔乌古思部。乌古思有子六人：曰君（Gun）、曰爱（Aï）、曰由勒都思（Youldouz）、曰阔阔（Gueuk）、曰塔克（Tak）、曰丁吉思（Dinguiz），皆有汗号。六子各有子四人。

君汗子名：Cayi，Bayat，Alca-ola，Cara-evlu。

爱汗子名：Yazer，Deuguer，Doudourga，Yaparlu。

由勒都思汗子名：Oschar，Cazik，Bigdili，Carkin。

阔阔汗子名：Baïndour，Bitchina，Tchaoundour，Tchini。

塔克汗子名：Salour，Imour，Ala-yountlou，Oraguir。

丁吉思汗子名：Eskindour，Boukdour，Séva，Canik。

乌古思之二十四孙各为一部落之祖。十二部为右翼，名曰 Bozouk；十二部为左翼，名曰 Utch-ok。

现尚将下列诸部列为乌古思之支派，即（一）畏吾儿（Ouïgours），（二）康里（Cancalis），（三）钦察（Kiptchacs），（四）哈剌鲁（Carlouks），（五）哈剌赤（Calladjes），（六）阿合扯里（Agatchéris）是已。

此种突厥民族居于中亚西部。畏吾儿之地东抵阿勒台山(Altaï)；山以东之民族，或属突厥种，或属韃靼或蒙古种，其名列下：

札剌儿部(Djélaïres)

此部居斡难河附近，大别为十部：曰察惕(Tchate)、曰塔克剌温(Tacraoune)、曰晃哈撒温(Coungcassaoune)、曰忽木撒兀惕(Koumssaoute)、曰兀牙惕(Ouyate)、曰比勒哈散(Bilcassane)、曰忽吉儿(Couguere)、曰秃朗乞惕(Toulangkite)、曰不里(Bouri)、曰申忽惕(Schingcoute)。

雪你惕部(Sounites)

其一支名哈亦仑部(Caïroune)

塔塔儿部(Tatares)

此部居捕鱼儿湖附近之地，分为六部：曰秃秃哈里兀惕(Toutoucalioute)、曰亦勒赤(Il-tchi)、曰察罕(Tchagan)、曰忽因(Couyin)、曰帖剌惕(Térate)、曰别儿灰(Bercouï)。

蔑儿乞部(Merkites)

此部一名兀都亦惕(Oudouyoutes)部，分四部：曰兀洼思(Ohouze)、曰木丹(Moudan)、曰秃答黑邻(Toudakline)、曰只温(Djioune)。

曲儿鲁惕部(Keurloutes)[①]

巴儿忽惕部(Bargoutes)

① 钧案：疑即《辍耕录》之曲吕律。此名在第一章中作曲儿鲁兀惕(Keurlououtes)。

斡亦剌惕部(Ouïrates)

此部亦分数部,居八水灌溉之地,合八水为谦河(Jenissei)之上流也。

忽里部(Couris)

忽阿剌失部(Coualasches)[①]

不里牙惕部(Bouriates)

上三部因居薛灵哥河外,皆名巴儿忽惕,其地因名巴儿忽真隘。

秃马惕部(Toumates)

此部亦在巴儿忽惕部之内,居地近乞儿吉思(Kirguises)之地。

忽勒合真部(Coulgatchines)[②]

客儿木真部(Kermoutchines)

上二部居地在乞儿吉思地尽处,巴儿忽真隘附近。

兀儿速惕部(Ourassoutes)

帖良古惕部(Télenkoutes)

客思的迷部(Kesstimis)

上三部居乞儿吉思、谦谦州(Kem-Kemdjoutes)两部之森林中。

林木中之兀良哈部(Ourianguites bisché)

此部亦居同一地带之森林中。

忽儿罕部(Courcanes)[③]

---

① 钧案:此部在第一章中作豁阿剌失(Coalaches)。

② 钧案:此名在第一章中作不勒合真(Boulgatchines)。

③ 钧案:此部疑是《亲征录》中之火鲁罕。

撒合亦惕部(Sacaïtes)

上二部居地未详。

克烈惕部(Kéraïtes)

此部分为五部：曰董合亦惕(Toungcaïtes)，曰赤儿乞儿(Tchirkire)，曰撒乞阿惕(Sakiate)，曰秃马亦惕(Toumaïte)，曰额里阿惕(Eliate)。

乃蛮部(Naïmans)

此部地广，以阿勒台、哈剌和林、额鲁亦撒剌思(Elouï Serass)诸山为界。北界也儿的石河，邻于乞儿吉思部，东与克烈部接，西隔沙漠与畏吾儿部相望。其中有一游牧部落名曰古察古儿(Goutchagour)。

汪古惕部(Ongoutes)

居长城附近。

唐兀惕部(Tangoutes)

建国于今陕西之大部分地方。

帖黑邻部(Tékrines)

亦名蔑黑邻部(Mékrines)。

此部居畏吾儿境上之险峻山中。

蒙古诸部

自成吉思汗建国以来，蒙古诸部遂有区别。与成吉思汗同出一源之诸部，皆别号尼伦(Niroun)，表示其来源纯洁，皆出阿阑豁阿感光而孕所生诸子之后裔；其余则名都儿鲁斤(Durlukin)，质言之，普通部落也。是皆困居额儿格涅坤山中帖古思、乞颜二人之后裔。兹首举都儿鲁斤诸部：

兀良哈惕部(Ourianguites)

弘吉剌惕部(Councarates)

亦乞剌思部(Ikirasses)

斡勒忽讷兀惕部(Oulcounoutes)

哈剌讷惕部(Caranoutes)

弘古里兀惕部(Counkoulioutes)

上列后四部为弘吉剌之别部。亦乞剌思、斡勒忽讷兀惕两部为哈拜失剌(Cabaï Schira)之后裔。哈剌讷惕、弘古里兀惕两部为其弟秃思不歹(Tousboudaï)之后裔。此二人之长兄名出儿鲁克(Tchourlouk),善射,号蔑儿干(Mergan),相传兄弟三人皆出自金盆。

火鲁剌思部(Courlasses)

也里吉斤部(Ildjikines)

上二部亦为秃思不歹之后。

斡思巴兀惕部(Ozbaoutes)

此部分为三部:曰弘哈马儿(Coungcamares),曰阿鲁剌惕(Erlates),曰客连古惕(Kélengoutes)[①]。其祖为兄弟三人,即以人名为部名。

许兀慎部(Houschines)

速勒都思部(Seldouses)

亦勒都儿斤部(Ildourkines)[②]

① 钧案:此部前作客里古惕(Kéligoutes)。

② 钧案:此部在第二章中作亦勒秃儿斤(Iltourkine)。

伯牙吾惕部(Bayaoutes)

此部分为二部:居 Djeda 水上者曰水伯牙吾惕(Djedi-in-Bayaoutes),居平原者曰平原伯牙吾惕(Kiharoun-Bayaoutes)。

蒙古诸尼伦部族

哈塔斤部(Katakines)。撒勒只兀惕部(Saldjioutes)。泰亦赤兀惕部(Taïdjioutes)。额里干部(Erikanes)。失主兀惕部(Sidjioutes)。赤那思部(Tchinizes)。那牙勤部(Nouyakines)。斡都惕部(Odoutes),即兀鲁兀惕部(Ouroutes)。忙古惕部(Mingcoutes)。八邻部(Barines)。朵儿边部(Dourban)。哈讷惕部(Canoutes)。速客秃惕部(Souctoutes)。巴鲁剌思部(Bemlasses)。阿答儿斤部(Hiderkines)。札只剌惕部(Djadjérates)。不答安部(Boudans)。朵豁剌惕部(Doucalates)。亦速惕部(Yissoutes)。速干部(Soucans)[1]。晃豁坛(Kingcotans)部。

① 钧案:疑即《亲征录》之雪干。

附录三　成吉思汗世系[①]

出额儿格涅坤山之始祖名孛儿帖赤那(Bourte-Tchina),生子巴塔赤罕(Betedji-Caan),巴塔赤罕子塔马察(Tamadj,Tamatsak),塔马察子哈卜出蔑儿干(Cabtchou-Mergan)[②],哈卜出蔑儿干子忽占不古鲁勒(Coutchim-Bougouroul),忽占不古鲁勒子尼格尼敦(Nigue-Nidoun),尼格尼敦子三锁赤(Sam-Saoudji),三锁赤子哈里哈儿术(Cali-Cardjou),哈里哈儿术子朵奔伯颜(Douboun-Bayan)。

朵奔伯颜妻阿阑豁阿,生二子:曰不古讷台(Bougounouti)、曰别勒古讷台(Bilgounouti)。寡居时又生三子:曰不忽哈塔乞(Boucou Cataki),是为哈塔斤部之祖。曰不哈只撒勒只(Boucadji Saldji),是为撒勒只兀部之祖。曰孛端察儿(Boudandjar),是为蒙古尼伦部之祖。

孛端察儿生子不花(Bouca)[③],不花子土敦蔑年(Toutoum-Ménen)[④],土敦蔑年子海都罕(Caidou Khan)[⑤]。

① 据《史集》及《贵显世系》。

② 一名豁里察儿蔑儿干(Khoritsar Mergan)。

③ 一名伯格尔巴图尔(Biker Bagatour)。

④ 一名玛哈图丹(Makha-Todan)。

⑤ 一名哈齐库鲁克(Catchi Külük)。

海都生三子：曰伯升豁儿（Baï-Schingcor），曰察儿格领昆（Tchergué Lingcoum），是为泰亦赤兀部之祖。曰抄真斡儿帖该（Djaoudjin-Eurdéki），是为额里干、失主兀两部之祖。

察儿格领昆之子曰坚都赤那（Kendou Tchina），曰斡罗克真赤那（Euloktchin Tchina），二人同为赤那思部之祖。

坚都赤那子俺巴孩可汗（Ambagaï Caan），俺巴孩子曰哈丹太师（Cadan Taïschi）、曰秃歹（Toudaï）。

伯升豁儿子秃蔑乃罕（Toumenaï Khan）[①]，秃蔑乃罕生九子：曰札克速（Djakssou），为那牙勤、兀鲁兀、忙古三部之祖。曰八林失剌秃哈因术（Barim-Sehiratou-Caïndjou）。曰哈出里（Catchou-li），为巴鲁剌思部之祖。曰寻哈赤温（Sim Catchioun），为阿答儿斤部之祖。曰八的乞勒海（Bat-Kilgaï），为不答安部之祖。曰哈不勒汗（Caboul Khan），为乞颜部之祖。曰兀都儿伯颜（Oudour-Bayan），为札只剌部之祖。曰孛端察儿都哈阑（Boudandjer Doucalan），为朵豁剌部之祖。曰赤那台斡赤斤（Tchinatai Utchuguen），为亦速部之祖。

合不勒汗六子：曰斡勤巴儿罕（Eukin-Barcan），为乞牙惕不儿斤部[②]之祖。曰把儿坛把阿秃儿（Bartam-Ba-hadour），曰忽秃忽蒙格儿（Coutoucou Mounguer），曰哈丹把阿秃儿（Cadan Baha-dour），曰忽必剌可汗（Coubila Caan）[③]，曰不丹斡赤斤（Boudan

① 一名托木巴该彻辰（Toumbagaï Setsen）。

② 钧案：即主儿勤。

③ 钧案：此名应是忽图剌之误。

Utchuguen)[①]。

斡勤巴儿罕子曰莎儿哈秃儿不儿格(Sourcaktour-Bourga),莎儿哈秃儿不儿格子曰薛彻别吉(Sedjde Bigui)[②]。

忽秃忽蒙格儿子曰拜住(Baïdjou)。

忽必剌可汗子曰术赤罕(Djoudji Khan),曰忽察儿(Coudjir)[③]。

把儿坛把阿秃儿生四子:曰蒙格都乞颜(Moungdou Kiyan)[④]。曰捏坤太师(Nécoun Taïschi),为槐因额里干(Hoyn Erigan)部之祖。曰也速该把阿秃儿(Yissougaï Bahadour),为乞牙惕孛儿只斤(Kiyates Bourdjoukines)部之祖。曰答里台斡赤斤(Daritaï Utchuguen)。

捏坤太师子曰阿勒坛(Altan)[⑤]。

也速该生五子:曰别勒古台那颜(Bilgouteï Noyan),曰铁木真,曰拙赤哈撒儿,曰哈赤温,曰帖木格斡赤斤。

别勒古台子曰察兀秃(Tchaoutou)。

拙赤哈撒儿子曰也苦(Yékou),曰忽秃(Coutou)[⑥],曰也孙哥(Yessouncouh)。

也苦子哈儿哈孙(Harcassoun),哈儿哈孙子也孙哥(Yessouncouh),也孙哥子额蔑干(Emegan),额蔑干子升豁儿(Sching-

---

① 钧案:比对《元秘史》之脱朵延,《亲征录》之脱端,应是 Todan 之误。

② 钧案:即前之撒察。

③ 钧案:忽察儿应改作阿勒坛。

④ 此名亦作蒙格图彻辰(Menguétou Setsen)。

⑤ 钧案:阿勒坛应改作忽察儿。

⑥ 钧案:应为秃忽之误。

cour)。

哈赤温子阿勒赤歹(Iltchidaï),阿勒赤歹子察忽剌(Djacoulah),察忽剌子哈剌兀儿(Calaour),哈剌兀儿子哈丹(Cadan),哈丹子失乞勒忽儿(Schikilcour)。

帖木格斡赤斤子脱合察儿那颜(Togatchar Noyan),脱合察儿子只不(Djibou),只不子阿术勒(Adjoul),阿术勒子乃颜(Nayan)。

铁木真子曰术赤、曰察合台、曰窝阔台、曰拖雷。

附　注

据《蒙古源流》译本,自孛儿帖赤那至朵奔伯颜,共有十代。阿固济木博郭罗勒(Agotchim Bougouroul)[①]之后,有萨里噶勒济固(Sali Khaldjigo)一人。哈里哈儿术之后,有博尔济吉台墨尔根(Bordjigueteï Merguen)、脱儿哈勒真伯颜(Torghaltchin Bayan)二人。《蒙古源流》谓多博墨尔根(Dobo Merguen,案:即《史集》之朵奔伯颜)尚有兄名都斡索和尔(Dova Sokhor)。都斡索和尔生四子:曰托诺依(Donoï),即 Oeugueletes 部之祖。曰多黑新(Dokschin),即 Bagatoutes 部之祖。曰额木尼克(Emnek),即 Coyites 部之祖。曰额尔克(Erké),即 Kergoutes 部之祖。兹四部皆为斡亦剌惕部之别部。同书又云孛端察儿有三子:曰巴噶哩台汗(Bagaritaï-khan)、曰亦察郭儿图(Idjagartou)、曰哈必齐巴图尔

① 钧案:即前之忽占不古鲁勒。

(Cabidji Bagatour)。哈必齐巴图尔子伯格尔巴图尔即剌失德之不花也。

附录四 鞑靼

剌失德曰:"鞑靼之称,早已著名于古代。鞑靼民族分支甚众,其在当时(成吉思汗之时)约有七万户,居地在中国边境及捕鱼儿湖附近。各部落各有其领域,鞑靼常臣属中国皇帝,第若诸部落中有叛者,必须用兵,始能平之。诸部落亦常互相争战,其人勇于私斗,有微隙即持刀相斗,易积恨致怒,有仇必复。人数既众,若能互相结合,其他民族,纵为中国人,恐亦莫有能御者也。顾虽分裂,尚能在古时为伟大之侵略,其势之强而可畏,致使其他突厥民族亦自称曰鞑靼,而以自豪,犹之今日札剌儿、塔塔儿、斡亦剌、汪古、克烈、乃蛮、唐兀,及其他诸部之自称为蒙古人而自豪者也。此类民族之青年,至今尚信其祖先常名蒙古。其实蒙古之称昔日为人所鄙视,至成吉思汗及其诸继承人时代,始有名。盖蒙古昔为诸突厥民族中之一民族,且自阿阑豁阿以来,质言之,三百年来,始有此蒙古之称。蒙古者,盖为阿阑豁阿后人之号也。

"此名之广布,致使契丹(中国北部)、南家思(中国南部)之民族,女真、畏吾儿、钦察、突厥蛮、哈剌鲁、哈剌赤诸民族,以及俘虏与大食人(穆斯林)之生长于蒙古人中者,悉皆名曰蒙古,取此号而见重于世。在此时代以前,鞑靼之情形亦如是也。其势既强,所以在中国、印度、乞儿吉思、巴只吉、钦察、亚洲北方,阿剌伯、西利亚、埃及、非洲等地，尚习称蒙古曰鞑靼。”

古之伊斯兰教著作家，如马思忽惕（Mass'oudi）、本哈兀哈勒诸人，著录亚洲北部民族，不言鞑靼，然此名实已早见著录。据Saint-Martin君之考订（《阿美尼亚记》），巴黎图书馆藏有一波斯文世界史节编，名曰《史汇》（Modjmelut-Tévarikh v'el Coussass），佚撰人名，回历五二〇年（1126）之撰述也，其中即有是名。此书历举亚洲诸君王之特别称号，而鞑靼王之号则名Simon Bivey Khiar?[①]

① 钧案：原注云，原文音点脱落，致使读音无定者，概附阿剌伯字于后云云。兹未能转录，皆以问号代之。

附录五　畏吾儿

《世界侵略者传》及《史集》二书所志畏吾儿如下文：

丞相阿剌丁曰："兹转录畏吾儿书籍中所载之若干事，录之者非信其说之真，特以广异闻而已。畏吾儿人以为其先世居斡儿寒河畔，此水发源于哈剌和林诸山之中，近日可汗（窝阔台）所建之城即因山为名。有水道三十出此诸山中，诸水畔所居之民族，为数亦有三十。畏吾儿人居斡儿寒河畔者，昔分二部。人民既众，乃推一人为长。五百年后，不可汗（Boucou-Khan）出，相传此人与世所称之额弗剌昔牙卜（Efrassiyab）同属一人。哈剌和林诸山中有一古堑，相传即为皮任（Pijen）堑[①]。现在斡儿寒河畔，尚见有一城一宫之遗迹。此城昔名斡耳朵八里（Ordou-Balic），今名卯危八里（Maou-Balic）[②]。宫前有石，石上刻有文字，吾人曾见之。可汗在位之时，曾去其石，见下有堑，堑中有一大石案，其上亦刻有文字，可汗命各国之人审之，皆不识其文。已而自中国召致……[③]至，识

① 额弗剌昔牙卜者，突厥汗名也，在波斯古史中颇著名。此汗昔在波斯 Pischdadiens 朝末叶及 Kéyaniens 朝初叶时，数与波斯战。皮任者，Kiv 之子，波斯王 Key-Khoussrou 在位时代之波斯英雄也。曾背额弗剌昔牙卜娶其女为妻，后为额弗剌昔牙卜所擒，囚之井中，已而为著名之 Roustém 救出。

② 斡耳朵八里，犹言斡耳朵城。卯危八里犹言恶城，别言之荒城也。

③ 写本中脱其名，别一写本中则作 Caman。然则为 Cames，质言之，珊蛮也。

为其国文字，遂译其文曰：源出哈剌和林诸山之秃忽剌(Tougola)、薛灵哥(Sélinga)二水会流处，有地名忽木阑术(Coumlandjou)，有二树相邻，一树名曰 Fistouc，其形类松，如扁柏常青，结实如松实，别一树则野松也。二树之间，忽有小丘，日见增长，上有天光烛照。畏吾儿人进前礼之，闻中有音声，如同歌唱，每夜皆然。剧光烛照，三十步内皆明。增长既成，忽开一门，中有五室，有类帐幕。上悬银网，各网有一婴儿坐其中，口上有悬管以哄哺乳。诸部落酋见此灵异，向前瞻礼。此五婴儿与空气接触，即能行动，已而出室。畏吾儿人命乳妇哺之，及其能言之时，索其父母。人以二树示之，五儿遂对树礼拜。树作人言，嘱其进德修业，祝其长寿名垂不朽。其地之人奉此五儿如同王子。五子长名孙忽儿的斤(Souncour-tékin)，次名忽秃儿的斤(Coutour-tékin)，三名不哈的斤(Boucac-tékin)，四名斡儿的斤(Or-tékin)，五名不可的斤(Boucou-tékin)。畏吾儿人以诸子为天所赐，决奉其一人为主。不可美而慧，较有才，尽通诸国语，畏吾儿人遂奉之为汗。此汗即位以后，国大治，而户口增多。天帝赐之三乌，乌尽知诸国语，汗常遣之往访各地之事。

"一夜，不可汗卧帐中，见一神灵至，作幼女形。汗畏，伪睡而不敢与之言。次夜亦然。第三夜从其大臣言，随此女灵至一名曰忽都塔黑(Cout-tag)之山中，共话至于天明。嗣后每夜如是，计阅七年六月二十二日。末夜女灵与不可汗诀别，而语之曰：'自东至西，全世界将归汝治理，可完成汝之命运，善治汝民。'言毕而去。不可汗由是聚集军队，命其长兄孙忽儿的斤将兵三十万，往征蒙古及乞儿吉思之地。次兄忽秃儿的斤将兵十万，往征唐兀。三兄不哈的斤将兵十万，往征中国。四兄斡儿的斤留守本国。诸军征服诸地，大得俘获，还至斡儿寒河，建筑一城，名曰斡耳朵八里。时东方之国业已完全征服矣。

“至是，不可汗复得一梦，见一白衣男子手持白杖，以块玉授之曰：‘如能永保此石，汝将奄有四方。’其大臣得梦亦同。翌日，不可汗遂整饬军备，旋进兵西方。师次突厥斯单，见一平原，水泉多而牧地肥美，遂留于此。建筑一城，名曰别剌撒浑（Bela-Sagoun），即今之胡八里（Gou-Balic）是已。遣军分徇各地，十二年间，尽取大地诸国。进至野人所居之地，知界外不复有人，遂率诸国国王还见不可汗。诸国国王各献方物，不可汗皆礼接之。惟印度之君貌陋，不许入见。命诸王入贡称臣，而放之还。大功既成，不可汗遂离别剌撒浑，而还其出生之国。

“当时畏吾儿人信仰名曰珊蛮之术士，与今之蒙古人同。珊蛮自言术能役鬼，鬼能以外事来告。我曾以此事质之多人，诸人皆言闻有鬼由天窗入帐幕中，与此辈珊蛮共话之事，有时且凭于此辈术士之身。蒙古人愚暗，颇信珊蛮之语。即在现时，成吉思汗系诸王多信仰其人。凡有大事，非经其珊蛮与星者意见一致者，不行。此辈术士兼治疾病。

“畏吾儿人曾遣使至信仰偶像教之中国，延喇嘛（Noumis，lamas）至，与珊蛮辩论，欲择其辩胜者而从之。诸喇嘛诵其名曰Noum之圣经，此其道德故事物语箴言之汇编也。中有劝人勿害他人，勿害动物，以德报怨等诫。喇嘛分为数派，各派教义不同，其最流行者信仰轮回之说。据云，其教流传已数千年，善人之灵魂死后视其功之大小，投生为国王以至平民。恶人之曾杀人虐其同类者，则变为爬虫猛兽之属。

“诸信仰偶像者，在汗前诵圣经若干则，诸珊蛮默不能对。由是畏吾儿首先皈依偶像之教。东方偶像教徒之与回教为敌者，无有能逾畏吾儿者也。不可汗迄于寿终，始终享有幸福。吾人兹仅转录畏吾儿人书籍中所载谬说百分之一而已，然已足见此民族之愚昧也。

“友某言曾见一书，谓所言之二树曾为一人所掘空，而藏诸子于其中，置光以照。旋召他人至，观此灵异。其人首先自向二树礼拜，他人由是随之礼拜。

“不可汗死后，诸子中之一人嗣汗位。畏吾儿人（其时代未详）曾闻一切家生野生动物以及婴儿皆作是声曰 Gueutch，gueutch，其义犹言‘行行’也。畏吾儿人乃如其言，徙居别地。每至一地，其声如故，后至一平原中，其声始息。乃于其地建筑五城，而名之曰别失八里（Bisch-Balik），别失八里者，犹言五城也。自是以后，不可汗之后人君临此种民族之上，其民尊其主曰亦都护（Idicout）。上述之二树，则置庙中祀之。”

《史集》在列举突厥、蒙古诸民族之篇中，述畏吾儿事曰：

“Noé 子 Aboultcha-khan Yafeth? 子 Dib-bakouï 子 Cara-khan 之子乌古思（Ogouz），因欲奉一神，其族人以兵来攻。乌古思会一部分近族与之战，败之，取数地，而成一强国之主。遂大会诸亲诸将及士卒而奖之，授来援之族人以畏吾儿之号。畏吾儿者，犹言同盟辅助之人也。此名遂为其后人之称。其后虽因种种情形而有哈剌鲁、哈剌赤、钦察等等特称，然仍通称为畏吾儿也。阅年既久，诸部落之分合，及各部落之起源，遂不可识，吾人惟将其列入突厥民族之内。前者在乌古思诸支派中，固曾将其著录，然在此列举类似突厥民族之一章中，应再言之。顾畏吾儿史甚详，我将根据其载籍在此史书《蒙古史》补编中全录其事，此处仅略言其起源而已。

“相传畏吾儿之地有二山，一名 Boucratou-Tourlouc(?)、一名 Ouscounlouc-tangrim(?)。兹二山间，则为哈剌和林诸山所在。窝阔台汗所建之城，即以哈剌和林为名。二山附近别有一山，名曰忽都塔黑，其间有一地，十水之所经也。别有一地，九水之所经也。昔日全境皆为畏吾儿民族之故地，其居十水之两岸者，名曰温畏吾儿(On-Ouïgours)。居九水两岸者，名曰脱忽思畏吾儿(Tocouz-Ouïgours)[①]。前十水通名温斡儿寒(On-Orcoun)，各水之名则曰：Ischkil(Ischlik?)，曰 Oniguer(?)，曰 Toucair(?)，曰 Ouzcaïder(Azcander?)，曰 Boular(?)，曰 Badar(Tardar?)，曰 Ader(?)，曰 Oukh Tabin(?)，曰 Camlandjou(?)，曰 Outikian(?)（括弧中之别称，乃本于圣彼得堡之一抄本者）。前三水，九部落居之。次四水，五部落居之[②]。第九水，质言之 Comlandjou(?)水，为 Ong(?)部落之居地。第十水或 Outikian(?)水，为 Camen-Ati(?)[Coumuk-Ati(?)]部落之居地。除此种居于上述水畔之部落外，同一地带别有一百二十二部落，然皆未详其名。

“逾多世纪，畏吾儿诸民族无共主，各部落各有其部长。最后诸部落集大会，推举二人为主君。其一人为 Ischkil 部人，名

① 温犹言十，脱忽思犹言九。

② 中脱第八水所居部落之数。

Mongou-baï 号 Il Iltiriz(?),其一人为 Ozcaïdir 部人,号 Keul irkin(?)[①]。兹二人之后裔君临者垂百年,其事见本书补编之《畏吾儿传》。最近时,畏吾儿人号其主曰亦都护。亦都护,犹言国主也。"

邵远平撰《续弘简录》[②]所志畏吾儿事,可与术外尼、剌失德之说相印证,足见中国与波斯之史家所本之源同也。《续弘简录》之文,Visdelou(D'Herbelot《东方丛书补编》138 页)有初译文,Klaproth(《关于亚洲之纪录》第 2 册 331 页)有新译文,兹录其文如下,以资对照:

"亦都护者,高昌国主号也。先世居畏兀儿之地,有和林山,二水出焉,曰秃忽剌,曰薛灵哥。一夕有神光降于树,在两河之间,居民往候之。树乃生瘿,若怀妊状。越九月十日而树瘿裂,得婴儿五人,土人奇而收养之。其最稚者曰布可罕,既壮雄武,遂能有其土地民人而为之君长。传三十余君,是为玉伦的斤,事荒远不能纪其世次。玉伦的斤亦雄武,数与唐(618 至 907)相攻战,唐人患之。议和亲,于是唐以金莲公主妻玉伦之子葛励的斤,居和林别力跛力答[③]。又有山曰天哥里于答哈[④],南有石山曰胡力答哈[⑤]。唐使与相地者至其国,曰:'和林强盛,赖此山耳;坏其山,则其国可弱。'乃

① 钧案:前一人与翁金河突厥文碑著录之 Elteris 相近,即《唐书》中之骨咄禄可汗。后一人疑是阙特勤。此处之对音固为阙颉斤,然特勤、颉斤皆属突厥官号。殆是伊斯兰史家以东突厥事属之回纥欤?

② 钧案:原文在卷 29 中。

③ 犹言妇人所居山也。

④ 言天灵山也。

⑤ 言福山也。

伪告玉伦曰:‘既为婚姻,将有求于尔,其与之乎?福山之石,于汝国无所用;而唐人愿见,请载以归。’许之。石大不能动,以烈火焚之,沃以醋,其石立碎,乃辇之去。当福山之移也,国中鸟兽踯躅悲号,若有所失者。后七日,玉伦的斤卒,灾异屡见,民弗安居。传位者又数世,乃迁于交州[①],统别失八里之地。北至阿术河,南接酒泉郡,东至兀敦甲石哈,西临西番,居是者九百七十余载,至巴而术阿而忒的斤。素臣事契丹,为其属国。岁己巳(1209),闻太祖(成吉思汗)兴朔方,遂杀契丹所置监国官,欲来附。未行,太祖遣使适至其国,亦都护大喜。即遣使人奏曰:‘臣闻皇帝威德,即弃契丹旧好,归命圣朝,不意天使降临,下符夙愿,愿率部众为臣仆。’”

前此曾见流经畏吾儿旧境诸水之一水名曰 Outékian,是亦为山名,汉译作乌德犍山。不可汗及其后人之故都,昔在此乌德犍山与斡儿寒河之间(见 Abel Rémusat 撰《哈剌和林 Kara Korum 城考》15 页)。

① 即火州。

附录六　哈剌契丹

丞相阿剌丁术外尼曰："哈剌契丹诸汗，契丹人也。建此国者为契丹要人，因国变而离其国。建国后号古儿汗，古儿汗犹言诸汗之汗也。相传其去契丹时，从者仅七十人。又据别一说，率军甚众，进至乞儿吉思境，肆抄掠。乞儿吉思人以军来逐，遂退至叶密立之地，建筑一城，今尚见其废址。诸突厥部落相率聚其麾下，因统有四万户，进至别剌撒浑，是即蒙古人所称之胡八里也。此地君主自称为额弗剌昔牙卜之后，国势衰微，其地之哈剌鲁、康里诸部落，已不复奉其号令，且进而抄掠其领土。契丹王军逼其境，不能敌，遣使延其至都城，愿以国让之。契丹王至别剌撒浑，废其主，黜汗号，仅封之为突厥长(Ilk-Turkan)。于诸州设置官吏。自忽木乞吉克(Coum-Kidjik?)达于巴儿撒儿章(Barserdjan?)，自答剌速(Taraz?)达于塔迷只(Tamidj?)，皆隶版图。已而征服康里，遣军略合失合儿兀丹之地。别遣一军往惩乞儿吉思。其军历取别失八里、拔汗那(Fergané)、河中诸地。算端斡思蛮(Osman)之先世，即于是时称臣。古儿汗略取诸地以后，遣将额儿讷思(Ernouz)往讨花剌子模。军入其境，大肆焚杀。花剌子模沙阿即思乞降，许每年贡献底纳儿三万，布畜若干。额儿讷思许其降，而引军还，后未久，古儿汗死。

“其后曲云克(Keuyounk)权国称制。与人私通,其臣并其奸夫杀之。奉故主兄弟二人中之一人即位,而将别一人处死,防其有害新君也。

“阿即思死,算端塔哈失嗣位以后,按期纳贡于哈剌契丹,凡事皆承其主君之意而不敢违。后临危时,嘱其子摩诃末仍仿其臣事哈剌契丹。盖此国为东方之藩篱,可拒残猛之民族也。摩诃末即位后,初数年仍如前纳贡,与其主君初颇和好。故古儿国算端失哈不丁来侵时,古儿汗曾以万人往援花剌子模,共败古儿军于安的火德之地。”

史家剌失德在所撰成吉思汗同时诸王章中,述哈剌契丹朝之事云:

“女真主灭哈剌契丹(辽国)之时,契丹贵人名讷失太傅者,素为其国人所尊,遂西奔。逾乞儿吉思之地,旋至畏吾儿突厥斯单。其为人多智谋,颇有才具,极谨慎。曾在其地纠集重兵,尽取突厥斯单全境,而号古儿汗,古儿汗犹言大汗也。其事在五二二及五二三年间(1128 及 1129)。讷失太傅死,其子继立,时年七岁。嗣君在世,以突厥历计,得年九十二,以太阴历计,得年九十五。其殁年约在六一〇年(1213—1214)前后。成吉思汗诞生之时,古儿汗年三十四岁,在位约有二十五年矣。”

附录七　蒙古军侵略黑海里海北方诸国之役

阿里额梯儿所志蒙古军侵略里海、黑海北方诸国之事云：

"鞑靼人以作谋离间钦察，使弃其同盟之阿兰、勒思吉思(Lezguiz)二部以后，乘钦察人散归时，袭击之。钦察人不敢与此敌军战，皆向各地溃走，或逃林中，或遁山内。其走斡罗思境内者，为数甚众。鞑靼人遂屯驻于钦察之地，缘其地牧场丰美，冬夏皆然，兼有夏凉冬暖之区，海边有森林为障。鞑靼人进至隶于钦察之速答黑城，而取其谷，此城在可萨海上[①]。海中船舶甚多，钦察人来此以奴婢及狐、獭、灰鼠之皮易布帛。鞑靼人取速答黑城，城民逃窜，或携其眷属衣物避兵山中，或附舟逃入鲁木。时此国属于乞里只阿儿昔兰(塞勒术克朝之 Kilidj-Arslan)之后人，皆伊斯兰教君主也。

"六二〇年(1223)，鞑靼人既取钦察之地，进兵斡罗思境。斡罗思人与避兵其境之多数钦察人合兵往御，欲不待其入境时击之，鞑靼人不战退走。斡罗思人以为敌人不敢战，蹑踪往追。逾十二日程之远，鞑靼人忽回师，乘追者之不意，袭击斡罗思、钦察之联

① 当时克里米亚名曰可萨里亚(Khazarie)，缘其曾隶可萨部也。

军。互战数日，战甚烈，鞑靼人终胜敌。钦察、斡罗思之军大败，溃走时多被屠杀，辎重尽为鞑靼人所得。其得脱者为数甚少，久行始还斡罗思境，其状至为狼狈。鞑靼人蹑其后，沿途杀掠焚毁。大商富人皆携物渡海，避兵于伊斯兰教之国。

“鞑靼人残破斡罗思境以后，退出其地，于六二〇年终（1223年终），进兵不里阿耳境。不里阿耳以军拒之，鞑靼人设伏以待，诱之过伏所，夹击之，不里阿耳军伤亡大半，得脱者仅四千人。鞑靼军遂取道撒哈辛，还与成吉思汗之大军合。

“鞑靼军退出钦察之地以后，其地避兵之人复还本国。当其地为鞑靼占领之时，与伊斯兰教诸国之交通因以断绝。不复有狐、獭、灰鼠及其他皮革之输出，鞑靼军退以后，贸易复通。”①

《世界侵略者传》未言蒙古侵入斡罗思之役，仅谓其逾从无军队得过之打耳班。后此成吉思汗之别军队赴钦察平原，与术赤之军合。旋由此还与成吉思汗之大军合。

刺失德所志此役，仅为节录阿里额梯儿书之文。

此史家曾言太和岭北之用兵，原拟与别一军共进，然别军未至。缘成吉思汗取花剌子模后，曾命其长子术赤进兵钦察，而术赤不遵父命，遽还其封地也。

① 见《全史》279 及 280 页。

第二卷

自窝阔台汗迄蒙哥汗

第一章

成吉思汗分封土地军队于其亲属——拖雷之监国——大会——窝阔台之被推戴——窝阔台之初政——遣军远征波斯——与金人战——陕西全部之占领——拖雷之远征——其残破四川——其侵入河南南境——窝阔台之渡黄河——两蒙古军之会合——金军之败——汴京之被围——议和——窝阔台、拖雷之还蒙古——速不台之围汴京——解围——汴京之死亡人数——金帝之弃汴京——其渡黄河北岸——其军之败——重渡黄河而走归德府——汴京之第二次被围——崔立之叛——以汴京献速不台——金国帝室之结局——宋人与蒙古结合——宋军之入河南——金帝宁甲速之走蔡州——蒙古军与宋军之会围蔡州——蔡州之攻下——宁甲速之死——其嗣君承麟之被杀——金国之亡

成吉思汗曾以地分封诸子及诸亲属。长子术赤封地在咸海(Aral)之北,西抵撒哈辛、不里阿耳两部边界。据史家阿剌丁之说,则谓成吉思汗曾以鞑靼马蹄所至西方之地付与术赤。察合台之封地东起畏吾儿之地及海押立,西抵只浑河(阿母河)两岸。窝阔台之封地在叶密立河一带。拖雷则承袭其父所保有哈剌和林诸

山与斡难河源间之故地[1]。

此种承袭方法，盖适应突厥、鞑靼民族之旧俗也。依俗诸子之成年者，家长以什物畜群付之，俾其能离父居而自立，父居所余之物一概留给嫡妻所生之幼子，即所谓斡赤斤（Utdjukén）者是也。所以成吉思汗以其诸斡耳朵，其最贵重之衣物，自乘之马匹，其大部分军队，质言之，其所统治之诸部落，悉付拖雷。

成吉思汗死时，遗有军队十二万九千人。以十万一千人付拖雷，分为三军：曰中军（Coul）、曰右手军、曰左手军[2]。中军千人，为成吉思汗之卫士，由那颜察罕（Tchagan）统之。察罕，唐兀人也。十三岁时即为成吉思汗所收养，曾名之曰其第五子。此军之第一百夫长，亦由察罕兼之。其余诸百夫长则分隶于成吉思汗诸后之四大斡耳朵，而执司膳控马等役。此军所应缴纳之驿马口粮，与其他诸军同。右手军三万八千人，阿鲁剌惕部之那颜不儿古赤统之，其人亦自有其千户军。左手军六万二千人，札剌儿部之木忽黎统之。成吉思汗颇重用此人，曾以札剌儿部众三千人归其统率，得自由任命将校，惟须汗之裁可者不在此例。尚有数将亦有统率其部众及任命千夫长之权：是为统率斡亦剌部四千人之忽秃合别乞，统率八邻部万人之八邻部长塔里台（Taritaï），统率汪古部四千人之汪古部长阿剌忽失的斤。成吉思汗攻金时，吾也而秃花曾以所部契丹军、女真军各万人来投，仍命其各率所部。

所余者二万八千人，成吉思汗分给术赤、察合台、窝阔台三子

① 见《世界侵略者传》第1册。

② 蒙古语名右手军曰巴剌温合儿（Baraoun-car）。名左手军曰沼温合儿（Tchaoun-car）。

各四千人。其第五子阔列坚亦得四千人．其幼弟斡赤斤分得五千人。其弟合赤温之子分得三千人。其母月伦分得三千人。其弟拙赤合撒儿之子分得千人。此种军队连同其家属世隶各系之长王，同系诸王并受此长王节制①。

成吉思汗分兵于诸子之时，曾以诸将面嘱诸子曰："若诸将有过，切勿独断罚之。盖汝曹年幼，而诸将皆功臣也。欲罚之，必先询我意，我若不在时，应共商之，然后执行法令。必须其罪状显明，犯者自承，并不能不承认处罚之当，而使其罚不出于愤怒或其他感情也。"

① 见《史集》。剌失德曾胪列成吉思汗所部十二万九千人中之统将千夫长以及部落名称。此种蒙古军队经成吉思汗分给于其诸子及诸亲属者，为数虽微，然构成各系军队之中心。后各系复益以其在封地申调发之土民，其数甚众。例如长子术赤一系所分得之蒙古军仅四千人，而此系之后王君临黑海、里海之北，土地广大，民族繁多，即用此种土居部落从军是也。剌失德云："现在（其修史之时约在成吉思汗死后八十年顷）脱火塔（Tocoat）、乃颜（Nayan）所统之军队。一部分盖为成吉思汗分给术赤系四千蒙古兵之后裔，余为斡罗思、薛儿客速、钦察、马札儿（Madjares）匈牙利等部之众。"蒙古人移徙于此种西方地域人数之少，所以蒙古语言不能在其地存在。而其地之占优势的语言，仍属突厥语。盖里海、黑海、北方平原人民种属突厥种之钦察部也。剌失德曾言蒙古家族之繁殖，谓忽必烈汗（在位时始 1260 迄 1294 年）曾检括斡赤斤、合赤温两王后裔之数。前者共有六百人，后者共有七百人，其士卒之家属增加之数亦众。成吉思汗第五弟别勒古台（Bilgouté）之子，位号次于其他诸王，而有百妻百子，故其人有百数人（Tchaoutou）之号。然其后裔在忽必烈时，仅有八百人。拙赤合撒儿仅有子四十人，然其后裔亦有八百。忽必烈颇以为异，有人为言其故，以为别勒古台系甚贫，拙赤合撒儿系甚富，所以后裔繁殖之数，比例不能相等。拙赤合撒儿于讨伐乃蛮之战中建大功，曾位之于诸亲王上。成吉思汗其他诸弟之后裔，位置仅视诸将。史家阿剌丁，修史于 1260 年者也，曾言其时成吉思汗之后裔约共有万人。帖木格斡赤斤之封地，与合赤温诸子之封地，皆在蒙古东部，与女真之地最近，而在哈兰真沙陀（Calaltchin Alt）及浯勒灰（Olcouï）河附近不远，盖为亦乞剌思部之旧境。至若拙赤合撒儿诸于之封地，则在蒙古极东北之地，额儿古纳河（Ergouna）、曲烈湖（Keulé）、海剌儿河（Caïlar）等处附近（见剌失德书）。

诸宗王、部长及士卒等，于葬祭成吉思汗后，各还其驻所。惟至二年后，恐元首缺位时间太久，变乱发生，始相约集大会推戴新君。

1229年春，诸宗王诸统将自鞑靼地域之各地来集于怯绿连河畔成吉思汗之大斡耳朵[①]。术赤诸子斡儿答（Ourda，Orda）、拔都（Batou）、昔班（Schiban）、唐古斛（Tangcoute）、别儿哥（Berca）、别儿格察儿（Bergatchar）、脱哈帖木儿（Touca-Timour）等皆自里海北方之地来会。察合台率其诸子诸孙自伊犁河流域来会。窝阔台自叶密立河畔来会。斡赤斤自东方女真邻近之地来会。由拖雷延之至成吉思汗斡耳朵中，盖新主未立，暂由拖雷监国也[②]。

开大会之首三日，大设宴飨。到会之人甚众，遂聚议选立新君。时列会者多归心拖雷。耶律楚材乃请拖雷执行成吉思汗遗命，自推窝阔台承继大位，免启争端。拖雷从之。遂在大会中宣读其父遗命，谓应奉成吉思汗所指定之人为君[③]。如是诸王等群向窝阔台劝进，窝阔台以位让诸兄弟及诸叔等。且以拖雷从未一日离其父，所受训教较他人为多，大位应由彼继承，遂力辞。诸王等曰："成吉思汗既已指定汝为继承人，我等不能背其遗命。"窝阔台仍固辞。如是宴乐者四十日，继承问题悬而未决。至第四十一日，亦星者所择之吉日也，窝阔台始应诸王之请，由其兄察合台及其叔斡赤斤导之就汗位。拖雷奉盏，同时帐内外诸人皆免冠，解带置肩

① 《元史》谓在曲雕阿阑之地。钧案：《元秘史》作阔迭兀阿剌勒，其对音应是Ködä'u Aral。

② 见《史集·窝阔台本纪》。

③ 见冯秉正书第9册131页。术外尼则云，成吉思汗曾经要求诸子出具承认窝阔台继承大位之文书。

上，向窝阔台九拜祝贺，奉以可汗之号[①]。新君率领会中诸人出帐对日三拜，斡耳朵附近之群众皆随之而拜。蒙古诸长拜毕入帐，设宴以庆大礼之成。诸宗王等坐于宝座之右，诸妃主等坐于宝座之左，由无数奴婢奉献酒食。

诸王推戴窝阔台之时，曾发此忠于其后人之奇誓曰："只须汝后人尚存一脔肉，投之草中而牛不食，置之脂内而狗不取；我等誓不以他系之王位于宝座之上。"

窝阔台以其父所得亚洲诸国之宝藏散之诸王与将卒等，命依俗祭祀成吉思汗之灵三日。于诸那颜、统将之家选美女四十人，盛其衣饰，"遣之往事成吉思汗于地下"（剌失德语），并以骏马殉之。

窝阔台之初政，则在命人严守成吉思汗法令。然对于成吉思汗死后之犯罪一概赦免[②]。时庶事草创，礼仪简率。耶律楚材始定册立礼仪，俾皇族、诸王、尊长皆就班列以拜。又中原新定，未有号令。长吏皆得自专生杀，稍有忤意者，刀锯随之，至有全家祸者。楚材以为言，命禁绝之。同时始定算赋，中原以户计，西域以丁计。汉人输纳银绢谷，蒙古人每马牛羊百头输纳一头。设置仓库驿站，以供使臣之需。

又从耶律楚材之言，于金故地立十路课税所，设使副二员，悉用中国士人。楚材因间进说周孔之教，且谓天下虽得之马上，不可以马上治。可汗深然之，由是文臣渐进用矣[③]。

---

① 自是以后，主君皆称可汗。其余成吉思汗三系之君主仅称曰汗。窝阔台，蒙古语犹言"在上"，史家剌失德解释此字之义亦同。

② 见《世界侵略者传》第1册。《史集》。

③ 见冯秉正书第9册132页。又《续纲目译文》151页。

蒙古既立新主，遂欲执行成吉思汗之伟大计划，续行侵略。大会因决议三大远征：命那颜绰儿马罕（Tchormagoun）率一军三万人远征波斯，缘算端札阑丁已还自印度，恢复其父故国之一部也。命统将阔阔台（Gueuktaï）、速那歹（Sounodaï）[1]二人率第二军亦三万人，往平钦察、撒哈辛、不里阿耳三部，以竟术赤未成之业。窝阔台自与拖雷及亲王数人率一军经略金国[2]。

金主宁甲速，即汉名守绪者，曾于1229年命使臣阿忽带赴蒙古致成吉思汗賵，新可汗却不受。

先是成吉思汗虽死，蒙古仍在陕西南部继续用兵，且进至宋国边境。1227年终，进至巩昌府东南三十程之西和州。知州事陈寅率民兵昼夜苦战，援兵不至，城遂陷。寅谓其妻杜氏曰："若速自为计。"杜曰："安有生同君禄，死不共王事者？"即饮药自杀。二子及妇俱死母旁。寅敛而焚之，乃自伏剑死。宾客同死者二十八人。

1228年，蒙古兵入大昌原。金平章政事完颜哈达以忠孝军提控完颜陈和尚为前锋。陈和尚环甲上马，以四百骑大败蒙古八千之众，士气皆倍。盖自有蒙古之难，二十年间，始有此捷。忠孝一军皆回纥、乃蛮、羌、浑，及中原被俘避罪来归者。鸷狠难制，陈和尚御之有方，坐作进退，皆中程式。所过州邑秋毫无犯，每战则先登陷阵，诸军倚以为重。1229年，蒙古将赤剌温帅师屯庆阳，金复遣使求和，可汗复不允。同年，窝阔台以史天泽、刘黑马、萧札剌为万户，分统汉兵。前二人分守直隶、山西、山东等处。

---

① 钧案：此人疑是肖乃台，惟《元史》本传未著西征事。

② 见《世界侵略者传》第1册。《史集》。宋君荣书56页。

1230 年 2 月，蒙古兵入金大昌原，金将移剌蒲阿败之，庆阳之围遂解。先是蒙古使斡骨栾至陕西议和，移剌蒲阿惧其泄事机，留之。及蒲阿既解庆阳之围，志气骄满。乃遣斡骨栾还，谓之曰："我已准备军马，能战则来！"斡骨栾还见蒙古主白之。

窝阔台怒。8 月，与其弟拖雷率众入山西，取大同东北十八程之天成等堡，遂渡河入陕西南部，破诸山砦栅六十余所，进围凤翔。

1231 年，蒙古将按察儿以兵围凤翔；金行省完颜哈达、移剌蒲阿逗留不进。金主遣枢密判官白华往谕之。哈达、蒲阿言北兵势盛，不可轻进。白华还，金主复遣谕以凤翔围久，恐守者不能支，可领军出关，略与渭北军交手。计北军闻之，必当奔赴，少纾凤翔之急。哈达、蒲阿乃始出关，行至华阴界，与渭北军交战。比晚，收军入关，不复顾凤翔矣。是年 5 月，凤翔遂陷。

是年 6 月，窝阔台避暑九十九泉（Yloun-oussoun），地在长城北五十程。陕西既下，金主仅保河南。金降人李昌国献计于拖雷曰："金迁汴将二十年，其所恃以安者，潼关黄河耳。若出宝鸡以侵汉中，不一月可达唐邓，大事集矣。"拖雷然之。白于窝阔台，窝阔台乃会诸将，期以明年 2 月合南北军攻汴。遣拖雷先取宝鸡。主卜罕（Tchoubougan）赴宋请假道。8 月，主卜罕至宋境沔州青野原，统制张宣杀之。拖雷闻主卜罕死，曰："宋自食言，背弃盟好。今日之事，曲直有归矣。"遂进至凤翔西南九程之宝鸡。

9 月，拖雷分骑兵三万[①]入大散关，攻破凤州（凤县），径趋华

① 剌失德书作二万。钧案：旧本《续通鉴纲目》实作二万，惟所谓御批《续通鉴纲目》作三万。

阳，入宋境，屠洋州（洋县），遂围兴元（汉中府）。军民散走，死于沙窝者数十万。分军而西，西军出别路入沔州，开鱼鳖山。撤屋为筏，渡嘉陵江，略地至西水县，破城寨百四十而还。11月，四川北部均陷于蒙古。

12月，拖雷攻饶风关，入之。渡汉江，由金州而东将趋汴京，民皆入保城壁险阻以避之。金主初闻蒙古兵入饶风关，召诸臣入议。皆主以兵屯京畿诸县，京师积粮数百万斛，令河南州郡坚壁清野，敌欲攻不能，欲战不得。师老食尽，不击自归矣。金主以南渡二十年，所在之民破田宅鬻妻子以养军士；今敌至不能迎战，徒以自保京城，虽存何以为国？不从诸臣议，诏诸将屯襄、邓。1月，金行省完颜哈达、移剌蒲阿率诸军入邓州，杨沃衍、陈和尚、武仙兵皆会之。先是二年前武仙复归金，金复其爵，置府卫州，史天泽合诸军围之，仙走屯胡岭关，至是亦以军来会，合兵出屯顺阳。哈达、蒲阿召诸将议，截汉江与战，抑放之渡而后战？议未决，拖雷军毕渡。哈达、蒲阿始进至禹山，山在南阳府西南九程。金兵分据地势，与蒙古兵战。蒙古兵少却，金兵不追。明日，蒙古兵忽不见。逻骑还，始知在光化枣林中已四日。林外不闻音响。哈达、蒲阿议入邓州就粮，辰巳间，到林后，蒙古兵忽至。哈达蒲阿迎战，交接之际，蒙古以百骑邀两行省辎重而去，金兵几不成列。逮夜二鼓，哈达、蒲阿乃入邓州城，隐其败，以大捷闻。金廷百官表贺，诸相置酒省中以庆。于是民保城堡者，皆散还乡社。不数日，蒙古游骑突至，多被俘获。

拖雷进兵河南之时，窝阔台自将兵进围河中（蒲州府），筑松楼高二百尺，下瞰城中。土山地穴，百道并进。昼夜力战，楼橹俱尽。

白战半月，力竭城陷。金佥枢草火讹可犹亲搏战数十合，始被擒，就死。金元帅板子讹可以败卒三千夺船走阌乡。有阉人谮之于金主，金主怒其不能死节，因杖杀之。

1232年2月，窝阔台自河中由河清县白坡渡河，遣人驰报拖雷以师来会。金命麻斤出等部民丁壮万人开短堤，决河水以卫京城。命夹谷撒合将步骑三万巡河渡，夹谷撒合行至封邱而还。蒙古兵奄至，麻斤出等皆死。丁壮得免者仅三百。

拖雷军自禹山之战散漫而北，所过州县无不降破。遂自唐州以趋汴京。金完颜哈达、移剌蒲阿自邓州率军赴援，蒙古以骑三千尾之。金兵欲战，蒙古军则退。金军方盘营，蒙古兵复来袭。金军不得休息食饮，且行且战。至黄榆店，望钧州二十五里，雨雪不能进。忽有旨云，两省军悉赴京师，哈达等遂发。

金军进次于三峰山，军士有不食至三日者。时窝阔台军自河北来与拖雷军合，围金军。乘其困惫，乃开钧州路纵之走，而以生兵夹击之，金军遂溃。哈达走入钧州。窝阔台在郑州闻拖雷与金相持，遣军赴援。至则金军已溃，于是乃合攻钧州，破其城，擒哈达。哈达问速不台安在，请一见之。速不台出谓曰："汝须臾之人耳，识我何为？"哈达曰："卿天生英豪，非偶然也。今见卿，吾死瞑目矣。"言毕就死[①]。

陈和尚趋避隐处，杀掠稍定，乃出自言曰："我金国大将，欲见白事。"蒙古兵以数骑夹之诣拖雷，问其姓名，曰："我忠孝军总领陈和尚也。大昌原、卫州、倒回谷之胜，皆我也。我死乱军中，人将谓

---

① 见《纲目译文》155至176页。《亚洲新杂纂》第2册95页之速不台传。

我负国家。今日明白死，天下必有知我者。”蒙古兵欲其降，不肯。乃斫足胫折之，划口吻至耳，噀血而呼，至死不屈。蒙古将有义之者，以马湩酹而祝曰：“好男子！他日再生，当令我得之。”

蒙古兵追擒移剌蒲阿，械之至官山窝阔台营。欲降之，不从。曰：“我金国大臣，惟当金国境内死耳。”遂杀之。金之健将锐卒自是俱尽[①]。

取钧州后数日，窝阔台至其弟拖雷营。拖雷为言自凤翔进兵南下所经种种险阻，士卒饥困，至以草及人肉为食。可汗奖其能，谓非吾弟不能竟此功。拖雷谢曰：“此虽士卒之坚忍勇敢，有以致之，然亦托可汗之福也。”[②]

是年3月，金主闻拖雷已入饶凤关，命人召行省阌乡之徒单兀典援汴。兀典遂与潼关总帅纳合合闰、秦蓝总帅完颜重喜等，率军十一万骑五千，尽撤秦、蓝诸关之备，从虢入陕。同、华、阌乡一带军粮数十万斛，备关船二百余艘，皆顺流东下。俄闻蒙古兵近，粮皆不及载，船悉空下。复尽起州民运灵宝、硖石仓粟。会蒙古游骑至，杀掠不可胜计。金守将李平以潼关降于蒙古，蒙古兵遂长驱到陕。兀典发阌乡军士，各以老幼自随。由西南径入大山，冰雪中部将多叛去。蒙古闻之，自卢氏以数百骑追及之。山路积雪，昼日冻释，泥淖及胫，随军妇女弃掷老幼，哀号盈路。行至铁岭，欲战而饥惫，于是重喜先降，蒙古斩之于马前。金兵遂大溃。兀典、合闰从数十骑走山谷间，追骑擒之，皆被杀。

---

① 见《元史》及《纲目译文》152至177页。冯秉正《中国史》第9册133至156页。参照本卷末附录一剌失德书所志此役之文。

② 见《史集》。冯秉正书156页。

蒙古取钧州后，复下河南十四城，惟归德、洛阳两城未陷。洛阳城中惟三峰溃卒三四千及忠孝军百余守御而已。蒙古兵攻三月余，不能拔，乃退。

窝阔台既取汴京四周诸城，遂至郑州。3月，命速不台进围汴京。速不台者，数年前蹂躏波斯的涅培儿河两岸及黑海沿岸之蒙古将也。

汴京周百二十里，诸军不满四万，不能遍守。遂议以迁避之民充军。又集卫州义军凡四万，并丁壮二万，分置四面。每面选千名飞虎军以专救应，然亦不能军矣。金主命翰林学士赵秉文为赦文改元，布宣悔悟哀痛之意。指事陈义，辞情俱尽，闻者莫不感励。

蒙古主将北还，遣使自郑州至汴，谕金主降。且索翰林学士赵秉文，衍圣公孔元措等二十七家，及归顺人家属，移剌蒲阿妻子并绣女、鹰人等。金主乃封荆王守纯子讹可为曹王，命尚书左丞李蹊送之蒙古为质以请和。谏议大夫裴满阿虎带为讲和使。未行，蒙古速不台闻之曰："我受命攻城，不知其他也。"乃立攻具，沿壕立木栅。遣汉俘及妇女老弱负薪草填壕，顷刻平十余步。金平章白撒以议和不敢与战，城中喧哄，金主闻之。从六七骑出端门，西南军士五六十辈进曰："北兵填壕过半，平章传令勿放一镞，恐坏和事，岂有此计耶？"金主曰："朕以生灵之故，称臣进奉，无不顺从。止有一子，养未长成，今往作质子矣。汝等略忍，待曹王出，鞑靼不退，汝等死战未晚。"是日曹王行，蒙古兵仍进攻。

蒙古兵之用炮，破大硙或碌碡为二三，皆用之。攒竹炮有至十三稍者，余炮称是。每城一角置炮百余枚，更迭上下，昼夜不息。数日，石几与里城平。而城上楼橹皆故宫所折大木为之。合抱之木，随击而碎。以马粪、麦秸布其上，网索、旃褥固护之。其悬风板之外，皆以牛皮为障，蒙古兵以火炮击之，随即延爇，不可扑救。惟昔筑城取虎牢土为之，坚密如铁，受炮所击，惟凹而已。蒙古兵壕外筑城，围百五十里。城有乳口楼橹，壕深丈许，阔亦如之。约三四十步置一铺，铺置百余人守之。

时有火炮名震天雷者，用铁罐盛药，以火点之。炮起火发，其声如雷，闻百里外。所爇围半亩已上，火点着铁甲皆透。蒙古又为牛皮洞，直至城下。掘城为龛，间可容人，则城上无可奈何矣。人有献策者，以铁绳悬震天雷顺城而下，至掘处火发，人与牛皮皆碎迸无迹。又有飞火枪注药，以火发之，辄前烧十余步，人亦不敢近。蒙古惟畏此二物。

蒙古攻城十六昼夜，相传内外死者以百万计。是年5月，速不台知不可取，乃为好语曰："两国已讲和，更相攻耶？"金人因就应之。乃遣户部侍郎杨居仁出宜秋门，以酒炙犒蒙古兵，且以金帛珍异赂之。速不台乃许退兵，散屯河、洛之间。

6月，汴京大疫，凡五十日。诸门出柩九十余万，贫不能葬者不在是数。

8月，金士卒杀蒙古行人唐庆等三十余人于馆。金主不问，和议遂绝。同时蒙古将国安用怨主将而以所部山东之地降金，金封为兖王，蒙古更有词矣。

初，三峰之败，武仙走南阳，收溃军，得十万人，屯留山。汴京被围，金主诏仙与邓州行省完颜思烈、巩昌总帅完颜忽斜虎合兵入援。仙至密县东，遇蒙古兵，即按军眉山店，报思烈曰："阻涧结营，待仙至俱进。"思烈急欲至汴，不听。金主又命枢密使赤盏合喜帅兵应仙。思烈等至京水，蒙古乘之，不战而溃。仙众亦散走还留山。合喜屯中牟三日，闻思烈军溃，即夜弃辎重驰还汴京。

汴京粮尽援绝，势已危急。1233 年 2 月，金主决出走，留参政奴申，枢副兼知开封习捏阿不，里城四面都总领珠颗，外城东西南北四面元帅，守汴。发府库及内府器皿宫人衣物赐将士，与太后、皇后、妃主别，帅诸军出开阳门。是日巩昌元帅忽斜虎援兵至，言于金主曰："京西三百里之间无井灶，不可往，不如幸秦巩。"金主遂决意东行。遣使征粮于归德，归德送粮至蒲城东，因留粮船二百，乘以渡河。会大风，后军不克济。速不台遣军追击于南岸，金元帅贺都喜力战而死，金兵溺者近千人。

金主次于沤麻冈，遣白撒帅师攻卫州。白撒纵军四掠，所过邱墟。至卫州城下，以御旗招之，城中坚守不应。蒙古闻之，自河南渡河，白撒遂退师。蒙古将史天泽以骑兵踵其后，战于白公庙，金师败绩。白撒弃军东遁，见金主，言军已溃。金主遂与副元帅合里合等六七人夜登舟，潜渡河，走归德。翌日，诸军始闻金主弃师，遂大溃。

金主入归德，遣使往汴京奉迎太后及后妃。迎至陈留，后妃等见城外二三处火起，疑有兵，复驰还汴京。速不台时在汴京西南四十程之汝州，闻金主弃汴，复进围之。

初，汴人以金主亲出师，日听捷报。及闻军败，始大惧。时速不台攻城日急，内外不通。米升至银二两，殍死相望。缙绅士女多行乞于市，至有自食妻子者。诸皮器物皆煮充饥。贵家第宅，市楼肆馆，皆撤以爨。2 月，西面元帅崔立作乱，先杀习捏阿不、奴申等十余人，谕百姓曰："二相闭门无谋，今杀之，为汝一城生灵请命。"

立遂勒兵入宫，集百官议立新主。立议立卫绍王太子从恪。时从恪在北兵中，乃遣人以太后命往召之至，以太后诰命为梁王监国。立自为太师、都元帅、尚书令。兄弟二人，一为平章政事，一为殿前都点检。其党皆拜官。遂送款诣速不台军。速不台至青城，立服御衣仪卫往见之。速不台喜，饮之酒。立以父事之。还城，悉烧楼橹，托以军前索随驾官吏家属、军民子女，聚之省中。括在城金银，搜索熏灌，讯掠惨酷，贵族富人，不堪其毒。

立时与其妻入宫，二后赐之不可胜计。立因讽太后作书陈天时人事，遣金主乳母入归德招降。4 月，立遂以太后王氏、皇后徒单氏、梁王从恪及荆王守纯、诸妃嫔，凡车三十七辆，宗室男女五百余人，衍圣公孔元措，名儒梁陟，及三教、医流、工匠、绣女，赴青城。速不台杀二王及宗属，而送后妃等于和林。在道艰楚万状。速不台入汴城，立时在城外，兵先入其家，取其妻妾、宝玉以出。

初，蒙古之制，凡攻城不降，矢石一发，则屠之。汴京将陷，速不台遣使言于蒙古主曰："此城相抗日久，士卒多伤，请屠其城。"耶律楚材闻之，驰见蒙古主曰："将士暴露数十年，所争者土地、人民耳。得地无民，将焉用之？"蒙古主未许。楚材又曰："凡弓矢甲仗金玉等匠，及官民富贵之家，皆聚此城，杀之则一无所得，是徒劳也。"乃诏除完颜氏一族外，余皆原免。时避兵在汴者尚百四十万户，皆得保全，遂为定制。

金主至归德未久，诸军怨愤，乃暴白撒罪杀之。4 月，金元帅蒲察官奴作乱，杀左丞相李蹊等三百人。金主以官奴权参知政事。

初卫州白公庙之溃，官奴母为蒙古所获，金主命官奴因其母以计请和。官奴乃密与蒙古将忒木解言，欲劫金主以降，忒木解信之。还其母，因定和计。官奴乃日往来讲议，或乘舟中流会饮。6月，官奴率忠孝军四百五十人，自南门登舟，由东而北，夜杀守堤逻卒，持火枪突入蒙古军中。忒木解不能支，遂大溃，溺死三千五百人，官奴尽焚其栅而还。遂真拜左副元帅、参知政事。

官奴既败忒木解，益暴横。会蔡、息、陈、颍等州便宜总帅乌古论镐运米至归德，且请临幸蔡州，金主意遂决。官奴力陈不可，金主乃命人刺杀官奴。

先是1233年1月蒙古遣使入宋，约夹攻金，宋理宗许之。蒙古许俟成功以河南地归宋。时宋京西兵马钤辖孟珙屯枣阳，金唐邓行省武仙次于顺阳，谋迎金主入蜀。8月，珙败之于马蹬山，因取邓州。

金主率朝臣发自归德，进向蔡州，从者二三百人，马五十匹而已。及入蔡，以完颜忽斜虎为尚书右丞，总领省院事。忽斜虎选士括马，缮治甲兵，未尝一日忘奉金主幸秦、巩之志。又遣使分诣诸道，选兵诣蔡，得精锐万余，兵威稍振。时蒙古兵去蔡差远，商贩渐集，金主安之，命选室女备后宫，及修建山亭为游息之所，忽斜虎切谏乃止。已而蒙古将塔察儿进兵蔡州。先是金将强伸守洛阳有功，金主授中京留守。已而蒙古兵复至，伸知城不能守，率死士数十突围出，转战至偃师，力尽就执。见蒙古帅语不逊，左右持使北面，伸拗项南面，遂杀之。至是塔察儿遂进围蔡州。

塔察儿者，成吉思汗四杰中不儿古勒之子也[①]。是年10月进至蔡州，分筑长垒围之。11月，宋命孟珙、江海帅师二万，运米三

① 钧案：《元史》卷119，塔察儿是博尔忽之从孙。

十万石，至蔡州，赴蒙古之约。

南北两军以攻具薄城；金尽籍民丁防守，民丁不足，复括妇人壮健者，假男子衣冠，运木石。南北两军力战，攻其外城，破之。进逼土门，攻西城克之。先是忽斜虎命筑寨浚濠为备，及西城堕，两军皆未能入，但于城上立栅自蔽。忽斜虎摘三面精锐日夕战御。金主谓侍臣曰："我为金紫十年，太子十年，人主十年，自知无大过恶，死无所恨，所恨者，祖宗传祚百年，至我而绝，与古荒淫暴乱之君等为亡国，独为此介介耳。"又曰："亡国之君往往为人囚絷，或为俘献，或辱于阶庭，或闭之空谷，朕必不至于此。卿等观之，朕志决矣。"以御用器皿赏战士，已而微服率兵夜出东门，谋遁去。及栅，遇敌兵，战而还。杀厩马以犒将士，然其势不可为也。

1234 年 2 月，阴历正旦，蒙古兵会饮，歌吹声相接；城中饥窘，叹息而已。孟珙闻降者言，城中绝粮已三月，鞍靴败鼓皆糜煮，且听以老弱互食，诸军日以人畜骨和芹泥食之，又往往斩败军全队，拘其肉以食，故欲降者众。珙乃下令诸军衔枚，分运云梯布城下以攻之。金自被围以来，战没将帅甚多。至是禁近以及舍人牌印、省部掾属亦皆供役，分守四城。蒙古兵凿西城为五门，整军以入。督军鏖战，及暮乃还，声言来日复集。是夕，金主守绪集百官，传位于东面元帅承麟。承麟者，世祖劾里钵之后，白撒之弟也。拜泣不敢受，金主曰："朕所以付卿者，岂得已哉？以朕肌体肥重，不便鞍马驰突；卿平日矫捷，有将略，万一得免，胤祚不绝，此朕志也。"承麟起受玺，明日承麟即位。

时孟珙之师已入南门，并召江海、塔察儿之师以入。忽斜虎帅精兵一千，巷战不能御，金主宁甲速知事急，命近诗曰："死便火我。"遂自经死。忽斜虎闻之，谓将士曰："吾君已崩，吾何以战为？吾不能死于乱军之手，吾赴汝水从吾君矣，诸君其善为计。"言讫赴水死，将卒五百余人皆从死焉。

承麟退保子城，闻宁甲速死，帅群臣入哭，奠未毕，城已陷。诸将禁近共举火焚之，收其骨，将瘗之汝水上；江海入宫，执参政张天纲，孟珙问金主所在，天纲曰："城危时自经矣。"珙乃与塔察儿分金主骨，及宝玉法物。是日承麟亦为乱兵所杀，金亡。计传九主，立国一百十八年。时金地除巩昌府外尽降蒙古[①]。

5月，宋帝以灭金事备礼告于太庙，藏金主遗骨于大理寺狱库[②]。

① 见《纲目》及《元史译文》177至239页。冯秉正《中国史》第9册156至207页。宋君荣书59至88页。

② 见宋君荣书89页。

第二章

窝阔台拖雷之还蒙古——窝阔台之得疾——拖雷之死——大会决定三地远征——哈剌和林城之建筑——任用耶律楚材管理中国财政——分封中原之地于诸亲王妃主——在中国任用士人——为蒙古子弟设置两大学校于中国——高丽之叛服——宋军之侵入河南——崔立之被杀于汴京——宋军之取汴——蒙古军之败宋军——宋军之退——宋之谋和——蒙古对宋宣战——蒙古三军之侵宋——四川之被侵——湖广、江南之役——窝阔台之死——其驻所——其嗜酒——其挥霍——察合台——一伊斯兰教伪教主之创乱于西域、河中

1232年5月，蒙古主窝阔台偕其弟拖雷取道真定、燕京出古北口而还蒙古。比出长城，窝阔台得疾甚剧。已而疾愈，偕拖雷还至斡难河源。10月，拖雷在其地得疾死，年四十岁[①]。成吉思汗最

---

① 见宋君荣《成吉思汗史》第74页。据云，窝阔台疾甚，拖雷祷于天，请以身代之。剌失德书亦载有拖雷请代兄死之事。据云，拖雷往视兄疾，见病榻侧有木瓶盛水，乃珊蛮袚除衅涤之水。拖雷取瓶祷于天曰："长生之天，若汝罚罪，要知我罪重于我兄。我在战中所杀之人，所虏之妇孺，较彼为众。使为父母者所流之泪，亦较彼为多。脱汝欲招致貌美而助多之仆，则不如召我去，而愈我兄之疾，使疾降我身。"祷毕，取瓶水而自

爱拖雷，拖雷从未一日离其父，所得其父战术尤多。其河南之役，人皆服其善用兵。成吉思汗得克烈王王罕弟札合敢不女莎儿合黑帖尼（Siourcoucténi），以配拖雷，时拖雷年尚幼也[①]。莎儿合黑帖尼生四子：曰蒙哥、曰忽必烈、曰旭烈兀、曰阿里不哥（Aric-Boga）。前二人后皆为帝，旭烈兀则建一王朝于波斯。拖雷别有子六人，皆其他妻妾所出。

拖雷，蒙古语犹言镜。自其死后，讳其名。蒙古人遂假用突厥语之 gueuzugu 一字以名镜。此外拖雷又名也客那颜（Yéga-noyan），犹言大那颜也。

窝阔台既还自中国，于 1234 年在蒙古达兰达巴之地，大会诸王百僚。次年，又在斡儿寒河畔新建之哈剌和林城中，召集大会。宴乐阅一月，散赐其即位以来所获之财货[②]。已而决定遵守成吉思汗遗教，开拓疆土，遣派数军远征诸国。一军侵宋，一军往讨高丽，缘此时高丽降而复叛也。蒙古军每十人调发一人西征，一人南征。中州户每十户一人南征，一人征高丽[③]。窝阔台欲遣回回人征江南，汉人征西域。耶律楚材进言曰："中原西域相去辽远，未至敌境，人马疲乏，兼水土异宜，疾疫将生。宜各从其便。"遂止。

饮焉。窝阔台疾遂愈，然不久拖雷死。剌失德又云，此事世人熟知之。拖雷之妻莎儿合黑帖尼别吉（Siourcoucténi-Bigui）常为人言之。术外尼书未言此事，仅云，拖雷还自中国，狂饮致疾，越二三日死。又云，"可汗恸甚，终其身常痛念之。每醉辄泣云，我因深痛其死，故饮酒取醉而释我心之悲"。

① 札合敢不别有三女。一名阿必合，成吉思汗自纳之，语见前卷。一名比格秃亦迷失夫人（Bigtouïmisch Fo-djin，钧案：《元史》卷 74 此名作别土出迷失），以配其长子术赤。一失其名，以配汪古部长之子（见剌失德书"克烈部"条）。

② 见《史集》。《世界侵略者传》第 1 册。

③ 见《纲目译文》253 页。

窝阔台欲自率军往平里海、黑海北方之地。亲王数人曰:“不可。既登帝位,不应服战争之劳。否则安用诸王、诸将为哉?”窝阔台乃命术赤之第二子拔都(Batou)总西域军事。同时命统将忽哈秃(Houcatou)进兵迦叶弥儿、印度边境。时统将绰儿马罕业已征服波斯全境。算端札阑丁已于1231年中被杀,花剌子模沙朝子孙无一存者。伊兰一地由蒙古官吏治之。事详本书第四卷所志成吉思汗后裔诸王统治波斯时代之史事中。

大会并决定民有牲畜者,每百头输纳一头。农人输纳所获十分之一。此种岁赋专济贫乏之人。于全国设置驿站,俾使臣来往迅速[①]。

窝阔台还自中国时,携来巧匠甚夥。遂于斡儿寒河畔哈剌和林之新领地中建筑广大宫殿一所。在其地得故碑,知为回纥可汗不可汗(Boucou)[②]之故城,亦其后裔之都会。窝阔台之新宫,由中国之雕刻家及画家装饰甚丽。四围绕以园林,辟四门:一为皇帝禁门,一为诸王出入之门,一为皇室妃主出入之门,一为民众出入之门。宫之周围建有诸王贵人邸舍,未久城市兴焉。帝名此城曰斡耳朵八里(Ordou-Balik)犹言斡耳朵城也。然以哈剌和林(Caracouroum)而显于世。哈剌和林者,斡儿寒河发源诸山系之名,即以山名作城名也。1235年建城墙,周围有五里。自此至中国,置驿站三十七所,命骑士守之。进奉饮食之车五百辆,自国中各地来,以供宫廷之食,及散施人民之用[③]。

① 见《世界侵略者传》第1册。《史集》。

② 钧案:疑是苾伽可汗之讹。

③ 见《世界侵略者传》第1册。

先是耶律楚材奏立燕京等十路征收课税使，凡长贰悉用士人。1231年秋，窝阔台至云中，十路咸进廪籍及金帛，陈于廷中。窝阔台重其能，赐之酒，即日拜中书令，事无巨细皆先白之[①]，1236年春，诸王大集，窝阔台亲执觞赐楚材曰："朕之所以推诚任卿者，先帝之命也。非卿则中原无今日，朕所以得安枕者，卿之力也。"西域诸国及宋、高丽使者来朝语多不实。窝阔台指楚材示之曰："汝国有如此人乎？"皆谢曰："无有。"[②]

1236年3月，蒙古初行交钞，额限万锭，从耶律楚材之请也[③]。

耶律楚材执政之初，欲清除积弊。权贵不能平，燕京路长官石抹咸得卜以旧怨尤疾之，谮于帝叔斡赤斤，使奏楚材用南朝旧人，恐有异志，不宜重用，因诬构百端。窝阔台察斡赤斤之诬，逐其使者。已而咸得卜为人所诉，窝阔台命楚材鞫治，楚材反为奏免。

初，蒙古惟事进取，所降之户，因以与将士。自一社之民各有所主，不相统摄。至1236年，诏括户口，以大臣忽秃忽[④]领之，民始隶州县。时群臣共欲以丁为户，耶律楚材以为不可。众皆曰："我朝及西域诸国莫不以丁为户，岂可舍大朝之法，而从亡国之政耶？"楚材曰："自古有中原者，未尝以丁为户。若果行之，可输一年之赋，随即逃散矣。"蒙古主从楚材之议。

① 见冯秉正书138页。《亚洲新杂纂》第2册72页。

② 见冯秉正书215页。

③ 见《元史》及《纲目译文》258及261页。

④ 钧案：《续纲目》作忽都虎，即名见本书第一卷第三第四等章之失吉忽秃忽，御批《续纲目》改作呼图克，多桑又误识其为合答黑，故在此处改其名曰Cadac，不知者必以其出于剌失德书，其实非是，当时实有名合答者，为基督教徒，西书多识其人，致有此误。

及忽秃忽以所括户一百四万上，蒙古主议割裂诸州郡分赐诸王贵族为汤沐邑。楚材奏曰："尾大不掉，易以生隙；不如多与金帛，足以为恩。"蒙古主曰："业已许之矣。"楚材曰："若置官吏，必自朝命。除恒赋外，不令擅自征敛，差可久也。"蒙古主从之[①]。

同时定赋税，岁有常额：商税三十分之一，酒税十分之一[②]。

耶律楚材条便宜一十八事，颁天下，窝阔台悉从之。惟贡献一事不允，曰："彼自愿馈献者，宜听之。"楚材曰："蠹害之端，必由于此。"[③]

初，蒙古诸路官府自为符印，僭越无度。1237年，楚材请由中书省依式铸给。时诸王、贵戚皆得自起驿马，道路骚扰，所至需索百端。楚材复请给牌札，定分例，其弊始革。

耶律楚材奏："制器者必用良工，守城者必用儒臣。儒臣之事业非积数十年殆未易成。"蒙古主曰："果尔可官其人。"乃命税课使刘中、杨奂随郡考试，以经义、词赋、论分为三科。儒人被俘为奴者，亦令就试。其主匿弗遣者死，得士凡四千三十人，免为奴者四分之一[④]。

同时楚材设置两大学校，教育蒙古大臣子孙。一在燕京，一在

---

① 《元史译文》260页云，以真定民户奉太后汤沐，中原诸州民户分赐诸王贵戚：斡鲁朵拔都平阳府，察合台太原府，贵由大名府，孛鲁带邢州，阔列坚河间府，也古益都、济南二府，户内拨赐。阿勒赤歹滨棣州，斡赤斤那颜平滦州，别勒古台广宁府。皇子阔瑞，驸马赤苦，公主阿剌海，公主豁真，国王查剌温，茶合带锻真，蒙古寒札，阿勒赤那颜，圻那颜，火斜术思，并于东平府户内拨赐有差。

② 见《纲目译文》164页。

③ 见冯秉正书135页。

④ 见《纲目译文》173及174页。

平阳[①]。

当时蒙古帝国中有两大行省：一为突厥斯单河中行省，东起杭海（Cangcaï）山，西达阿母河，以马合木牙剌洼赤（Mahmoud Yelouadj）之子马思忽惕伯（Mass'oud-Bey）掌省事。一为阿母河西行省，东起阿母河，西达底牙儿别克儿（Diarbekir）、鲁木（Roum）边境，以统将阔儿吉思（Keurgueuz）掌省事[②]。

先是1218年高丽王瞰降成吉思汗。1231年窝阔台使者使其国，盗杀之于途。次年，命撒礼塔[③]征高丽，取四十余城。高丽王请和，许之。置达鲁花赤（Darougas）七十二人监其国。又次年，高丽王尽杀蒙古所置达鲁花赤七十二人以叛，率诸州县民窜江华岛。蒙古复遣撒礼塔讨之，中流矢死。

已而高丽王上表陈情，窝阔台诏谕高丽王瞰悔过来朝，且数其五罪："自平契丹杀贼劄剌之后，未尝遣一介赴阙，罪一也。命使赍训言省谕，辄敢射回，罪二也。尔等谋害着古欤，乃称万奴民户杀之，罪三也。命汝进军，仍令汝躬入朝，尔敢抗拒，窜诸海岛，罪四也。汝等民户不拘集见数，辄敢妄奏，罪五也。"

1235年大会决遣宗王阔出（Coutchou）领兵征高丽，数败高丽兵。高丽王请和，许之。惟须入贡及高丽王自入朝。1241年秋，高丽王以族子綧为己子入质[④]。

蒙古之灭金也，以陈蔡东南地归宋，命刘福为河南道总管。宋

① 见冯秉正书215页。

② 见《史集》。

③ 钧案：其对音应是Sartac。

④ 见冯秉正书174页、207页、233页。

臣赵范、赵葵欲乘时抚定中原，建守河据关收复三京之议，宋臣多以为未可。有言者曰："方兴之敌，新盟而退，气甚锋锐，宁肯捐所得以与人耶？我师若往，彼必突至，非惟进退失据，开衅致兵，必自此始。且千里长驱以争空城，得之当勤馈饷，后必悔之。"又有人言："国无良将重兵，纵有兵将，钱粮亦无所出。"宋理宗不听，诏知庐州全子才命淮西兵万人赴汴。

时崔立在汴骄横。有都尉李伯渊等三人为立所侮，谋杀之。及闻子才军至，伯渊等以书约降；而阳与立谋备御之策。伯渊烧封邱门以惊动立。立视火还，伯渊亲送之，就马上取匕首刺立，立坠马死。伏兵起，尽杀立从者。伯渊系立尸马尾，至宫前号于众曰："立杀害劫夺，烝淫暴虐，大逆不道，古今无有，当杀之否？"万口齐应曰："寸斩之未称也。"乃枭立首，望承天门祭金主宁甲速（1234年7月）。

全子才遂据汴。赵葵以淮西兵五万趋汴以会之，遣两军西取洛阳（8月）。

蒙古兵闻宋兵入据河南，乃复南下。设伏败宋之第二军，进至洛阳城下。宋之第一军在洛阳城内者，与蒙古战，胜负相当。已而乏粮，不能留，遂退。赵葵、全子才在汴京亦因馈饷不继，所复州县率皆空城，无兵食可因，引师南还。

1235年1月，窝阔台召速不台还。遣使王楫至宋责其败盟。宋遣程芾报谢。自是河淮之间无宁日。蒙古大会既决定侵宋，分三军：一军窝阔台次子阔端（Coutan）将塔海等侵蜀。一军窝阔台第三子阔出及忒木䚟、张柔等将之侵汉。一军宗王口温不花及察罕将之侵江淮。选蒙古、契丹、汉军之精锐南下。

阔端军次巩昌，金总帅汪世显降。阔端使世显仍旧职，即日率所部从征。1236年1月，阔端军自凤州入西川，取沔州，杀知州事高稼。宋制置使赵彦呐进屯青野原，蜀之咽喉也，蒙古围之。利州守将曹友闻以军往援，败蒙古兵，遂解其围。既而蒙古先锋汪世显捣大安，友闻又救之，指麾甫毕，蒙古大军数万突至。友闻迎战，又败之。遂引兵扼凤县西南之仙人关。

宋军所败者，盖阔端之前锋军。既而蒙古大兵尽集，宋军众寡不敌，乃控守由陕入蜀诸山隘。10月，阔端大败宋军于汉中府西北数十里之阳平关，曹友闻歿于阵。蒙古兵遂长驱入蜀。一月之间，成都、利州、潼川三路所属府州军监关隘县砦俱陷没。西蜀所存，惟夔州一路及潼川所属顺庆府而已。

蒙古兵进围文州。知州事刘锐搏战逾月。援兵不至，度不免，集其家人，尽饮以药，皆死。乃聚其尸及公私金帛诰命焚之。通判赵汝曶被执，脔杀之。军民同死者数万人。

阔端还陕。1237年初，宋人复取成都。1239年，蒙古将塔海将兵入蜀，取府州九，寻引还。

塔海欲取道施黔以达湖、湘。宋将孟珙分军屯守湖广西境各要隘，蒙古兵不能东出，且败于巴东。宋兵因复夔州。

1236年，蒙古皇子阔出自唐州进兵湖广。时襄阳军将作乱，焚襄阳城郭仓库，相继降于蒙古，城中官民财粟军器皆为蒙古所得。8月，蒙古陷枣阳军、德安府。11月，阔出歿于军中。窝阔台最爱此子，曾欲以位传之。12月，忒木斛攻江陵。宋京湖制置使史嵩之遣孟珙救之。破蒙古二十四寨，还民二万而归。

察罕攻真州，知州丘岳设伏置炮败之，蒙古兵引去。

1237年，蒙古宗王口温不花取光、蕲、随三州，进攻黄州，孟珙率师救却之。蒙古兵遂攻安丰，不克，引去。

1238年，察罕围庐州，守兵出战，蒙古军败走。

1239年，孟珙遣兵及蒙古战，三战皆捷，遂复信阳、光化、樊城、襄阳。次年2月，蒙古将张柔等分道侵宋。5月，蒙古复使王檝入宋。檝前后凡五奉使至宋，以和议未决，隐忧致疾卒。宋遣使归其柩于蒙古。自是迄1241年窝阔台之死，中国史书未志两军战事[①]。

当其军队东侵高丽，南破宋境，西蹦斡罗思、波兰(Pologne)、匈牙利(Hongrie)等地，而播其恐怖于欧洲西方之时，窝阔台则专事逸乐，从事于游猎饮酒。每年春，仅居哈剌和林一月。春季余日则居客儿察罕(Kertchagan)[②]地方之离宫中。地距哈剌和林一日程。宫为波斯工师所筑，可与建筑哈剌和林宫殿之中国工师媲美。春杪复还哈剌和林，居数日，然后至斡儿蔑克秃(Ormektoua)[③]之地驻夏。设中国帐幕，外施白毡，内饰金锦。帐内可容千人，名曰失剌斡儿朵(Sira-Ordou)[④]。秋日则驻阔舍湖(Keusche)[⑤]附近之

① 见冯秉正书212至231页。宋君荣书91至97页。《元史》及《纲目译文》241至284页。

② 钧案：《元史·太宗纪》作揭揭察哈之泽。《地理志》作迦坚茶寒殿。此处多桑译名恐有误。

③ 沙剌河(Schara)旁有一山一站名曰乌儿木克秃(Ourmouktoui)。沙剌河自东南来，在恰克图(Kiakhta)南二十二程赴库伦(Ourga)道中注入斡儿寒河(见Timkowski《行纪》第1册43页)。

④ 钧案：《元史·宪宗本纪》作月儿灭怯土，即指其地。

⑤ 钧案：似即《元史·宪宗本纪》之军脑儿。

地，约四十日。冬日则驻冬于汪吉(Ong-ki)[①]之地，是为围猎之时。窝阔台在其地用木桩及土筑围，名曰撤喜克(Tchehik)。周围广二程，辟数门，附近一月程之驻军，驱野兽至围中。皇帝先猎，诸王继之，诸将则依等级次第猎捕，最后猎者为士卒[②]。

窝阔台饮酒无节，因常致病，其父屡责之。其兄察合台素为窝阔台所敬畏，曾遣侍臣一人监之，每夕饮不得过若干盏。窝阔台不敢公然逆兄命，然饮时易大盏，监者亦不敢拒[③]。耶律楚材数谏不听，乃持酒糟铁口以献曰："此铁为酒所蚀，尚致如此，况人之五脏耶？"窝阔台悟，乃少减。1241 年 3 月，猎于揭揭察哈之泽，有疾。皇后秃剌乞纳(Tourakina)不知所为，召楚材问之。楚材对曰："今任使非人，卖官鬻狱，囚系非辜者多，宜赦天下。"后以为言，乃首肯之。已而疾愈。是年 12 月，出猎五日还至铊铁铎胡兰山，进酒欢饮，极夜乃罢。翌日卒(12 月 11 日)，年五十六岁。在位十三年。葬起辇谷[④]。

此蒙古主虽蒙古人，而性极宽仁，挥霍无节。诸臣有谏者，则答之曰："此世凡事无常，第须留遗念于人心也。"喜命人述历史有名帝王之事迹，闻有聚财者，则曰："此王太不明。夫财既不能保我辈不死，而我辈死后又不能复生，聚财何益？不如以财寄于民心。"

世传窝阔台用财无度之事不少。有人制帽以献，窝阔台命人

① 钧案：名见《元史·宪宗纪》，疑是翁金河也。

② 见《世界侵略者传》第 1 册。《史集》。

③ 见《史集》。

④ 见冯秉正书同册 233 及 234 页。《元史》及《纲目译文》284 及 285 页。

赏银二百巴里失(Balisch)[①]。左右以醉中之言,未从。翌日,窝阔台见献帽人,知其未得赏,命人赐以三百巴里失。又明日,增为四百。后增至六百,其人始得金而去。窝阔台怒责诸臣曰:“汝曹欲妨我获此世惟一持久之物,质言之,善誉,则汝曹诚为我之真敌。具见非惩汝曹一二人,不足使汝曹改过。”

建筑哈剌和林之时,窝阔台一日入库藏,见巴里失满中,曰:“守此多金何用?”遂谕臣民,欲巴里失者任取之。于是哈剌和林之居民群来库,争取藏金,尽力载之而去。

商贾闻蒙古主宽仁厚施,多自远方来。窝阔台辄全购其货物,以供赏赐之用。食后常坐帐前赐物于人,商贾利其挥霍,常多唱其价,窝阔台辄如价给之,且加给十分之一,人有谏者,则曰:“此曹运其货物至此,无非冀厚利,我欲其不失望而去。抑况此曹对汝辈常不免有贿赂也。”

窝阔台在道上见一外国老人,询之,知其籍隶报达(Bagdad),有女十人未嫁,而本人穷而无告。窝阔台诘之曰:“何以不求助于汝主哈里发?”老人对曰:“每次往求,辄得金钱十枚,随即耗费无余。”窝阔台命人赏银一千巴里失。诸臣拟以券付之,命往汉地取金,窝阔台不许,命立以金付之。且命为之供应驿马,俾其运金回国。老人曰:“路远年老,不知能否至报达;脱不幸死于道,诸女将不能得帝恩赏矣。”窝阔台乃命蒙古人十人卫送之归,其人果死于道。卫送者还报可汗,可汗命送赐金于报达,以畀死者之女。

欲经商者,常求助于可汗,可汗辄贷以金。有商人某贷金五百

① 钧案:一巴里失似言一锭。

巴里失，已而复至，言已尽折阅，可汗复如数贷之。次年，其人贫如故。可汗诸臣言其人尽食其金，可汗问曰："金如何可食？"诸臣对曰："其人耗于佚乐。"窝阔台曰："我之巴里失不因是而减。受者既为我之臣民，则予之仍与藏之我箧中无异。可再予之五百巴里失，告其勿再浪费。"

窝阔台一日游猎，有平民以三瓜献。时未携金，即命其后木格(Mouga)取耳环之两大珍珠赐之。后以其人不知珠价，不如待明日以衣与金赐之。窝阔台曰："其人贫如此，汝以为能待明日乎？以珠予之，此珠将必仍属我也。"其人得珠，果以贱价售之。购珠者见珠大而美，以献可汗，可汗乃以珠还后。

法儿思(Fars)王弟入贡于哈剌和林。贡品中有二瓶，满盛宝珠。窝阔台亦知此珠在波斯价甚巨，命人出己所藏之大珠满箧，以示法儿思使者，使者叹为其国贡珠所不及。窝阔台乃设宴，命散珠于酒盏中，分赐莅宴诸人。

尚有关于此汗及其国风习之数事，可以追述者：蒙古人在春夏二季，日间禁在流水中沐浴，禁以手浸其中，禁以金瓶或银瓶取流水，禁在地上晒浣衣，以为此事可致雷殛。缘其地多雷，而其人颇畏雷也[①]。设有一人遭雷击，则远徙其帐幕及亲属。三年之中，其家人不得入帝室一人之斡耳朵[②]。属于被雷击者之人与物，皆应在两火间清净之[③]。一日窝阔台与其兄察合台共猎还，见一穆斯林浴于水中。察合台持法严，欲立杀其人。窝阔台曰："待明日鞫

① 见《史集》。

② 见《世界侵略者传》第1册。

③ 见 Jean de Plan Carpin《行纪》。

讯其罪，再杀未晚。”即夜窝阔台遣人密投银一巴里失于其人浴处，并告其人，翌日被讯时可言仅有此银一锭，不幸落水中，故入水以求之。鞫讯时其人果执此词以对，讯者命人勘之，果得巴里失还。窝阔台曰，无论如何不得犯法。惟其人贫困，致舍命求此微金，情亦可悯，特赦之，并别赐银十巴里失。

窝阔台即位之初，即禁止用断喉之法杀诸供食之牲畜，应遵蒙古俗及成吉思汗法令，破腹杀之。此禁与穆斯林之教戒相违，盖穆斯林只能食断喉牲畜之肉也。有一穆斯林购一羊，引之至家。有钦察人见之，蹑其后，登其屋以侦之。见其人将断羊喉，即跃下捕之往见蒙古主。窝阔台讯得实，乃释穆斯林，而杀钦察人，缘其擅入他人家宅也。

有仇视穆斯林者，谒窝阔台而语之曰：“曾梦成吉思汗语我曰：‘可往告吾子尽杀穆斯林，除此恶种。’”窝阔台闻言，思久之，询其人，成吉思汗在梦中是否曾用译人？答曰：“否。”又问曰：“汝知蒙古语乎？”其人复答曰：“仅知突厥语。”窝阔台曰：“然则汝言伪矣，盖成吉思汗仅知蒙古语也。”遂杀其人。

有汉地人在窝阔台前作影戏，影中有各国人。其间有一老人，长髯，冠缠头巾，而其颈被系于马尾者。可汗问此为何人，作戏者答曰：“是为蒙古士卒所系之伊斯兰教俘虏。”窝阔台即命停止演戏。命人取波斯及汉地所产之宝物，以示作戏之汉人曰：“汝国之宝物不足与他国比也；我国中之伊斯兰教富人，至少各有汉地奴婢数人，而汉地贵人并无一人置有穆斯林奴婢者。且汝应知成吉思汗法令，杀一穆斯林者罚黄金四十巴里失，而杀一汉人者其偿价仅与一驴相等：然则汝何敢侮穆斯林欤？”立遣之。

窝阔台喜观角抵，延致蒙古、钦察、汉地之力士甚多。闻波斯之力士善斗，乃命绰儿马罕遣送之来。绰儿马罕遣波斯力士三十人赴蒙古。中有著名者二人，一名比烈(Pilé)，一名摩诃末沙(Mohammed Schah)。窝阔台见之，颇赏比烈之魁梧有力。其将伊勒赤歹(Iltchidai)曰："诚恐此辈之旅费与酬金虚耗。"窝阔台曰："脱汝不信其能，可遣汝之力士数人至与角力。汝之力士若胜，我则给汝银五百巴里失，否则汝负我马五百匹。"翌日，伊勒赤歹以其队中一人至，与比烈角力。二人相扑时，蒙古力士投比烈于地。比烈戏曰："紧持我，否则我将脱身而起。"语甫毕，亟反执蒙古力士而投之地。用力巨，闻骨骼相触声。窝阔台进前曰："紧持之。"复回向伊勒赤歹曰："其人报酬诚虚耗欤？"遂命其立付赌负物。因厚赏比烈，别赐银五百巴里失。

窝阔台以美女一人赐比烈。越若干日，笑问此女曰："此大食(Tazik)人惬汝意乎？"对曰："未同宿。"窝阔台召比烈至，问其故。比烈谢曰："今既在可汗朝享大名，而从未为人所败，欲保全我力，俾能续邀可汗之恩宠耳。"窝阔台言仅欲其传种于后，许嗣后不再令其角力。

世亦传有窝阔台严酷之举。当时斡亦剌惕部中有流言：可汗欲以部女配他部中人。斡亦剌惕部人惧，仓卒遽约婚嫁，且有数家举行婚姻。窝阔台闻之，命将此部年七岁以上之幼女，及是年出嫁之幼妇，聚集一处，列为两行，共有四千人。窝阔台自选其最美者，纳之宫中。以赏宫廷诸臣者为数亦众。余付教坊。尚有余者，则命在场诸人任取之。此事对诸妇女之父兄丈夫为之，诸人无敢求免者。

有蒙古人告窝阔台言，前夜伊斯兰教力士捕一狼，而此狼尽害其畜群。窝阔台命以千巴里失购此狼，以羊一群赏来告之蒙古人。人以狼至，命释之。曰："俾其以所经危险往告同辈，离此他适。"狼甫被释，猎犬群起啮杀之。窝阔台见之忧甚，入帐默久之，然后语左右曰："我疾日甚，欲放此狼生，冀天或增我寿。孰知其难逃定命，此事于我非吉兆也。"其后未久，此汗果死。

窝阔台有妻数人，妾六十人。妻之位最高者名秃剌乞纳，兀洼思蔑儿乞部人也。生五子：曰贵由（Couyouc）、曰阔端、曰阔出、曰哈剌察儿（Caradjar）、曰合失（Caschi）。别有子二人，曰合丹斡兀立（Cadan-Ogoul）、曰灭里（Mélik），皆庶出也。

窝阔台死后，群情归向察合台，盖成吉思汗诸子惟彼尚存也。窝阔台生前颇尊敬之，凡有大事必询其意。察合台若在其常驻之畏吾儿地中，则常遣使往征求之[①]。察合台性严，而持法不阿，所以成吉思汗命其掌管法令。其封地东起杭海山，西抵阿母河，其间之穆斯林常苦其执法太严。有若干成吉思汗禁令，与伊斯兰教颇难相融。若杀牲断喉，日间浴于流水中等事，皆有禁，犯者死，遂强使穆斯林违其本教教戒[②]。相传有一事，具见察合台对己持法亦严。一日与其弟可汗并骑而出，时二人皆醉。察合台以其马优于窝阔台马，于是二人赌赛，察合台马果胜。是夜，察合台还帐自思，与君竞马，且马出君前，于君为大不敬，遂欲以身作则。次日黎明，率领诸臣进至窝阔台帐前，窝阔台见其兄于黎明率多人至，惊询其

① 见《世界侵略者传》第1册。

② 见《史集》。

故。察合台对曰："昨日无礼于君，今特来请罪，赐杖或死，惟君之命。"窝阔台感其兄从顺至于此极，乃顺其意，薄责数语，察合台始谢而出。然仍遵罪人被宥之例，在可汗帐前跪拜，并献九倍九数之马。且命人高声唱言，可汗已宥察合台死罪，察合台已跪谢可汗之恩[①]。

察合台以其广大领土委之马思忽惕伯管理。马思忽惕伯忠于所事，曾将成吉思汗侵入河中时破坏之旧迹咸为兴复。不花剌城之重臻繁荣，由其功也。但在斯时，因有一群愚昧民众之狂信而作乱，几又重遭浩劫。距不花剌三程之地，有塔剌卜（Tarab）村。村民名马合木（Mahmoud）者，制筛为业。自言常与鬼神往来，因役使之，而知未来事，信之者众。缘在河中及突厥斯单之地，土民大致迷信幻术，其执此业以愚人者，为数不少，尤以女巫为夥。此辈狂舞招致魔神，为人治疾。土民闻马合木有神术，患风痹及其他残疾者，竞往求治。竟有数人自言疾愈，由是人民信从者愈众。蒙古戍将之驻不花剌城者，闻之不安。时马思忽惕伯驻在忽毡，乃一面以其事报告马思忽惕伯；一面决除此伪教主。遂赴塔剌卜谒其人，伪礼之，吻其足。并延接其赴不花剌，盖谋于半道中杀之也。马合木或已先晓其意，或已得人报闻，将至预谋杀彼之地时，忽瞠目视蒙古官曰："速息汝谋，否则我将命鬼神夺汝眼。"蒙古官闻言惊惧，以其人果具神力，遂不敢害之。奉之至不花剌，居之宫中，厚礼款之，人民往礼者不绝于途。马合木登其屋顶，含水喷来礼之民众，表示其降福之意。已而闻此城官吏决欲杀之，所以不即下手者，盖

① 见《史集》。

畏其信徒之众，遂逃。城中官吏见其遁走，遣骑四出搜寻，则已在不花剌数程之外矣。人民以其从天而降，欲奉其还城，马合木语群众曰："须灭除此世界中无信仰之人。汝辈尚何所待？各人可持兵而随我后。"民众遂拥之还城，蒙古官吏遁走。次日为星期五日，乃将塔剌卜人马合木之名列于公共祈祷中。此新主之党羽出礼拜寺后，纵掠富人邸舍，民众继之。相传马合木曾与妇女同宿，其信徒分其浴身之水，藏之以供治疾之用。马合木既据不花剌，召城中诸要人至，詈辱之。且杀数人，夺教长职，以其党一人代之。城中知名之人于是皆逃。

马合木自言有神兵助己，或飞行于空中，或居留于地下。命其党徒视之，党徒辄曰，神兵衣服若何，颜色若何。设有人言不见神兵者，则杖之。

时蒙古官吏已在不花剌、撒麻耳干两城间客儿迷尼牙(Kerminiyé)之地，率军进向不花剌，讨击叛民。马合木率其党徒出城迎敌，本人不持兵，不衣甲。甫战，忽暴风雨至，蒙古兵以出马合木之神力，遂溃走客儿迷尼牙。城中人追敌还城时，不见其教主踪迹，盖已殁于乱军之中矣。其信徒谓其暂时隐去，不日复至，因暂奉其两弟曰摩诃末(Mohammed)、曰阿里(Ali)者为主。

战后八日，蒙古复以大军至，与叛民战，大败之，闻叛民死者二万人。摩诃末之二弟亦未擐甲持兵，故在战争之初即殁于阵。次日，蒙古兵驱不花剌居民尽出，欲杀其男子，虏其妇孺，而后纵掠城内。马思忽惕伯阻之曰："数人之罪，不应归之于居民全体。此城兴复不易，不能再加破坏。"蒙古将遂止。然尚须请命于可汗，马思忽惕伯复遣人往为城民请命。不花剌城始获免[1]。

察合台常驻夏于阿力麻里之地,地在阔克(Gueuk)诸高山及忽惕山(Cout)之附近。其驻冬之地则名蔑鲁疾克亦剌(Mérouzikila)。察合台嗜酒,与其诸兄弟同,是亦蒙古人共有之恶习也。兼好色,盖成吉思汗系诸王以为人身之善处富贵者,须放荡于酒色之中也。窝阔台死后,察合台与诸王共议,决奉皇后秃剌乞纳监国政。不数月,察合台死。其得疾时,其亲信臣为突厥人,共其波斯医诊治之。及察合台死,察合台之一妻名也速伦(Yssouloun)者,执此二人杀之,并及诸子[2]。察合台后人君临突厥斯单、河中之地,迄于14世纪中叶。因君位之继承,内乱时起,及为帖木儿(Tamerlan,Timour)所灭时,此国之衰微为时已久矣[3]。

① 见《世界侵略者传》第1册。

② 见《世界侵略者传》第1册。蒙古军中有一将名察合台忽出克(Tchagataï Koutchouk),犹言小察合台也。自察合台死后,遂不许其以察合台为名,而改名曰雪纳台(Sounataï),缘其人为雪你惕部(Sounite)人也(见剌失德书"雪你惕"条)。

③ 据帖木儿后之伊斯兰史家之说,帖木儿之五世祖哈剌察儿(Caradjar),曾在察合台军中为将,颇见信任,权势甚重。第考术外尼书、剌失德书,皆未著录其人。二书所载察合台时代之要人,仅有马思忽惕伯、哈别失阿迷的(Habesch-Amid)等人也。哈剌察儿殁于回历六五二年(1254年),得年七十九岁。可参考《乐园》第4册。

第三章

窝勒伽河西诸地之蒙古远征——经略不里阿耳之地——经略钦察之地——经略斡罗思北部——尽降太和岭北诸族——经略斡罗思南部——侵入波兰——里格尼志之战——昔烈西亚及莫剌维亚两地之残破——侵入匈牙利——匈牙利军之败——匈牙利之残破——别剌之逃阿德里亚迪海滨——蒙古进兵入答勒马惕——其退兵——重再侵入匈牙利及波兰——其统治斡罗思之地

1235年，蒙古诸王既在大会中定策遣军远征窝勒伽河以西之地，大会散后，应出征之诸王各还其地，预备遣军以从。西征军队由四系诸王组合成之。术赤位下者：有术赤四子，拔都、斡儿答、昔班、唐古解。察合台位下者：有察合台子拜答儿（Baidar）、察合台孙不里（Bouri）。窝阔台位下者：有窝阔台二子贵由、合丹，窝阔台弟阔列坚（Coulcan）。拖雷位下者有拖雷二子蒙哥、不者克（Boudjek）。诸王中拔都为长，命总军事。以速不台把阿秃儿为副。时速不台适在经略中原，兹以其久经戎阵，故召之还，使西征[①]。

① 见《世界侵略者传》第1册。《史集》。

1236年春，诸王各自其地率领所部军队会师于不里阿耳边地，首先征服此族。速不台以一军入不里阿耳之地，破其都城不里阿耳(Boulgar)。此部诸酋战不胜，纳款于蒙古诸王，已而复叛。遣速不台复往讨之，尽降不里阿耳部众见[①]。

1237年春，蒙古诸王进击钦察，灭其一部分部众；别一部分西徙，余众降蒙古。其一酋长名八赤蛮(Batchman)者，久为流寇以苦蒙古军，时出不意袭之，得其辎重则逃。八赤蛮率其部众匿于窝勒伽河两岸森林中，转徙无常居，以故蒙古军难以捕获。蒙哥与其弟不者克遂决计围搜森林。蒙古兵搜至一地，见营幕遗迹，闻老病妇言，八赤蛮适离此，遁入窝勒伽河之一岛中。遂涉浅滩至此岛，袭击钦察部众，尽杀之。擒八赤蛮以献蒙哥，八赤蛮惟请死于蒙哥手。蒙哥命其弟不者克腰斩之[②]。

居此地之其他北方民族，咸为蒙古所征服。诸族中有不儿塔思(Bourtasses)及莫叉(Mokschas)一名莫儿端(Mordouans)者，芬种也，处不里阿耳之西南；有薛儿客速；别有一族，即史家剌失德所称之维卓非纳克(Vézofinak)也。至若撒哈辛(Saxines)，则早已纳款矣。蒙古诸王既得里海及太和岭北诸地，遂开大会，决计侵入斡罗思[③]。

1237年12月，蒙古兵进至兀剌的迷儿大公国边境。兀剌的

① 见《史集》。

② 见《世界侵略者传》第2册。

③ 见《史集》。迦儿宾《行纪》著录有拔都所部蒙古兵在入斡罗思以前所取之三城：第一城名Barthra，一作Barchin，第二城名Jakint，一作Sarguit，皆未详其方位，第三城名Orna，富庶之城也。大致为基督教徒可萨阿兰、斡罗思等部人所居，亦有若干穆斯林。城在董河口附近，“著名之海港也。与穆斯林及其他诸国人通贸易。鞑靼兵见难以力取，乃引河水灌其城，城遂淹没。鞑靼兵复自是侵入斡罗思境内”(第五则)。

迷儿国北方西方与那窝果罗（Novgorod）、司抹连斯克两地接界，东方稍逾尼只奈那窝果罗（Nijnei-Novgorod）与不里阿耳接界，南方与钦察部或波罗维赤为邻。蒙古兵至也烈赞（Razan，Riazan）城，遣使谕罗满（Roman）、阔里吉（George）二王纳款，命献其人民财产十分之一。二王求援于大公阔儿吉（George），大公以须兵守境，未能以援至。二王兵少不能与敌战，遂分守可罗木纳（Colomna）、也烈赞二城。蒙古兵进围也烈赞城，绕以木栅，进攻不息。越七日，拔其城，尽屠其民。阔里吉及其妃与其他诸妃主尽死。蒙古兵纵掠后焚城而去，进至可罗木纳。

兀剌的迷儿大公至是始遣子兀薛弗罗德（Vsévolod）率众往援也烈赞。在道中闻也烈赞城已毁，乃赴可罗木纳与罗满合。敌至城下，罗满出城迎战，殁于阵。兀薛弗罗德脱还兀剌的迷儿，哥罗木纳遂陷。莫斯科洼（Moscou，Moscow）继之。时莫斯科洼城尚小，居民未以兵抗。蒙古兵仍屠城，俘余众而去。守城者大公阔儿吉子兀剌的迷儿（Vladimir）亦在俘中。

大公闻败讯，遽离兀剌的迷儿城，求援诸藩。命其二子兀薛弗罗德及米赤思老（Mestislaw）守国都，而自屯兵于抹罗伽（Mologa）河支流之昔迪（Sitti）河畔，待其两弟牙罗思老（Yaroslaw）、思维牙脱思老（Sviatoslaw）援兵之至。

1238 年 2 月 2 日，蒙古兵进至兀剌的迷儿城下，出所俘大公子兀剌的迷儿招降。分遣一军进取速思答勒，拔其城焚之。屠其一部分居民，俘其余众还与大军合攻兀剌的迷儿。斡罗思诸王妃主等见城将破，乃逃避教堂，依当时俗，薙顶发而待死。2 月 8 日，蒙古兵逾城而入，纵杀掠，大公二子皆死。大公之妃率眷属、主教暨城中要人等避难于主教堂之乐座中，蒙古兵破教堂门而入，杀堂中避难诸人。谕乐座中人出，许以不死。既见无应者，遂纵火焚之，避难者尽死。已而纵掠，继之以火。

蒙古兵自此分数军，于2月一月间，历下罗思脱洼(Rostow)、牙罗思老勒(Yaroslavl)、哥罗德志(Gorodetz)、玉烈洼(Yourriew)、帛列思老勒(Pereslavl)、的米特鲁(Dmitrew)、特威儿(Tver)、迦辛(Caschin)、弗罗克(Volok)、戈思尼牙廷(Cosniatin)等城。2月终，大公阔儿吉尚在昔迪河畔，等待其弟乞瓦王牙罗思老援兵之至。蒙古兵忽至，阔儿吉败死，士卒多殁。

蒙古兵乘胜进向那窝果罗城。此城领地与兀剌的迷儿、司抹连斯克两国为邻，北抵白海及珀儿米亚(Permie)，与亚洲及巴勒迪(Baltique)海通贸易，故在北方为最强。蒙古兵进至相距此城二十程之地，不知何故忽然改道，由是此城获免[①]。

蒙古兵还攻太和岭北诸族，征服薛儿客速部及马里木部(Marimes)。剌失德云，马里木者，秦察克(Tchintchakes)之别部也[②]。蒙古宗王别儿哥败钦察部众[③]。钦察部有一酋长名忽滩者，伽里赤王密赤思老之妻父也，率所部四千帐徙匈牙利[④]。1238年冬，蒙

① 见舍儿巴脱洼(Michel Scherbatow)撰《斡罗思史》第2册555至575页。哈蓝新(Karamsin)撰《斡罗思帝国史》第3册270至281页。后至1259年蒙古汗别儿哥及察罕(Czar)亚历山大尼兀思基(Alexandre Nevski)在位之时，那窝果罗城始称臣纳贡于蒙古(同书第4册75页)。

② 案：今有朱的(Tchoude)种或芬种民族，而经斡罗思人名称曰扯列米思(Tehérémisse)者，本部人则自称曰马里(Mari)，得为此处之马里木也。扯列米思今居哈赞州(Cazan)之东北，维牙特迦(Viatka)及迦马(Kama)两水灌溉处。

③ 见《史集》。

④ 见哈蓝新书第4册8页。

古兵进围蔑怯思城(Mangass),[①]逾六星期,拔之。1239年春,进取打耳班附近诸地。打耳班者,蒙直人所称之铁门(Timour-cahalca)也。贵由、蒙哥二王奉帝命东还,于是年秋东行。及至鞑靼地域,窝阔台已死矣[②]。

蒙古兵复入斡罗思,攻其南部。时斡罗思南部诸小王虽有外患,仍事内争。先是蒙古兵退,大公阔儿吉弟乞瓦王牙罗思老,因阔儿吉三子皆死,遂赴兀剌的迷儿践大公位。牙罗思老甫离乞瓦,扯儿尼果洼(Tchernigow)王米开勒(Michel)即进据之。已而蒙古兵迫,逃匈牙利。

蒙古兵残破扯儿尼果洼、帛列牙思老勒(Pereyaslavl)两城之后,进至乞瓦。乞瓦先为斡罗思都城垂三百年,利用的涅培儿河及黑海与东罗马国通贸易。故甚富庶。蒙古兵拔其城,毁其一部而去。1240年,蒙古兵进躏斡罗思部伽里赤国。时此国北界立陶苑(Lithuanie),南抵迦儿帕忒(Carpathes)山及卜鲁特(Pruth)西莱忒(Siret)河口。其君主答尼勒(Daniel),亦鲁里克之后裔也,闻警亦走匈牙利[③]。蒙古兵残破伽里赤境以后,从吕不邻(Lublin)州侵入波兰[④]。

当时之波兰,北界尚未信奉基督教之普鲁士(Prusse)及内波美剌尼亚(Poméranie citérieure),东界伽里赤国及尚奉偶像教之

---

① 案:此城名未详所在。剌失德书钞本音点脱落,其名亦可读作Mikess也。

② 见《史集》。

③ 见哈蓝新书第4册6至14页。

④ 《世界史略》谓可汗曾命将是役所斩不里阿耳、斡罗思两部之人,每人割其右耳,鞑靼人因聚耳有二十七万(492页)。

立陶宛部之地，南隔迦儿帕忒山与匈牙利为邻，西接卜阑登不儿(Brandenbourg)及昔烈西亚(Silésie)两地。时昔烈西亚虽未并入波兰，然为波兰之藩国。先是1139年，波兰王博勒思老三世(Boleslaw Ⅲ)死，分国于四子，自是以后，内争时起，互相攻战。蒙古侵入之时，虚拥主君之号者为博勒思老三世之曾孙博勒思老四世(Boleslaw Ⅳ)，年幼而简朴。其娶匈牙利王别剌(Béla)之女古涅恭的(Cunégonde)时，曾发誓愿，终身不二色，故世人别号其为贞义王。君临克剌可洼(Cracovie)，虽为波兰之共主，然仅保克剌可洼、桑朵米儿(Sandomir)两地。波兰境内其他诸王，皆不奉其号令，国自为政。博勒思老之诸父孔剌德(Conrad)，君临马卓维亚(Mazovie)、苦札维亚(Cujavie)两地，而定都于普洛资克(Plotsk)。亨利二世(Henri Ⅱ)，亦博勒思老三世之后裔也，君临下昔烈西亚及大波兰之地，已有三年。大波兰者，格难(Gnesne)、波思纳尼亚(Posnanie)、迦里失(Calisch)三州之别称也。其都城名兀剌迪思老(Wratislaw)，一称不勒思老(Breslau)。博勒思老之从兄迷赤思老(Miézislaw)，则据有斡彭(Oppeln)、剌迪博儿(Ratibor)二公国，或上昔烈西亚之地。

1240年，蒙古兵进躏波兰之吕不邻州，携其卤获退向伽里赤境而去。是冬，复又涉冰渡维思秃剌(Vistule)河，残破桑朵米儿，所向无御者。进至距克剌可洼七英里之地，始驱所俘男女而去，时在1241年斋节之初也。克剌可洼长官兀洛的迷儿(Vlodimir)将少军涉其后，袭之于波剌涅志(Polanietz)附近。其始也，蒙古兵多所损伤；已而见敌兵甚少，击却之。时蒙古兵所俘男女乘乱多逃匿附近之森林中。蒙古兵继续退走，从薛赤思卓洼(Sedziszow)复

还伽里赤境内。

已而复以新军入波兰境。进至桑朵米儿，分为二军：一军进向连西思克(Lencisc)及苦札维亚，一军进躏桑朵米儿州境。桑朵米儿、克剌可洼两州贵族征调臣民，由两州长官率之御敌。3月18日，战于昔德洛洼(Szydlow)附近。波兰兵败绩，主将阵亡，士卒多歿，其得脱者皆逃匿附近之森林中。博勒思老王闻败讯不自安，携其母妻避兵于迦儿帕忒山下桑德志(Sandecz)城附近之一堡中，已而又迁莫剌维亚境内之一修道院中。波兰之富家贵族亦多逃避于匈牙利、日耳曼(Allemagne)两地。其不能迁徙者，皆避兵于山林沼泽之中而逃死。

蒙古兵进至克剌可洼，见城空无人，纵火而去。入昔烈西亚境，时斡岱儿(Oder)河上桥梁皆断，乃于剌迪博儿附近，或结筏，或泳水而渡。迷赤思老公兵微不能御，退走里格尼志(Lignitz)，与其从兄亨利二世之军合。蒙古兵径薄昔烈西亚之都城不勒思老。此城居民见蒙古兵至，不欲以城资敌用，遂焚其城，而退守堡中。蒙古兵围攻数日，已而解围去。与进向苦札维亚之别一军合，共进至里格尼志附近。

昔烈西亚公亨利二世时已集兵三万人于此，分为五军：第一军大致为日耳曼人与戈勒德贝儿(Goldberg)附近诸矿山之工人，以莫剌维亚侯的婆勒德(Dipold)子博勒思老(Boleslaw)将之。第二军则为大波兰之军队，辅以克剌可洼军一小队，以克剌可洼长官兀洛的迷儿之弟速里思老(Sulislaw)将之。第三军为斡彭剌迪博儿之军，迷赤思老公自将之。第四军为条顿骑士(Chevaliers teutoniques)，骑士长婆婆(Poppo d'Osternau)将之。末一军多属昔烈西亚及波兰之精锐，辅以外籍之兵，中以日耳曼人为众，亨利自将之。据波兰史家之记载，蒙古军亦分五军，总军事者名别塔(Péta)[①]，然其兵较其敌为众。

1241年4月9日，亨利公、诸王侯、诸基督教长等，于举行弥撒(Messe)祭后，共出里格尼志城迎敌。两军列阵于距城一程之地，奈思河(Neiss)所灌溉之平原中。后此即于其地建一村，名曰瓦勒斯塔忒(Wahlstadt)[②]，即两军接战之地也。波兰之第一军请先击敌，蒙古前锋伪若不胜退走。波兰此军尽步兵，兵甲不完，士卒半身裸露。追敌既远，蒙古骑兵忽还击，攒射之。是军之日耳曼人及其主将博勒思老尽死。迷赤思老、速里思老两军急往援，亦败还。亨利、婆婆两军专事搜击溃卒者，亦失利。波兰全军皆败。亨利由战地脱走，从者仅四骑。马伤不能前，亟易骑。蒙古追骑至，围击之。亨利方举刀自卫，敌骑以枪刺其腋下，挑之堕马，斩之。是役也，波兰军损失甚众。相传敌兵在战场计算死者之数，每杀一敌，割其一耳，所得之耳，计有九大囊云[③]。

① 疑是察合台子拜答儿。

② 犹言战场。

③ Dlugoss, Hist. Polonica, Lipsiae 1711, in-f; Ⅰ. Ⅶ: Math. de Michow, Crouica Polonica, lib. Ⅲ, cap. 39. Idem, Sarmatia As. atq. Europ. -Mart. Cromerus, De Origine et rebus gentis Polonorunm, lib. Ⅶ. -Joachim. Cureus Freistadiensis Gentis Silesiæ Annales, Wite-. bergæ, 1571, in-f, p. 68 & suiv. -Assertiones tab. geneial, duc. Selesiæ in Silesicar. rer, Scriptoribus, t. Ⅰ. ……波兰及昔烈西亚史家云：速里思老、迷赤思老两军进援日耳曼十字军之时，战甚力。忽闻波兰军侧有骑士呼曰："速逃，速逃。"迷赤思老军以为战势不利，遂溃。同一史家以为最后二军之败，乃因中敌人妖术。据云，此二军势甚优，鞑靼人忽施妖术，展一大旗，上有字如X形。别绘一怪首，口吐烟雾，臭恶难闻。鞑靼军为烟雾所掩，敌不能见，而波兰军中遂死伤狼藉。案：败者之欲保其名者，常作是类语，任在何时皆有之也。

蒙古兵以枪贯亨利首，徇示里格尼志堡前。时基督教民已焚城，退守堡中。蒙古兵谕之不降，遂残破附近之地，舍之而去。进屯奈思河附近之斡忒木和洼(Ottmuchow)。15日，复躏剌迪博儿。至孛烈昔思可(Bolésisko)，驻军八日。入莫剌维亚，肆焚杀，达于孛海迷(Bohême)、奥大利(Autriche)边境。时此二国并属孛海迷王温赤思老(Venceslaw)。国内兵少，又不敢招还孛海迷、吕萨思(Lusace)两地戍兵，而委其地于敌。仅遣步骑五千人，命骁将牙罗思老思泰伦贝儿(Jaroslaw de Sternberg)统之，往援莫剌维亚。以兵少，命勿与敌作野战，要须防守斡勒木志(Olmütz)、卜林(Brünn)二城。思泰伦贝儿进至卜林，时此州之人业已纠集若干军队，乃留余众守此城，自率千人入据斡勒木志。甫入城，敌骑继至。次夜登陴四望，见多处火起，知敌兵已迫。第三日，蒙古兵进至城下，以城中有守兵万二千人，不欲围攻，仅攒射城上之人。守兵乃置假人于陴上以误敌。蒙古兵欲慑伏城中人，发矢射城中，如云之盖天，如雹之坠地。且欲利用故技，诱敌出城，思泰伦贝儿严守不出。蒙古兵乃焚其附郭，郭外有修道院，少数士卒守其中，蒙古军举火焚之。修道院中守卒出战，尽死。蒙古兵斩其首系之马后，以徇城下。城中人愤欲出战，思泰伦贝儿仍禁不令出。

别塔进营斡勤木志城下之时，曾分遣数军残破附近诸地。已而思泰伦贝儿见敌营防守稍懈，欲出其不意袭之。6月24日夜，出攻蒙古营，蒙古兵不及备，损伤甚众。闻别塔即于是夜殁于阵中。及蒙古兵整军包围敌众时，思泰伦贝儿则还城矣。是役也，城中人仅丧失三百人。翌日，闻鞑靼营中哭声，侦知鞑靼人杀诸俘虏祭其统将。三日后，蒙古兵解围去。进兵匈牙利，与拔都之大军合[①]。

蒙古兵残破昔烈西亚、莫剌维亚两地之时，别有一军拔都将之，侵入匈牙利。当时匈牙利国境抵阿德里亚迪海（Adriatique），安德烈（André）之子及嗣君别剌四世（Bela Ⅳ）在位已五年矣。拔都进攻前，先作书谕别剌降蒙古主。有英吉利人被逐于国外者，因投蒙古军，拔都即遣之赍书往。先是1239年终，蒙古兵残破斡罗思以后，进至伽里赤境，预备侵入匈牙利、波兰之时，匈牙利王别剌信教笃而不好战，仅遣将率少数军队扼守迦儿帕忒山诸隘口，伐木塞道，以阻其入。及至次年斋节中，斡罗思境警报频来，始集国中教士贵族于不答（Bude）城议防御。

贵族中有一部分人怨别剌：缘此王即位之前，国中贵人有谮使其与其父王安德烈不和者，别剌曾治其罪。已而国中别有贵人欲以匈牙利王位奉之于奥大利公及皇帝菲烈德里二世（Frédéric Ⅱ），其书为别剌所得，别剌复正其罪。罚虽不重，罪人之家属仍不免怨之。此外先王所赐贵人之地，别剌收归己有，怨者益众[②]。

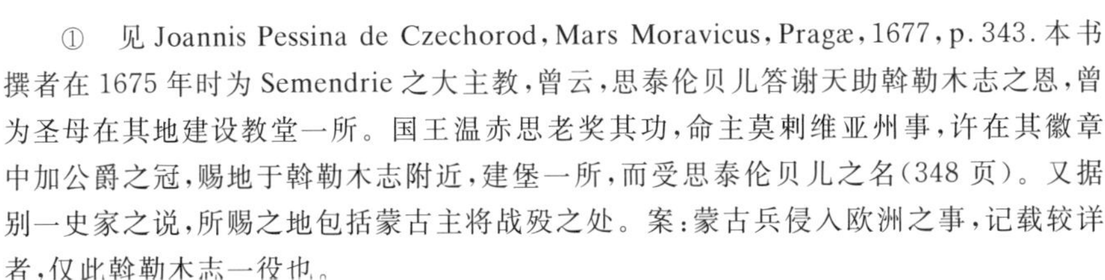

① 见 Joannis Pessina de Czechorod，Mars Moravicus，Pragæ，1677，p. 343. 本书撰者在1675年时为 Semendrie 之大主教，曾云，思泰伦贝儿答谢天助斡勒木志之恩，曾为圣母在其地建设教堂一所。国王温赤思老奖其功，命主莫剌维亚州事，许在其徽章中加公爵之冠，赐地于斡勒木志附近，建堡一所，而受思泰伦贝儿之名（348页）。又据别一史家之说，所赐之地包括蒙古主将战殁之处。案：蒙古兵侵入欧洲之事，记载较详者，仅此斡勒木志一役也。

② 可疾云尼（Cazvini）所撰《地理志》题曰 Assar-ul-Bilad 者，在“巴失吉儿惕”（Baschguird）条下，志有一事，必为匈牙利贵人怨王之事无疑。匈牙利人在此条中，应仿牙忽惕（Yacout）之《地理词典》作洪格罗思（Hougross）者，乃误名曰巴失乞儿（Baschkires，钧案：即《元秘史》之巴只吉惕）。可疾云尼之文，疑采自牙忽惕之书，惟下文非是。其文云，“巴失吉儿惕国中各乡，皆为贵人之采地。诸贵人间因是屡屡发生争执，其国王为免除争端，遂将采地收回，代以薪俸。及鞑靼兵至，巴失吉儿惕国王命诸将往

尚有别一原因，而使全国之人怨其国王者。先是二年前有一部分钦察或库蛮人避蒙古之乱，由其一酋名忽滩者率领徙居匈牙利境。其数共有四万帐，匈牙利王收容之，并与其部众约，改奉基督之教。1239 年时，国王且亲赴边地，迎迓此突厥酋长，厚礼款之。然库蛮部人入匈牙利境以后，所过之处，扰害居民，致有强奸妇女者，由是国内嫌恶新客之声群起。因国王纳此部众，遂亦怨王。别剌乃于 1240 年招集国中教士贵人以及库蛮部酋等议，散置库蛮部众于诸州旷土，俾其屯牧，并为忽滩等举行洗礼。虽有此举，人民怨此外来部众如故。

1241 年，蒙古兵至，匈牙利人遂在不答城会议之中捕忽滩等诸酋而拘禁之。3 月 12 日，守边之将还报，边军尽殁，鞑靼兵已入境，匈牙利人大惧。别剌遂遣莅会人员各还其地征集军队御敌，并遣使谕库蛮之众进兵。别剌自往阿勒伯（Albe）、思忒里果尼牙（Strigonie）两地纠集军队，率之以赴不答，而待诸藩兵至，自营于不答城对岸之帛思忒（Pest）城。命瓦陈（Vatzen）主教护送王后于女轻赍珍宝避往奥大利边境。

拔都从名曰斡罗思关之隘口侵入匈牙利。别塔则自莫剌维亚逾一名曰匈牙利关之隘口而进兵。合丹、速不台之军则从莫勒答维亚（Moldavie）而入，当时莫勒答维亚一地名称曰库蛮尼牙（Coumanie）。

拔都之军径向帛思忒，军行所过，肆其焚杀。结营于距帛思忒

御，诸将曰：须将我曹采地退还，始能出战。国王曰：采地不能如是退还。汝曹应知此战乃为汝曹自身及汝曹子女而战也。由是其军遂溃，鞑靼兵所向无敌”。

城半日程之地，残破附近之地。遣游骑进至帛思忒城下，诱守兵出战，别剌守城不出。至第三日，蒙古兵继续挑战，戈罗差（Colotcha）之大主教名玉果邻（Ugolin）者，以为怯，自率少数部众违令出城与敌战。蒙古军佯退，过一沼泽，大主教径追不舍，顾其士卒身环重甲，遂陷淖中，进退失据。蒙古兵攒射歼之，得脱还城者仅大主教等四人而已。因怨王不以援至，遂致此败。

人民以为忽滩与蒙古军同谋，而招之入匈牙利。且视蒙古人为库蛮，盖蒙古军中亦有不少库蛮人也。遂要求杀库蛮酋忽滩，匈牙利人及日耳曼人群趋拘留忽滩之邸舍，攻之。忽滩等力自卫，卒不支，与左右皆为暴民所杀。掷其首于窗外，嗣后世人皆知忽滩之冤。

忽滩既死，匈牙利被祸愈重。各地农民闻讯，争杀库蛮人。已而库蛮人结合反攻，残破平原之地。有匈牙利贵人一群，携其眷属，道遇库蛮，多被杀戮。库蛮人每杀一匈牙利人，辄曰："为忽滩受此刃。"进至边州，破弗朗迦（Franka）、圣马儿丁（Saint-Martin）两大城，挈其所掠财物马畜，入不勒伽里亚（Bulgarie）境内。

匈牙利王守帛思忒，而待各路援军之至。戈罗差大主教请击附近敌军之游骑，匈牙利王不从。会有一蒙古军攻破瓦陈城，城在秃纳河上，居民携其财宝避难其中者，为数甚众，兹皆受其害。别又有一蒙古军破阿格里亚（Agria），掠主教及教会之财货而去。瓦剌丁（Varadin）主教适率师往投匈牙利王，闻讯追蹑其后，蒙古兵势弱，乃设伏，并缚假人于马上以误敌。主教军中伏，败还瓦剌丁，纠集余众往投帛思忒。

匈牙利军既集，别剌自帛思忒率以往击蒙古兵，蒙古兵不战引退。别剌进至撒岳河(Sayo),营于河之西岸。附近有桥,以为敌军只能在此处渡河,乃以千人守之。时蒙古兵退至河东五英里之地,附近多沼泽,地险而易守。夜分军为二:一军涉水渡河,一军夺桥。置七炮以攻之,守桥之军遂溃。黎明,围匈牙利军营,匈牙利军出不意被袭,军中混乱,不敢迎敌。仅王弟戈罗曼(Coloman)、大主教玉果邻及圣堂骑士(Templiers)长出战,失利还营。大主教与王弟等复励众,率之出战,均负伤还,圣堂骑士尽死。由是匈牙利军不敢出战。至日午,王弟戈罗曼又出战,战正酣,营中之匈牙利人多出营溃走,蒙古兵故开围以纵之。营中余众见有路可逃,亦争出走。惟匈牙利军结帐甚密,幕绳阻挠,溃兵颇难尽出。匈牙利王始以士卒出战,继见其不战而溃,亦自夺路逃,从蒙古兵开围之处出走。蒙古兵自后驰逐,待敌军疲困,次第屠之,其死于沼泽者为数亦众。

由是匈牙利军多死于道,积尸亘二日程。思忒里果尼牙、戈罗差二城大主教,又主教三人,贵人无数,尽死。匈牙利王以马健得脱走,至迦儿帕忒山附近之秃罗志州(Thuroez),遇其婿克剌可洼公博勒思老亦避兵至此。戈罗曼公绕道走还帛思忒,复由是还其封地。盖王弟曾受封于答勒马愓(Dalmatie)、克罗阿愓(Croatie)两地也。是年12月,以创卒。

蒙古兵追溃兵还,收战利品,于其掌印官尸中得王印。拔都命俘虏伪作国王书,谕国中贵族平民曰:“勿畏彼犬狞猛,勿离汝曹家宅。吾人虽被袭而弃营出走,然冀上帝之助,不久将与敌决战。汝曹可祈祷上帝,俾许吾人灭敌。”匈牙利人为所绐,皆安堵如故,以为大劫可免,殊不知敌兵遍国内矣。

蒙古兵获胜后，径向帛思忒，时秃纳河畔居民多避兵于此。先是王弟戈罗曼道经此城时，劝城民逃避，城民不从，缮治守具。及蒙古兵至城下，攻数日，拔之，尽杀城民，纵火而去。

蒙古兵残破匈牙利中心之时，合丹一军则从特阑西勒宛尼亚(Transilvanie)境内进兵，三日出森林，进至鲁丹城(Roudan)下。城在诸山中，城民尽日耳曼人。附近有银矿属国王，蒙古兵至，城民出敌，蒙古兵佯退，欲设伏败之。城民不追，还城张宴庆胜，不设备。蒙古兵乘其醉，突入掳之，驱日耳曼战士六百人而去，逾山过林，而至瓦剌丁(Waradin)。时附近贵族以及贵族平民之妇女皆避兵城中。城外有堡，壕深壁厚，壁上有戍楼。蒙古兵先据其城，尽屠其民，不分男女老幼尽死。掠后纵火，退至五英里外之地。越数日，堡中人见敌兵退，以为不复至，遂还城，就未毁之房屋居焉。一日黎明，蒙古兵复至，城民出不意，其未能逃还堡者尽死。蒙古兵围堡，置七炮以攻之，破垒而入。妇女避入主教堂，蒙古兵见不能立时攻下，遂举火焚之，避难堂中者尽死。

此辈蛮人且用极放荡之行为，污渎其他教堂。驱男妇于其中，先污辱而后杀之。掘坟墓，践踏遗物，污圣瓶，拷掠教会人员，迫其出献藏金，终将所余贵族、平民、教士、军人驱之野外屠之。已而因尸臭，弃此荒城而去。避难于林中之遗民，以蒙古兵去，返荒城中求食，蒙古兵侦知，复拘杀之。如是者数，及见无人可杀，始引去。

圣脱马桥(Saint-Thomas)，日耳曼人所居之镇市也，受害与瓦剌丁同。别有一蒙古军残破察纳底州(Tchanad)全境，进至帛儿格城(Perg)，七十村之居民避难之所也。蒙古兵驱斡罗思、库蛮、匈牙利等部之俘虏攻之，置匈牙利人于前，及匈牙利人尽死，则使斡罗思人继之,复以库蛮人为殿。其退缩者斩之。攻七日,城破。驱民于野,其中以军人与妇女为最多。乃将此辈与农民分为二聚,先掠其物,后用刀斧屠之。仅余二幼女得免死,此外有染血卧地佯死而得免者。越数日,蒙古兵进攻也格莱失(Egresch)修道院,许出降者免死,院中人遂请降。蒙古兵除释修士数人,及留妇女较丽者外,余均屠之。

至是蒙古兵遂聚其所掠之牲畜财货,及所俘之男女,营于其残破之地。时瓦剌丁州居民藏匿森林中者为数甚众,蒙古兵穷搜而不能得,遂释俘虏数人,而谕之曰:"在一定时间各归家宅者,许不加害。"亡匿森林之人适苦饥,于是皆归家宅。由是有百余村人民复聚,蒙古人于每村置一将以监之。时当收获之时,农民乃从事于割刈,于是蒙古、库蛮与匈牙利人混处。匈牙利人为赎命,致不惜奉其女与姊妹于此辈蛮人,以妇女之最美者献各村之蒙古将,而蒙古将亦以牲畜或马匹偿之。及收获已毕,诸蒙古将聚于一处,命诸村之民来献馈物,并携眷属以从。诸村民至,遂驱之至一谷中,夺其物而尽屠之。

1241年夏秋两季,蒙古兵修养士马。是冬,天时酷寒,秃纳河水冰合,此久年稀有之事也。河畔之思忒里果尼牙,一名格兰(Gran)者,匈牙利人最大之城,亦其国诸王之旧都也。蒙古兵欲乘冰合进取此城,惟欲验河冰坚否,乃弃马匹牲畜于河畔,而引兵他徙。越三日,对岸之匈牙利人不见敌踪,以为退走,遂涉冰过河,夺其牲畜而还,蒙古兵于是继进。

思忒里果尼牙城绕以深壕,壁上建戍楼,城民以城坚可守,不以敌为意。蒙古兵先营于距城较远之地,建炮机三十具。已而薄城，驱俘虏在壕边树薪为壁，置炮于壁后，攻之不息。复掷土囊以填壕，围城中人有法兰西（France）、日耳曼、隆巴儿底（Lombardie）等国之商人甚夥，见敌攻甚急，不欲以物资敌用，遂自焚其附郭庐舍，及多数衣服布帛，杀马，藏其金银财宝，退守石室。蒙古人愤无所得，乃列栅城外，不使一人得脱。进攻石室，尽杀藏匿其中之人。以火炙富豪，强其献出藏镪。城中有贵妇三百人，盛饰请谒蒙古亲王，乞免死，为奴婢。蒙古亲王不许，命夺其物而断其首。

蒙古兵虽得思忒里果尼牙城，然其堡未下。堡在高岗上，西班牙（Espagne）人昔蔑庸（Siméon）伯爵守之甚坚，未陷。又有阿勒伯主里亚（Albe-Julie），亦因四面皆沼泽而得免。复有圣马儿丁堡（Saint-Martin），虽被围，而窝阔台凶问至蒙古军，令班师，因亦未下。其未陷者仅此三堡而已，盖不答城已焚于火也。然秃纳河西之地所受之害，不及河东之甚，盖蒙古兵并未屯驻其地，仅残破其所过之地而已。是年8月，有一蒙古军进至维也纳（Vienne）附近之纽思塔忒（Neustadt）[①]时城中仅有戍兵五十，弩手二十。奥大利公、孛海迷王、可邻惕（Carinthie）公、巴的（Bade）侯、阿乞烈（Aquilée）总主教，合兵来御，蒙古兵遂引退[②]。

蒙古兵残破思忒里果尼牙以后，分遣一军，由亲王合丹统之，追逐匈牙利王别剌。别剌自秃罗志州走普勒思不儿（Presbourg）。奥大利公菲烈德里（Frédéric）躬诣此城，伪若欢迎，劝其过秃纳河以避难。别剌既渡河，遂受菲烈德里之制。菲烈德里以退还前此

① 见 Pernoldus，Chronicon，ad an.1242。

② 见 Math.《英吉利史》第1册608页。

数年匈牙利所夺之金为名,乘危迫别剌纳巨金。别剌不得已,以财货赂之,并许割近边三州于奥大利。菲烈德里尚以为报怨未足,复以兵残破秃纳河西匈牙利所属诸州,且取剌卜(Raab)城。其地居民举兵以抗,俘守堡之日耳曼人,尽焚杀之[①]。

别剌离奥大利,携其家属走克罗阿惕境内之阿格剌木(Zagrab,Agram),避暑于此城,其自蒙古军脱还之匈牙利人,多往依之。别剌遣人赴阿勒伯城(Albe-Royale),运前王圣也虔(Saint-Étienne)之遗骸,及诸教堂之宝物,并其王后与年方二岁之幼子也虔(Étienne),至答勒马惕境内之思帕剌特罗城(Spalatro)。王后则由是避居克里撒堡(Clissa)。

别剌闻合丹兵且至,急走答勒马惕,匈牙利人亦多避兵于此地之沿海诸城。别剌先率诸教长贵人至思帕剌特罗,旋至特老(Trau),复由此徙居附近之一海岛。合丹军经过思剌翁尼牙(Sclavonie),军行甚速,所过之地从来未遭兵祸。居民见兵至,大怖,皆逃匿山林。合丹知匈牙利王已抵海岸,乃缓行,次昔儿比由木河(Sirbium)畔,休军数日。集所俘匈牙利男女老少于野,尽杀之。于是径克罗阿惕之境,进至思帕剌特罗城下,并围克里撒堡。已而见堡在悬崖上,不易取;复闻匈牙利王不在堡中,遂进兵至特老。屯军别剌所栖海岛之对岸,而守视之。别剌不安,徙其家属、财货于舟中。蒙古兵于是年 3 月全月中,屯军于此。已而进兵入答勒马惕高地,弃剌克思(Raguse)沿岸不攻。历破迦塔罗(Cattaro)、速阿吉岳(Suagio)、德里瓦思脱(Drivasto)诸城,遇人辄杀。

① 见 Rogerus, Miserabile carmen, cap. 33. -Pernoldus Chronicon, ad an. 1241。

旋取道塞儿维亚(Servie),趋合拔都大军。

蒙古军之东还也,将退出匈牙利境,晓谕营中诸外国人,谓不问是否俘虏,蒙古诸王许赦其死,可各还家自安生业。有无数匈牙利人及额思客剌温(Esclavons)人,遂离军而去。然行甫三英里之远,鞑靼骑忽至,尽屠之①。

蒙古诸王屯兵于太和岭北之地者数月。缘钦察人降者复叛,以兵攻拔都之弟升豁儿(Sancor),屯兵于此,以讨叛人也。1243年终,复东行,次年抵蒙古②。

别剌所居之岛,后遂名别剌岛。蒙古兵全退后,别剌始敢离岛而还匈牙利。同年匈牙利复遭天灾,所受之害较蒙古之害为甚。缘田野皆荒芜不治,地无所出,国因大饥也③。

① 见 Thomas 撰《长老传》39 及 40 章。

② 见《史集》、《世界侵略者传》第 1 册。可参考此书卷末所译此二史书所载蒙古诸王远征西方之文。

③ 当时有著作家二人,曾将蒙古侵入匈牙利国之详情,记载留传于后。其一为教正脱马(Thomas),答勒马惕之思帕特罗城人也,殁于 1268 年,生前撰有撒罗纳(Salona)、思帕剌特罗两地《长老传》。一为瓦剌丁教会参事会会员洛哲儿(Rogerus),撰有《匈牙利国破灭记》(Miserabile Carmen)。洛哲儿志其本人冒险事云:“鞑靼人攻破瓦剌丁时,我曾隐匿于附近之森林中,即夜逃至圣脱马桥,日耳曼人之镇市也。度此处亦非善地,又逃至麻罗失(Marosch)岛。已而闻圣脱马桥被屠大惧,遂离岛而藏伏森林中。次日,鞑靼人果至岛,尽屠其民,仅有岛民数人逃藏林中得免。越三日,诸人以为敌去,回岛求食,不意鞑靼人尚未去,诸人尽死。当时我流离林中,孑身无一物,饥甚,每夜势须潜至岛中,于伏尸下求食物。如是者二十日,白日则伏匿石洞土坑树腹之中,而不敢出。”“及鞑靼人许居民归家,不再杀害,我犹未敢信其言。宁径赴其营,而不回村待死。遂投一服役鞑靼营之匈牙利人所,蒙其人优待,置我于仆役之列,命我看守车辆。我居其所,无日不自危。一日见鞑靼人及库蛮人甚夥,以车载其捕获品并牲畜马匹无数,自各地来集。闻人言,此辈于某夜中,尽杀附近诸村之人,惟未将粮秣房屋焚毁,似有在此地驻冬之意。前此未杀村民者,留之俾能收获谷麦葡萄,采割既毕,不欲其自食,故尽杀之。”(第 24 及第 36 章)“诸王奉命班师还蒙古,吾曹以车载其捕获品,驱

里格尼志之败，及蒙古残破日耳曼边境之讯既播，帝国之人大惊恐，遂创议组织十字军，进讨此辈蛮族。其有资财而不能执兵者，则献其财。教皇格烈果儿九世(Grégoire Ⅸ)致信徒书，励之往援波兰云:“使吾人忧心之大事固多，如圣地之可悲事件，教会之忧患，罗马帝国之可悯情形，皆是已。然吾人今愿忘此种种忧患，而专注意于鞑靼之祸患者，盖恐今日基督教名为鞑靼所灭也。一思及此，足使吾人骨碎髓干，体瘦力竭，忧痛之极，致使吾人无所适从。”①。

当时日耳曼情形虽危，然未受鞑靼侵略之患。蒙古宗主别塔之兵，仅入匈牙利，残破此国者三年。匈牙利王别剌虽求救于欧洲

牲畜马匹东行。鞑靼兵搜索森林，冀发现来途所未见之物，故军行甚缓。比出林，则见其先此留驻林外之众，结营以待。及离匈牙利境入库蛮尼亚境后，遂不许俘虏杀牲畜为食，仅以鞑靼人食余牲畜之头足脏腑与之。吾曹至是遂恐鞑靼人有屠杀俘虏之意。译人亦有泄其言者，我乃谋逃，一日伪作内急，离大道急走入森林中，仆役一人继至。我藏伏一洞中，以枝叶掩盖我体，仆人则藏伏他所。我二人如是卧藏者二日，不敢举首。闻鞑靼人搜寻牲畜，招唤俘虏之声，愈不敢出。已而饥甚，出洞求食，见一避难人至，彼此皆惧而逃；旋见彼此皆无兵器，始相聚互诉苦衷。同至林边，攀登大树，四觇之，见鞑靼人来时未毁之地，今皆残破。吾曹痛甚，遂望教堂钟楼而行，在荒村中拔草根葱蒜为食。行八日，方出林，而至阿勒伯(疑是阿勒伯主里亚)。仅见白骨遍地，教堂宫殿墙壁之上，尚染有基督教民之血。距此十英里，林旁有一乡居尚存。距林四英里，有一高山，有男女多人伏匿其上，见我曹至，啼泣相慰。询问吾曹所经艰险，以黑面包供食，盖以麦粉合橡皮制之。吾人甘之，一若向未食此美品者然。留其地一月，不敢遽行，遣健者往侦附近之地，视鞑靼行未，盖恐其尚有伏兵也。吾曹虽因求食远至前有民居之地，然晚至国王别剌还国后，始敢离此他适。”(第40章)洛哲儿者，生于别涅温(Benevent)国，初为教廷枢密员约翰(Jean de Tolède)之礼拜堂教师，数奉命使匈牙利。蒙古侵入之时，则为瓦剌丁教会参事会会员。既遇难得脱，遂往投旧主。旧主荐之于教皇，因被任为思帕剌特罗之大主教。受任以后，赴匈牙利，谒国王别剌，别剌以其受命已未与闻，颇不乐，然仍听其行。洛哲儿于1250年就大主教职，后殁于1267年。

① 见Dlugoss《波兰史》第7卷682页。

诸君主，然无以兵至者。会皇帝菲烈德里二世与教皇格烈果儿九世互相攻战，亦无暇东顾也。罗马教皇欲驱日耳曼势力于意大利(Italie)境外，忌菲烈德里之智识过人，不屈于教会势力，遂欲废之。命帝国之臣民勿再效忠于其主，激励基督教界，群起共讨菲烈德里。菲烈德里不为所慑，遂兴兵征服从教皇命而举叛旗之意大利诸属国。瓦陈主教奉别剌命以国书来求援时，菲烈德里适在意大利用兵。别剌书言，脱能以兵来援，驱鞑靼于境外，彼将举国以事皇帝。菲烈德里答别剌云，设其兵事未终，遽离意大利，则日耳曼为保存其权利所牺牲之血与财，将成虚耗。设其进攻鞑靼，其本国将有被侵之患，盖恐罗马教皇乘机报怨也。一俟基督世界恢复和平，意大利重见安宁，而帝国有恃无患之时，必将率领战士往平鞑靼云[1]。菲烈德里虽不出兵，然命其子孔剌的(Conrad)及日耳曼诸王预备进攻鞑靼。且致书其他诸国君主，劝其为宗教及本国安宁计，共谋防卫以御各国共同之大患。其致英吉利王书云："设若鞑靼侵入日耳曼境内，而无充分之藩篱以阻之，其他诸国必将受其害。吾人以为此盖人类信心之减退，与夫过恶之污染，而天降之罚也。愿君预为筹谋，当公敌蹂躏邻国之时，预谋防御之法。此种民族之来，盖具有征服西方全境及消灭基督信仰之意，此上帝之所不许者也。切愿我辈之救世主耶稣基督，以其迄于今兹之恩德及援助，使吾人制胜敌人，使鞑靼得遇西方之兵力，遏制其骄矜之心，退还其本国而去。"[2]。

① 见 Epistol.，lib. I，cap. 29. Basilæ，1566 in-8。

② 见 Math. Paris 撰《英国史》第 1 册 558 页。

瓦陈主教离日耳曼而至罗马，呈其主之求援书于教皇。然教皇之答复亦类菲烈德里二世之答复，毫无要领。首先对于基督教徒之受鞑靼之害，表示悲悯之意，以为此事乃因人类之罪恶所招致之天灾。复次激励畏惧上帝而求其悲悯者，速抱赎罪之心。格烈果儿九世并励别剌奋勇守国，卫护宗教，彼将以有效之援助付之。对于匈牙利王及其亲属，以及防护匈牙利投身十字麾下之人，彼将以宗教大会所畀圣地十字军之同一赎宥及解免付之。格烈果儿同时并致书于数国国王，促其援助匈牙利，盖恐匈牙利残破之后，其他诸国将遭同一祸患也。

教皇又致别剌书，励其盼望上帝之悲悯。上帝虽降灾以罚罪，终必易严烈为温和，先持罚罪之鞭，终伸慰抚之手。复次曰："若自称为帝之菲烈德里，能自悔过，归向教会，教会亦愿与之言归于好。此足为上帝之光荣，宗教之幸福，于是基督教世界可以宁息，而对君国可为较有效之援助。"①。

当时亚洲及西方诸民族，皆信鞑靼之至，乃上帝假其手而罚罪。信徒且信其为《圣经》中所载反基督（Anti-Christ）降世前之民族，信其来自极东之地，灭此基督教名称。顾处此世纪中，君主之权日弱，封建之势日盛，欧洲分为若干小国，互相敌视，凡有大事，非集会议不能决之。益以道院积习，幼稚信仰，与夫无益之迷信，妨碍理性之发展，遂致基督教界对于蛮族之来侵，竟鲜有筹备防御之策者。幸而窝阔台之凶问至，使拔都等诸王不得不班师还蒙古，

---

① 见 Odor. Raynaldus 撰《教会年历》第 2 册 259 页。此二书皆作于 Latran 者。前一书年月日为 1241 年 6 月 16 日，后一书为同年 7 月 1 日。

选立新君。否则以蒙古兵战术之优，其他欧洲诸国殆将受斡罗思、匈牙利、波兰等国相同之害矣。夫以少数擐重甲之骑士，及无数半裸露之乡民，不知战术，不知服从，统率不能一致，恃此军队以抗久经战阵习知战术之蒙古轻骑，故每战必败。蒙古兵善骑射，两军未接，即在远处发矢，视持矛剑骨朵以战之勇士如无物也。

别剌甫还国，即闻流言，传鞑靼将复来侵。时鞑靼略地抵于伽里赤莫勒答维亚之西界，随时皆有侵入匈牙利、波兰之虞也。1241年8月21日，教皇格烈果儿九世死。继任之薛勒思廷（Célestin）在位不久亦逝。缺位至1243年6月25日，因那曾四世（Innocent Ⅳ）始当选为教皇。匈牙利王别剌以书至，求悯其国难，速遣十字军来援。因那曾立命阿乞烈总主教激励日耳曼诸民族组织十字军往援匈牙利，已而得悉鞑靼来侵之讯为谣传，始止[①]。

越二年，开宗教大会于黎雍（Lyon）。教皇因那曾四世所宣布招集大会之诸理由中，有紧急筹备防御欧洲抵抗鞑靼一事，大会为息天怒，命举行斋戒及庄严之祈祷。因决定易受蒙古侵入之民族，增筑堡垒，堵塞道路。并遣传道师奉教皇书谒蒙古将，劝其勿杀基督教徒，兼劝其改信正教。1245年宗教大会对于保障此大祸之筹谋也如此[②]。

先是鞑靼侵入匈牙利，而其国半受残破之时，别剌曾求援于菲烈德里二世。脱在一定时间以前，皇帝或亲自以兵来援，或命帝子罗马王孔剌的以兵至，则别剌将举国称藩。菲烈德里曾许遣其子

① 见Odor. Raynaldus书，1243年下，因那曾致阿乞烈总主教书所题年月日，为1243年7月22日。

② 见同书第2册332页。

进援匈牙利，然未践约。后数年，别剌恐菲烈德里执前词，强其称藩，遂谋之于教皇。教皇以为条件既未履行，所约当然无效。菲烈德里永不能以上邦名义下临别剌或其后人也[①]。

1259年，教皇阿荔散德四世（Alexandre Ⅳ）曾致匈牙利王书，观其词意，似当时别剌曾接受一蒙古汗之同盟建议。别剌曾诉苦于此教皇，谓教廷既未拯其灾，彼将接受鞑靼人所提出同盟之建议。阿荔散德答书云："来书所云，足使吾人感伤。来书谓君国为鞑靼残破之时，君曾求援于前任教皇格烈果儿；而此教皇竟忘君与君祖之归向正教，对君臣民之被屠戮，既无举动，且无一语以慰之。此教皇死后，教座缺位之时，诸枢密员曾与君约，未来教皇将谋驱蛮族于君之境外。然此约未践，后恐鞑靼之复来侵，又求援于教会。君复以教会弃君国难不顾，与前此被灾时同。第若一思当时教会之难境，吾人敢信君必谅之。君必以此灾完全属于时代之不幸，与扰乱教会者之罪恶也。盖当时皇帝菲烈德里对于教会强加暴行，必欲征服教廷诸子，而谋独尊。教会为防护其自由，与其诸子之自由，曾大耗帑金。因负债甚夥，既处困难之中，势难援助他人，其本身财源且不能偿一切债务，他可知矣。至若新教皇即位以后，尚未践枢密员之诺言者，盖鞑靼已退出君国以外，无援助之必要也。君以为敌势太强，未能抵御，而教座将来之援助既不可恃，势将忍痛与敌缔结修好同盟之条约。且云，敌已提议数次，或以鞑靼王女字君子，或以君女字鞑靼王子。和约上明定，将来鞑靼西灭

① 见Odor. Raynaldus书，1245年下，第2册342页。因那曾书作于黎雍，时在1246年8月21日。

基督教民族之时，君之子应以国人四分之一从征，为鞑靼军之前锋，以所得基督教民族之卤获五分之一属君。鞑靼许不要求纳贡不入君境，遣使至君国者随从不得过百人。此事余以为不如勿言之为愈。盖君既无望于常使少数战胜多数之天助，又无望于利害共同之其他诸国王之人助；而欲于此种屈辱条件之下保全国土身家，洵可耻也。”教皇历举必须拒绝此种提议之道德名誉宗教规条。且曰，纵就现实利害言，亦不应接受此种提议。盖鞑靼无诚意，观其以前对于其他民族故设陷阱之例，可以为鉴。民族之受灾乃因天罚其罪，不如以热烈信心避免天罚。至若匈牙利王所请遣弩手千人往援一事，教座未能报命，教皇以为付与赎宥，视同十字军，盖为一种最大之援助云[①]。

时欧洲恐蒙古兵之复至，常在惊惧之中。教皇阿荔散德四世曾命基督教民筹备战守。其于 1260 年致波儿朵（Bordeaux）大主教书，励其联合一切基督教国之兵力，谓非一国之力所能抗。设有与鞑靼联合者，应以重罪惩之。顾在是时祸患未迫，法国仅命于每月之第一星期五举行游行、祈祷、斋戒、布施等事而已[②]。

同年初，教皇致书于法兰西王，言鞑靼已据西利亚诸要城，帕勒思丁（Palestin）之基督教民有被侵之虞。于是法兰西王鲁意九世（Louis Ⅸ）集国中诸藩主及教长于巴黎，命为游行及祈祷，禁止奢侈饕餮[③]。

---

① 见 Odor. Raynaldus 1259 年下，此书作于 1259 年 10 月 22 日。

② 见 Martenne et Durand, Veter . Scriptor. et monumentor, amplissima collectio, Parisiis, 1724, in-f. t. Ⅶ, p. 168 et 170。

③ 见 Guillaume de Nangis 撰《圣鲁意年历》247 页。

次年，阿荔散德四世于复活节中集宗教大会于罗马，闻鞑靼西侵之警报，遂将大会改期。已而又闻侵入匈牙利之鞑靼兵，为国王别剌所败，损失五万二千人而去[①]。复又于6月终开会，聚议保卫基督教国家抵御鞑靼之事。教皇致书于诸国国王，励其筹谋军备，并激励集于十字军麾下之民族，共驱基督教之敌。

1265年，匈牙利王别剌以鞑靼将侵入匈牙利、波兰二国，因求援于教皇克烈门（Clément）。教皇命在此二国及邻近之日耳曼诸地，组织十字军以抗[②]。已而敌兵未出，乃止。晚至1285年时，库蛮人叛匈牙利王剌的思剌思（Ladislas），招致蒙古兵，蒙古兵始侵入匈牙利，进至帛思忒，饱载而去[③]。

波兰则屡为鞑靼所残破。1259年，鞑靼兵入立陶宛，其未能逃匿于山林沼泽之居民皆被屠戮。已而鞑靼兵并斡罗思、立陶宛两部之兵，攻入波兰，焚桑朵米儿城，围其堡，时城民及附近乡民皆避兵堡中。统率斡罗思军者，伽里赤王答尼勒之弟瓦西勒可（Vassilko），及王子烈雍（Léon）也。谕堡将降，可保堡中人不死，堡将信其言，率堡中贵人赴蒙古主将前纳款。当其跪伏请命之时，蒙古兵执而褫其衣杀之。旋大呼入堡，乘其不备，尽杀男子，没入妇女为奴婢。及杀戮既厌，遂驱余民入维思秃剌河，焚堡而去。进取克剌可洼，焚其城，时博勒思老已逃匈牙利矣。蒙古兵残破所过之地，

① 见Harduinus，Acta Conciliorum，Parisiis，1714，t. Ⅶ，p. 546—547。此处所言1261年匈牙利被侵及鞑靼失利之事，必是一种谣传。盖匈牙利古史家未见著录，仅有George Pray之《匈牙利国年历》第1册309页谓为实事而已。

② 见Odor. Raynaldus书1265年下。

③ 见Schvandt. Script. rer. Hung. t. I，p. 151。

进至斡彭境内之比脱木城(Bythom),始饱载卤获而还斡罗思。计自出兵至是共有三月。嗣后屡合斡罗思、立陶宛两部之兵侵入波兰,其行为残忍,与以前诸役同[①]。

斡罗思之情形则较波兰、匈牙利尤为不幸。残破之后,复受蒙古人之统治者二百余年。其大公与诸藩王皆称臣于蒙古汗。时术赤之后裔君临之地在里海、黑海之北,建都于窝勒伽水上之撒莱(Séraï)。斡罗思诸王常须入朝大汗廷,设有内争,须由蒙古汗决之。欲得直者,必须奉以厚赂。每次大公死,欲袭位者必须邀宠于拔都之后人。蒙古汗不特时常自由处分其国土,且常自由处分其生命。诸王入谒蒙古汗时,必须遵其礼节,折辱无所不至。蒙古置长官于斡罗思诸州,专横贪婪,民不聊生。每有汗使至斡罗思大公所,大公必出城跪迎使者,献马湩,陈貂皮于使者足下。使者高声宣读汗敕,大公须跪聆之[②]。Cureus,Silesiæ Annales,p.67。斡罗思人各纳皮革于蒙古以当身税。其不能纳者,则没入其人为奴婢[③]。

蒙古统治斡罗思迄于15世纪末年。术赤诸后王因夺位常起内讧,撒莱城诸汗之威权因以日减。斡罗思诸大公后建都于莫斯科洼者,历并诸国,其势日强,始而不纳贡于蒙古汗,继而夺并其疆域。

蒙古统治斡罗思之初年,似曾斥地北方,抵于珀儿米亚(Permie)之地。那威(Norvége)国王豁堪二世(Hocan Ⅱ),君临其国

① 见 Cromerus. Rer. Polonicar, lib. Ⅹ。

② 见哈蓝新撰《斡罗思帝国史》第4第5及第6册。

③ 见《迦儿宾行纪》第七则。

始1217迄1263年者也。当其在位之时，有不少珀儿米亚人因逃鞑靼之残害而徙那威。那威国王曾使之归依基督教，并以马郎格儿湾（Malanger）一带之地授之云[①]。

① 见 Thórmod. Torfœus 撰《那威国史》1711年刊第4册303页。

第四章　贵由时代

皇后秃剌乞纳之监国——耶律楚材之死——贵由之被推戴——其在位时之措施——其死——教皇因那曾遣派传教士往使蒙古——教士普阑迦儿宾之赴鞑靼地域——教士安塞勒木之赴波斯——圣鲁意之遣安德烈隆主麦勒往使鞑靼地域

窝阔台死，斡耳朵附近通道皆命人监守，不许人外出。分遣驿使驰赴各地，勒令在道旅客止于所至之地。先是窝阔台钟爱其第三子阔出，欲以位传之，不意 1236 年阔出殁于湖广军中。遂移爱于阔出长子失烈门(Schiramoun)，养之宫中，欲使之承大位。惟皇后秃剌乞纳则欲立其长子贵由。贵由以 1206 年生，常从宗王按赤带伐金，掳其亲王而归[①]。又从拔都西征。1241 年 1 月，窝阔台命其率所部班师东还，贵由在道得父死讯。

皇后秃剌乞纳以皇帝凶问赴告诸宗王及诸统将等，并召其齐赴窝阔台之斡耳朵，推戴新君。大会未开以前，察合台及诸王等共请皇后摄政。秃剌乞纳者，始为兀洼思蔑儿乞部部长塔亦儿兀孙(Taïr-Oussoun)之妻，成吉思汗平此部，共其夫被擒。成吉思汗以

① 见《元史译文》298 页。

秃剌乞纳赐其子窝阔台，遂为窝阔台妻。

摄政皇后开始罢丞相镇海（Tchingcaï）职，镇海者，畏吾儿人也[①]。窝阔台在位时为丞相，兼记录皇帝之逐日言行[②]。此中国君主之起居注职，其起源甚古也。

先是有穆斯林名奥都剌合蛮（Abd-our-Rahman）者，经商而至蒙古，因得秃剌乞纳信任。窝阔台在位之末年，曾建议扑买中原课税。耶律楚材先定其额为五十万两，取河南后，岁有增羡，课银增至一百一十万两。至1239年，奥都剌合蛮扑买课税，又增至二百二十万两。楚材言不难增至五百万两，其奈民不堪命何？因极力辩谏，声色俱厉。窝阔台曰："尔欲搏斗耶？姑令试行之。"楚材力不能止，乃叹息曰："民之困穷，将自此始矣。"[③]皇后摄政时，仍命奥都剌合蛮提领诸路课税所，扑买中原银课如故，专事聚敛。楚材愤悒成疾，以1244年6月殁于哈剌和林，年五十五岁。后有谮楚材者，言其在相位日久，天下贡赋半入其家。皇后命近臣复视之，惟琴玩十余，及古今书画金石遗文数千卷而已。

中国史官曰："楚材天资英迈，夐出人表。正色立朝，不为势屈。每陈国家利病，生民休戚，辞色恳切。窝阔台尝曰：'汝又欲为百姓哭耶？'"后赠太师，追封广宁王，谥文正[④]。

---

① 钧案：西书或以也里可温与畏吾儿混而为一。如其以迭屑（Tarsa）与畏吾儿混称之例，致有此误。盖镇海实为克烈部人，而奉基督教也。

② 见《史集》。察合台亦用汉人一人为丞相，逐日记其言行。

③ 见冯秉正书321页。《纲目译文》281页。

④ 见冯秉正书239页。《纲目译文》292至295页。Abel Rémusat《亚洲新杂纂》第1册64页以后。考波斯史家之记载，窝阔台时代行省事于中原者，为马合木牙剌洼赤（Mahmoud Yelouadj）。中国史家则以为耶律楚材。窝阔台死后，夺牙剌洼赤官，耶

牙剌洼赤子马思忽惕伯，为突厥斯单、河中长官，惧被逮，逃依宗王拔都。皇后遣阿儿浑（Argoun）赴波斯，逮其长官阔儿吉思（Keurgueuz）入朝，鞫问其罪，盖皇后与阔儿吉思有旧怨也。阔儿吉思被逮后，即命阿儿浑代其职。先是蒙古兵破波斯之徒思城，掠一妇女名法迪马（Fathma）而还，得皇后宠，所言必从。窝阔台时代重臣数人之被黜，或谓皆此回教妇人谗构所致。

窝阔台死后未久，其叔帖木格斡赤斤谋取大位，曾举兵进迫皇帝之斡耳朵。秃剌乞纳遣人以好言诘其率领众多随从来见"其女"之故，并遣斡赤斤子在朝者往谒其父。时贵由已抵其叶密立河之封地，斡赤斤乃变计，引兵归，使人告皇后曰，我来吊汝夫丧，非有他也。

招集大会之所，定在阔哈湖（Gueuca）畔[①]，窝阔台驻夏之所也。晚至1246年春，大会始开。延期之故，乃因拔都托故不至。拔都与皇后及贵由有嫌，遂托病足不赴大会。顾拔都为诸宗王之长，其他诸王欲待其至始行推戴新君。皇后屡遣使促之，拔都虽许赴会，终托词不至。大会遂不待其至而举行。时亚洲诸王毕至，其赴鞑靼地域中心之诸道途，行人络绎不绝。诸宗王各率所部将卒来会，其至选举大会之地者有：斡赤斤及其诸子八十人，拖雷之寡妇及其诸子，窝阔台、术赤、察合台之诸后王，及所部诸那颜统将

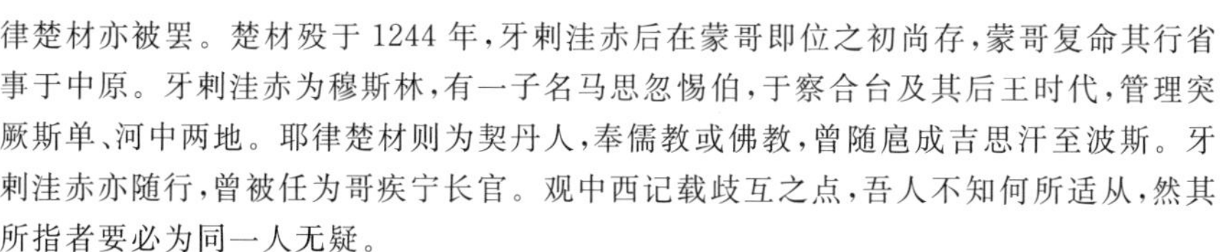

律楚材亦被罢。楚材殁于1244年，牙剌洼赤后在蒙哥即位之初尚存，蒙哥复命其行省事于中原。牙剌洼赤为穆斯林，有一子名马思忽惕伯，于察合台及其后王时代，管理突厥斯单、河中两地。耶律楚材则为契丹人，奉儒教或佛教，曾随扈成吉思汗至波斯。牙剌洼赤亦随行，曾被任为哥疾宁长官。观中西记载歧互之点，吾人不知何所适从，然其所指者要必为同一人无疑。

① 《元史译文》谓在达兰达巴（Dalan-daba）之地。

等，中原之军民长官，波斯长官阿儿浑，突厥斯单、河中长官马思忽惕，及此二行省中之诸藩王贵人，鲁木之塞勒术克朝算端鲁克那丁(Rokn-ud-Din)、斡罗思大公牙罗思老(Yaroslaw)，争夺谷儿只王位之二王大维德(David)[①]、阿勒波(Alep)王弟，报达哈里发之使臣，阿剌模忒(Alamout)亦思马因派(Ismaïliyen)教主[②]之使臣，毛夕里、法儿思、起儿漫三国之使臣，皆奉厚币而入朝。其处此以亚洲华丽而显耀之诸使臣中者，尚有以朴素著之欧洲修士二人，是盖教皇遣赴鞑靼地域传布宗教并劝止杀戮之传道师也。开会之地曰昔剌斡耳朵。置毳帐二千，仅敷诸王、贵人、使者居留之用。商贾多自亚洲各地赍其贵重出产来此贸易。帝帐周围聚集臣民无数，粮食之价因以大增[③]。

诸宗王、统将等聚会于一大帐中。帐可容二千人，周围绕以画栏。帐辟二门：一门为禁门，供君主之出入者，无人守之。似以无人敢由此门出入也。别一门以执弓刀之卫士守之，莅会人员议事至日中，逾午则放饮酒与马湩。所服之衣每日易其色。贵由在受推戴以前，已受特别敬礼。每出帐，即有人为之作歌，执旄者倾下其旄以致敬。选举之时，皇后与莅会人员群赴距离昔剌斡耳朵三四程地之金斡耳朵中，盖帐柱贴金箔而钉金钉，故以名也[④]。诸宗王、诸部长、诸统将等共议推戴新君，首先决定选窝阔台之后人承

① 二王同名。

② 钧案：即《元史》之木剌夷。

③ 见《世界侵略者传》第1册，《史集》。兹二书列举来赴大会之人众中，著录有富浪(Franc)使臣二人，所指者必为教皇遣派之二传道师。

④ 见 Vencentium，Specul. Hist. 第31卷第30及第31章所引《迦儿宾行纪》。

大位，失烈门虽为其祖父所指定继承大位之人，然因摄政皇后主张以贵由嗣位，遂以失烈门尚未成年，共推贵由为大汗。贵由既受推戴，乃依俗以大位历让诸王，而以己病为辞。如是让久之，始从大会之请，惟附以条件，须以大位传之其后人。于是莅会者签署此文约曰："汝后人虽仅存一块肉，置之草中脂内，而狗牛不取者，吾曹决不奉他人为汗。"誓毕，脱帽解带，奉贵由坐金座上，共以汗号上之。（1246 年 8 月）莅会人员对新君九拜，其在帐外之藩王及使臣等，以及平野之民众，皆同时跪拜称贺。贵由受臣民朝贺毕，率诸宗王、诸统将等出帐对太阳三拜，拜已，设宴。皇帝坐宝座，诸王坐于右，诸妃主坐于左。所食者尽肉食，所饮者酒与马湩。宴时作乐，偕以战歌，欢宴至夜半①。如是宴乐七日。贵由然后取其父所藏之金银财帛，命拖雷之寡妇莎儿合黑帖泥（Siourcoucteni）散之众人，视其位之高下而俵散之。先及诸王、妃主，次及诸臣、诸那颜、诸将校等，终及诸藩王及其随从诸人。新帝欲其施赏超过其父之旧赐，购入商货七万巴里失。其左右以物多难载运，劝其藏之哈剌和林库中。贵由曰："不必藏贮，可散之众人。"于是不特士卒有赏，凡莅会之人皆有所赐。先赏右手及左手诸部众，赏赐之厚，虽

① 13 世纪之二旅行家言及蒙古新君即位典礼，而其事未见波斯史家著录者，教士 Simon de Saint-Quentin 于 1247 年赴波斯、蒙古将拜住（Baidjou）营，曾记录贵由汗即位事。谓其当选后，诸蒙古贵人将此汗夫妇二人坐于毡上，高举而欢呼之曰帝后（见《迦儿宾行纪》第 9 章）。此教士足迹未至蒙古，其所记之事或因得自传闻，未足信也。然身亲即位典礼之人，所言亦同。阿美尼亚郡王海屯（Haiton）所撰《东方史》（第 16 章 27 页）云："七国之首领、贵人集其臣民，命其宣誓，效忠于成吉思汗。誓毕，置座于中，覆黑布于地，坐新君于上，七国首领共举之，而欢呼之曰皇帝或第一汗。已而跪拜于其前，用黑布载新君于宝座上。盖为鞑靼之旧俗，虽侵略多国而获有财宝无数（盖其完全据有亚洲之地而抵于匈牙利边境），仍不变其俗。我曾参加此种典礼二次也。"

童稚亦有所得。继赏外国人,至于僮仆,皆有所获。颁赏之后,余物尚多,复又颁赏一次。仍未能罄,贵由命人竞取之[①]。

新汗即位后之第一事,即追问宗王斡赤斤称兵事。顾此事难于公开,乃命蒙哥、斡儿答二王按问之,归罪于斡赤斤之官属数人,杀之。

皇后摄政四年有余,诸王等遣使奉教令四出,为无厌之征求,并滥为豁免赋税。至是贵由严责之,取消一切豁免之令。莎儿合黑帖泥及其诸子独不效尤,故汗奖之,命诸王妃主奉以为法。同时追认窝阔台之一切诏令,并签署其父在位时所颁行之一切文状。

察合台之将死也,以国传其孙哈剌旭烈兀(Cara-Houlagou),哈剌旭烈兀者,殁于范延城下之木阿秃干之子也。新帝独厚察合台子也速蒙哥(Yissou-Mongco),以为孙不应先子而嗣位,乃废哈剌旭烈兀,而册命也速蒙哥嗣父位。贵由仍继续对宋用兵,命速不台、察罕二将率军南侵,别遣军往讨高丽。1247 年 8 月,遣宴只吉带(Iltchikadaï)率一军西戍波斯,由诸王于所部中每十人签发二人以从。命宴只吉带总统波斯之一切蒙古军,并就地于十人中调发二人以益之。谷儿只、鲁木、毛夕里、底牙儿别克儿、阿勒波悉归其管辖。以上诸国之贡赋独由其征收。皇帝曾有西征之言,宴只吉带此军盖为其前锋也[②]。仍命阿儿浑治波斯,马思忽惕治突厥斯单、河中,并赐狮头牌子[③]。此二长官所任用之诸长吏,并守原

① 迦儿宾云,距帝帐不远有一山冈,冈上有五百余车,满载金银绢帛,皇帝与王公分取以赠其所喜之人(第 12 章)。

② 迦儿宾亦云贵由有西征之意(第 31 卷第 36 章)。

③ 钧案:盖虎符之误,改修《元史》者多据西书改为狮符,非是。

职，亦赐牌符。其地有数国国王受册命继续君临其国。杀奥都剌合蛮，仍以马合木牙剌洼赤综理中原财赋。起复镇海仍为丞相。

小亚细亚塞勒术克朝之国（鲁木），新称藩于蒙古，其算端也速丁凯迦武斯（Yzz-ud-din Keï-Kavouss）遣其弟鲁克那丁乞里只阿儿昔兰（Rokn-ud-din Kilidj-Arsslan）入朝新君。帝宠鲁克那丁，遂废其兄，而册封之为鲁木算端[①]。

谷儿只有二王，皆名大维德。其一为前王剌沙（George Lascna）之私生子，别一人为剌沙妹继承兄位之女王鲁速丹（Rhouzoudan）之子，因争位，并入朝求册封。贵由乃分谷儿只为二国，前一王治哈儿特里（Khartli），后一王治亦米莱忒（Imirette），惟鲁速丹子须称藩于剌沙子[②]。西里西亚（Cilicie）之阿美尼亚王海屯一世（Hethom Ⅰ）亦遣其弟三帕德（Sempad）奉重币入朝新主。哈里发遣其大断事官法合鲁丁（Faknr-ud-din）入朝，贵由以屯戍波斯之蒙古将有诉此教主之罪者，付声罪诏书于使者，而遣之归。亦思马因派教主之使者所受折辱尤甚，其所赍还诏书之词尤为严烈。大事既决，大会遂散。诸王各返封地，预备新近决定之远征[③]。

其参列推戴贵由大会之欧洲修士二人，盖为弗朗西士派（Franci-cain）之修士普兰迦儿宾（Jean de Plan Carpin）及本笃（Benoit）也。先是1245年之黎雍宗教大会，决定遣派传教士往使鞑靼，劝其勿嗜杀戮，并皈依基督之教。教皇因那曾四世遂致书于

① 见《世界侵略者传》第1册。《史集》。

② 见 Saint-Martin 撰《阿美尼亚记》第1册385页，又第2册294页。《史集》。

③ 见《世界侵略者传》第1册。《史集》。

巴黎朵密尼迦派(Dominicain)之道长,命其于本派教士中选数人往使鞑靼。道长集诸教士,宣读教皇书,诸教士感极而泣,争求派往。其被选派者教士四人:曰安塞勒木(Anselme de Lombardie)、曰西孟(Simon de Saint-Quentin)、曰阿勒别里克(Albéric)、曰阿荔散德(Alexandre),共赴教皇所,赍教皇书赴波斯,谒蒙古将拜住。别有弗朗西士派教士三人,波兰人本笃、葡萄牙人罗郎(Laurent)及普兰迦儿宾,则奉派往使鞑靼。兹二派皆行乞派,自创立至是约五十年,其目的乃在传布福音于异教徒之中也[①]。

兹二使团于1246年出发,弗朗西士派之教士经行孛海迷、昔烈西亚、波兰等国,而抵连西思克。闻谒蒙古首领者必须先奉馈品,顾诸教士等恃布施为生,无物可献。孔剌德公夫妇,连西思克主教,及波兰之贵族等,乃以皮革赠之,俾其成行,诸教士等遂赴乞瓦。复由此行六日而抵的涅培儿河畔蒙古军之前哨,谒守边之蒙古宗王。其地无人能译拉丁文,戍将遂送之至拔都帐。诸教士等发足于斋节之第一日曜日,每日易马四五次,急驰三十九日,抵窝勒伽河畔之拔都帐,息于远距汗帐一程之帐中。拔都之执事官询其赍有何物来跪献其主,诸教士答曰:"教皇不能必其使者抵于奉使地,故未以馈品至。且道途艰难危险,势亦有所不能。然诸教士本人有私物献蒙古汗。"蒙古官询其来意后,引之赴拔都帐。先率之逾两火间,祓除不祥。火旁植二矛,矛上悬绳,绳上系布片,凡人畜衣物必须经过其下,同时有两妇在两旁诵咒洒水。诸教士等至

① 见 Lucas Waddingus, Annales Minorum 第1册641页。《教会年历》第2册258及393页。

帐前，蒙古官命其三屈左膝，勿触门阈。及入帐，见拔都坐高台上，妃一人随侍于侧。诸宗室官吏等坐于帐之中央。位卑者则在诸人之后，列坐地下，男右女左。传教士等跪致词毕，呈所赍书，请译人译之。拔都命位之于帐左。缘帐右为大汗使者列坐之处也。此帐甚广阔，以细布制之，盖得之于匈牙利王者。帐中有桌，上陈金银盏，满盛种种酒湩。拔都每饮，则有人作乐唱歌①。

教皇致鞑靼王及其国民诸书，系作于 1245 年 3 月者。其一书说明基督教之要义，历言上帝之子为人类所为之赎宥，其复活，及其升天，在此世指定一代理人，命其挽救人心，执掌天堂锁钥等事。续言教皇忝为此代理人之继承人，既欲拯救鞑靼国王及其国民，苦不能亲至其地，特命教士罗郎等奉书代往，俾其说明基督教义云云。别一书云："主宰为永远平和计，曾仿天使之例，在人类间，甚至在无理智之动物间，与夫宇宙之元素间，设定一种关系而联合之。乃闻君等侵入无数基督教国，残破其地，居民无问男女老少悉遭屠戮，破裂一切天然关系，此足使吾人惊愕者也。吾人今欲恪遵上帝建设平和之例，欲使一切人类畏惧上帝，共同联合，特对君祈请劝励，勿再攻击基督教民，悔祸敬天，用息天怒。上帝对于骄傲之人，固偶遗其罚，第若其人不悔过向善，上帝终必于此世罚其罪，而在彼世更留有较重之罚以待之也。"书末请其善待赍书之教士，并信其代表教皇所传之言。最后教皇请鞑靼人告以攻灭诸国之意何在，而其将来之计划若何②。

① 见 Vincent. Specul. Hist. 引《迦儿宾行纪》。

② 见《教会年历》第 2 册 321 页。

此书经译人译为蒙古、斡罗思、阿剌伯等语。越数日，拔都命教皇使者前赴选举新汗之地，并劝其遣回从者数人，诸教士许之，乃以呈教皇书付西还者。然西还之人皆被留于斡罗思境上，后至诸教士等西还时，始被放行。

普兰迦儿宾等于复活节日偕鞑靼伴使二人自拔都所出发，曾奉疾行之命，俾能于选举之前行抵大会所在。7月22日抵大斡耳朵，计自入的涅培儿河蒙古辖境至是，约五阅月矣①。8月终，诸教士偕数国君主及使臣入觐贵由，时在其即位后数日也。丞相镇海高声唱入觐者名，诸人屈左膝四次。入觐前有人遍搜其身，恐其藏有兵刃也。命其入门时勿触门阈。觐见诸人各以贡品献，要以绢帛丝带金带贵重皮革为多，兼有马骡，仅诸教士等无物可献。

入觐后，皇帝命镇海转告诸教士，命其笔述其奉使之目的。蒙

① 迦儿宾(《行纪》第31卷第23章)云："吾人含泪首途，盖吾人以为行将就死也。吾人身体疲弱，几难乘马。在斋节中所食者，仅盐水所煮之粟米，所饮者，雪水而已"。此传教士志有蒙古人之若干残酷事。有斡罗思公爵名米开勒(Michel)者，往朝拔都，人导之至两火间，命其跪拜成吉思汗遗像。米开勒答曰，跪拜于拔都及其亲属之前，固所愿也。惟所奉宗教不许礼拜死者之像。人固劝其拜，米开勒仍拒不从。拔都乃命斡罗思大公牙罗思老之子告之曰：不从命者死。米开勒仍不为所动，拔都乃命卫士一人以足踢其腹，以至于死。此事并见哈蓝新《斡罗思史》第4册34页著录。此米开勒盖为扯儿尼果洼(Tchernigow)王，于1246年奉命往朝拔都，曾偕其随从之贵族一人名Fédor者同被害，后此二人同受圣者之号。迦儿宾(第31卷第6章)又云："吾人在拔都辖境时，有名安德烈(André)者，斡罗思之撒儿弗格勒(Sarvogle)公爵也。有人诉其取鞑靼马售之别地，其事虽未证明，然被处死。死者之妻与弟闻讯奔赴拔都所，求其勿夺其国，拔都命此叔嫂二人依鞑靼俗成婚。嫂答曰，此事背教，宁死不从，然鞑靼人强配之。"迦儿宾(第31卷第5章)又云："鞑靼人骄甚，蔑视诸国王。吾人曾见斡罗思大公、谷儿只王子及不少算端、国王等，皆不为所礼。一寻常鞑靼人位虽卑，常列于外国王侯之前。"迦儿宾(第36章)又云：斡罗思大公牙罗思老于赴皇太后宴后，忽暴死。七日后，尸身现青斑，其为被毒无疑。

古汗答教皇书前，曾询诸教士，教皇处有无一人解蒙古、斡罗思、阿剌伯等语，诸教士答言无之。后数日（11 月 11 日），合答（Cadac）、镇海、八剌（Bela）偕书记数人同赴诸教士所，为译蒙古汗答教皇书，诸教士以拉丁文录其词。蒙古官吏逐字解释，俾其不误，然后以汗答书付之。书上钤汗印，附以阿剌伯语译文①。越二日，诸教士入觐皇太后，皇太后各赐以狐裘一袭。是年 11 月，诸教士等离帝所②晚至次年（1247 年）5 月杪，始抵拔都所，索答书于拔都，拔都言，除皇帝答书外无他语。诸教士等遂西还返命教皇③。

教士安塞勒木等奉使屯驻地较近之鞑靼军者，赍教皇致蒙古将劝诫勿再残破基督教国并忏悔前此过恶书，于 1247 年抵波斯蒙古戍将拜住营④。诸教士等请谒拜住，面致教皇书。拜住营之将校询其自何方来，答曰："奉教皇使命而至此。"复问教皇为何人，答曰："基督教徒视为卓出一切人类之上而敬事之若父若君者。"蒙古将校闻言恚甚，怒责之曰："汝主未闻汗为天子，而拜住那颜为其辅

① 此答书之内容，吾人不知（钧案：此书现在教廷档案中发现，业经伯希和刊布），顾蒙古人自拟为世界之主，其视外国之使臣皆为朝贡之使臣。蒙古与外国之关系，仅有上邦与藩国之关系，则贵由答书之内容，必系命其称臣纳贡等语也。

② 诸教士等留居帝所时，常苦饥，几至饿毙。盖人所给之四日粮，不足供一日食。市场过远，不能往购。幸有贵由汗所有一斡罗思金器匠人名 Come 者，颇得汗信任，常以粮济之（参照《迦儿宾行纪》第 37 章。）

③ 见 Vencentii，Speculum Historiale 第 31 卷第 19 至第 25 章，又第 30 至第 31 章，又第 33 至第 39 章，此弗朗西士派修士，与朵密尼迦派修上西孟，盖为欧洲最初详记蒙古人之事者。普兰迦儿宾（Jean de Planocarpio，Planocarpino）者，初为撒克森（Saxe）教正，嗣为日耳曼教长。曾传布其派之说于孛海迷、匈牙利、那威、答赤亚（Dacie）、罗兰（Lorraine）等地。并于 1225 年奉使至西班牙，及还自蒙古，教皇因那曾四世待之甚厚，留之教廷三月，命之为安迪哇里（Antivari）主教。

④ 据教士西孟之记录，此营在西田思（Sitiens）堡附近，距圣让答克（Saint-Jean d'Acre）五十九日程。吾人未详此堡所在，此名必有脱误。

将欤？其名应举世皆闻也。”安塞勒木答曰：“教皇实不详何人为汗，亦未悉拜住之名。仅闻东方有国名曰鞑靼，曾征服不少国土，杀戮不少人民。教皇脱闻汗与辅将之名，必载之于书也。今教皇悲伤杀戮之众，特遣彼等赴最近之鞑靼营，劝其统将及诸士卒痛悔前之罪恶，勿再杀戮。尤盼勿害基督教徒，其言具详所赍书中。”

拜住之将校及译人入见拜住，转达安塞勒木之言，已而复出，询诸教士，教皇以何馈仪来献？安塞勒木答曰：“未携何物，盖教皇不特不以物馈人，且不受基督教徒及异教徒之供献也。”蒙古将校复入帐，又出语诸教士曰：“汝曹欲空手谒我主，此前例之所无者也。”安塞勒木曰：“设若不能入见，则请以所致书转呈主将。”

蒙古将校复入请命，此曹每次出见，辄易衣一次。既而出言，如欲亲呈教皇书于那颜拜住，必须见之三拜，如觐见天子之礼。诸教士等以为若行此礼，恐其视为教皇及教会臣服蒙古帝之证，而为亚洲教会诸敌人所讪笑，因拒不允。曰：“愿以礼谒主将，然其礼应如谒教皇同。若强其屈遵蒙古礼，宁死不从。”教士等且言，拒之者非因倨傲。第若那颜拜住及其将校归依基督之教，彼等不特愿跪见，且愿吻其足。蒙古将校闻言怒曰：“汝曹欲我辈为基督教徒，为犬如汝曹及汝曹之教皇欤？”愤愤而去，已而复出，询诸教士，汝曹谒见教皇之礼若何。安塞勒木遂稍揭其头巾，微俯其首。蒙古人又问曰：“崇拜上帝之礼又若何？”安塞勒木答曰：“为礼甚多，有俯伏者，有长跪者，并有用其他礼节者。”蒙古将校突曰：“汝曹既崇拜木石，则不应拒以此礼谒见那颜拜住。况天子有命，礼拜住者，应如礼帝之礼同也。”安塞勒木驳曰：“基督教徒所崇拜之木石，盖此木石代表神灵，而蒙古主将不得以此自拟也。”

蒙古将校复去，已而又出语诸教士，可赍教皇书往呈大汗，瞻其威严，以便归报汝主。安塞勒木答曰："教皇从未闻大汗之名，仅命彼等赴最近鞑靼营。若允受书，则以书付，否则将持书还。"蒙古将校曰："汝曹敢谓教皇卓出众人之上，汝曹之颜何厚！孰闻教皇所辖之国土有同奉天承运之天子者欤？孰闻教皇威名广扩于全土，自东方西达地中海、黑海，使人敬畏，有如天子者欤？然则威德超乎教皇及众人之上者，盖为大汗也。"安塞勒木答曰："我辈谓教皇卓出众人之上者，盖因上帝以迄于世纪末日教会之威权委付圣彼德（Saint-Pierre）及其诸继承人也。"诸教士等复反复为之解释此义，蒙古将校怒叱之，不使毕其说。

诸将校入而复出，索教皇书，安塞勒木以书付之。已而诸将校又出，命诸教士等翻译为波斯文，四教士等遂偕拜住之译人、书记等共译教皇书为波斯语，复又从波斯语转为蒙古语，以呈拜住。

诸将校已而偕大汗之书记一人出。闻其人为要人，将赴大汗廷。其人命诸教士推举二人随之往觐皇帝，奉呈教皇书。安塞勒木仍执前词，拒不允。

如是辩论终日，毫无要领。日暮，诸教士等终日未得食，遂还所居帐，其帐距拜住营有一英里。越四日，复赴营索答书，营中无应者。日日赴营，如是九星期。时在六七月间，终日曝于烈日下，拜住将卒无近而与之言者。教士西孟云："鞑靼人视诸传教士卑贱如狗。"拜住怒其言直率，欲杀之者三次，而未果行[①]。

① 拜住者，蒙古亦速惕部人，残破不少国土之哲别之亲属也。随统将绰儿马罕军而至波斯，初为千户，后擢为万户，征服鲁木国者即斯人也（《史集》"蒙古·亦速惕部"条）。

至7月25日，诸教士始得拜住复教皇书，其文若曰：

"那颜拜住奉圣汗命谕汝教皇：汝使者赍书来，惟其言词倨傲，不知汝命之作如是言，抑其自作如是言？来书谓吾曹杀戮过重，殊不知吾人奉天之命，与大地全土主人之诏敕。凡来降者，仍保其水与陆，暨其资财，而以其兵力献于大地全土之主，其敢抗拒者则灭之。兹特谕汝教皇，脱欲保汝之水与陆暨汝之资财，必须亲自来营纳款，并入朝大地全土之主，否则其结果仅有天帝知之。兹遣使臣爱别吉(Aybeg)、薛儿吉思(Sargis)二人使汝国，汝来朝与否，为友为敌，可速自决，遣使来告。7月20日作于西田思。"

拜住并付以成吉思汗谕降诸国文。其文略谓降者可保，拒者灭之①。

贵由即位后二月，其母后秃剌乞纳死。时与法迪玛为敌者甚众，见其失势遂合谋倾之。有撒麻耳干之穆斯林名失烈(Schire)者，诉其以巫蛊之术谋害皇弟阔端。时阔端已得疾，因遣人以其事告贵由，脱有不讳，则请杀法迪玛。已而阔端死，镇海追述阔端遗言，贵由乃命人鞫问法迪玛之罪，拷掠使之自承。缝其全身诸窍，裹以毡，投之河中。法迪玛之党并处死。其后未久，别有人诉失烈以巫蛊术谋害贵由之子火者斡兀立(Khodja-Ogoul)，亦共其妻子被处死刑。

---

① 见 Vincent，Speculum Historiale 第31卷第40至第52章所引教士西孟《行纪》，那颜拜住之名在此《行纪》中写作 Bayothnoy。教士安塞勒木一名安塞邻(Anselin)或阿涉邻(Ascelin)者，偕其同伴留波斯约有一年，后还至教廷，计奉使于外者共有三年七阅月矣。最初奉使人数仅有四人，后有朵密尼迦派教士二人在中途加入，其一人为安德烈隆主麦勒(André de Lonjumel)，其一人为吉沙儿(Guichard de Crémone)。前一人传道东方有年，后一人则在梯弗利思加入。

1248 年春，贵由欲赴叶密立河畔其自领地中养疾。在道见民舍，悉赐金帛。时拖雷妃莎儿合黑帖泥以拔都未入朝，疑贵由西巡有图之之意，密遣人告拔都，嘱自为备。是年四月，贵由行至距畏吾儿都城别失八里七日程之地，病甚，遂死于道，寿四十有三岁。

贵由为人庄重严肃。其在位时之惟一新政，则将皇后摄政时诸王干政之事悉为禁断。惟患关节炎之疾已深，且好酒色，遂致大渐。其在位时常因病不理政务，而委之于其亲信大臣合答、镇海二人，皆基督教徒也。合答为贵由傅，曾以其所奉教义授贵由，由是基督教徒特受优待。其自小亚细亚、西利亚、报达、阿速、斡罗思等地来集于汗廷之修士，为数甚众。汗之御医亦为同教之人，故基督教徒在朝颇得势[①]。迦儿宾曾见汗帐侧有一礼拜堂，逐日举行圣礼。并谓贵由给与基督教士俸资，似贵由有奉教之意[②]。故史家剌失德谓穆斯林处此汗在位时代颇受折辱云。

贵由印玺之文若曰："天上之上帝，地上之贵由汗，奉天帝命而为一切人类之皇帝。"[③]

贵由死后之二年，其皇后摄政时，圣鲁意(Saint-Louis)[④]曾遣使至鞑靼地域。先是 1248 年时，圣鲁意师次失普勒岛(Chypre)都城尼可西亚(Nicosie)，将以兵入埃及。基督诞生节日，有二人名大维德(David)、马儿可(Marc)者，自称奉波斯之蒙古戍将宴只

① 见《世界侵略者传》第一册。《史集》。《世界史略》第 2 册 525 页。

② 见《迦儿宾行纪》第 11 章，据云，贵由当选时，其年在四十至四十五岁间，身长不逾中人，为人颇贤明有智，态度亦甚庄重。

③ 见 Vincent 书第 31 卷第 34 章引《迦儿宾行纪》。

④ 钧案：即法兰西国王鲁意九世。

吉带①之命，来谒法兰西王，呈宴只吉带书，写以波斯语。适有朵密尼迦派教士安德烈隆主麦勒，数年前曾至拜住营，因识大维德，圣鲁意遂命其译来书为拉丁文。其书首先祝颂鲁意享国久远，及基督教军之战胜穆斯林。复次言其奉命至波斯，盖为解除基督教徒之困厄，免其赋役，保其财产，兴复其教堂，俾在大汗时代得以安心祈祷。书中称法兰西王为"子"，请其信奉书使者撒别丁大维德(Sabed-din David)、马儿可二人之言。并谓大地之主对于拉丁、希腊、阿美尼亚、聂思脱里(Nestorien)、雅各(Jacobin)诸派，未存歧视之心，盖视崇拜十字者悉皆平等也②。

此书显伪，然鲁意九世未疑其伪。曾抄录其文寄示王后不朗失(Blanche)，并由教廷大使录寄一份于教皇因那曾。缘当时基督教徒颇信鞑靼之归依基督教，而助其攻灭伊斯兰教，故致有此轻信。先是成吉思汗侵略波斯大肆杀戮之时，东方之基督教徒已以鞑靼信仰基督之教，且传说此侵略家为约翰(Jean)子亦思剌爱勒(Israël)之子而名大维德(David)③观其杀戮穆斯林，遂视之若基督教之保护者及援助者，因信其可以借之脱其数百年来之羁束。十字军亦同此幻想，所以鲁意九世厚礼自称为宴只吉带之使者，集诸大臣、教廷大使及其他教会要人接见之。询其来意，观所谓使者之答词，足见其伪。据云，大汗曾与宗王、统将多人举行洗礼，宴只吉带亦为受洗之一人。大汗命其往援基督教徒，侵略圣地，并解放

---

① 当时此名在诸行纪中写作 Erchalchaï，Ercaltay。

② 此书拉丁文译文见 Vincent 书第 31 卷第 91 章。Guillaume de Nangis 之《圣鲁意年历》(198 页)有法文译文，然多误。

③ 参照本书卷末之附录三。

耶路撒冷(Jérusalem)之缚束。比闻法兰西王抵失普勒岛,故特遣其来修好。且言宴只吉带将于来春进围报达,请法兰西王同时进攻埃及,俾其不能进援哈里发。鲁意闻言甚喜,决遣使者赴大汗所报聘。使者应先至宴只吉带营。大维德曾授意,以为赠蒙古帝最贵重之礼物,莫逾一种帐幕式之礼拜堂。鲁意遂命人用紫布制之,上绣耶稣基督事迹,若预示、降生、受洗、被难、升天及圣灵降世等事。益以祭爵、《圣经》、饰品及其他一切举行圣礼之物,并以真正十字架之木材赠蒙古主及宴只吉带。鲁意在致此二人书中,激励其履行奉教义务,以答天庥。教皇大使亦致书于大汗、汗母及宴只吉带等,略谓罗马圣教会闻其皈依公教,甚喜,将列其于教会诸爱子之列,盼其维持正教,承认罗马教会为一切教会之母,承认其教主为耶稣基督之代表人云云。奉使往蒙古者,为朵密尼迦派教士三人:曰安德烈隆主麦勒、曰约翰(Jean)、曰吉约木(Guillaume)。安德烈隆主麦勒,法国人,曾偕教士安塞勒木使拜住营。1249年2月10日,三教士偕大维德、马儿可携书记二人王吏二人发足于尼可西亚[①]。

奉使之教士二人[②]取道河中而赴鞑靼地域,未至以前,贵由已死。遂以所赍书物献摄政皇后,所受待遇尚优。然其奉使之结果,实不副鲁意九世之期望。后于1251年西还报命,时鲁意适在帕勒思丁建筑凯撒里亚(Césarée)堡垒也。当时蒙古视法兰西国王之

① 见 Luc d'Achery,Spicilegium 第3册626页。Iehan de Joinville《圣鲁意史》29页。Guillaume de Nangis《圣鲁意年历》204页。Vincentius,Spec. Hist. 第31卷第90章。

② 钧案:原文作二人。

使者为称臣入贡之使臣，故其遣使偕此二朵密尼迦派教士西还时，所赍答法兰西国王书，仅有命其称臣纳贡并入朝蒙古主等语，由是法兰西国王颇悔其遣使之非云[1]。

① 见《圣鲁意史》103 页。

第五章　蒙哥时代

皇后斡兀立海迷失之摄政——第一次大会之推戴蒙哥——帝位由窝阔台系移转于拖雷系蒙哥之当选——窝阔台诸孙之反对——所谓阴谋之发现——党于窝阔台系者之被惩罚——任命诸要职——创设佛教教主——定丁税——莎儿合黑帖泥之死——皇后斡兀立海迷失之被害——窝阔台系诸王之遣谪及其部众之被夺——逮治全国之党于窝阔台系者——畏吾儿王之被杀——命皇弟忽必烈领治汉地民户——窝阔台死后对宋之用兵——遣军往讨高丽——命皇弟旭烈兀西征波斯——成吉思汗死后蒙古之侵略北印度

贵由死后，在赴告诸王以前，秘丧不发。断绝交通，留止行人。遣使者以凶问驰告莎儿合黑帖泥及宗王拔都。

先是拔都发自窝勒伽河畔，东迎贵由，行至距海押立七日程之阿剌塔黑山（Alactac），闻讣告，乃托词休养士马，停驻其地。依旧俗请皇后斡兀立海迷失（Ogoul-Gaïmisch）摄政。斡兀立海迷失者，贵由诸妻位之最高者，而斡亦剌部长忽秃哈别吉之女也。同时拔都集大会于阿剌塔黑，窝阔台系诸王借词选举大会应在蒙古故地举行，皆拒不赴会，仅遣哈剌和林长官帖木儿（Temour）代表预议，命其附合拔都及诸王多数之决定。时大会中列席者要为术赤、拖雷两系诸王。札剌儿部之伊勒赤带(Iltchidai)首先提议曰："前奉窝阔台即位时，已有成约，只须此系尚存一块肉，不奉成吉思汗族他系之王为君。"宗王忽必烈曰："此言诚是。汝辈首先违法，不从窝阔台遗命。按据成吉思汗法令，皇族有罪者，须经宗亲会讯定谳，而后正其罪，乃汝辈违法而杀阿勒塔伦[1]，其一事也。窝阔台遗命失烈门嗣帝位，乃汝辈违命改立贵由，此又一事也。"

其不欲窝阔台后人嗣位者，皆执此二事为词。拔都与窝阔台系有旧怨，曾与莎儿合黑帖泥同谋推戴蒙哥。蒙哥者，莎儿合黑帖泥之长子，在军中颇有势权。

成吉思汗分部兵于子弟时，拖雷所得独多，故其势最强。君位有人时，诸军固属皇帝，然在缺位时，诸军则仍奉其原属之王为主[2]。拖雷死后，所部兵分属蒙哥、忽必烈、阿里不哥、末哥(Moga)四子。诸王幼时，事皆决于其母。莎儿合黑帖泥有才智，能收揽军心，拔都与诸王等亦尊敬之。则推其一子承大位，其事较易。时窝阔台系诸后王皆幼弱，尚未得众心。此系争位者，除失烈门外，尚有贵由子火者斡兀立[3]。

忙哥撒儿(Mangoussar)首先在大会中推戴蒙哥，以其智勇，

---

① 成吉思汗之爱女，而察威儿薛禅之妻也。

② 皇帝无处分诸王所部军队之权。拖雷死后，皇帝窝阔台曾夺其所部雪你惕部众个人，速勒都思部众二千人，以付己子阔端，两部将士曾诉之于拖雷寡妇及诸子，谓将面诉于帝。莎儿合黑帖泥曰：汝辈所诉不为无理，惟三千之数太微，于我诸子固无所损也，不可以此微事渎帝听。况且我辈皆属可汗臣，而可汗为我辈之共主也。诸将遂止。窝阔台闻之，颇德莎儿合黑帖泥(见《史集》)。

③ 见《世界侵略者传》第2册。《史集》。

曾从其父立功于中原，又从拔都立功于西域也[①]。然诸王则以拔都为成吉思汗系诸王长，当立。拔都不可，诸王乃请其审择一人，以备推戴；并立文约，许对其所择之人不生异议。次日大会，拔都曰："治此大国非才能出众而熟悉成吉思汗法令者不可。"因推蒙哥。蒙哥逊让数日，其弟末哥斡兀立（Mogaï-Ogoul）[②]起而言曰："吾人既已约定遵从拔都之推戴，若蒙哥不能践言，将来恐开恶例。"拔都曰："末哥言是也。"议乃定。莅会诸人遂依俗奉蒙哥为可汗，由拔都献盏。

大会约定于来年春在斡难、怯绿连河源成吉思汗故地中重开大会，俾受诸王及诸将等之全数推戴。开会以前，仍由皇后斡兀立海迷失监国。时皇后与其二子火者斡兀立、脑忽（Nagou）共摄政务，专事征求货财。斡兀立海迷失嗜巫术，终日与珊蛮共处，政纲紊弛极矣。

火者、脑忽闻大会之决议推戴蒙哥，大不悦，使告拔都曰："会议不在成吉思汗故地，诸王亦未全集，义不能从。"拔都乃请其赴来春之新会，且曰："莅会诸王以国土广大，特推举一堪承此大任之人。今推举已定，未能挽回也。"于是双方使者往还，迄于年终，议尚未定。拔都乃命其两弟别儿哥脱、哈帖木儿将大军卫蒙哥至怯绿连河畔，命于来年春莎儿合黑帖泥所召集之大会中，奉之承大位。及期，窝阔台系诸后王及察合台子也速蒙哥（Yessou-Moengga）以蒙哥之推戴不合法，而帝位应属窝阔台后人，皆不莅会。拔

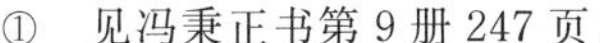

① 见冯秉正书第 9 册 247 页。

② 钧案：斡兀立犹言子，蒙古人名后常加是称。

都及莎儿合黑帖泥数遣使往劝，拔都且言童稚不能治成吉思汗所遗之大国，仍不纳。别儿哥待之一年，恐久延生变，请命于拔都。拔都乃命其立奉蒙哥即位，违者诛之。

如是术赤、拖雷两系诸王及成吉思汗诸侄等[①]集会于所定之地[②]，对于窝阔台、察合台两系诸王作最后之劝请。遣使赴斡兀立海迷失及其二子所，别遣使赴也速蒙哥所，告以诸王皆集，仅待其至。失烈门、火者、脑忽三王见其反对无效，许赴会，并示以期。及期而犹未至，乃不复待，命星者择定即位之时日。

1251 年 7 月 1 日，蒙哥时年四十三岁[③]，诸王等奉之即位。诸王皆解带置肩上，对之九拜，帝帐外战士万人亦随之而拜。蒙哥命是日人皆休业息争，宴乐终日，并使万物皆同其乐。是日不许乘马，禁以牲畜载物，禁杀牲为食，禁渔猎，禁破土，不许扰动水之静洁。

次日，蒙哥在广帐中设大宴，诸王等坐于右，诸妃主等坐于左，皇弟七人立于前，诸将、诸那颜等分行而立，忙哥撒儿居其首。文吏、书记、总管、侍从官等则以孛勒海阿合（Bolgaï Aca）[④]居首。诸将卒列坐帐外，大宴七日。与宴之人每日各易一色之衣。每日供

① 成吉思汗诸王从突厥旧俗，其驻兵于中亚者，自称曰左手诸王及右手诸王。例如拙赤哈撒儿、合赤温、斡赤斤那颜三人，皆成吉思汗弟，其诸子封地皆在鞑靼地域东边，则名左手诸王是已。

② 《元史》谓在阔帖兀阿兰之地。

③ 蒙哥生于 1208 年 1 月，幼时窝阔台抚以为子，养之斡耳朵中。及拖雷死，始命归藩邸（《元史译文》303 页）。

④ 钧案：其人疑是名见本书第一卷第九章之孛里海，而《辩伪录》卷四著录之博剌海，必为一人无疑，阿合尊号，犹言兄也。

食者马牛三百头，羊五千头，供饮者酒湩两千车。

方宴乐时，有骡夫克薛杰(Kischk)上变。谓以失骡出觅，道遇军队护车乘甚多而来。一车微损，御车有幼童，误识克薛杰为同伴，呼之使助修车。则见车载兵器甚多，问作何用。御童曰："诸车皆同，问我奚为？"益讶之。更询他人，始知此军随失烈门、脑忽、忽秃忽(Goutoucou)三王以赴会为名，将乘蒙哥及诸王酒醉除之，故于一日间急驰三日程地来告变。宴中诸人闻之，始而疑，克薛杰力言之，始信。诸王咸欲往觇之，因决遣诸将之长忙哥撒儿率二三千骑往。时来众距大会地二日程，忙哥撒儿黎明驰至其地，以军围之，自率百骑进至行帐前呼曰："有人告变，谓来者意非善。脱其说非真，可速赴斡耳朵面自解，否则将强之往。"三王闻声出帐，言今来朝贺蒙哥，原无他意。遂随忙哥撒儿行，每王从者不得过二十人。及至斡耳朵，献九品之贡，凡物皆九数。首二日，犹令与宴，至第三日，三王将入帝帐，即被拘系，而命其所部军队各还驻地[①]。

越日，蒙哥亲鞫之，语三王曰："告变之言似非真相，脱有诬陷，可明辩之，将严惩诬陷者。"三王皆坚谓无逆谋。蒙哥杖失烈门傅，傅自承与其他诸臣同谋，诸王等实不知情，语毕拔剑自杀。

复令忙哥撒儿等鞫问三王从官，咸辞服。蒙哥欲宥之，众以为不可，乃械系诸罪人，然尚无意杀之也。询之左右，诸人语毕，意尚未动。见马合木牙剌洼赤远立帐旁，乃曰："此老父何无一言？"命之前，牙剌洼赤曰："请以史事与此相类者对：'昔者阿荔散德(Alexandre)既胜波斯，将入印度，有将领数人欲令自己出，不奉其命。

① 见《世界侵略者传》第2册。《史集》。《鲁不鲁乞行纪》第30章所志亦同。

阿荔散德遣使询其大臣阿里思脱忒(Aristote)。使者致命,阿里思脱忒导使者游于园中,命人拔其中之深根大树,易以幼弱新芽,遣使者还,别无他语。使者以所见还报,阿荔散德悟。乃诛不从令者,而以其人之子代之。'"蒙哥闻是言,遂诛三王之党与逆谋者凡七十人。波斯戍将宴只吉带之二子亦同谋,皆以石子填塞其口而死。遣人逮宴只吉带于呼罗珊境内之八的吉思,付拔都诛之。

蒙哥即位后,任命诸大臣及国中诸要职:以那颜忙哥撒儿为大断事官。以聂思脱里派之基督教徒孛勒海掌文书省及财政内政两部事。分文书省为数局。设波斯、畏吾儿、汉地、西番、唐兀等令史,使主来往文书[①]。以拙赤哈撒儿子晃忽儿(Councour)为哈剌和林长官,典守宫殿帑藏,阿蓝答儿(Alamdar)副之。

命皇弟忽必烈领治漠南汉地民户。以察罕统两淮等处蒙古、汉军。以带答儿统四川等处蒙古、汉军。以和里斛统西番等处蒙古、汉军。以僧海云掌释教事,李志常掌道教事[②]。后又命西番僧那摩为国师,总天下释教[③]。

以马合木牙剌洼赤[④]总治汉地,其子马思忽惕总治也儿的石、阿母两河间之地。仍以阿儿浑总治波斯,兼辖阿哲儿拜占、底牙儿别克儿、阿勒波、谷儿只、鲁木、小亚细亚诸国。其随阿儿浑入朝之文武官吏及所属藩主,并如阿儿浑所请悉受恩赏。

先是诸王遣使持令旨征求货财于波斯。使者甚众,索供应于

① 见《世界侵略者传》第2册。《史集》。

② 见《元史译文》307页。

③ 见《纲目译文》312页。

④ 牙剌洼赤突厥语犹言大使。

居民，人民因以疲弊。税课任意加增，农人每年之所获，不足供缴纳之用。至是阿儿浑以苛征扰民事上闻，蒙哥命从阿儿浑入朝之波斯各地征收官吏各条议其弊，及除弊方法。次日，集诸征收官吏面询之，诸人皆言人民困苦，盖因赋税之重，宜用马合木牙剌洼赤所定河中丁赋之例，计贫富征之，每年一次，其他诸税皆免，蒙哥从之。贫者最少纳税一底那儿（dinar），富者最多纳税七底那儿。至在中原及河中两地，丁税自一金钱至十五金钱不等[①]，命此丁赋所入，惟供军饷驿传及帝使往来供应之用，此外不得以任何名义有所需索。牲税名曰 countchour，每百取一，不及百者免。蒙哥追认成吉思汗、窝阔台两代豁免基督教、伊斯兰教、偶像教教士赋税之诏敕[②]。诸国老年及贫而无告者，亦同豁免，惟犹太教士（Israélites）独未受此惠。

蒙哥禁止追征以前欠税，曾云："与其充盈库帑，不如抚慰民心。"自贵由死后，皇后诸王等滥发令旨，至是命尽收之。凡自成吉思汗死后迄于是时所发之令旨，悉皆无效。禁止诸王擅自宣命于诸地，须与诸地长官协议之。盖诸王等封地虽大，尚自以为成吉思汗之子孙，可与君主共有侵略地之税课，所以皇帝不少亲属，多干涉其大权也。禁使臣征发民马，每站不得过十四马，不得行逾限定供应境地之外，不得经过非其路程所应经过之城村。自窝阔台时

① 见《史集》。据术外尼书则云，中原及河中两地，纳税一至十金钱不等。

② 《世界侵略者传》云：蒙古人名基督教徒曰也里可温（Arcaoun），名偶像教徒（佛教徒）曰道人（Touines）。《鲁不鲁乞行纪》（第 31 及第 43 章）亦屡见有道人（Touiniens）之著录。道人者，实为蒙古人名称佛教僧人之称。至若基督教徒之称号，则已为 Etienne Orpélian 所撰《Orpélian 史》所证实。史云："此王颇爱基督教徒，即蒙古人所称之也里可温（Ark'haïoun）是已。"可参照 Saint-Martin 撰《阿美尼亚记》第 2 册 133 页。

代以来，凡钱商、货商及售货于宫廷者，皆得驰驿。蒙哥以为私人旅行不得假用官吏驿马，亦并禁之。

有售货于皇帝贵由之商人无数，因贵由死，尚欠价未偿，其后及诸子侄亦有所欠未偿。及蒙哥即位，诸商因其仁厚，群赴其斡耳朵索偿。管库官吏以前代债，皇帝不能代偿，然蒙哥仍为偿之，计费银五十万巴里失。

1252 年 2 月，帝母莎儿合黑帖泥死，时已尊之为皇后矣。莎儿合黑帖泥虽为基督教徒，待穆斯林亦厚。曾助黄金一千巴里失建一回教学校（Medréssé）于不花剌，并赐地甚广。校名汗尼（Khani），有生徒千人。窝阔台在位时，雅重其人，国有大事，先与议之，对其使者，亦示优礼。曾求其再醮其子贵由，莎儿合黑帖泥以须以余年教养诸子谢之。与其第四子阿里不哥居于阿勒台山附近之一地。死葬其夫拖雷及成吉思汗之墓侧①。蒙哥从汉制，追尊其父拖雷为帝，并上庙号②。

1252 年 8 月，帝至哈剌和林，究讯诸王及后妃之狱，罪其反对彼即位也。尤恨皇后斡兀立海迷失，缘前命其入朝新主时，皇后曾曰："蒙哥及诸王等既誓奉窝阔台之后裔为帝，何得自立也？"至是遂逮皇后，缝其两手于革囊中。蒙哥至帝帐，命以斡兀立海迷失及失烈门之母送莎儿合黑帖泥帐，付忙哥撒儿鞫治。忙哥撒儿尽剥其衣，使之裸露。斡兀立海迷失责之曰："此身仅呈露于一皇帝前，何得使众人见？"忙哥撒儿罪其厌禳，谋害蒙哥，遂共失烈门之母，

① 见《史集》。《世界侵略者传》第 2 册。

② 见《纲目译文》309 页，庙号睿宗。

裹以毡，投诸河。其诸子等则谓奉母命，故不承认蒙哥为帝。杀海迷失用事大臣合答、镇海二人。其杀镇海者，答尼失蛮哈只卜(Danischmend Hadjib)也。以察合台孙不里付拔都，拔都忆前者不里在醉中詈辱之旧怨，杀之。

蒙哥以三王皆近属，宥其死。谪火者斡兀立于哈剌和林西速里海(Souligaï)之地。命脑忽、失烈门从军随征。其后未久，忽必烈赴汉地，以素爱失烈门，请于蒙哥，以失烈门自从。迨蒙哥自赴汉地时，仍将此预备继承大位之幼王，因疑忌而投诸水，溺死之。谪窝阔台诸子于各地，夺其父所遗之部兵，以畀翊戴无贰心之诸王。惟合丹、灭里二王及阔端诸子早诚心归命，不仅未夺其兵，且各以窝阔台之斡耳朵一所、后妃一人赐之。

蒙哥究违命诸臣，遣使至各地，凡附窝阔台系者，皆逮治之。自哈剌和林至讹答剌，列兵防守。遣断事官八剌(Bela)至察合台封地鞫杀罪人。别遣一人负同一使命至汉地，同时遣二军赴吉儿吉思及谦谦州之地①。

诸敌既除，君位既固，新帝遂遣散列席大会之诸王、统将等，厚赠别儿哥、脱哈帖木儿并及其兄拔都。复命哈剌旭烈兀嗣有其祖察合台之封地，命杀其诸父也速蒙哥。哈剌旭烈兀西还就国，死于道。时也速蒙哥耽于酒，委国事于其妃。蒙哥复命哈剌旭烈兀妃斡儿哈纳(Organa)执杀也速蒙哥。斡儿哈纳执国政者十年。蒙

① 剌失德曰："自此不幸时代以后，蒙古遂受内乱之害。诸王似忘成吉思汗和睦保国之遗训。据闻一日成吉思汗欲诸子知结合之益，出一箭于箙中，命诸子断之极易，已而出二箭三箭以至十箭，军中强有力者竟不能断。成吉思汗乃曰，设汝曹能互相援助，汝曹之势力亦若是也。"

哥赏骒夫克薛杰告变功，赐号答刺罕(Terkhan)，授以高位，赐以重金。

先是畏吾儿王巴而术(Bardjonc)降成吉思汗，曾将所部兵从征河中、唐兀。成吉思汗奖其功，许以其女阿勒屯别吉(Altoun Bigui)字之。已而成吉思汗死，婚姻遂缓期。及窝阔台欲履行其父之命，而阿勒屯别吉死，俄而巴而术继死。其子乞失马因(Kischmaïn)入朝，窝阔台册封之为畏吾儿亦都护(Idicout)。亦都护者，畏吾儿之尊号也。未几乞失马因死，摄政皇后秃剌乞纳命其弟撒连的(Salendi)嗣[①]。蒙哥即位，撒连的方入朝朝贺。其国有偶像教之奴某，诉其亦都护欲尽杀别失八里及畏吾儿国之穆斯林，拟乘其于金曜日集于礼拜寺时杀之。有蒙哥使臣名赛甫丁(Seïf-ud-din)者，适在别失八里，闻诉辞，遣使邀畏吾儿王归。撒连的还国，与其奴质对，坚谓无是谋。其奴请以此事移付朝廷复按，赛甫丁遂遣之入朝，已而撒连的亦奉入朝之命。忙哥撒儿鞫问此狱，刑讯撒连的，迫之诬服，逮送还别失八里。1252年之一金曜日，命撒连的弟斡根赤(Okendji)[②]对众手杀之，穆斯林大悦。撒连的信奉佛教，殆因此而为人所谋陷也。有二臣断为同谋，被腰斩，别有臣名八剌(Bela)者获免。先是八剌于海迷失摄政时为书记，蒙哥即位后，究海迷失党，被断处死刑。会蒙哥母得疾甚剧，蒙哥大赦，八剌剥赴刑场时，赦书至，获免。惟其妻子财产皆籍没，而八剌被遣付西利亚、埃及。缘蒙古君主对于宥死之罪人，或遣其随

① 见《史集》"畏吾儿"条。

② 钧案:《元史》作玉古伦赤，此处译写疑有误。

军从征，或遣其为谕降使，或谪之至气候不宜于北方人之地，使之终不免一死也。告变之奴竟膺赏而归依伊斯兰教焉。此奴于亦都护被杀后还别失八里，畏吾儿人畏之甚，献重贿以媚之。蒙哥尽除党于窝阔台系之畏吾儿人后，册封斡根赤为畏吾儿王[1]。

1251 年皇弟忽必烈开府于漠南，时汉地受兵燹之害已有年矣。召中国学者名姚枢者至，待以客礼，枢乃为书数千言上之。首陈帝王之道，与治国平天下之大经，汇为八目：曰修身，力学，尊贤，亲亲，畏天，爱民，好善，远佞。次及救时之弊，为条三十。忽必烈奇其才，动必召问。枢因言于忽必烈曰："今土地、人民、财赋皆在汉地，王若尽有之，则天子何为？后必有间之者矣。不若惟持兵权，凡事付之有司，则势顺理安。"忽必烈从之。

自窝阔台死后，蒙古军之屯驻南境者，屡侵入四川、湖广、江南，惟利剽杀，未拓土地。抄掠以后，即弃之而去。

先是窝阔台身死之年，金巩昌降将汪世显率塔海所部之一军复入四川，进围成都。前此成都已受蒙古军两次之残破，至是宋制置使陈隆之誓死守城。然其部将某潜送款于蒙古军，乘夜开门纳之。隆之举家数百口皆死。蒙古兵槛送隆之至成都东北百里之汉州，命谕汉州守臣降。隆之大呼曰："大丈夫死尔，勿降也！"遂见杀。汉州兵出战，城破，尽为蒙古所屠。

1242 年，蒙古将也可那颜（Yké Noyan）耶律朱哥[2]复自西安侵入四川，围攻金沙江北岸之泸州。宋将孟珙分军御之。

---

① 见《世界侵略者传》第 1 册。

② 钧案：也可那颜，此言大官人，官号也。耶律朱哥即耶律秃花子，多桑于此处误分为二人。

1243 年，皇子阔端奖汪世显功，承制拜便宜总帅秦巩等二十余州事。世显先已遘疾，至是死。子德臣袭爵，率所部军从征四川。

1242 年统将张柔渡淮，攻宋之扬、滁、和等州，已而取通州，屠其民。

1245 年，摄政皇后命河南统帅察罕帅骑三万会张柔略地淮西。取淮河南岸之寿州，转攻泗州、盱眙及扬州。宋制置使赵葵请和，乃退。

1246 年，权万户史权侵入湖广，进至黄州。同年 10 月，蒙古之劲敌宋将孟珙死。珙智勇兼备，数败蒙古兵。自是以后，终蒙哥在位时代，仅见 1247 年张柔进围江南泗州之役，此外史无两国攻战之文。

时两国边境残破，城无居民，野皆榛莽。1251 年，忽必烈开府漠南，从姚枢之请，置经略司于汴。遣诸使屯田唐、邓等州，授之兵牛，敌至则战，退则耕田。西起邓州，东达黄河口，列障守之。

1252 年，蒙古帝以中原之地封宗属，以河南、陕西之地畀忽必烈。是年 8 月，忽必烈奉命帅师征云南。11 月，命宗王也苦(Yégou)征高丽。越三月，也苦以怨袭统将塔剌儿营，事闻，夺也苦职。命札剌儿台为征东元帅往代之。同年，蒙哥从汉地博士言，祭天于山巅。

1253 年，蒙哥大赦天下，开大会于斡难河源附近，决定命皇次弟旭烈兀于是年率军西征波斯。旭烈兀先灭亦思马因派之国，继灭阿拔思系哈里发之国，旋进兵西利亚，建一王朝于波斯，传世垂百年。此王及其诸后王之事迹，将于中国诸蒙古帝之史事后别述之[①]。

蒙古帝命那颜撒里(Sali)[②]率兵千人增戍印度边境,以撒里总军事,受旭烈兀节制。先是成吉思汗曾命四子各出兵千人组织此军,戍守涉不儿干(Schébourgan)、塔里寒(Talécan)、阿里阿巴的(Ali-Abad)、哈温克(Gaounk)、范延、哥疾宁诸地,此军数侵入印度北境[③]。1241 年 12 月窝阔台死亡之时,蒙古兵适围刺火儿,底里算端守城将哈剌忽失(Caracousch)见军心不一,弃城走底里。蒙古兵取剌火儿,屠其民。已而底里乱起,底里算端末亦速丁巴合蓝沙(Moïzz-ud-din Bahramschah),亦勒的迷失(Iletmisch)之子也,命诸将重申效忠之誓,遣之往御蒙古,且命丞相尼咱木勒克(Nizam-ul-Mulk)与军偕行。尼咱木勒克谋废算端,军次比牙黑河(Biah)畔,遣使报算端,谓诸将有叛意,请速来营。否则以军付彼,抑付总军事之忽都不丁哈散(Coutb-ud-din Hassan Gouri)。算端信其相无贰心,报曰:"行将以罪人处死,可暂秘其事。"尼咱木勒克出算端书示诸将,诸将因相约共废算端,进围也里,攻城三月有半。1242 年 5 月,拔之,杀算端巴合蓝沙,而以亦勒的迷失孙阿剌瓦丁马思忽惕沙(Alaï-ud-din Mass'oud-Schah)代其位,巴合蓝沙在位仅逾二年。

马思忽惕在位之时,蒙古兵自罕答哈儿(Candahar)侵入欣都(Sind)境内,进围兀札城(Oudja)。旋闻马思忽惕自底里以兵来

① 钧案:其事构成本书第四至第七卷。

② 撒里,塔塔儿部之秃秃哈里兀惕部人也。成吉思汗灭塔塔儿部时,曾因此汗二妻也速伦、也速哈惕之救而获免,汗二妻亦塔塔儿部人也(见剌失德书)。

③ 见瓦撒夫书第 1 册。

援，进至此牙黑河附近，蒙古兵遽引还①。

此1253年同年中，蒙哥命其臣名别儿哥（Berké）者括斡罗思户口。

① 见 Firischté 撰《印度史》，巴黎图书馆藏波斯文写本。

第六章

教士鲁不鲁乞之奉使——其经行鞑靼地域——撒儿塔营——拔都帐——鲁不鲁乞之入觐——进赴蒙哥帐——觐见蒙哥——鲁不鲁乞之致词——蒙哥之答词——哈剌和林之城市宫殿——蒙古帝答圣鲁意书——鲁不鲁乞之还国——小阿美尼亚王海屯之入朝——其所获得之利益

1253年终,有欧洲基督教士二人奉法兰西国王书入觐蒙哥。先是鲁意九世之留处帕勒思丁,闻归自鞑靼地域之聂思脱里派基督教徒言,拔都长子撒儿塔(Sartac)曾归依基督教,以为遣传道师至其国,得此王子之庇护,或能传布真教于鞑靼中。遂作介绍书,付戈儿德里耶(Cordelier)派教士吉约木鲁不鲁乞(Guillaume de Rubruquis),命其持谒撒儿塔,请许此教士传教于鞑靼地域。吉约木于1253年偕一教士名巴儿帖勒米(Barthélemi de Crémone)者,及书记一人,发自帕勒思丁。至孔士坦丁堡(Constantinople),登舟至克里米亚半岛(Crimée)之速答黑(Soudac)登陆。行三日,抵鞑靼军之前哨。鲁不鲁乞云:"我见此辈之时,似进入一新世界中。"复自是赴撒儿塔营,营距窝勒迦河西三日程。鲁不鲁乞云:"自速答黑以来,行程垂二月,未寝于庐帐中,或卧于露地,或卧于车下。道途所经，无村庄及建筑之迹，仅见有库蛮坟墓甚夥。”有信奉聂思脱里派基督教之将校一人，介见鲁不鲁乞于撒儿塔。鲁不鲁乞盛装，手持国王所赐之《圣经》，王后所赐着色绘画而价值甚巨之《圣诗》。其同伴教士持弥撒文集及十字架。书记持香炉。入帐时，有人告其不得触门阈，可诵祝福歌。鲁不鲁乞等遂唱 Salve Regina 歌而入。撒儿塔及其诸妻审视其衣服、《圣经》，颇以为异。鲁不鲁乞奉圣鲁意书于此蒙古宗王，附有阿剌伯、西利亚译文各一份。次日，撒儿荅得悉书中内容，乃语鲁不鲁乞等曰：“若欲留居国中，须经其父拔都许可。”将送彼等至拔都帐，面请进止。鲁不鲁乞曾见有聂思脱里派教士在撒儿塔所举行圣礼。然撒儿塔非基督教徒，且揶揄蔑视基督教徒云[①]。

于是诸传道士等不得不赴窝勒伽河畔觐谒拔都。及抵拔都营，鲁不鲁乞颇惊其营地之广，所据地与一大城无异。周围约有三四程，人民繁庶。拔都居帐在其中，门向南，南方不许安设庐帐。庐帐列于汗帐左右东西两方。女帐居左，视其位置高下，列帐以居，每帐相距有一掷石之远。拔都有妻十六人，诸妻帐外有服役妇女之庐帐，及藏贮衣物之小屋甚夥。帐以毡为之，上涂羊脂羊乳，以御雨水。此种庐帐并卓于列车之上，欲迁徙时，则以牛驼架车他适。其地平原广袤，道路平坦，转运甚易也。

鲁不鲁乞抵拔都所，谒拔都于大帐。鲁不鲁乞云：“有人告以勿触系帐之绳，盖其与门阈并重也。吾人科头跣足，供众人之瞻视。教士普兰迦儿宾曾先吾人而至此，然曾易服，俾不受人轻视，

① 鲁不鲁乞云，吾人留撒儿塔所四日，未得饮食，仅有一次微以马湩饮吾人而已。

益以其为教皇使者，故如此慎重。吾人既入帐中，仅命吾人屈膝，如使臣谒见礼。吾人谒见处，距汗座有一 Miserére 之远。人皆静默，拔都坐金色高床，升三级始登床。旁坐其妇一人，其他男子则列坐于此妇之左右。顾女子甚少（盖仅有拔都诸妻始能列坐于此），所以其一方余地多为男子所据。帐口有长桌，上陈饰以宝石之金银大盏及马湩。拔都注视吾人甚详，其面貌微带赤色，已而命吾人发言。介见者乃告吾人跪而致词。我乃屈一膝，介者命屈二膝，我不敢违。遂自拟若祈祷上帝者然，乃致词曰：上帝赐汗以荣华，行将赐汗以天福。前者若无后者，将无所用，汗应知之。脱汗非基督教徒，则永不能享此天福。缘上帝曾云，信仰者及受洗者将获救，不信者则获谴。汗闻此言微笑，蒙古人皆鼓掌嘲笑吾人。已而声息，我续言曰：我之所以至此者，因闻汗子已归依基督教，特奉我主法兰西国王书来觐。拔都闻言毕，命我起立，垂询陛下及我等名（鲁不鲁乞《行纪》盖呈圣鲁意者，故其语气如此），译人乃笔录呈之。拔都复曰：曾闻陛下统率一军出国而战？我答曰：此事非虚，盖欲讨击占领耶路撒冷圣地及污渎上帝居宅之穆斯林也。拔都又问从前是否已遣派使臣至此？我答曰否。于是命我等坐，赐所饮马湩，闻此乃异数也。时我注目于地，彼命我举首，乃出。”

鲁不鲁乞出帐后，有人来告，留居其国，拔都未敢决定，须请命于皇帝蒙哥。鲁不鲁乞应入朝自求之，并命部下千户某之子领之往。鲁不鲁乞等二人随拔都宫帐，沿窝勒伽河行，约六星期，9 月 15 日，遂随导者东行，跋涉三月有余。“历经饥渴寒冻疲劳，未可言喻。”经行广大平原，此盖蒙古侵略前康里、哈剌契丹、畏吾儿、乃蛮诸部之地。于12月27日抵大汗廷，时汗廷在哈剌和林南数日程之地。道中所需之粮食车马，皆由各地供应，不须付价，盖宗王之使者视同皇帝之使者，道路之所需，应由人民供给也。拔都使者所至之处皆受礼遇，人出城奉酒食，鼓掌作歌以迎之。

二教士抵大汗廷，告以来意。然皇帝之臣下终信其为求和乞降之使臣。鲁不鲁乞反复申辩，言非法兰西国王使臣，仅为奉国王书往见宗王撒儿塔之传道士。盖鲁意九世已悉鞑靼人视遣使如同一种称藩行为，曾嘱鲁不鲁乞勿使人信其为使臣也[①]。1254年1月4日。此二教士入觐大汗于帐中。鲁不鲁乞云："宫前毡门揭开，吾人遂入，时尚在圣诞节内，吾人遂唱A Solis ortus cardine等歌。歌毕，有人来遍搜吾人身内，盖恐吾人藏有兵刃也。强使吾人之译人留存其带及刀于阍者所。帐口设一桌，上陈马湩。引见者命译人立于桌旁，延吾人坐于女座附近之处。帐壁全布金锦，帐中置一火盆燃火。用荆棘、马矢作燃料。大汗坐小床，衣皮裘，其华丽光泽，有类海豹之皮。其身长不逾中人，鼻微扁平，年约四十五岁。其妇年幼，尚美丽。携其一女名昔里纳(Cyrina)者坐于侧。女近婚年，貌甚陋，别有儿童数人坐于附近之一床上。汗问吾人欲饮何物。彼等冬季之饮料共有四种，曰葡萄酒、曰米酒(terasine)、曰马湩(cara coenmiz)、曰蜜酒(ball)。吾人答言非嗜饮者，惟汗所命。于是赐饮米酒，微尝之，其甘其色有类白葡萄酒。吾人之译

① 鲁不鲁乞云："此辈骄傲之极，致信世人皆应博其恩宠。此辈曾询及我国中牛羊马是否甚多，一如将来我国尽取而去之意。"先是撒儿塔、拔都部下之人，已数为此相类之询问也(第32章)。

人则在司酒人之旁狂饮无节，致瞶然不知其所言所行。已而汗命人持猎鸟数头至，置之拳上，视久之。视已，命吾人发言。其身旁有一译人，为聂思脱里派教徒。至吾人之译人则几醉不知人矣。吾人遂跪致词曰：吾人感谢上帝，曾导吾人远莅此地，来朝其付与地上大权之大汗蒙哥，吾人并祈请救世主耶稣基督，为陛下祝长寿（盖此辈所切欲者祝寿而已），并言前在国内闻撒儿塔是基督教徒，凡属基督教徒闻悉此事，莫不欢欣。法兰西国王尤甚，所以命奉修好书，介绍往谒，请许吾人留居其国，俾能依本派之规律，传布上帝示人立身之道。撒儿塔不敢专决，遣吾人进谒其父拔都，拔都复命吾人进谒皇帝。上帝既以地上之一大国付与皇帝，吾人吁请其俯允留居其所辖土地之内，俾能传布上帝之诫，并为皇帝、皇后、皇子等祈福。吾人虽无金银宝石，仅恃奉祀祈祷，然请许留居此地渡此严冬，同伴之人长途疲劳已甚，若命其立时就道，将恐其不能生还。彼曾嘱我代请留居此地数日。大汗答曰，可使太阳之光普照，而使其威权及拔都之威权广播一切地域云云。迄于是时，译人已醉，吾人不解其所言何事。蒙哥本人亦有醉意，语毕赐坐。已而随其书记出，吾人将还所居帐时，译人来言，蒙哥悯吾人之远道疲劳，许留此二月，度此严冬。并言附近有一城名哈剌和林，若愿徙居此城，则供应吾人一切需要之物。第若吾人愿留此处，供应亦同。然随同汗帐迁徙，艰苦较甚也。”

鲁不鲁乞留居帝廷之时，曾见蒙哥及皇族对于基督教、伊斯兰教、佛教典礼，悉皆参加。其所认识之基督教，仅其若干外式，若焚香、祝盏、崇拜十字架等事而已。除蓄养珊蛮或巫师外，兼赡养此三教之教士。冀能借此确可求福免灾，并未思及宗教尚有其他目的[①]。

三教之徒皆努力求新入教者于蒙古人中，尤盼皇帝之信仰。惟蒙哥仅守成吉思汗遗教，对于任何宗教，待遇同等，无所偏袒。一日语鲁不鲁乞，励其宽容诸教，以为在朝诸人既崇拜惟一长生之上帝，各应自由用其仪式敬奉之云。观其厚赐各教之人，各教人皆以其教为汗所重视。若据史家阿剌丁术外尼之言，蒙哥所偏袒者盖为穆斯林，曾举一例以证之。六五〇年(1252)伊斯兰教斋节日(Beyram)，蒙哥所之诸穆斯林集于皇帝之斡耳朵前，盛礼庆贺此

① 案：据鲁不鲁乞之记载，随侍蒙哥之聂思脱里派教士，类皆不学无识、迷信、嗜酒之人。朝廷设宴时，聂思脱里派之教士服其衣饰，先为皇帝祈祷祝盏，迨其退出，则命伊斯兰教教士入。伊斯兰教礼毕，则命偶像教士入。"主显节之八日，蒙哥之正后名忽都台(Coutouctaï)者，携其长子班秃(Baltou)暨幼子数人，并妇女数人，至聂思脱里派之礼拜堂，跪伏于地，以右手持圣像吻之。旋依聂思脱里派之习俗，与在场诸人执手，蒙哥亦莅此礼拜堂，与其后共坐于坛前之金座上，命鲁不鲁乞及其同伴赞唱 Veni sancte spiritus 之歌。皇帝未久即退，其后则留礼拜堂中，施物于一切基督教徒。人以米酒、葡萄酒、马湩献，皇后取一盏跪请祝盏。皇后饮时，教士唱歌，已而教士等共饮，以至于醉。是日日间所行如此。至晡，皇后既醉，与他人同，遂归车帐。诸教士作歌送之，谓其曰唱，勿宁曰号也。""复活节中第三日曜日前之土曜日，盖为阿美尼亚人之复活节也。吾人偕聂思脱里派之教士多人及阿美尼亚之修士一人，巡行蒙哥宫中。吾人入宫时，见一侍者持火炙羊胛骨出，黑如薪炭，我颇异之。询其故，始知此地之人凡有事必须先炙羊胛以卜吉凶。汗欲有所为也，命人持未炙之骨至，取而默祝之，然后付人持至汗寝所附近之两处，以火炙之，骨黑然呈之于汗。审其完整或碎裂，设若完整则吉，破碎则凶(参照卷末附录一)。聂思脱里派教士入见蒙哥，奉香，蒙哥自执香置之炉中。诸教士等并祝其盏，吾人皆须为之，已而赐诸教师饮。""饮毕，吾人赴班秃宫中，班秃见吾人至，即自座上跃下，跪伏于地，礼十字架毕，奉之至高台，以新绢承之。其傅名大维德(David)，聂思脱里派教士，实一醉徒也。曾命之行此礼，已而命吾人坐，自饮诸教士等所祝之盏毕，并赐诸教士饮。""吾人复自此历至皇后位次第二、第三、第四者之宫中，诸后亦皆跪伏于地，礼十字架奉之于高台，以绢承之。诸教士等所授之基督教礼只此。诸后且并遵守巫师及偶像教徒之仪式。"(《行纪》第 36 至第 39 章)"复活节之前一日，适当 1254 年 4 月 19 日，哈剌和林城中受洗者有六十余人，诸基督教徒举行盛大之庆贺。"(见《行纪》第 42 章)。

节。先由忽毡城人大法官札马鲁丁马合木(Djémal-ud-din Mahmoud)主持祈祷,为皇帝祝寿。蒙哥命其重祷数次,遂以金银及贵重布帛数车赐之。并于此日大赦,遣使至各地,命尽释狱中诸囚[①]。基督教之两著作家,若海屯(Haython)及斡儿帛良(Etienne Orpélian)者,则谓蒙哥偏袒基督教徒。而佛教中人必亦信其偏袒佛教,盖据中国史书,佛教在当时已成国教也。

鲁不鲁乞曾见蒙古教士或巫师居于帝帐之前,约一掷石之远,守护其车中偶像。此类巫师兼谙星术,知预言日蚀月蚀。凡日月之蚀,此辈击鼓钲,大呼以禳之。指定吉日凶日,人有事必咨询之。凡宫廷所用之物,以及贡品,必经此辈以火净之,此辈得留取若干。儿童之诞生,则召其至,以卜命运。有病者亦延其至而求助于其咒术。脱其欲构陷某人,只须言某人之疾盖因某人厌禳所致。人有咨询者,此辈则狂舞其鼓而召鬼魔,已而昏迷,伪作神语以答之[②]。

① 见《世界侵略者传》第 2 册。

② 见鲁不鲁乞《行纪》第 45 章,此传道士曾志有此辈巫师之狡诈及蒙古人之迷信若干事。盖闻诸麦志(Metz)城之一妇人名帕开忒(Paquette)者,此妇先在匈牙利为蒙古人所俘。后至哈剌和林,服役于蒙哥之一皇后所。此蒙古皇后奉基督教。有人献美裘,命巫师以火净之,巫师依俗留其一部。然后之司衣妇见巫师所留部分超过其所应得,言之于后。后遂谴责巫师。其后未久,后得疾甚剧,召巫师询之。巫师言受司衣妇之厌禳,于是逮此妇,拷掠七日,迫之自承。会皇后死,此司衣妇乃自请死,欲从其主于地下,言从未谋害其主,主死不愿独生。然皇帝明其冤,命释之。巫师遂又诬厌禳者为皇后女之乳母。其人乃一聂思脱里派教士之妻,逮而拷讯之。乳母自承曾用术媚皇后,然从无害之之心,但仍不免被处死刑。其后蒙哥之一后产子,召巫师卜其命运,巫师言皇子寿命甚长,将为大帝,在位时国势隆盛。然越数日,皇子夭殇。皇子之母召巫师至,责其言之不实。巫师言前此所诛之乳母曾以厌禳之术杀皇子。皇后闻言大怒,命男妇各一人杀此乳母所遗之一子一女。蒙哥闻之怒甚,责皇后不应妄杀二人。命禁锢皇后狱中七日,期满谪居宫外一月。同时命诛手杀乳母子之男子,系其首于手杀乳母女之妇人项上。命以燃薪笞之,旋杀之(第 47 章)。

复活节之前后，鲁不鲁乞随大汗返哈剌和林，据言此城不及法兰西之圣登尼城（Saint-Denis）远甚。圣登尼之修道院，且大逾蒙哥之宫殿十倍。城内有两大街：一名回回街，市集所在，宫廷驻此城时，外国商贾及各地人民皆辐辏于此焉；一名汉人街，工匠所居。城中有文书省之衙署数所，各派偶像祠宇十二所，回教礼拜寺二所，基督教堂一所。城周围环以土墙，四方辟四门，各门各有市场。东门售粟及其他本地出产不丰之谷食，西门售羊及山羊，北门售马，南门售牛及车。

皇宫近城壁，环以砖墙，南北向。南方辟三门，中有大殿，建筑颇类教堂，其前庭立柱两行以承之。朝会之日，皇帝坐此殿之高座上，其旁座稍低，皇后位次最高者之位也。诸皇子及诸宗王列坐于宝座右，诸公主列坐于其左。宝座附近有一银制大树，四银狮承之，口吐葡萄酒、马湩、蜜酒、米酒于四银盘中。树顶一银制天使矗立其上，手执喇叭。司酒人酌酒于外柜，酒通于树下时，喇叭即发声。此树盖一巴黎之金器匠名不涉（Guillaume Boucher）者所制。其人前在匈牙利之别勒格剌德城（Belgrade）为蒙哥之弟某所俘，制作此物时，曾用银三千马克（marc）[①]。

鲁不鲁乞留帝廷五月，即预备西还，此传道士似未固请久居鞑靼地域也。蒙哥欲遣使偕之归，然鲁不鲁乞谢曰："所经道途不靖，难保旅人安宁。"蒙哥遂以谕法兰西国王书付之。鲁不鲁乞询其送

---

① 鲁不鲁乞云，在此别勒格剌德城同被俘者，尚有主教一人。此主教盖为法国鲁望（Bouen）城附近之别勒维勒（Belle viile）城人也。鲁不鲁乞在哈剌和林曾见主教之侄，哈剌和林城中且有匈牙利、阿兰、斡罗思、谷儿只、阿美尼亚之基督教徒甚众。钧案：马克旧量名，每马克约重八两。

达可汗诏敕后，是否可以重来鞑靼地域？蒙哥不答。仅命其多赍旅行必需之物，赐之酒而遣之[①]。

蒙哥谕鲁意九世书，系以畏吾儿字写蒙古语。首引成吉思汗之谕降语云："长生天命，天有一帝，地有一主。天子成吉思汗谕曰：耳可闻与马足可至之地，可将此谕谕之。其不从而欲以兵抗者，将有眼而不能视，有手而不能用，有足而不能行，长生天及地上神蒙古主之命如此。

"此命盖由蒙哥可汗通谕法兰西国王以及法兰西国诸贵人教士暨全国人民者，俾其获知其尚未得悉长生天诏告成吉思汗之命，及朕谕告之语。

"有名称大维德者，曾冒称蒙古使臣使汝国。汝曾遣使随之来朝贵由汗，使者抵帝廷时，汗已死。其寡妇海迷失曾赐绢一匹并国书而遣之归，顾此妇贱逾牝犬[②]，安知和战之事，及此国之福利欤？

"兹汝遣此二修士至撒儿塔所，撒儿塔不敢专决，遣之往谒拔都。拔都复遣之入朝觐见蒙古之无上主蒙哥可汗。朕欲遣使偕彼等同至汝国。据二修士言，此国及汝国之间，道途危险，兼有数敌国处乎其间。恐朕之使臣不能安抵汝国，愿自赍朕谕国王鲁意之诏敕而还。所以朕以长生天之诏谕付汝教士转达。汝奉谕以后，须遣使来报，欲和抑战。设汝自以国远，山高水深，蔑视天命，则彼

① 鲁不鲁乞云，我告别时，曾自思维。脱上帝赐我灵异如曩者摩西(Moïse)之所为者，或者能使其皈依也。

② 鲁不鲁乞云，可汗曾亲语我，此不幸妇人曾因厌禳而被绝于皇族之外。

能转难为易而变远为近者，知悉吾人之能为也。”[①]

鲁不鲁乞于1254年6月奉蒙哥诏敕及帝命赴拔都廷，在途七十日，仅见村庄一处，尚不能得面包为食。有时二三日中仅饮马湩，别无食物。蒙哥曾作书致其从兄，嘱其增删其致法兰西国王诏中之词。鲁不鲁乞与拔都游牧之宫廷随徙者数星期，旋取道太和岭而归圣让答克城之道院。时鲁意九世已还国，遂寄呈其行纪[②]。

同一时代小阿美尼亚国王海屯一世（Hethoum Ⅰ）入朝蒙哥。小阿美尼亚，小国也。以昔思（Sis）为都城，当时据有西里西亚（Cilicie）、戈马然（Comagéne）两地全境，及迦帕朵思（Cappadoce）、亦锁里亚（Isaurie）之数城。先是阿美尼亚帕格剌迪（Pagratides）朝之末王迦乞格二世（Katig Ⅱ）死，其族人名鲁彭（Roupen）者，于1080年取西里西亚之山地数区。其中有不少阿美尼亚人，因国为塞勒术克朝之突厥所据，不堪受其压迫，避难于此，垂百年矣。鲁彭之后人渐蚕食东罗马帝国之疆土，力御小亚细亚塞勒术克朝之突厥，国境于是扩张。因与十字军利害相同，时常互相援助。鲁彭之第九代继承人烈雍（Léon），复略取东罗马及突厥之地，于1197年遣使请于教皇薛勒思廷三世（Célestin Ⅲ）及皇帝亨利六世（Héri Ⅵ），而受册封为国王。蒙古将拜住击败鲁木算端凯豁思鲁（Key-Khosrou），进兵小阿美尼亚之时，烈雍之第三继

① 鲁不鲁乞云，“书中之大意如此”。观其译文，足证译人之无识。其中有语义不明之处若干段，概从删弃。

② 见鲁不鲁乞《鞑靼地域行纪》巴黎1634年刊本，此传道士实名鲁亦思不罗克（Guillaume de Ruysbroek）。顾其人为卜剌班（Brabant）州人，则可以假定其出生于卜吕塞勒（Bruxelles）南一程地之鲁亦思不罗克（Ruysbroek）村矣。

承人海屯，见蒙古兵迫西里西亚，遂求和而自保。于 1244 年遣使纳款于拜住。由是阿美尼亚王遂为蒙古皇帝之藩臣，此窝阔台在位时事也。贵由即位，海屯曾遣其弟大将军三帕德(Sempad)入朝朝贺。海屯欲亲入朝，因事未果。至 1254 年，始离其国往朝蒙哥，先取道打耳班，谒拔都、撒儿塔，继至帝廷，颇受优礼[①]。海屯留帝廷五十日。得国王之册封，及减轻小阿美尼亚贡赋，豁免教会税课之诏敕而还[②]。

① 阿美尼亚史家杞剌可司(Kirakos Kaïdzaketsi)所撰《海屯入朝大汗行纪》，曾经 Klaproth 在《新亚细亚学报》第 2 册 273 页以后刊布并附注释。

② 见教士 Michael Chamisch 撰《阿美尼亚史》，Joh. Avdall 译文，Calcutta 1827 年刊 284 页。海屯(钧案：此海屯别为一人)撰《东方史》第 23 章。根据此著作家之记载，其戚国王海屯请求蒙古皇帝之第一事，则求皇帝归依基督教，并着手于全国人民之归依。著者海屯云："此请及其他六请上达蒙哥后，蒙哥集会议之。阿美尼亚王亦列席。蒙哥之答词曰：阿美尼亚王既从远道自动来朝，所请亦甚正当，应准如所请。赖天之助，将实行之。朕将先与鞑靼贵人同受洗礼，奉此基督之教，并使人民悉皆乐从。"此说似非真相，著者海屯又云：皇帝由阿美尼亚王相某主教之手接受洗礼，宫廷之人悉皆受洗。中有男女数人为国之要人。蒙哥受洗容有其事，盖其对于各教一律奉行，然实未信仰何种宗教。蒙古人之视洗礼殆同一种寻常净礼。至若史家海屯所言阿美尼亚王所取得之教会豁免赋役一事，亦非特惠。盖成吉思汗法令而经窝阔台追认者，一切宗教之教士皆有此特权也。又据海屯之说，蒙古皇帝曾许将穆斯林所侵阿美尼亚国内诸地而经蒙古兵夺还者，悉移付阿美尼亚国王。蒙古统将之在西方者，将受援助阿美尼亚国王之命。蒙古兵将进讨哈里发，并会合基督教徒共取圣地，此种许诺后此未久皇弟旭烈兀皆履行之。著者海屯，阿美尼亚国王之戚也。君临地中海沿岸 Tarse 西南之一小国名 Gorhigos，1305 年时，以其国土献海屯二世，而自入教修道。先赴失普勒岛，继至罗马，后至法国。在 Poitiers 撰《东方史》一部，详述蒙古及小阿美尼亚诸国王之史事(见 Saint-Martin 撰《阿美尼亚记》第 1 册 203 页引《西里西亚志》)。

第七章

忽必烈之经略云南——兀良合台之经略——安南之降——高丽之降——忽必烈之暂时失宠——计划侵宋——蒙哥之进兵——四川之役——合州之围——蒙哥之死——其军之退——拔都之死——撒儿塔

1252年，忽必烈奉命经略云南，时云南数小国分立，多对宋自主。是年终，蒙古将汪德臣将兵入蜀，掠成都，薄其南三百里之嘉定，由是为忽必烈开辟行军道途。1253年10月，忽必烈自陕西之临洮进兵，速不台子兀良合台（Ouriangcadaï）为副[①]。兀良合台在诸将中推戴蒙哥为最力，至是蒙哥命其主持南征军事。忽必烈经行山谷二千余里，至金沙江，乘革囊及筏以济。摩莎蛮主迎降。师至白蛮，其主将出降，主将侄坚壁拒守。攻拔杀之，不及其民。进取南诏国之都城大理。一日夜宴，姚枢陈宋太祖遣曹彬取南唐不杀一人、市不易肆事。明日，忽必烈据鞍呼曰："汝昨夕言曹彬不杀事，吾能为之。"及师至大理，命枢裂帛为旗，书止杀之令，分号街

① 速不台于参加窝阔台死后大会毕，还居秃剌河上，殁年七十三岁（见《亚洲新杂纂·速不台传》）。案：速不觧（Soubout）蒙古语犹言珠。

陌，由是民得相完（1254 年 1 月）。至是忽必烈留兀良合台征服南方未平诸地，自还蒙古。

兀良合台既平大理，遂入土番，其酋惧而出降。土番有民三十万户。兀良合台签发土番军为前锋，进取其他诸部。1254 年终，入朝帝于蒙古。次年，复还云南，降白蛮、乌蛮、鬼蛮等部。鲁鲁厮、阿伯、阿鲁等国慑于兵威皆降①。

1257 年，兀良合台进兵交趾，时安南尚称藩于宋也。遣使谕其王陈日煚降，使皆见囚。兀良合台遂进兵至洮江，交人隔江列象骑步卒甚盛。兀良合台分军为三队，济江败之。安南王单舟走海岛。兀良合台先命其将彻彻都率一队先渡江，勿与敌战。待二军并渡，断其后路，然后夺其船。敌若溃走，无船必成擒。然彻彻都违命，安南兵虽大败，得驾舟逸去。兀良合台怒曰："先锋违我节度，军有常刑。"彻彻都惧，饮药死。

12 月，兀良合台取安南之东京，得前所遣使于狱中。以破竹

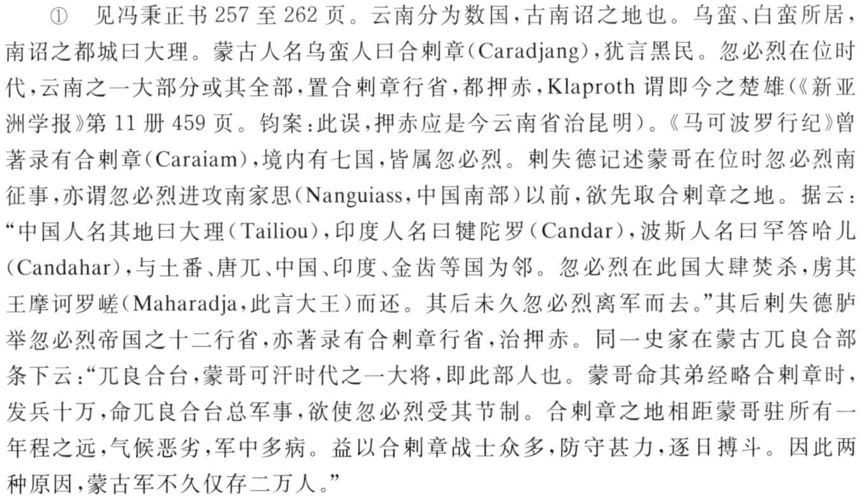

① 见冯秉正书 257 至 262 页。云南分为数国，古南诏之地也。乌蛮、白蛮所居，南诏之都城曰大理。蒙古人名乌蛮人曰合剌章（Caradjang），犹言黑民。忽必烈在位时代，云南之一大部分或其全部，置合剌章行省，都押赤，Klaproth 谓即今之楚雄（《新亚洲学报》第 11 册 459 页。钧案：此误，押赤应是今云南省治昆明）。《马可波罗行纪》曾著录有合剌章（Caraiam），境内有七国，皆属忽必烈。剌失德记述蒙哥在位时忽必烈南征事，亦谓忽必烈进攻南家思（Nanguiass，中国南部）以前，欲先取合剌章之地。据云："中国人名其地曰大理（Tailiou），印度人名曰犍陀罗（Candar），波斯人名曰罕答哈儿（Candahar），与土番、唐兀、中国、印度、金齿等国为邻。忽必烈在此国大肆焚杀，虏其王摩诃罗嵯（Maharadja，此言大王）而还。其后未久忽必烈离军而去。"其后剌失德胪举忽必烈帝国之十二行省，亦著录有合剌章行省，治押赤。同一史家在蒙古兀良合部条下云："兀良合台，蒙哥可汗时代之一大将，即此部人也。蒙哥命其弟经略合剌章时，发兵十万，命兀良合台总军事，欲使忽必烈受其节制。合剌章之地相距蒙哥驻所有一年程之远，气候恶劣，军中多病。益以合剌章战士众多，防守甚力，逐日搏斗。因此两种原因，蒙古军不久仅存二万人。"

束体入肤，比释缚，一使死，因屠其城。留九日，以热不能堪，班师[①]。1258年3月安南王请降，传国于长子光昺。光昺遣婿与其国人以方物献，兀良合台送诣行在所，时蒙古帝适在侵宋也[②]。

1256年春，蒙哥会诸王百官于月儿灭怯土之地，设宴六十余日，赐金帛有差，仍定拟诸王岁赐钱谷[③]。

同年，高丽降。高丽自1247年以来不复入贡，至是其王慑于军威，亲自入朝。

或谗忽必烈于帝，言其得中原人心，有图位意。1257年，蒙哥遂召忽必烈还，命哈剌和林副长官阿蓝答儿代之，行省事于京兆。阿蓝答儿至巩昌，大为钩考，推集经略宣抚官吏，下及征商无遗，曰俟终局日，入此罪者，惟刘黑马、史天泽以闻，余悉诛之。忽必烈闻之不乐，姚枢曰："帝君也兄也，大王为皇弟，臣也。事难与较，远将受祸。莫若尽王邸妃主自归朝廷，为久居谋，疑将自释。"及忽必烈见蒙哥，皆泣下，竟不令有所白而止。因罢钩考局，召阿蓝答儿还，不复问[④]。

9月，会诸王百官于蒙古中央哈不儿哈不黑出儿（Cabour Cabouktchour）之地。成吉思汗婿亦乞剌思部人答兀海阔列坚（Daougai Gourgan）以宋未降，请伐之。蒙哥亦主战，言将自将伐宋。且曰："我父祖成大业而享盛名，我欲效之。"诸王曰："君临全

---

① 见冯秉正书264页。

② 见《元史译文》337页。冯秉正书第12册第6页附录宋君荣撰《东京史略》。

③ 《元史》本纪1253年下云：宗王拔都遣脱必察诣行在，乞买珠银万锭，汗以千锭授之。仍诏谕之曰，成吉思汗、窝阔台之财，若此费用，何以给诸王之赐？王宜详审之。此银就充今后岁赐之数（夏真特《译文》379页）。

④ 见冯秉正书263页。宋君荣书116页。《纲目译文》333页。

世界而有弟七人,安用亲自将兵击敌?”蒙哥不愿效法窝阔台,不从众言[①]。先是 1241 年摄政皇后秃剌乞纳使月里麻思入宋议和,从行者七十余人,抵淮上,宋人囚之长沙飞虎寨,已而月里麻思死。1254 年蒙古兵围合州,为守将王坚所败。宋政府因释所囚余使还,以示求和之诚[②]。

是年夏,蒙哥谒成吉思汗行宫,祭旗鼓。复会于怯绿连河附近,以驸马腊真之子乞解为达鲁花赤,镇守斡罗思,赐马三百羊五千[③]。

1257 年 10 月,蒙哥出师南侵,命皇弟阿里不哥居守哈剌和林,阿蓝答儿辅之。度漠南至玉陇栈,忽必烈及宗王数人来迎,大宴,既而各遣归所部。1258 年 2 月,蒙古元旦,次也里本朵哈之地,受朝贺。3 月,至黄河,适冰合,以土覆之而渡。5 月入陕西,驻跸六盘山,诸郡县守令来觐。时皇弟旭烈兀已平西域,遣使来献捷。蒙哥以阿母河以西之地界其弟管理。驻三月,留辎重于六盘山,率军四万号十万,分三道而进。8 月,蒙哥由陇州趋散关,皇弟末哥由洋州趋米仓,万户孛里叉由渔关趋沔州。别遣两军入湖广、江南,张柔从皇弟忽必烈攻鄂州,斡赤斤子塔察儿攻荆山。又诏兀良合台自交趾引兵会鄂,其侵宋之军事计划如此。

蒙古元帅纽璘将前军,欲会都元帅阿答胡于成都,败宋将刘整军于遂宁江渡,遂长驱至成都。宋四川制置使蒲择之自将兵取成都,会阿答胡死,纽璘率军扼其归路,择之兵溃,成都所属数州悉降

① 见《史集》。

② 见冯秉正书 237 及 260 页。《纲目译文》290 及 325 页。

③ 见《元史译文》331 页。

蒙古。纽璘以功受都元帅。

10月，纽璘闻蒙古帝次汉中，遂留将守成都，自师众进取保宁府西北约二百里之苦竹隘。隘在小剑山顶，中道获宋将张实，遣之招降。实入隘，遂与守将杨立坚守。11月，蒙古帝渡嘉陵江至白水，命总帅汪德臣造浮桥以济，进至苦竹隘。隘中裨将赵仲窃献东南门，蒙古兵入，守将杨立败死，守众皆溃。诏毋犯赵仲家属，仍赐仲衣帽，徙于隆庆。次日，获张实，支解之。赐汪德臣玉带，犒赏士卒，留精兵五百守之。

越二日，蒙古帝进围长宁山，保宁府府境之险要也。守将王佐、徐昕战败。蒙古兵进攻鹅顶堡，知县王仲降，城遂破，佐死焉。蒙古帝入城，杀佐之子，及徐昕等四十余人。由是龙安府内五城守将俱以城降。诸王末哥、塔察儿并略地还，以所将二军来会。已而蒙古将李璮取宋之海州、涟水军，拔四城，杀宋军几尽。

蒙哥进至阆州大获山，遣王仲入阆州招守将杨大渊降，大渊杀之。蒙古诸军攻城，大渊惧，遂以城降。蒙哥命率所部兵与汪德臣分击相如等县，师次运山，大渊遣人招降其守将。1259年1月，师至青居山，宋裨将杀其都统出降。已而隆州及大良山相继降。攻雅州，拔之。石泉守将以城降。遣宋降将晋国宝招谕合州守将王坚，坚辞之。

是年2月，蒙古元旦，蒙哥驻跸重贵山，置酒大会。因问诸王、驸马、百官曰："今在宋境，夏暑且至，汝等其谓可居否乎？"札剌儿部将脱欢(Togan)进曰："南土瘴疠，上宜北还。所获人民，委吏治之便。"阿鲁剌部将八里赤曰："脱欢怯，臣愿往居焉。"帝善之。晋国宝归次峡口，王坚追还杀之。帝遂命汪德臣进围合州，俘其男女八万。3 月,帝悉率诸军进至合州城下。城在嘉陵江及涪江交流处,3 月、4 月两月间,屡攻不克。5 月,大雷雨凡二十日。

宋制置使蒲择之在蜀无功,宋以吕文德代之。文德乘风顺攻涪浮桥,力战得入重庆。即率舟千余,沂嘉陵江而上,蒙古兵顺流纵击,夺战舰百余艘,追至重庆而还。

6 月,蒙哥屡攻合州不克。7 月,汪德臣复选兵夜登外城,王坚率兵逆战。迟明,德臣单骑大呼曰:"王坚,我来活汝一城军民,宜早降。"语未竟,为飞石所中,因得疾死。会天大雨,攻城梯折,后军不克进,俱退。蒙古军数攻城,死伤甚重。而军中痢疫盛行,蒙哥亦得疾。8 月,乃留精兵三千守之,余悉攻重庆。越十二日,蒙哥死于合州城东十里之钓鱼山①。

此汗在位八年,寿五十有二。为人沉断寡言,不乐燕饮,不好侈靡,虽后妃不许之过制。初窝阔台时,群臣擅权,政出多门,至是御群臣甚严。惟性喜田猎,自谓遵祖宗之法,不蹈袭他国所为。然酷信巫觋卜筮之术,凡行事必谨叩之,殆无虚日。

四川之役,禁止抄掠。皇子阿速台(Assoutaï)因猎践民禾稼,帝见让之,挞其近侍数人。士卒有拔民葱者,斩以徇,由是秋毫无犯。仍赐所经地方长吏有差②。

---

① 宋君荣书(121 页)谓或传其中流矢,是语不知何所本(钧案:语见《续通鉴纲目》卷 21)。《元史》谓其死于钓鱼山。《纲目》则谓其死于合州城下。剌失德则谓蒙哥嗜酒,时军中痢疫盛行,因染疾死。

② 见《元史》及《纲目译文》337 至 354 页,夏真特之《译文》止于蒙哥之死。冯秉正书 265 至 275 页。宋君荣书 117 至 121 页。蒙哥,蒙古语犹言银(钧案:此盖音近之误),突厥语同一名称则训为长生。蒙古人亦常适用此义,惟未用为人名(钧案:此亦误,可参考 1913 年《亚洲学报》伯希和撰《蒙哥名称考》)。

诸将决定班师，奉柩北还。[①]。皇子阿速台以军事付统将浑都海（Condoucai），自随柩还蒙古。陈柩于四后之斡耳朵中凡四日。四后中随蒙哥南行者仅一人。陈柩时，在场诸人皆号泣。葬于不儿罕合勒敦山成吉思汗、拖雷二墓之侧。

蒙哥后妃数人，正后忽都台，亦乞剌思部人也。生二子，曰班秃、曰斡连家思（Orenguiass）[②]。庶出二子，曰昔里吉（Schirégui）、曰阿速台[③]。

宗王拔都于 1256 年（回历六五四）殁于窝勒伽河附近之地。拔都别号赛因汗（Saïnkhan），犹言好汗也。人誉其极好施与，凡以贡赋献者，不俟纳库，即散赐于人。仍奉其祖先粗野宗教。建撒莱城于窝勒伽河东岸，是为其与诸后王之首都。拔都习于游牧生活，终年徒居各地。春日沿窝勒伽河东岸北行，徙居不里阿耳边境，秋八月则南还[④]。术赤死后所遗军队，拔都与其兄斡儿答共分有之。斡儿答获有细浑河北之地，人称此王及其后王曰左手诸王，俾与窝勒伽河畔之拔都系有别。左手诸王建牙于昔格剌黑、撒别阑（Sabéran）、讹答剌等处，对于撒莱之系独立自主，然视拔都系之后王若主君，故于教令中列其名于前[⑤]。

1256 年，蒙哥召集大会时，拔都曾遣其子撒儿塔赴会。未莅

① 《纲目》云，诸王大臣用二驴，蒙以缯棤，负之北行。马可波罗云：护卫蒙哥遗体还鞑靼地域之士卒，在途见人辄杀，如是被杀者约有二万人。

② 钧案：应是玉龙答失之误。

③ 见《史集》。

④ 见鲁不鲁乞《行纪》第 22 章。

⑤ 见《史集・术赤传》。木涅靖巴失书第 2 册。

会前，闻讣，蒙哥命其嗣父位，厚赐而遣之归。撒儿塔行至中途亦死[①]。穆斯林相传此王曾经归依基督之教[②]。教皇因那曾四世闻教士约翰(Jean)言，亦误信其入教，曾于1254年致书贺之[③]。

撒儿塔死，帝命拔都子[④]兀剌赤(Oulagtchi)嗣位。惟其年尚幼，蒙哥又命拔都长妃孛剌黑真(Boractchin)摄国政，待其成年。越数月，兀剌赤又殇，术赤子别儿哥嗣立[⑤]。

① 见《世界侵略者传》第1册。

② 见木涅靖巴失书第2册。Assemannus《东方丛书》第3册第2篇104页引阿不法剌治《世界史略》。

③ 见《教会年历》第2册492页。

④ 钧案:原文作撒儿塔子，兹据第2册之勘误表及第4册之世系表改正。

⑤ 见《史集》。

附录一　剌失德书所记拖雷攻金之役

“拖雷军迫潼关，敌果以重兵扼守，不出所料。时有契丹骑十万，Cadaï Zengou[①]、Camer Tégoudar[②] 两将统之，列阵于潼关以待。见蒙古兵少，似有轻视意。拖雷见敌兵太众，特召统将失吉忽秃忽议之。拖雷曰：不能于此处击敌，须诱之离其阵地。乃命忽秃忽率三百骑驰逐于契丹军前。然阿勒坛汗（Altankhan）[③]军不为所动，且傲言曰：吾人将围此蒙古军，尽俘之，将如何如何待遇其妻女。拖雷见忽秃忽诱敌之计未遂，敌军扼险以守，本军既不能进攻，退又恐丧失士气。遂取别道入阿勒坛汗所驻之区域，俾能与皇帝窝阔台之军会合。命阿鲁剌部那颜不鲁赤（Bouroudji）[④]之弟秃忽勒忽扯儿必（Toucoulcon-Tcharbi）降千人殿后。

“契丹军见蒙古避不与战，乃大呼挑战。蒙古兵仍前行，若不闻者。契丹军不得已离其阵地，追蹑蒙古军后。蒙古军势微而气沮，契丹军突击其殿后军。蒙古兵被击，坠水渠者约四十人。秃忽

---

① 钧案：此人疑指哈达。

② 钧案：此名可读作哈马儿帖古答儿，然金将中无一与此名相合者，殆为徒单兀典之误。然则合三峰山之役及陕州之役为一事矣。

③ 犹言金帝。

④ 钧案：即博尔术。

勒忽疾报拖雷，拖雷见事急，乃命人作术法名 djédamischi 者以退之。其术以石浸水，取出拭之，虽在严夏，可招致风雪严寒，或暴雨。蒙古军中有一康里人善此术，拖雷命其为之。拖雷军服御寒衣，三整日不下骑。进至村中，时居民皆已弃其牲畜衣物而逃，蒙古军得粮衣无算。康里人作术有验，即日大雨，次日降雪，起暴风，寒甚。契丹军忽觉仲夏中天寒逾严冬，气大沮。拖雷命分军，每千人据一村。藏马于屋中，厚覆之。盖风暴甚烈，不容其……[①]契丹军则暴于野中，大受气候严烈之害，如是三日，兵不能进。拖雷见其士马休息，未受严寒之害；而契丹军则衣尽湿，兵械皆冰结。乃鸣鼓，命士卒衣毡袍上马，励其进战。蒙古兵如狮子之搏鹿群，进击契丹军，灭其大半，余众逃山中者尽死。二契丹将率五千骑逃，陷于溪中，多溺毙。蒙古军惩契丹军前此挑衅之语，乃命将所俘之众尽以 Loth 民族之行为施之。”

上文所言之术法，中亚之游牧民族在上古时已使用之。其术人求雨之石名曰 yéda。其术名曰 djédamischi。其以求雨为业者，今在喀耳木（Kalmoukes）民族中名称 djédadji，旅行家 Bergman 则名之曰 ssaddattschis[②]。据云，此种术人似能招致风雨雷电。其致雨之术，则用兽体病石[③]，投之水中，自然产生烟雾。此类术人以为此种烟雾可以成云，而仅在天将雨时作此术。设其术不验，则谓别有术人破其术，或谓天时热甚，雨水不能制之。

Pallas 曾将关于蒙古民族之无数有关系之记载留存于后。其

---

① 下有脱文。

② 见 Nomadisch Streifereien unter den Kalmukenth. Ⅲ，s.183。

③ 钧案：原文作 bézoar，盖指牛黄马宝之类。

间志有一种迷信之事，13 世纪时颇盛行，是为炙胛骨观其裂痕以卜吉凶。史载成吉思汗系之诸君主曾用此术。传道师鲁不鲁乞当时曾在皇帝蒙哥廷者，亦曾说明其问卜之法。其说与 Pallas 之说相合。兹录 Pallas[①] 之文如下。

“蒙古种中具有迷信之民族，在古时所用之占卜方法，而在亚洲之诸民族中几尽适用，故尚迷信珊蛮。诸法中尤应注意者，烧胛骨观其裂痕以卜一日或数日后吉凶之法。其术有定例，用之甚频。此种预言方法，在喀耳木民族中名曰 Dallatullike。其术人名曰 dalladschi，然在乞儿吉思民族中则名 jauruntchis。其人非教师，亦非执巫师之业者，惟以长久之历练，故善此术。蒙古人有书名曰 Dalla，以此法授人，示人解释火焚胛骨种种横直裂痕之法。胛骨中之最良者，为绵羊、羚羊（saïga）、麋鹿（daim）、驯鹿之胛骨。所用之骨，先以沸水煮熟，然后以刀剥其余肉，以骨置火薪上。迄于 dalladschi 断定裂痕充分之时，乃出而观其方位。其大小，其连属，预卜事之吉凶，人之生死。所可异者，预言之事常验。所以亚洲之粗野民族多信仰此术。有若干裂痕重于其他裂痕，此种裂痕各有其名称，各有其意义。”

中国古代所用占卜之术，亦有与上言之术相类者。惟不用胛骨，而用龟甲，以某种草灼之而已[②]。

兹再引剌失德书蒙古兀良合部条之一节，所言蒙古迷信之事于后：

---

① Samlungen hist. Nachr. über die Mongolis chen Voelkerschaften, th. Ⅱ, s. 350。

② 参照冯秉正撰《中国史》第 1 册 104 页刊行人附注。

“蒙古兀良合部人欲止风暴，则詈天及雷电；其他蒙古部族则反是。设有雷鸣，则藏伏于庐帐中，惧不敢出。兀良合人不敢食雷殛动物之肉，并不敢近之。蒙古人以为雷盖出于一种类龙动物之身，其物自空而下，以尾击地，蜿蜒吐火焰。据语言可信之蒙古人言，谓曾常见此事。并谓若有人以酒或马湩，以乳或凝乳，散之地上，雷即降于家畜之身，尤以马受害为甚。凡散酒于地者必能致雷，百不一失。其人以为曝湿靴于太阳下可以致雷，故藏之于庐帐中，闭其天窗，使之自干。其地多雷，人畏之甚，故以种种原因赋之。蒙古人并云，曾见鬼而与之言，其地迷信类此者甚多。珊蛮在其地为数颇众，尤以近于巴儿忽惕（Bargout）或巴儿忽真隘（Bargoutchin-Tougroum）之边境为夥。人确信鬼与此类巫师共话。”

附录二　《世界侵略者传》及《史集》所志蒙古军远征窝勒伽河以西诸国事

《世界侵略者传》[①]及《史集》所志蒙古远征窝勒伽河以西诸国之文如下：史家阿剌丁云："窝阔台在位时，第二次大会曾定议征服拔都所辖地附近之民族不里阿耳、阿速、斡罗思诸部。帝命诸宗王各以兵助拔都。其从征者有皇子蒙哥、不者克，诸王阔列坚、不里、拜答儿，拔都兄弟斡儿答、唐古解，及其他宗王数人，并统将速不台把阿秃儿等。诸王各还其封地，筹备远征。次年春，会师于不里阿耳边地。首取著名之不里阿耳城，屠其居民，或俘之而去。复自是入斡罗思部，略诸州，进达莫科思城（Mocoss，Moscou）[②]。此部居民之众，有类蚁蜂，森林密布，蛇亦难入。蒙古诸王进兵此部，须经此林，乃伐木开道，使道宽可容三车并行。出林后，架炮攻城，攻数日，夷平之，卤获无算。凡死者皆割其右耳，计得耳二十七万。

"斡罗思、阿兰[③]、钦察等部既灭，拔都遂进破巴失吉儿惕

① 可参考第1册 Zikr istikhlass Boulgaru houdoud Asu Rous；& Zikr Djenk Kèari Baschguird 两章。

② 即莫斯科。

③ 案：即阿速。

(Baschguirdes)之国[①]。闻此国与富浪人为邻，国大而奉基督教。拔都于年初进兵，有敌骑四十万来御。拔都命其弟昔班率万人诇敌。越七日，昔班还报敌兵甚众，两军既近，拔都登山祈天一日夜。命军中之穆斯林亦集而共祷上帝。翌日备战，时两军为一大河所隔。拔都先在夜中命其弟昔班率军一部乘夜渡河，数击敌，然敌军太众，未能攻入。于是蒙古余军尽渡，与昔班合击敌军，入敌营，刀断结幕之绳。客剌儿(Kélar)[②]军见国王帐幕尽覆，气沮遂溃，脱者无几。蒙古军尽取此国之地，是为蒙古军所获最大胜利之一役。”

剌失德书所志此役之文如下：

“猴儿年春，适当回历六月(1236年2月)时，拖雷子蒙哥、不者克，窝阔台子贵由、合丹，窝阔台弟阔列坚，察合台子不里、拜答儿[③]，术赤子拔都、斡儿答、昔班、唐古解，及统将速不台把阿秃儿等数人，出征钦察。夏季全季，军行途中。及秋，抵不里阿耳部附近术赤诸子之斡耳朵。拔都、昔班及孛栾台(Bourouldaï)自是进攻波罗(Polo)、巴失吉儿惕两部[④]。波罗，民族甚众之大国也，奉基督教，与富浪人之国为邻。以军四十秃绵(touman)[⑤]来御。昔

① 此书所指之巴失吉儿惕盖为匈牙利人。据《迦尔宾行纪》，昔人以为匈牙利与巴失吉儿惕人同种，致有此误。其实巴失吉儿惕为一突厥民族也。此误殆因北方突厥发音，将b、m两声母混而不分，故将马札儿(Magyar)与巴失吉儿惕混而为一。

② 案：此处之客剌儿，盖指斯拉夫语训为国王之Kéral，Crâl。蒙古人必闻此名于斡罗思人，盖斡罗思人呼匈牙利王曰Korol Vengerski也。

③ 钧案：多桑前文谓不里是察合台孙。

④ 指波兰及匈牙利。

⑤ 犹言四十万人。

班将万人为前锋，告其兄敌兵甚众，两军既见，拔都仿其祖成吉思汗，登山祈祷一日夜，命军中之穆斯林亦共祈胜利。已而与孛栾台夜渡河击敌。昔班亲突阵，统将孛栾台率全军继之。蒙古军进至客剌儿帐，刀断其绳，敌兵气沮，遂溃。蒙古军有如猛狮之搏食，追杀敌兵甚众，尽取其国之地，是为蒙古军获大胜利之一战。波罗、巴失吉儿惕国土广大，堡寨不少，然尽为蒙古军所下。后来此二民族复叛，现在[①]尚未完全降附，且保存其国王而号客剌儿[②]。

"蒙古军集合于……河畔[③]，诸王命速不台把阿秃儿经略阿速、不里阿耳两部之地。速不台进至 Cazan? 败敌兵，其酋 Tchicou? 及 Bayan? 二人亲至诸王前请降，诸王纳降而遣之归。已而复叛，又命速不台征服之。

"诸王大会后，分徇此广大地域，已而由诸道入其境内。穷搜敌兵之时，……[④]率左翼军在海[⑤]滨擒八赤蛮(Batchman)，八赤蛮者，钦察民族之一勇敢酋长，oberlik(?)部人也……[⑥]民族之哈察儿斡古剌(Catchar Ogola)亦被擒。其事之经过如下：此八赤蛮先是得脱蒙古之锋镝，集盗贼及其他逃人肆抄掠，夺蒙古军辎重，为

① 剌失德撰此书时在 1300 年。

② 剌失德将蒙古远征波兰、匈牙利两役混而为一。上文所言之战役，盖为 1241 年撒岳河之战，匈牙利军在此役中大半覆没。顾此史家未案照年代先后而为叙述，故在此后始言 1237 年蒙古军之战役。

③ 1236 至 1237 年冬。

④ 诸点所代替者，盖为钞本中脱漏之文。脱漏者设为人名，疑是蒙哥，盖蒙古君主之名常用朱墨写之，钞写者有时忘记补写也。

⑤ 里海。

⑥ 此处脱漏之文疑是阿速一字。

害蒙古军日甚。其人转徙无常居,日间藏伏阿的勒(Atil)[①]河畔之森林中,蒙古军未能知其所在,故未成擒。蒙哥遂命备舟二百,每舟载战卒百人,分为两队。自率一队,其弟不者克率一队,沿河搜索两岸诸森林。蒙古兵搜至一地,见营幕遗迹,人去未久,其地有一老妇言,八赤蛮已遁入一岛中,其所抄掠诸物皆在岛内。顾附近无船,蒙古兵不能至岛。忽大风刮河水[②],致见河床。蒙哥遂命其众涉河而渡。出不意进至岛中,袭擒八赤蛮,其部众或被杀,或溺毙,妻子及捕获品无数,尽为蒙古兵所得。蒙古兵重渡河,未损一人。擒八赤蛮至蒙哥前,八赤蛮请死蒙哥手,蒙哥命其弟不者克腰斩之[③]。阿速部之一酋长哈赤儿兀古剌(Catchir Ougola)[④]亦被杀,蒙古诸王驻夏于此地[⑤]。

"鸡儿年(回历六三四,公元 1237 年),拔都、斡儿答、别儿哥、合丹、不里、阔列坚击博叉(Bokschas)[⑥]、不儿塔思(Bourttasses)两部,未久降之。同年秋,诸王大会后,共进兵入斡罗思。贵由、蒙哥、阔列坚、合丹、不里围 Ban? 城,三日拔之。已而取 Iga(?)城,

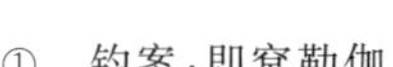

① 钧案:即窝勒伽。

② 钞本此处有脱文,兹据《世界侵略者传》补之。盖剌失德所志之八赤蛮事,与传文大致相同,足见其采录于此书也。

③ 下文盖属于剌失德者。

④ 钧案:即前文之哈察儿斡古剌。

⑤ 冯秉正书对于同一事所引中国史文云:是年(1237)3 月,入钦察部。进至宽田吉思海(宽,中国语"关"之讹。田吉思,突厥语 tenguiz 之对音,犹言海。宽田吉思,盖指打耳班海也)。其王八赤蛮率所部逃入海岛中,冀蒙古兵不能至此。忽大风刮海水,潮退时其浅可渡,蒙哥遂尽屠钦察之众。擒八赤蛮至蒙哥前命之跪。八赤蛮曰:我岂苟求生者,且身非驼,何以跪人为? 蒙哥乃囚之。八赤蛮谓守者曰:今潮且至,宜早还。蒙哥闻之即班师,而水已至,后军有浮渡者(见冯秉正书第 9 册 226 页)。

⑥ 钧案:多桑亦作莫叉。

阔列坚在此城下受伤死。斡罗思之一首领兀儿曼（Ourman，Roman）[①]、来拒，败死。攻……城，五日拔之。杀其异密（émir）兀剌帖木儿（Oulaï-Timour，Wiadimir）。已而攻大阔儿吉城[②]，八日拔之。是役也，战甚烈。……亦亲列行阵勇战，故终致胜。旋攻温赤思老（Venceslaw）国都圣尼古剌（Saint-Nicolas）城，五日拔之。国王大阔儿吉逃伏林中，蒙古兵擒杀之。既而诸王大会毕，分兵从数道进，入斡罗思内地，尽下军行所过之一切城堡。拔都围 KilAcaska（?）城，两月不下。诸王合丹、不里以兵来会，合攻三日克之。至是诸王屯兵休养士马。

“狗儿年（六三五，1238）秋，……与合丹进讨薛儿客速（Circasse）部。是冬杀其王 Toucan（?）。昔班、不者克、不里侵入马里木（Mérimes）部。Tchintchakes（?）民族之别部也。别儿哥进攻钦察部，擒 Mékroutis 部诸酋。

“猪儿年（六三六，1238 至 1239）冬，……偕不里、合丹进围蔑怯思〔Mangass（?）〕，逾六星期拔之。次年鼠儿年（六三七，1239）春，诸王遣忽黑歹（Coucdai）经略铁门（打耳班）及其附近诸地。同年秋，皇帝窝阔台召贵由、蒙哥二王还。二王于牛儿年（六三八）抵彼等之斡耳朵。”

上文见皇帝窝阔台传，其后之事则见钦察平原诸王章中。

“鼠儿年（六三七，1239）秋，当贵由、蒙哥奉可汗命离军（而归鞑靼地域）之时，宗王拔都率诸弟并诸王合丹、不里、不者克等，进

① 案：即郡王罗曼。

② 案：即大公阔儿吉城。

击斡罗思部及黑帽部[①]，攻斡罗思大城 Minguercan(?)，九日拔之。已而尽取兀剌的木儿(Ouladimour，Wladimir)境内诸城，诸道并进。军行所过，尽下其所见诸城堡。旋会师合攻 Outch-Ogoul-Ouladimour[②] 城，三日拔之。其人殁于牛儿年(1240)中[③]。

"仲春(1240)，诸王逾……山，而入孛剌儿(Boulares)[④]及巴失吉儿惕[⑤]两部之地。斡儿答率右翼逾亦剌兀惕(Ilaoute)之地。Bezerenham(?)以军来御，斡儿答败之。合丹、不里进击撒珊〔Sassans(?)〕部，三战败之。不者克逾此国之诸山，而入哈剌兀剌克(Cara-Oulag)[⑥]，败诸兀剌克(Oulag，Valaques)族。逾……山而入 Mischelav 之国，敌兵守境以待，进击败之。诸王分五路进兵，尽取巴失吉儿惕、马札儿(Madjars)、撒珊(Sassans)[⑦]之地。其王客剌儿遁走。诸王驻夏于迪撒(Tissa，Theiss)及秃纳(Tonha，Danube)两河河畔。合丹率军略取 Macoute 及……之地，进至海滨。此地之王客剌儿自……海港登舟遁入海，合丹还师，在兀剌忽惕(Oulacoute)城中力战而擒……及……。时诸王尚未得可汗凶问也。

"虎儿年(1241)，钦察部人以重兵来攻……，诸王与战，术赤子

① Cara-calpaks 是为斡罗思史家之黑 klobouks。

② 此三字突厥语，犹言兀剌的迷儿之三子。

③ 此人未详为何人。

④ 钧案：此部似是不里阿耳。

⑤ 钧案：即《元秘史》之巴只吉惕。

⑥ 疑指 Valachie 及 Transylvanie 两地。

⑦ 此撒珊疑是撒克逊(Saxon)人之侨居匈牙利东方诸州者，曾为合丹所攻击，参照 Michow 撰《波兰年历》。前引战胜匈牙利军之文，应位置于此。

升豁儿(Schingcour)败之。其秋,诸王复还逾铁门及诸山,遣亦剌兀答儿(Ilaoudar)率一军往击钦察败军之退入此种地域者,尽俘其众。Ouroungconte-Badadj 国亦请降,遣使纳款于诸王。是年诸王于其地渡岁。兔儿年(六四〇,1242)初,诸王既全平此国,遂还师。夏冬两季皆在途中。蛇儿年(六四一,1243)始归本土。

附录三　东方基督教徒关于成吉思汗之传说

Eccard 书(Corpus hist. medii oevi, vol. Ⅱ, p. 1451)采录有一篇关于成吉思汗之记事,似为聂思脱里派之一基督教徒所撰,撰时应在此汗侵入波斯之后未久。据 Eccard 云:亚洲之基督教徒曾宣传鞑靼之基督教国王大维德(David,是为当时亚洲基督教徒对于成吉思汗之称),预备援助基督教徒,讨伐西利亚、埃及两地之突厥。益以当时十字军大败于尼罗(Nil)河畔,此种希望实有其必要。所以教皇大使教廷枢密员 Pélage 及圣堂派徒(Templiers),故意将此关于大维德国王之奇诞记事广为宣传,且以之寄呈教皇,怂其再遣援军至于圣地。Eccard 之所采录者,即此类记事之一种。此记写于羊皮纸上,原本藏于撒克逊之 Zeitz 城,计有二开本四页,分为六章。

第一章述成吉思汗之起源:据谓国王大维德者,国王约翰(Johan)子国王亦思剌爱勒(Israël)之子,基督教徒也。兄弟六人,大维德年最幼。亦思剌爱勒死,长子袭位。此二王及其祖先皆称藩于波斯大王名汗哈剌(Chan-Chara,应是汗乞塔 Chan-kbata 之误。则其所指者乃哈剌契丹 Cara-khatai 汗矣)者,质言之,称藩于诸王之王。汗哈剌之国境,自合失合儿(Chassar, Caschgar)抵于只浑（Djihoun）河外之八剌撒浑（Bella-garum，Béla-Sagoun），有星者告汗哈剌，言其国将为一名称大维德者所取。顾亦思剌爱勒之子即名大维德，乃召之入朝，欲除之。然汗之二妃为之请命，其一妃为国王约翰之女，汗因转怒为喜，遂宥而释之归。

第二章云：三年后，亦思剌爱勒长子死，大维德嗣立。摩诃支那（Machachi，Mahatchin）国王以女妻之。大维德率领无数之军队侵入波斯王汗哈剌之国，阵擒汗哈剌，尽取全国之地。时其国有六十四大城，广袤七十八日程之远。

第三章云：已而国王大维德兵入河中（Alaanar，Mavera-un-nahar）。此国邻接印度，城市甚多。其波斯王定都于鹤悉那（Gazna 哥疾宁）。大维德战胜河中王，尽屠其士卒。经略以后，遂还名称哈剌（Chara，Khatai）之地。哈剌国王与花剌子模沙（Charnamisa，Khorazm-schah 所指者盖为算端摩诃末）因不花剌（Bacharim，Boukhara）、撒麻耳干（Samarchant）、花剌子模（Bel-lecharim 即 Bilad Khorazm，质言之，花剌子模国）等地之占领而起争端。花剌子模沙遣使于国王大维德议和，割让只浑（Geon，Djihoun）河外之地。花剌子模沙东境既可无虞，遂率大军侵入呼罗珊境内。近距报达六日程之地，遣使向哈里发宣战。

此后此佚撰人名之记事，多与回教史家之记载相符。一方言成吉思汗侵入花剌子模帝国，乃由哈里发纳昔儿所招致，证明时论为不虚；一方表示同时东方之基督教徒以为其教主见信于成吉思汗。此撰人在第六章中，竟谓国王大维德遣赴报达之使者执有绘十字架之旗帜。至若蒙古兵侵入谷儿只攻击基督教徒之事，则谓其原因别有所在云。

第 三 卷

第一章　忽必烈时代

忽必烈自开平府进兵长江——开平府之营建——渡江围鄂州——宋丞相贾似道之乞和——忽必烈之北还——兀良合台自交趾进趋江畔——阿里不哥谋位之处置——忽必烈之即位于开平——阿里不哥之即位于哈剌和林——两帝之战——阿里不哥军之初败及其退走乞儿吉思之地——阿里不哥军之再败——昔木勒台湖畔之三败——第四战胜负未决——阿里不哥与察合台汗国首领阿鲁忽之战——阿里不哥之归命忽必烈——其诸要臣之受惩罚——阿里不哥之死——八剌之即察合台国汗位——海都之叛——高丽——日本——忽必烈之驻所——忽必烈之宗教——佛教——佛教教长之设置——为蒙古语制定文字——营建太庙——采用中国朝代之称号——保护学者——建设学院——定官制

忽必烈奉命进取长江、汉水交流处南岸之湖广都城鄂州(武昌府),语见前卷。1258 年终,忽必烈自其在鞑靼地域新建之一城启行。先是其兄皇帝蒙哥指定桓州为其驻夏之所,1256 年,忽必烈命一博学之佛教僧人刘秉忠相地于恒州东,滦水北,独石口东北约二百二十里之龙冈,建立城郭,1260 年工毕,定名曰开

平府[1]。忽必烈进兵甚缓，1259 年 8 月始抵河南之汝南。自将一军，张柔将一军，分道入湖广，取麻城附近之堡寨数所。至是其弟末哥以皇帝凶赴告；然仍进兵渡江围鄂州，其别军支队入江西，陷临江、瑞州二城。

蒙古之侵日甚，宋丞相丁大全匿不以闻，宋臣多人表请正大全之罪，以申国法。宋帝遂罢其相职，令致仕。即拜贾似道为丞相，率军援鄂。诏诸路出师以御蒙古，大出内府银币犒师。

似道文人，不知武事。其才不足以当高位，惟知以策术取容于主弱政乱之朝，而其所用诸人，皆使军中怨愤。似道之援鄂也，不以兵力，仅密遣使诣蒙古营求和，请称臣纳币。忽必烈初不许，会闻脱里赤（Douredji）、阿蓝答儿谋立阿里不哥，遣人括民兵，因召诸将议事，郝经曰："阿里不哥已据和林，令脱里赤行省事于燕都，既据两京，若称受遗诏，便正位号，欲归得乎？愿大王与宋议和，率轻骑而归，直造燕都。"忽必烈从之。会宋使复至，请称臣，割江南为界，岁奉银绢匹两各二十万，忽必烈许之。逐拔寨而去，留张节、阎旺以偏师候湖南兀良合台之兵。

先是兀良合台奉蒙哥命会师鄂州，乃自交趾率蛮僰之兵万三千人徇宋内地，宋陈重兵于境上以俟，兀良合台大败之。乘胜围桂林，败宋兵，进围长沙。会忽必烈遣兵来迎，兀良合台遂解围引兵趋湖北。张节、阎旺之众仅余五千人，作浮桥于江上以济之，合兵北还。贾似道命将以舟师攻断浮桥，杀其殿卒百七十人。

---

① 见《纲目译文》330 页。据《新亚洲学报》第 11 册 347 页 Klaproth 所引《清一统志》之文，开平府之遗址今在 Djao-naïman-soumé 地方。并见 D'Anville 地图，开平以上都而著名，故滦河亦名上都河。

似道匿议和称臣纳币之事，以所杀获俘卒殿兵上表言诸路大捷，宋帝以似道有再造功，召入朝，奖眷甚至。

1260 年 1 月，忽必烈营于燕都（北京）城下，以阿里不哥调发人丁银畜，遣使责之。阿里不哥报以好言，用安其心，冀诱忽必烈及其党赴其在阿勒卜山蒙哥之大斡耳朵中所召集之会葬大会。乃遣脱里赤往延忽必烈及其军中诸王，诸王答言："俟将所部军队送还驻地后，然后赴会。"脱里赤使人以告其主，而自随忽必烈赴开平（4 月），此地即忽必烈之党所订选立新主之所也。洎至，忽必烈弟末哥、窝阔台子合丹、斡赤斤那颜子脱合察儿（Togatchar）及左手诸王统将等，开大会。群以亲王旭烈兀既在波斯，术赤、察合台两系后王因道远未能召集，情形严重，未能展期，遂一致推戴忽必烈，依习用礼仪奉之即位（6 月 4 日），时忽必烈年四十四岁[①]。宴乐八日后，新帝以金银布帛满车，散赐其诸亲属、诸可敦、诸统将等[②]。

诸宗王、统将等以推戴忽必烈事，遣使者百人往告阿里不哥；脱里赤闻变遁走，被执，逼讯之，遂尽吐蒙哥死后其主之策谋，投之狱。忽必烈命不里子阿必失合（Apischga）主察合台汗国事，偕其弟还国。二王道出陕西，被捕，送至阿里不哥所，囚之[③]。

阿里不哥一方面进行亦力：命阿蓝答儿发兵于漠北诸部，分遣心腹，易置将佐，散金帛，赉士卒，又命刘太平、霍鲁怀拘收关中钱谷。时浑都海自先朝将兵屯六盘，太平等阴相结纳。浑都海复分遣人约成都密里霍者、青居乞台不花，同举事。阿里不哥遂自立于

① 见冯秉正书 275 至 282 页。《史集》。

② 见瓦撒夫书第 1 册。

③ 见《史集》。

哈剌和林[①]。其党拥戴最力者，为蒙哥之正后忽都台，蒙哥子阿速台、玉龙答失（Youroung-tasch）、昔里吉（Schiréki）及察合台孙数人[②]。

是年夏间，两争位者遣使往还，皆无要领。及秋，阿里不哥命旭烈兀子出木哈儿（Tchoumoucour）偕哈剌察儿（Caradjar）二王率军南进。二王遇也孙哥（Yessoungga）所将忽必烈军之前锋，战不胜，阿里不哥后军闻之惊溃。阿里不哥杀所囚之二王及使者百人，率残众退走乞儿吉思之地，盖其驻冬之所也。其驻夏之所则在阿勒台山中，其领地即为其母莎儿合黑塔泥之领地，地广三日程。

阿里不哥党之在陕西者，亦遭失败；忽必烈即位之初，命畏吾儿人廉希宪为陕西、四川宣抚使。6 月刘太平、霍鲁怀闻希宪将至，急入京兆，谋为变。越二日，希宪亦至，宣示诏旨。未几，尽得太平、鲁怀等阴谋，遂分遣人掩捕之。会有赦诏至，希宪命杀太平等于狱，方出迎诏。

希宪遣刘黑马诛密里霍者于成都，汪惟正诛乞台不花于青居。又命宗王合丹与汪良臣、八春分三道进讨浑都海，浑都海退渡黄河，与阿蓝答儿合兵于甘州。合丹及二将之兵合击败之，杀浑都海、阿蓝答儿，关陇悉平[③]。

忽必烈自率军进向哈剌和林，驻冬于汪吉河（Oungki）。哈剌和林城恃中国之粮为食，兹粮道既为忽必烈所断，因苦饥。阿里不哥兵械食粮俱匮，遂于危急中命拜答儿子阿鲁忽（Algou）主察合

① 见冯秉正书 284 页。

② 见瓦撒夫书第 1 册。宋君荣书 133 页。

③ 见冯秉正书 285 页。宋君荣书 134 页。

台汗国事。阿鲁忽时在其所，阿里不哥乃与之约以二事：一以兵械粮食来济，二守只浑河境，拒旭烈兀、别儿哥二王来援忽必烈之军。

阿里不哥尚在谦谦州之地，恐忽必烈乘危来击，乃遣使至其兄所，谬言颇悔所为，愿奉兄为主，将入觐，惟俟马肥。并待所约阿鲁忽、旭烈兀、别儿哥及其他诸宗王等至，同来解决帝位继承事。

忽必烈答之曰："我信弟言，愿弟于三王到达以前，先图一晤。"乃命其从弟也孙哥率一军留屯哈剌和林之地，待阿里不哥至，迎之赴斡耳朵。自返开平，遣余军各归驻所。

1261年夏秋两季既过，阿里不哥休养士马毕，遂进兵。遣使给也孙哥，言来归命，也孙哥信之，不设备。阿里不哥以兵奄至，击溃其军，乘胜逾漠而南，径向忽必烈驻所。忽必烈闻警，亟集兵，进御其敌。1261年终，此兄弟二人战于戈壁边界忽札孛勒答黑(Khoudja-Bouldac)诸山及昔木勒台湖(Simoultai)附近阿勒赤阿晃火儿(Altchia Coungour)之地。阿里不哥全军败绩，忽必烈下令止诸军勿追，曰："是为轻躁之徒，或者思而自悔。"越十日，阿里不哥闻其兄兵退，遂还与兄军再战于昔勒吉勒克(Silguilk)高地附近，先干巴古勒(Sengan Bagoul)区中，沙漠一部分边界名曰阿列惕(Alt)[①]之地。战甚剧，及夜，各收军退。此后终1262年双方无战事，盖阿里不哥闻阿鲁忽携贰之讯，势须御此新敌也。

阿鲁忽既奉阿里不哥命主察合台汗国事，遂赴别失八里，取政权于哈剌旭烈兀寡妇斡儿合纳之手。其统治之地自阿力麻里之地，达于只浑河岸，已而有兵十五万人。阿里不哥战败以后，百物

① 钧案：此字犹言沙陀，疑有脱误。

皆缺。遣使者三人至阿鲁忽国中征发牲畜兵械货财，所征既富，因启阿鲁忽贪心，欲自取之。乃借词使者语言不逊，执而囚之。召其党集议，或曰，兹事须先议而后行，顾既背阿里不哥，则仅有公然归命忽必烈之一策耳。阿鲁忽遂杀三使，夺其所征诸物，散赐本部军队。

阿里不哥不意阿鲁忽之出斯举，闻之惊怒，决进讨之。临行时召集哈剌和林城之基督教、伊斯兰教、佛教诸教教长而谕之曰："忽必烈若来攻，可以城降。"盖其以为城民无守城之勇气，不如径许之降也。阿里不哥甫行，可汗兵临城下，各教居民遣代表纳款，忽必烈善待之，并承认窝阔台、蒙哥两朝所许豁免此城一切税课之诏敕。已而仍进兵，会闻汉地有变，遂南还。

阿里不哥之前锋将哈剌不花(Cara-Bouca)与宗王阿鲁忽遇于普剌(Poulad)城及速惕(Sout)湖附近之地，败绩，哈剌不花阵殁。阿鲁忽恃胜不为备，安然退还其伊犁(Hilé, Ili)河畔驻所，遣散其军队。无何，阿速台率第二军继至，逾名称铁门之山隘，渡伊犁河，取阿力麻里，并及阿鲁忽本人之领地。阿鲁忽率其未受敌创之右翼，退至忽炭(Khotan)[①]、合失合儿两城，其后未久，阿里不哥率余军进至阿力麻里境内，驻冬于伊犁河畔。阿鲁忽率其新归之残众，退走撒麻耳干。

阿里不哥驻冬以后，纵兵大掠其敌之国，凡捕获阿鲁忽部下士卒辄杀之，此种暴虐行为，遂不利于阿里不哥。春至，人民饥馑，死亡无算。阿里不哥诸将恶其滥杀敌国之蒙古军，多有离心。会蒙

① 和阗。

哥子玉龙答失将忽必烈之前锋军屯于阿勒台沙漠中及察八罕河(Tcha-bacan)畔,阿里不哥诸将相率往投之。

于是阿里不哥所部军队余存无几,逆知阿鲁忽将乘其危而来攻,乃遣哈剌旭烈兀之寡妇斡儿合纳偕马思忽惕伯往阿鲁忽所议和。先是斡儿合纳被迫以国让阿鲁忽后,往诉于阿里不哥所,兹尚在营,故遣之往。及至,阿鲁忽娶之为妃,同时命马思忽惕伯综理财赋。马思忽惕伯在撒麻耳干、不花剌两城大征财货,阿鲁忽军势遂振。时彼亦立须军队御一新敌,盖窝阔台孙海都(Caïdou)得拔都后王之助,率兵来取其国也,然被却而去。

阿里不哥兵财俱缺,遂于1264年决定归投其兄。及至忽必烈所,忽必烈盛陈军队,阿里不哥进至帝帐前,人以帐帘覆其首,如是依俗跪拜请罪。入帐后,立于诸书记所立处,忽必烈感动,熟视久之,见阿里不哥泣,自亦泪不能禁。既而言曰:“弟,吾与汝孰是?”阿里不哥对曰:“曩者我是,今者汝是。”时宗王阿速台随阿里不哥入,阿必失合弟阿赤海(Atchigai)近诘之曰:“杀吾兄者汝欤?”阿速台曰:“阿里不哥时为我主,我奉其命杀之,盖不欲我族一宗王死于一哈剌术(Caradjou)[①]之手。今忽必烈为我主,设有命我且杀汝。”可汗遽止之曰:“此非作此言时。”于是成吉思汗侄那颜脱合察儿起而言曰:“可汗欲今日不追认往事,仅事欢乐。”因回首顾帝曰:“阿里不哥久立,当令其坐于何处?”忽必烈命坐其诸子列,是日余时,专事宴乐,不言他事。

翌日,械系阿里不哥诸臣。忽必烈命宗王四人、统将三人会讯

① 哈剌术,蒙古语犹言臣民,凡蒙古人非成吉思汗族者,皆有哈剌术之号。

其弟及其党。阿里不哥首言谋自己发,诸臣无罪。帝曰:“诸臣焉得无罪?昔反对蒙哥之正位者,并未引弓抗之,尚罚其罪,汝曹应知之;今汝曹启内乱,戕杀宗王及士卒无算,然则应如何处罚欤?”诸臣无词以对。中有秃满(Touman)那颜者,年最长,顾同列曰:“汝曹奉阿里不哥正位时,誓为效死,应尚忆之,吾人践言,正在此时矣。”忽必烈奖其忠。已而复诘阿里不哥造谋之人,阿里不哥乃曰:“孛勒合(Bolga)、阿蓝答儿二人曾语我曰:‘旭烈兀、忽必烈远征在外,先帝以大兀鲁思(Oulouss)属汝,不为帝尚何所疑?’已而与诸臣议,意佥同,遂有是举。”阿里不哥诸臣咸证明其事经过如阿里不哥言。忽必烈乃断处十人死罪,至若阿里不哥之罪,则欲俟旭烈兀、别儿哥、阿鲁忽来此会议定谳。待三王久之未至,诸亲王统将之在蒙古者会议,咸主赦阿里不哥、阿速台二人之罪,并遣使往告三大藩王,言既见诸王因要务未能远离,恐久延生变,乃断将诸罪臣处死;至若阿里不哥、阿速台业已讯毕,诸王咸欲宥之,惟盼三王表示其意云。

阿鲁忽答使者,言已之主持察合台汗国事,未奉忽必烈命,诸亲王会议未使其正位以前,不便置议。旭烈兀则赞成此事之一切处置,并言将莅大会。别儿哥答词亦同。于是释阿里不哥、阿速台,许其入斡耳朵朝见可汗。越一月,阿里不哥得疾死(1266 年),葬于拖雷及成吉思汗墓侧[①]。

旭烈兀、别儿哥、阿鲁忽三王在一短期内相继死。忽必烈命旭烈兀长子阿八哈(Abaca)总管伊兰(Iran)境内蒙古、大食军民人

① 阿里不哥(Aric-Bouga),突厥语犹言瘦躯,蒙古语犹言洁牛。

户，拔都孙忙哥帖木儿（Mangou-Timour）主术赤汗国事，哈剌旭烈兀子木八剌沙（Moubarek-Schah）主察合台汗国事。先是阿鲁忽死，斡儿合纳以其子木八剌沙承汗位；然察合台曾孙八剌（Borac）[①]适在帝廷，请于帝，帝遂册命其与木八剌沙共理其国。八剌归见木八剌沙，匿其受命事，仅言思乡故归，木八剌沙信之。八剌同时诱使一部分军队附己，及事已成熟，遂废木八剌沙而自立。其后未久，八剌命木八剌沙为其猎士长。木八剌沙穆斯林也，性情温和，为人正直，曾努力抑治所部士卒之横暴剽劫。

时有宗王数人尚拒命，中有窝阔台孙海都抗尤力。海都，合失子也。合失应承父窝阔台位，故海都要求其承位之权。顾窝阔台系之军队，曾为皇帝蒙哥所夺取，海都不能仅恃己力而争大位，故在忽必烈、阿里不哥兄弟争位之战中，附阿里不哥而抗忽必烈。阿里不哥归命入朝后，海都乃还其叶密立河畔之封地中，谋以己力聚兵以抗。其为人多智谋，交结术赤诸后王，得其助，遂据有叶密立一带，昔日窝阔台、贵由之分地，组成一军。忽必烈遣使询其何以不赴大会，并征之入朝，言欲见之，用示亲厚之意。海都辞以马瘦，许不久将入朝，如是三年，辄托词不至，旋（1268 年）开战衅[②]。

先是高丽王瞮久抗蒙古兵，后降，遣其世子倎入朝。忽必烈即位，瞮已死数年，其质子请还国，忽必烈乃册命之为高丽国王，以兵卫送之归。

倎至国境，见高丽人已举兵抗蒙古，迫其与蒙古绝，始奉之为

① 八剌者，察合台子木阿秃干子也孙都哇（Yissoun-toua）之子。八剌及其诸兄弟之封地，在撒麻耳干东南斫汗那（Tchaganien）境内。

② 见《史集》。

君，倎似终从其国人之请。然蒙古边将以高丽叛乱事入告，并请兵讨乱，忽必烈欲以恩谕之，遂于1261年诏谕高丽王倎曰："我太祖皇帝肇开大业，圣圣相承。代有鸿勋，芟夷群雄，奄有四海，未尝专嗜杀也。凡属国列侯分茅锡士，传祚子孙者，不啻万里，孰非向之勍敌哉？观乎此，则祖宗之法不待言而章章矣。今也，普天之下未臣服者，惟尔国与宋耳。宋所恃者长江，而长江失险；所藉者川广，而川广不支；边戍自撤其藩篱，大军已驻乎心腹，鼎鱼幕燕，亡在旦夕。尔初世子奉币纳款，束身归朝，含哀请命，良可矜悯，故遣归国，完复旧疆，安尔田畴，保尔室家，弘好生之大德，捐宿构之细故也。用是已尝戒敕边将，敛兵待命。东方既定，则将回戈于钱塘。迨余半载，乃知尔国内乱渝盟，边将复请戒严，此何故也？以谓果内乱耶，权臣何不自立，而立世孙？以谓传闻之误耶，世子何不之国，而盘桓于境上也？岂以世子之归愆期，而左右自相猜疑，私忧过计而然耶？重念岛屿残民，久罹涂炭，穷兵极讨，殆非本心。且御失其道，则天下狙诈咸作敌，推赤心置人腹中，则反侧之辈自安矣。悠悠之言，又何足校？申命边阃，断自予衷。无以逋逃间执政，无以飞语乱定盟，惟事推诚，一切勿问。宜施旷荡之恩，一新遐迩之化。自尚书金仁隽以次中外枝党官吏军民，圣旨到日：已前或有首谋内乱，旅拒王师，已降附而还叛，因仇雠而擅杀，无所归而背主亡命，不得已而随众胁从，应据国人但曾犯法，罪无轻重咸赦除之。世子其趣装命驾，归国知政，解仇释憾，布德施恩。缅惟疮痍之民，正在抚绥之日。出彼沧溟，宅于平壤。卖刀剑而买牛犊，舍干戈而操耒耜。凡可援济，毋惮勤劳，苟富庶之有征，冀礼义之可复。亟正疆界，以定民心；我师不复逾限矣。大号一出，朕不食言。

复有敢踵乱犯上者，非干尔主，乃乱我典刑，国有常宪，人得诛之。于戏，世子其王矣，往钦哉，恭承丕训，永为东藩，以扬我休命。”

高丽王倎请免军马侵扰，还被虏及逃民，忽必烈皆从之。于是叛人皆降，迎其王入境，嗣后高丽王每年遣使入贺正旦[①]。

时日本国王尚未遣使来朝。1266 年，蒙古帝遣使臣二人持国书假道高丽而赴其国，然闻人言海道险阻，不至而还。1268 年，高丽王遣其弟淐入朝，忽必烈以高丽饰辞令去使徒还，面责淐。遣使持诏谕高丽王曰：“太祖法制，凡内属之国，纳质，助军，输粮，设驿，编户籍，置长官，已尝明谕之，而稽延至今，终无成言。在太祖时，王㬚等已入质，驿传亦粗立，余率未奉行。今将问罪于宋，其所助士卒舟舰几何？输粮则就为储积；至若设官及户版事，其意谓何？故以问之。”

高丽王乃造舟一千艘，以供万人渡海之用。忽必烈不欲用之以侵宋，而欲用之以征日本。已而罢东征，其事遂止[②]。

忽必烈即位之初，即定燕京或中都为都城，顾此金国旧都已为成吉思汗军队所残破，乃于中都城东北建一新城，与旧城相接。1272 年落成，名之曰大都，忽必烈驻冬之所也。驻夏则在开平府，此城在 1264 年时已号上都[③]。

成吉思汗后人之首先偏重一种宗教者，盖为忽必烈也。时忽必烈业已归依佛教，而佛教已开始传布于蒙古人中。孔子之哲学及其恃以平治社会之道德仁义之道，在残猛侵略家视之，自不能发

① 见冯秉正书 292 页。宋君荣书 144 页。
② 见冯秉正书 307 页。
③ 见冯秉正书 404 页。

生兴趣。道教之迷信行为，对于蒙古人则较有势权。顾佛教长老之自畏吾儿、土番传布其教于成吉思汗诸宗王营帐者，业已取珊蛮教而代之，缘其知识颇优于珊蛮教也。此种长老，蒙古人名之曰喇嘛（Lamas），中国人名之曰和尚，日本人名之曰坊主（Bonzes）。不娶妇，习居其寺庙周围之净室中。寺中陈列种种奇形神像，其主要之教义为轮回，与婆罗门（Brames）同。各人各有其司察善恶之神监临之，人死受地狱主之裁判，视其前业，断其归入何道。最善者升天堂，最恶者入地狱受诸苦。兹二极端之间，有四道：曰修罗、人间、畜生、恶鬼。人类应求善恶之神降福去灾，恶神以种种怪异神像代表之。世人可用圣者以古印度语所撰之咒，禳其所降之灾。此教包括神话甚广，而其教师之感动人心最甚者，要为其入地狱之叙述，及在其中所受之诸苦。

佛教命人为种种功德，尤禁杀生、偷盗、邪淫、伪言、毁谤。

其秘密之教则示人之欲抵于至善者，必须断绝诸欲，不感苦乐，不顾外物，仅恃内观，由是其灵魂不复转入轮回而成为神。

创设此教之人为释迦牟尼（Chekiamouni），在纪元前约千年时，生于迦叶弥罗国中。印度名曰 Bouddha，中国人译曰佛陀，省称之曰佛。是为最后之佛，以前尚有过去佛数位，其在此世为佛之辅佐人者，则有降于人身之天神①。

1261 年，忽必烈命此教之一幼年喇嘛总领佛教，其人名 Mati

---

① 见 Pallas Saml. hist. Nachr.，第 2 册 5 至 363 页。Grosier《中国志》第 4 册 450 页以后。De Guignes《匈奴史》第 1 册 223 至 235 页。剌失德云："其地虽有中国、印度及其他诸国之八合失（Bakhshchis）甚众，然最重视者，要为土番之八合失。"案：八合失，蒙古语犹言博士。

Dhwadscha，而以八思巴喇嘛(Pakba Lama)著名。八思巴喇嘛，犹言无上喇嘛或圣喇嘛[①]，土番(Tubet)萨斯迦(Sazghia)之名族也。学富五明，忽必烈颇信任之，尊为帝师，升号大宝法王，大喇嘛之起源如此。四百年来，土番不复成为一国，诸部族各有其首领。成吉思汗平唐兀后，降其数部，余为兀良合台所征服。忽必烈分其地为府路，置总管以治之，诸总管隶于法王[②]。嗣后忽必烈命八思巴制蒙古新字，缘自成吉思汗以来，蒙古人所用者盖为塔塔统阿所授之畏吾儿字也。八思巴制新字，字成，上之。其字方形，颇类土番字，字仅千余[③]。先是八思巴未至以前，成吉思汗后王二人曾自土番征喇嘛名 Sagtcha Pandita 者至，命制同类之字母，字未成而喇嘛死[④]。至是八思巴字成，忽必烈于 1269 年诏颁行之。诏曰："朕惟字以书言，言以纪事，此古今之通制。我国家肇基朔方，俗尚简古，未遑制作。凡施用文字，因用汉楷及畏吾字，以达本朝之言。考诸辽、金，以及遐方诸国，例各有字。今文治浸兴，而字书有阙，于一代制度，实为未备，故特命国师八思巴创为蒙古新字，译写一切文字，期于顺言达事而已。自今以往，凡有玺书颁降者，并用蒙古新字，仍各以其国字副之。"[⑤]。

① 见《蒙古源流译文》395 页译者附注。

② 见夏真特译《卫藏通志》，1828 年本 106 页。土番人名肉身神道曰八思巴，蒙古人则名曰呼图克图(Khoutoukton)，中国人则名曰圣僧。见同书 216 页。

③ 见冯秉正书 310 页。Pallas, Saml. hist. Nachrichten. -Jul. V. Klaproth, Abhandl. über die Sprache und Scthrift der Uiguren, im-en theile, der Reise in den Kaukasus, 1814, p. 538。

④ 见《蒙古源流译文》394 页译者附注。

⑤ 见夏真特《蒙古志》第 2 册 303 页。

忽必烈仿汉制，于 1263 年建太庙于燕京，以祀成吉思汗父也速该，及其四子窝阔台、术赤、察合台、拖雷，并其二孙贵由、蒙哥，共为八室。上以汉语庙号，每室各以其正后附焉。1266 年太庙成，帝命僧荐佛事七昼夜，岁以为常[①]。

中国自古以来旧制，建一新朝者必须建一国号，忽必烈之先世都于蒙古，视汉地若帝国之领地，无须此。迨至忽必烈建都于汉地而采用汉地礼制之时，遂亦建立国号。而于 1271 年取乾元之意，立国号曰元[②]，并建年号[③]。

忽必烈左右多中国学者，若姚枢、李昶、许衡、窦默、刘秉忠等，并授帝以治术，常进言以为蒙古人嗜杀过度，故人民抗拒自保，宜申止杀之诏，召降不难矣[④]。忽必烈仿汉制设学士院，以博学文人充院员，择其中数人为翰林，命修国史。时姚枢已于 1263 年被任为中书左丞，曾请立学校以育才，忽必烈从之。时蒙古人仅恃骑射，诸王、贵人学识不及朝中之汉人、西域人远甚。有汉人名赵璧者，曾译中国经书为蒙古语，许衡亦用蒙古语节述中国史事，忽必烈以授蒙古人，命习之[⑤]。忽必烈初即位时，淮蜀士人遭俘虏者皆没为奴，后命释数千人，忽必烈对于具有技能之人，不分国籍宗教，并庇护之，所以录用不少外国人：若畏吾儿、波斯、突厥斯单及其他诸地之人为译人，有波斯天文家名札马鲁丁（Djémal-ud-din）者，

① 见冯秉正书 301 页。宋君荣书 142 至 145 页。

② 见冯秉正书 322 页。

③ 见宋君荣书 138 页。

④ 见冯秉正书 282 页。

⑤ 见宋君荣书 141 页。

曾进万年历，并造西域仪像，又有拂菻人，质言之东罗马人，名爱薛者，曾掌星历、医药二司事[①]。

忽必烈在位以前，诸司草创，设官甚简，重权皆在武臣名达鲁花赤者之手。此辈执印治事，其权重于相臣。至是忽必烈命刘秉忠、许衡定内外官制，于是置中书省、枢密院、御史台等官。设司天台一所，定军将宫臣之官制[②]。

① 见宋君荣书136页、138页、144页。

② 见宋君荣书135页。

第二章

宋人之拘留忽必烈使臣——忽必烈谕诸将伐宋——李璮之叛于山东——宋理宗之死——伐宋——襄阳之围——樊城之取——襄阳之降——宋度宗之死恭宗之立及太后之临朝——忽必烈之再谕诸将伐宋——伯颜所统二蒙古军伐宋之战役——伯颜进取长江沿岸之地——宋杀忽必烈使臣于临安附近——伯颜之被召还——贾似道之罢黜及死——战事——伯颜之南还——蒙古兵进向临安——宋廷请和——宋太后之降——蒙古兵入临安——宋太后诏谕州郡降附蒙古——徙宋帝后宗室于上都——宋臣谋夺帝后于中道不克——徙临安府库宝物于上都——阿里海牙之用兵湖广——伯颜之被召还——宋人起兵于福建——恭宗兄益王之立于福州后追谥端宗——扬州之围——蒙古兵之胜于福建——宋新帝自福州登舟遁入海——阿里海牙之用兵广西——广东之被侵——端宗之死——其弟昺之嗣立——宋舟师之退厓山——海上之战——宋兵之败——帝昺之死及宋之亡

当时海都虽已兴兵，然未能阻止忽必烈之侵宋，盖欲续成成吉思汗诸子从未放弃之企图也。会有宋人拘留使臣之事，忽必烈遂

有词可借。先是1260年，忽必烈遣郝经为国信使，入宋告即位，且征前日鄂州城下讲和之议。经入宋境，贾似道恐其泄前此和议事，命人拘留之，且尽除知此和议之人。1261年，忽必烈知使臣被留，乃谕将士举兵攻宋，诏曰：

"朕即位之后，深以戢兵为念。故年前遣使于宋以通和好；宋人不务远图，伺我小隙，反启边衅，东剽西掠，曾无宁日。朕今春还宫，诸大臣皆以举兵南伐为请；朕重以两国生灵之故，犹待信使还归，庶有悛心，以成和议，留而不至者，今又半载矣。往来之礼遽绝，侵扰之暴不已。彼尝以衣冠礼乐之国自居，理当如是乎？曲直之分，灼然可见。今遣王道贞往谕，卿等当整尔士卒，砺尔戈矛，矫尔弓矢，约会诸将，秋高马肥，水陆分道而进，以为问罪之举。尚赖宗庙社稷之灵，其克有勋。卿等宣布朕心，明谕将士，各当自勉，毋替朕命。"

忽必烈虽有此诏，然因北御其弟之兵，致未果南侵。及两败阿里不哥军后，甫抵燕京之时（1262年2月），又闻江淮大都督李璮叛于山东，拔数城，取济南、益都（青州府），杀蒙古军几尽，以地归宋。忽必烈命诸王哈必赤、丞相史天泽总诸道兵击李璮，围济南。璮固守，粮尽以人为食。围四月，璮知城且破，乃手刃妻妾，乘舟入大明湖，自投水中。水浅不得死，为蒙古所获，史天泽杀之。是役也，宋虽遣军救之，然援师至山东，不敢进而还。

忽必烈虽有种种伐宋理由，然尚待数年方举兵南下。1264年宋理宗死，计在位四十年，年六十二岁。无子，以侄禥嗣帝位，是为度宗。至1267年，忽必烈始实行其侵宋计划。先是数年前，宋潼川安抚使刘整与蜀帅有隙，自遣使诉于朝，不得达，因疑惧。遂于

1261 年终，籍泸州十五郡户三十万降于蒙古，忽必烈以整为夔路行省兼安抚使。整骁将也，蒙古既得之，由是尽得宋之虚实。至是整献计于忽必烈曰："攻宋方略，直先从事襄阳，如复襄阳，浮汉入江，则宋可平也。"忽必烈从之，由是战事遂启：开始围攻襄阳，襄阳城在汉水南岸，与北岸之樊城隔水相对，窝阔台时曾取之，弃而不守。宋欲羁縻刘整，抑欲施以离间，乃授整为卢龙军节度使，封燕郡王，遣僧赍告身金印牙符期致之。僧既入元，事觉，忽必烈使人问整，整自军中入见忽必烈，自明其忠。忽必烈赏整使还，诛僧。1268 年 10 月，忽必烈命兀良合台子阿术，与刘整将练卒七万，以通襄阳。以史天泽总军事，天泽，汉军名将也，畏吾儿、波斯、阿剌伯、钦察、阿速等部之人皆乐为之用。天泽至襄阳，观其形势，见城坚可久守，须断其粮道，乃筑长围以困之。

刘整与阿术计曰："我精兵突骑，所当者破，惟水战不如宋耳。夺彼所长，造战舰，习水军，则事济矣。"乃造船五千艘，日练水军，虽雨不能出，亦画地为船以习之。蒙古军虽有此备，次年秋宋舟仍乘江涨送衣粮入城，然阿术夺其舟五百。

襄阳之围逾一年，蒙古兵见欲下襄阳，必须先破樊城，盖两城江中植一木，锲以铁绠，上造浮桥，以通援兵，樊城亦恃此以为固。

襄阳围急，贾似道匿不以闻。一日宋帝问曰："襄阳之围已三年矣，奈何？"似道对曰："北兵已退，陛下何从得此言？"帝曰："适有女嫔言之。"似道诘其人，诬以他事赐死。由是边事虽日急，无敢言者。已而命范文虎总中外诸军救襄、樊。

1271 年，忽必烈又遣军分三道进，命会师汉水下流，断敌舟师，所至顺流纵筏，断浮桥，获将卒战舰甚众[1]。

范文虎将兵十万进至鹿门，时汉水溢。阿术夹水东西为阵，文虎军逆战不利，弃旗鼓铠仗，乘夜遁去。蒙古俘其军，获战船甲仗不可胜计。

襄阳守将吕文焕，智勇兼备之将也。被围四年，援兵不至，仍竭力拒守，幸城中稍有积粟，所乏者盐薪布帛耳，宋京湖制置大使李庭芝屯郢州，州在汉水上，距襄阳二百里。庭芝侦知襄阳西北有河口，即其地造轻舟百艘，以三舟联为一舫装载，左右舟则虚其底而掩覆之。出重赏募死士，得善战者三千人。求将得张顺、张贵，俱智勇，素为诸将所服，俾为都统。乘顺流发舟，各船置火枪火炮炽炭，巨斧劲弩，夜漏下三刻起碇出江。蒙古兵布舟蔽江，无隙可入；顺等等乘锐断铁絙，攒筏数百，转战百二十里，蒙古兵皆披靡其锋。黎明抵襄阳城下，城中久绝援，闻顺等至，踊跃过望。及收军，独失顺，越数日，得其尸于江中。张贵欲还郢，率舟东下，乘夜破围冒进，以死拒战，所部杀伤殆尽。贵负创被执，阿术欲降之，贵誓不屈，乃见杀。蒙古令降卒四人舁贵尸至襄阳城下。

蒙古军中有将名阿里海牙，畏吾儿人也。曾言西域人善造炮，忽必烈遣使征炮匠于波斯。宗王阿八哈已袭父位，以阿老瓦丁（Alaï-ud-din）、亦思马因（Ismaïl）二人应诏，驰驿至大都，忽必烈亲试之。1272 年终，命之至军中。

次年初，二炮匠置炮于樊城下，重一百五十斤，所击无不摧陷，

① 据剌失德书，战事亘四年。可汗诸将请援兵，忽必烈乃开契丹诸狱，出囚二万人，聚而谕之，曰：诸囚应死，兹释其罪，赐以衣械，遣往击南家思，有功者赏。后诸囚多有因功而跻高位者。

入地七尺。乃进攻樊城,破外郛。阿术断襄、樊两城之浮桥,以机锯断木,以斧断絙,燔其桥,襄兵不能救,城遂破。樊城守将范天顺即所守地缢死。牛富率死士百人巷战,遇民居烧绝街道。富身被重伤,以头触柱赴火死,裨将王福从死,樊城遂陷,时 1273 年 2 月也。

贾似道屡请行边,而阴使人上章留己。樊城既陷,复申请之。事下公卿杂议,群臣乃举高达往援襄阳;不幸高达为吕文焕之敌也。

是年 11 月,蒙古移破樊攻具以向襄阳。一炮中其谯楼,声如震雷,城中汹汹,诸将多逾城降者[①]。初,刘整尝跃马独前,与文焕

① 见冯秉正书 309 页以后。宋君荣书 155 页以后。Visdelou 书补编 188 页以为西域工师所造之炮即是火炮。剌失德书志襄阳围城事云:当时中国无大 Mandjaniks Coumga(案:Mandjanik 本于希腊语,犹言炮机,波斯人及阿剌伯人之称也。Counga 一字未详其义)。可汗自 Damas 或 Baalbek 城征一工师,率其子三人及工匠多人至。三人名阿不别克儿(Abou-biker)、亦不剌金(Ibrahim)、摩诃末(Mohammed)。造大机七具,以攻蛮子境上要隘之襄阳府。马可波罗亦言围襄阳时用炮事,据云:"此城围攻之难点,则在襄阳除北面外,三面皆水,有舟船接济,而围者不能阻之。帝怒此城降附之迟。尼可罗(Nicolo)及马迪斡(Matheo)兄弟二人(是为马可波罗之父与叔)时在帝廷,于是建议制造西方所用之炮机,可发重三百磅之炮石,帝许之,乃命铁匠木匠技艺之最良者助之。其中有数人为聂思脱里派基督教徒,良机械师也。在此兄弟二人之指挥下,不久造成炮机三具。大汗亲试其机,果能发重量三百磅之炮石,遂立遣其运炮至军中,置炮于城下。初发一炮,即大破其建物一所,居民大惧,议降,遣使至蒙古营。至纳降条件,与本州余地诸城同。"见《马可波罗行纪》Marsden 本,1818 年版,第 62 章 488 页。尼可罗波罗及马迪斡波罗,维尼思城(Venise)之贵族也。以 1259 年渡海至孔士坦丁堡,复由是至窝勒伽江畔之别儿哥汗廷居一年。别儿哥败于旭烈兀军后,此兄弟二人遂赴宗王八剌所驻之不花剌城,留三年。旭烈兀遣往入朝忽必烈之使臣经不花剌,约其往朝大汗,二人遂随行。留居中国数年,于 1272 年归其祖国。其后未久,又赴中国。尼可罗之子马可随往。马可习知中国种种语言,忽必烈曾以重任委之至国中各地。马可留居中国计十有七年,至 1291 年始离中国而去。先是欧洲仅闻中国之名,至是始由马可波罗初悉此国之梗概云。

语，为文焕伏弩所中，幸甲坚不入。至是欲立碎其城，执文焕以快意。阿里海牙不可，乃身至城下，宣忽必烈所降诏，谕文焕。

诏曰："尔等拒守孤城，于今五年，宣力于主，固其宜也；然势穷援绝，如数万生灵何？若能纳款，悉赦勿罪，且加迁擢。"

文焕狐疑未决，阿里海牙因折矢与之盟，文焕乃出降。阿里海牙遂偕文焕朝燕，忽必烈以文焕降，命如诏迁擢，授襄汉大都督，赐其将校有差。

文焕降蒙古事闻，宋廷震惊。文焕有兄弟子侄数人各据高位，俱上表待罪，似道庇之，诏皆不问。

忽必烈方有事于北方，讨诸叛王，拟中止南侵。阿里海牙、阿术、刘整等言，汉水上流已为我有，顺流下驱，宋必可平。又言备见宋兵之弱，今不取之，时不能再。会宋度宗死（1274 年 8 月），宋诸臣以度宗长子是当立；贾似道利主幼可久保权势，主立度宗次子㬎，时年四岁，是为恭宗。度宗母谢太后临朝称诏。

忽必烈既准备南伐，遂下诏谕诸将曰："爰自太祖皇帝以来，与宋使介交通。宪宗（蒙哥）之世，朕以藩职奉命南伐，彼贾似道复遣宋京诣我，请罢兵息民。朕即位之后，追忆是言，命郝经等奉书往聘，盖为生灵计也；而乃执之，以致师出连年，死伤相藉，系累相属，皆彼宋自祸其民也。襄阳既降之后，冀宋悔祸，或起令图，而乃执迷，罔有悛心，所以问罪之师，有不能已者。今遣汝等水陆并进，布告遐迩，使咸知之，无辜之民，初无与焉。将士勿得妄加杀掠，有去逆效顺，别立奇功者，验等第迁赏；其或固拒不从，及逆敌者，俘戮何疑！"

忽必烈下诏后，命史天泽、伯颜（Bayan）总诸道兵，与阿术、阿里海牙、吕文焕行中书省于湖广。博罗欢、阿塔海、刘整、塔出、董文炳行枢密院于淮西[①]。兵凡二十万,天泽至郢,病笃召还,诸军并听伯颜节制[②]。1275 年初,天泽还至真定,道死。临危时使人奏曰:“但愿大兵渡江慎勿杀掠”。语不及他[③]。伯颜先于数年前随阿八哈使臣至波斯,忽必烈见其貌伟言厉,留之在朝,与谋国事,恒出廷臣右,益贤之。1265 年,拜中书左丞相,命副安童[④]。伯颜,八邻部人阔阔出(Gueukdjou)子[⑤],长于波斯。

伯颜分大军为两道,自与阿术由襄阳入汉济江,以吕文焕将舟师为前锋。博罗欢由东道取扬州,监淮东兵,以刘整将骑兵先行。(11 月)伯颜一军进薄郢州,郢在汉北,以石为城。新城在汉南,横铁絙锁战舰,密植桩水中,夹以炮弩,凡要津皆施筏设攻具,蒙古军不能前。获俘民言,绕道从一小河拖船入藤湖,转而下江,仅三里,伯颜从之。遂席地荡舟,由藤河入汉。(12 月)于是取沙洋、新城,进至大江江、汉交流处。鄂州在江北,汉阳在江南,时宋将夏贵以舟师分据要害,兵不得进。伯颜乃进围汉阳,声言取汉口渡江,贵果移兵援汉阳。伯颜乘间遣阿剌罕将奇兵倍道袭沙芜口,夺之。因自汉口开坝引船入沦河,转沙芜口以达江。(1275 年 1 月)阿术乘夜率一军渡江,夏贵闻阿术飞渡,引麾下三百艘先遁,蒙古

① 瓦撒夫书云:六七一年(1273),忽必烈欲完成中国之侵略,遣军十五万南伐。时阿术(Adjoun)、别吉勒迷失(Béguilmisch)、晓古台(Koukta)那颜子伯颜、牙剌洼赤(Yelvadi)子阿里伯(Alibeg)并在军中。

② 见冯秉正书 295 至 338 页。宋君荣书 146 至 159 页。

③ 见宋君荣书 167 页。《史集》名此人曰撒蔑克(Semeké)。

④ 见宋君荣书 145 页。

⑤ 见《史集》。

兵遂取阳逻堡。汉阳守臣以城降,鄂势遂孤。权守张晏然与都统程鹏飞遂以州军降。伯颜命阿里海牙以四万人守鄂,而自率大众东下。

鄂州既破,宋廷大惧。群臣上疏以为非师相亲出不可,乃诏贾似道都督诸路军马。似道不得已,始开都督府于临安。

伯颜遣宋降将程鹏飞至黄州,招谕守臣陈奕,以沿江大都督许之,奕喜,遂以城降。仍以书招蕲州降,时沿江诸郡皆吕氏旧部曲,望风款附。奕又以书诱其子岩以安东州降,已而江州、安庆、德安、六安皆降。

贾似道集大军,由新安、池口以进,次于芜湖。(3 月)未几,夏贵引兵来会。似道遣还蒙古俘曾安抚,且以荔子、黄柑遗伯颜。复使人如蒙古军,请称臣奉岁币,如前者鄂州之约。伯颜答书曰:“未渡江时议和入贡则可;今沿江州郡皆已内属,欲和则当来面议也。”似道不答。

已而池州降蒙古,贾似道以精锐七万余人尽属孙虎臣,军于池州下流之丁家洲。夏贵以战舰二千五百艘横亘江中,似道自将后军军鲁港。

伯颜分步骑夹岸而进,麾战舰合势冲虎臣军。伯颜命举巨炮击虎臣中坚,虎臣军动,遂乱。夏贵不战而走。阿术麾将校帅轻锐横击深入,诸军回棹前走,伯颜以步骑左右掎之,杀溺死者不可胜计,水为之赤。军资器械尽为蒙古所获。似道夜驻珠金沙,召贵计事,顷之虎臣亦至。贵曰:“诸军已胆落,吾何以战?师相惟有入扬州招溃兵,迎驾海上,吾当以死守淮西耳。”遂解舟去,似道乃与虎臣单舸奔还扬州。明日溃兵蔽江而下,似道使人登岸扬旗召之,皆莫应。

宋军溃败以后，镇江、宁国、隆兴、江阴守臣皆弃城遁。太平、和州、无为，俱相继降。江淮招讨使汪立信在建康（南京），闻似道师溃，伯颜军迫，乃置酒召宾僚与诀，扼吭而卒。建康亦入蒙古。

会忽必烈有诏，以时方暑，不利行师，俟秋再举。伯颜上言曰："百年逋敌，已扼其吭。少尔迟回，奔播海岛，后悔无及。"忽必烈从之。

常州、广德、平江相继降，宋将张世杰遣将进军三城，仅复广德。

时蒙古使臣郝经尚留仪真，忽必烈复使经弟庸入宋索之。贾似道震恐，乃遣人送经及其随使诸人归。经道病，至燕，未几，死。经著有《续汉书》等书。

忽必烈遣廉希宪弟礼部尚书廉希贤及工部侍郎严忠范奉国书入宋。至建康，希贤请兵自卫。伯颜曰："行人以言不以兵，兵多反致疑耳。"希贤固请，遂以兵五百送之。伯颜仍下令诸将各守营垒，勿得妄有侵掠。希贤等至独松关，宋兵杀忠范，执希贤送临安，希贤病创死。宋廷使人移书蒙古军，言杀使之事乃边将，太后及嗣君实不知。当按诛之，愿输币，请罢兵通好。伯颜曰："彼为诈计，视我虚实耳。当择人同往，观其事体，令彼速降。"乃遣议事官张羽同使人还临安，羽至平江被杀。

伯颜怒宋之无信，表请进兵。会海都兵迫，忽必烈乃召伯颜北还，欲命之将兵以讨海都。

宋岳州安抚使高世杰以战船数千艘扼荆江口。阿里海牙督诸翼水军屯东岸。世杰乘夜阵于洞庭湖中,阿里海牙分道击之,世杰败走,力屈乃降。阿里海牙斩世杰以徇岳州。总制孟之绍举城降。

阿里海牙乘胜自岳州攻江陵。宋湖北制置副使高达因贾似道前许建节,后忌不与,遂怨望。阿里海牙攻江陵,达战屡败,乃与宋京湖宣抚使朱禩孙出降。阿里海牙入城,命禩孙檄所部归附,于是荆南十五州军相继皆降。阿里海牙承制并复官守江陵,捷闻,忽必烈喜,亲作手诏褒之,授高达参知政事。

时四川南部尚属宋。蒙古行四川枢密院事汪良臣进攻嘉定,宋成都安抚使昝万寿出战,大败,遂籍境内诸城降。蒙古以万寿佥四川行枢密院事。然至 1278 年初,四川全境始平。

宋室应利伯颜之不在军中而谋防御者,乃仅顾虑贾似道之处置。1274 年,太后罢似道诸职。时宋人恶似道,以罚轻,台谏三学生列其十罪,请诛之以正误国之罪。太后不忍,乃籍没其家资,谪之福建建宁安置。似道有仇家郑虎臣,以其父尝为似道所配,欲报之,请为监押使者,在道窘辱备至,至漳州木绵庵,拉其胸杀之。后虎臣为陈宜中所杀。

宋将张世杰率舟师万余艘次于焦山,碇江中流,示以必死。阿术遣健卒善彀者千人,载以巨舰,分两翼夹射,阿术居中,合势进战。继以火矢,篷樯俱焚,烟焰蔽江,宋军死战,欲走不能前,多赴江死。世杰退走,蒙古军追之,获舟七百余艘。

伯颜还至上都,面陈形势,乞即进兵;遂拜右丞相,伯颜辞曰:“阿术功多,臣宜居后。”乃进阿术左丞相,仍诏伯颜直趋临安,阿术仍攻淮南。阿里海牙取湖南,万户宋都䚟及吕师夔、李恒等取江西，李恒者，西夏王族也。

伯颜受命还行省，至扬州，行视阿术营。在湾头渡江，分军为三道：阿剌罕、奥鲁赤率右军，自建康出广德四安镇，趋独松关。董文炳、相威率左军，出江并海，取道江阴，趋澉浦、华亭，以范文虎为前锋。伯颜及阿塔海将中军，趋常州，以吕文焕为前锋，水陆并进，期会临安。

伯颜至常州，会兵围城。宋守臣力战固守，伯颜遣人召之不听。乃役城外居民运土为垒，日夜攻不息，城破，守臣四人，三人死，一人得脱走，伯颜命尽屠其民[①]。

阿剌罕由西道历破银树东坝、广德、四安镇、独松关。独松关既破，邻邑望风皆遁。董文炳一军亦入江阴，宋廷大惧，不知所为。丞相陈宜中仓皇发临安民年十五以上者皆籍为兵。时伯颜进至无锡，宋太后遣工部侍郎柳岳奉书如蒙古军前，称廉尚书之死，乃盗杀之，非朝廷之意，乞班师修好。岳见伯颜于无锡，泣请曰："嗣君幼冲，在衰绖中。自古礼不伐丧，凡今日事至此者，皆奸臣贾似道失信误国耳。"伯颜曰："汝国执戮我行人，故我兴师。钱氏纳土，李氏出降，皆汝国之法也。汝国得天下于小儿，亦失天下于小儿，其

---

① 马可波罗曾述及常州之屠，而名此城曰 Cingingiu。据云："其城富庶，日用之物丰饶。鞑靼将伯颜进攻蛮子此路时，曾遣若干基督教徒名曰阿兰（Alains）者围攻此城。攻之力，居民被迫出降。兵入，以城人皆诚心归附可汗，故未害一人。及见城中酒多而美，痛饮，醉卧，夜不设备，居民遂尽屠之。伯颜闻报，即遣一军入城，尽屠居民而为阿兰人复仇。"（见《行纪》Bergeron 本第 62 章）钧案：Cingingiu 应是 Cingiugin 之倒误，非常州，乃镇巢军也。考《元史》卷 132《杭忽思传》云：戍镇巢，民不堪命，宋降将洪福以计乘醉而杀之。又同卷《玉哇失传》云：宋洪安抚既降复叛，诱其入城宴，乘醉杀之。二人皆阿速人，阿速即阿兰也。两传之文即指此事，观洪福后来死事之烈，足见其先降乃伪降也。

道如此，尚何多言？”遣岳还。

伯颜入平江（苏州），宋复遣柳岳往见，求称侄或侄孙，并纳币，伯颜不许。

1276 年 1 月，宋太后不从陈宜中南迁之言，又遣使赴伯颜军，奉表称臣，上尊号，岁贡银绢二十五万匹。

伯颜已取嘉兴，进向临安。宋宗亲请太后命皇弟吉王昰、信王昺出镇闽、广以图兴复，太后从之。进封吉王昰为益王，判福州，信王昺为广王，判泉州。伯颜进至临安附近，阿剌罕、董文炳二军皆来会。游骑至临安府北阙，宋太后遣人上传国玺降表，伯颜受之。使囊加歹奉玺表赴上都，约陈宜中出议降事。宜中遁归临安南约五十里之温州，张世杰率所部退走定海。伯颜使人说世杰降，世杰断使者舌，磔杀之。

宋太后以文天祥为右丞相，与吴坚往见伯颜。天祥因说伯颜曰："北朝若以宋为与国，请退兵平江或嘉兴，然后议岁币与金帛犒师，北朝全兵以还，策之上也。若欲毁其宗社，则淮、浙、闽、广尚多未下，利钝未可知，兵连祸结，必自此始。”伯颜以北诏为辞，顾天祥举动不常，疑有他志，留之军中，遣坚等还。天祥怒责伯颜失信，且面斥诸降将卖国。吕文焕从旁谕解之，天祥并斥文焕等。伯颜遂拘天祥，送之北行，至镇江，天祥得脱走。

3 月，伯颜承制以临安为两浙大都督府，命忙兀台、范文虎入城治都督府事。又令程鹏飞取太皇太后手诏，及三省枢密院檄，谕州郡降附。执政皆署，家铉翁独不署，伯颜令蒙古官五人收史馆秘省图书及百司符印告敕。

伯颜自湖州市入临安城，建大将旗鼓，率左右翼万户巡城。宋太皇太后及宋帝欲与相见，伯颜曰："未入朝，无相见之礼。"①。

伯颜先遣宋降将二人慰谕太皇太后，已而命阿塔海等入宫宣诏，免牵羊系颈之礼。趋宋帝及太后等入觐，太后全氏泣谓其七岁之子曰："荷天子圣慈活，汝宜拜谢。"礼毕，宋帝与太后肩舆出宫，太皇太后谢氏以疾留内。于是宋亲王、帝妃、大臣三学生等皆北行。

宋帝及太后随蒙古兵北行，至瓜州。宋扬州守臣李庭芝、姜才

① 临安城，今浙江省治杭州也。昔为宋九帝所都，故称京师。宋亡时，马可波罗适在中国，曾著录有京师（Quinsaï）之名，而译其义曰天城。马可波罗虽居中国十有七年，其《行纪》中相类之误解，不仅此一种也（见 Marsden 本第 3 卷第 68 章）。马可波罗曾历览此京师城，据云：周围有百英里，建筑于一沼泽上，颇与维尼思城相类。有石桥一万二千座（疑为一千二百座之误），桥身甚高，大舟之过桥下者，不必下桅，各桥日夜皆有数人守之。南城内有湖，周围广三十英里。房屋多用木建。城中有山，山上有塔，每夜有人守之。见有火灾，则以木槌击木板，其声甚大，全城可闻。城中有变时亦击板以告警。市衢皆铺石，有浴场三千余所。京师距海二十五英里，有江水流经城下而入海。海口有港，名曰澉浦（Ganfou）（可参考《新亚洲学报》第 5 册 35 页 Klaproth 撰《澉浦港考》）。印度等国船舶无数，皆至此港卸货，转由江船运至京师。京师居民共有六十万户。教士 Odoric d'Udine 于 1318 年旅行中国，曾惊羡京师之城大民众。Jean de Mandeville 亦以京师拟若建筑于海中之维尼思城。并言有桥一千二百座，各桥有塔甚大，内有卫士守之。彼曾见有数派之基督教徒，且见有弗郎西士派之教士及宣教师，然其人不恃布施为生。波斯史家瓦撒夫（第一册）曾据可信之旅客商贾之言，记录京师之若干情形云："是为中国最大之城，周围广约二十四程（Fersenks）。砖石铺地。居宅以木建造，绘饰甚丽。穿过此城须经三站之远。街衢多有长逾三程之远者。城内有方衢六十四处，周围房屋形式皆同。每日征收盐税为钞七百巴里失。染工达三万人，其他匠人可以类推矣。驻兵七万，人口七十万户。有寺庙七百所，颇类堡寨，僧徒满中。城内有桥三百六十座，有大小船舶无数，以利交通。世界各国之商贾侨民莅此者为数甚众。都城之情形如此，此外中国尚有大城四百，其最小者，如建康（Kenkan-fou）、泉州（Zaitoun）、广州（Tchin-kélan），尚凌驾报达、泄剌失（Schiraz）两城之上。所可异者，国土虽大，竟不见有四分一方程之耕地荒废。"摘抄家 Mohammed Benaketi & Abd-oullah Beidhavi《中国史》，二氏摘抄《史集》之文，而不见于欧洲诸图书馆所藏诸本中者，中有一条，谓京师有伊斯兰教礼拜寺三所。

涕泣誓将士，出兵夺两宫，将士皆感泣，乃尽散金帛犒兵，以四万人夜捣瓜州，与蒙古将阿塔海、李庭战三时，蒙古兵拥宋帝避去。真州苗再成亦谋夺帝不克。宋幼帝行近大都，忽必烈命其相郊迎，谕善待之。然降封宋帝为瀛国公，宋太皇太后及太后并降封郡夫人。忽必烈正后察必可敦（Djanouï Khatoun）庇护宋诸后，时加存恤。宋府库故物至上都，忽必烈聚置殿庭上，众皆欢甚；惟察必可敦不乐曰："自古无千岁之国，毋使吾子孙及此则幸矣。"

忽必烈尝召宋降将问曰："汝等降何容易？"对曰："贾似道专国，每优礼文士，而轻武臣，臣等久积不平，故望风送款。"忽必烈曰："似道实轻尔曹，特似道一人之过，汝主何负焉？正如尔言，则似道轻尔也固宜。"

伯颜入临安时，阿里海牙则进围潭州（长沙），水陆夹攻甚急，蒙古兵登城蚁附而上。知衡州尹谷时寓城中，知事不可为，乃为二子行冠礼。人曰："此何时，行此迂阔事？"谷曰："正欲令儿曹冠带见先人于地下尔。"既毕礼，与其家人自焚（2月）。

知潭州事李芾命酒酹之，因留宾佐食饮，誓为宋死。召帐下沈忠曰："吾力竭，分当死。吾家人亦不可辱于俘，汝尽杀之而后杀我。"忠伏地叩头，辞以不能；芾固命之，忠泣而诺。取酒饮其家人，尽醉，乃遍刃之，芾亦引颈受刃。忠纵火焚其居，还家杀其妻子，复至火所，大恸，举身投地，乃自刎。城中官吏除守将二人外，皆从死。潭民闻之，多举家自尽，城无虚井，缢林木者相望。阿里海牙传檄诸郡，由是湖广南部诸郡皆降。同时宋都鲟、李恒取江西十一城，抚州亦下。

伯颜北还，承制留阿剌罕、董文炳经略闽浙。会江西都元帅宋都鲟言宋二王在闽广聚兵，将攻江西。乃遣塔出移军与李恒吕师夔会阿刺罕文炳，同取未下州县，以追二王。

二王走温州，宋丞相陈宜中、统将张世杰等继至，奉益王为天下兵马都元帅，广王副之。益王者，度宗长子也。

二王将入福建，时有黄万石者，降蒙古，欲取全闽为己功。汀、建诸州方谋从万石送款；闻二王至，复闭门以拒万石。南建守臣遣军逐之，万石败走，其将士多归宋。二王至福州，益王遂即皇帝位(6月)，时年九岁。

宋兵势稍振，置江西、江东、浙东、淮四道制置招谕等使，约诸将分道出师。文天祥至福州，命都督诸路军马。天祥鼓励宋人，招士募兵，以图兴复。董文炳命统将唆都往击宋之新帝。

初，临安既陷，阿术以宋太皇太后手诏谕宋扬州守臣李庭芝降，庭芝登城谓使者曰："奉诏守城，未闻以诏谕降也。"及宋帝次瓜州，宋太皇太后复赐庭芝诏曰："此诏卿纳款，而久未报，岂未悉吾意，尚欲固圉耶？今吾与嗣君既已臣元，卿尚为谁守之？"庭芝不答，命发弩射使者。阿术乃遣兵绝其饷道，复遣使者持忽必烈诏，招庭芝，庭芝斩使者，焚其诏于陴上。既而附近诸城以粮尽降蒙古。扬州粮亦尽，然犹力战不屈。阿术请忽必烈降诏赦庭芝焚诏杀使之罪，令归款，庭芝不纳。会益王立于福州，遣使至，庭芝命制置副使朱焕守扬，而自与姜才将兵七千趋泰州，将东入海往从新帝。庭芝既行，焕即以城降。阿术分道追及庭芝，杀步卒千余人。庭芝走入秦州，阿术围之。泰州裨将开城纳蒙古军，庭芝赴莲池中，水浅不死，遂与姜才俱被执至扬州，阿术劝降不从，乃皆杀之。

阿刺罕、董文炳败宋军于处州，入福建建宁府之邵武军，诸城多相继降。蒙古兵既逼福州，陈宜中、张世杰奉宋帝及卫王、杨太妃等登舟走泉州[①]。据史臣云，时军十七万人，民兵三十万人。淮兵万人，皆在舟中。宋帝至泉州港，时此港贸易甚盛。守臣蒲寿庚提举市舶有年，宋军舟不足，掠寿庚舟，寿庚怒，杀诸宗室及士大夫与淮兵之在泉者。陈宜中等乃奉帝趋潮州，寿庚遂以城降蒙古，已而兴化军继降。

阿里海牙围广西之静江（桂林府）三月不克。作书招守臣马塈降，许塈为广西大都督，塈不听。又请忽必烈亲降手诏谕之，塈焚诏，斩其使。

静江以水为固，阿里海牙乃筑堰，断二江水以遏上流，决东南埭以涸其隍，城遂破。塈守内城，内城又破。塈率死士巷战，伤臂被执死，阿里海牙悉坑其民，分兵取广西诸州。

1276 年 12 月，宋端宗次惠州，遣使奉表诣蒙古军请降。唆都命其子偕宋使赴燕，然蒙古军不因此停止军事。先是吕师夔等将兵入广东，1277 年 3 月，取广州，遂尽下广东诸郡。

时北方有警，忽必烈召诸将班师，凡诸将及淮兵在福安者，命李雄统之。宋人乘此复福建、广东、湖广、江西数城。

张世杰聚兵于福建，进围泉州；唆都来援，世杰解围去。唆都以宋人不可恃，所到之处，大肆屠戮，兴化、漳州之民尽死。

宋有两军在江西，文天祥、邹沨统之。蒙古将李恒攻天祥军，数败之，获天祥妻子家属送致上都，二子死于道。

---

① 泉州府为福建省沿海之一大城。印度、波斯、阿剌伯等地之人常至港中。马可波罗名此城曰 Zaitoun。剌失德书、瓦撒夫书名称亦同。据 Klaproth 之考订，泉州古名刺桐（《新亚洲学报》第 5 册 44 页），由是可见其古名尚存。

忽必烈闻宋人复得城甚众，乃诏塔出与李恒、吕师夔等以步卒入大庾岭。忙兀台、唆都、蒲寿庚及元帅刘深以舟师下海，合追二王。塔出令唆都取道泉州，泛海会于广之富场。唆都既取兴化军及漳州，进攻潮州不克，恐失期，乃舍之而去。至惠州，与吕师夔合军趋广州，会塔出军，广州守臣以城降(12 月)。

1278 年 3 月，塔出令唆都还攻潮州，知州马发城守益备。唆都塞堑填濠，造云梯鹅车，日夜急攻。发潜遣人焚之，凡相拒二十余日而败，发死之，唆都屠其民。

宋端宗迁驻广州湾中之一荒岛硇州[①]。1278 年 5 月死，年十一。群臣多欲散去，陆秀夫曰："度宗皇帝一子尚在，将焉置之？古人有以一旅一成中兴者，今百官有司皆具，士卒数万，天若未欲绝宋，此岂不可为国耶?"乃与众共立广王，年八岁矣，是为帝昺。张世杰、陆秀夫同秉政。陈宜中自去年入占城(Coch inchine)竟不复还。

1278 年 6 月，帝昺迁居新会县南八十里广州湾中之厓山。山与奇石山相对，相传官民兵尚二十余万，多居于舟，泊居两山间海峡中。张世杰遣人入山伐木，造行宫军屋。复刷人匠，造舟楫，制器仗，所需资粮，取办于广右诸郡海外四州。时文天祥已于是年 4 月复广州。

蒙古名将张柔子弘范言，张世杰复立广王，闽广响应，宜进取之。忽必烈以弘范为蒙古汉军都元帅，赐宝剑，专决军事。弘范至扬州，选将校发水陆之师二万，分道而南。弘范以舟师由海道袭漳、潮、惠三州。(12 月)文天祥屯潮阳，邹沨、刘子俊皆集师会之。

---

① 宋君荣谓此岛在东经 21 度 8 分北纬 6 度 15 分间。

弘范兵至潮阳，天祥帅麾下走海丰，蒙古兵追及，宋兵溃散，天祥、邹沨、刘子俊等尽被执。沨自刭，子俊被烹。天祥至潮阳见弘范，左右命之拜，天祥不屈，弘范释其缚，以客礼之。天祥固请死，弘范不许，处之舟中，求族属被俘者还之。

弘范由潮阳港乘舟入海，进至厓山。（1279 年 1 月 31 日）时张世杰结大舶千余，作一字阵，碇海中。厓山北浅，舟胶不可进。弘范由山东转而南入大洋，与世杰之师相遇，薄之。且出奇兵断官军汲路，世杰舟坚不能动。弘范乃舟载茅茨，沃以膏脂，乘风纵火焚之。世杰战舰皆涂泥，缚长木以拒火，舟不爇，弘范无如之何。

张弘范乃四分其军，自将一军，相去里许，令诸将曰："宋舟西舣厓山，潮至必东遁，急攻之，闻吾乐作乃战，违令者斩。"李恒乘早潮退，攻其北；至午潮上，弘范以舟攻其南。世杰南北受敌，兵士皆疲，不能复战。知事去，乃抽精兵入中军，诸军大溃。会日暮风雨，昏雾四塞，世杰乃与苏刘义断维以十六舟夺港而去。陆秀夫走帝舟，帝舟大，且诸舟环结，度不得出走。乃先驱其妻子入海，谓帝曰："国事至此，陛下当为国死。德祐皇帝辱已甚，陛下不可再辱。"即负帝同溺，后宫诸臣从死者甚众。余舟尚八百，尽为弘范所得。越七日，尸浮海上者十余万人，因得帝尸及诏书之宝。

帝母杨太妃闻之，抚膺大恸曰："我忍死艰关至此者，正为赵氏一块肉耳，今无望矣。"遂赴海死，世杰葬之海滨。世杰将趋占城，土豪强之还广东，飓风大作，世杰堕水溺死[①]。苏刘义出海洋，为

---

① 宋君荣书（188 页注 4）云：张世杰与张弘范同族，涿州人也。幼随张柔至河南，因得罪遁宋，为宋死。

其下所杀。宋文武官吏皆降蒙古，忽必烈遂完成蒙古五十年来经略未成之事业，尽取中国之地，宋立国三百二十年，至是亡[①]。

① 见冯秉正书第9册338至400页。宋君荣书159至189页。

第　三　章

征日本——征占城——经略缅国——再征日本之计划——用兵安南——皇太子真金之死——罢东征日本计划——安南之战——南海数国之降附——与海都战——忽必烈之战胜宗王乃颜——皇太孙铁木耳之战胜宗王哈丹——命伯颜讨海都——征爪哇——命皇太孙铁木耳代伯颜——忽必烈之理财大臣——颁行新法典——忽必烈之死

忽必烈甫据中国全境，即欲征服日本。日本旧入贡中国，1270年时，忽必烈曾遣使往谕日本来朝，日本不纳。平宋后，屡遣使往，日本执使者杀之。谏者以为海道险阻，得其国无用，忽必烈不听，决定遣军往征。1280年3月，发兵十万，命范文虎将之。是年终，发自临安、泉州，取道高丽。高丽王以兵万人战船九百艘从征。师至日本，暴风破舟，文虎等诸将择坚好船弃士卒等遁走，余众为日本所虏。中国史家相传汉人、南人被虏者七万，蒙古人被杀者三万。1281年秋，此大军残众得逃还中国海岸者无几[①]。

① 见北京传道士撰《中国志》，1789年本第14册63页以后。Charlevoix撰《日本史志》，1736年本第2册79页。宋君荣撰《成吉思汗史》195页。

宋亡后,占城国王遣使入朝中国新主。忽必烈以占城既附,遣唆都就其国立省抚治之。占城王子负固不服,凡使臣经其国者,皆被执。帝怒,决意进讨,发江南军及战船,命唆都将以讨之。1281年,师至占城都城,王子遁入山谷,遣人阳求归附以款师,复潜杀所执使臣等百余人。唆都等久之方觉其诈,乃遣兵攻之,阻隘不敢进。占城兵旁截归路,唆都军殊死战得出,遂谋引还。

1283 年,命诸王相答吾儿督诸军经略云南西部大理、永昌境内诸国[①],军万二千人,怯烈、纳速剌丁(Nassir-ud-din)二将统之。缅国[②]国王殆以此二国为其属国,举兵以抗,率步骑六万,战于永昌附近。蒙古军列阵于森林之左,见缅军至,进而突击。缅人列战象于阵前,象背负战楼,楼内各有战士十二至十六人不等。蒙古军马见象反走不止,纳速剌丁命士卒下骑,牵马入林,攒射战象。象身无皮甲掩护,负伤痛甚,转躏缅军,余象走林中,战楼触树碎。蒙古军既破象阵,复登骑,远发矢,近用刀剑骨朵,缅人亦未擐皮甲,大受损伤,溃走,蒙古军获战象二百。相答吾儿拔其都太公城,缅国遂请降。金齿诸部初为缅所制,至是亦降。是役以后,忽必烈军中遂常用战象[③]。

1283 年,忽必烈冀复前此败创之耻,拟复遣舟师往征日本。

---

① 大理国见本书第二卷第七章。永昌国在大理之西,其都城今名永昌府。元时则名金齿,盖其民用金叶覆齿,故名。此国在《史集》及《马可波罗行纪》中则名 Zerdendan,波斯语意亦犹言金齿也。应注意者,此时代中国之府路长官多为穆斯林。

② 中国所称之缅甸,即土人所称之 Myam-ma。根据《马可波罗行纪》,当时国境东起云南,西并朋加剌(Bengale),包括阿瓦(Ava)之地,即今之 Birmans 或 Barmans 或 Bouraghmans 帝国是已。

③ 见《马可波罗行纪》,Marsden 本第 2 册第 42 章。冯秉正之《中国史》第 9 册 419 页,仅言 1283 年忽必烈诸将经略缅国,金齿诸部初为缅所制,至是遂皆请降。

命阿塔海为日本行省丞相，高丽供给海舟五百艘。敕江浙、福建造海船，集漕船，募水手，贮粮饷。于是有司征敛，大为奸利，兵民怨惧，谏者亦言不便，乃止①。

交趾王遣使入元，帝不纳。诏封子脱欢（Togan）为镇南王，与左丞李恒往会唆都兵进击之②。

忽必烈即位时，安南王陈光昺曾遣使纳款，许三年一贡，进金银、宝石、药物、象牙、犀角等物，置达鲁花赤一人往来安南国中。1277年，光昺死，子日烜继立。至是帝以安南通谋占城，令脱欢军行假道于其国，且征其粮饷以给军。脱欢军次安南，日烜言其国至占城水陆非便，遣军分道拒守。脱欢屡移书日烜，欲假道，竟不纳，益修兵船为迎敌计。（1285年6月）脱欢乘间缚筏为桥，渡富良江北，与日烜大战，破之。日烜遁走，不知所之，其弟益稷率其属来降。然交兵虽败，而势益盛。适盛夏霖潦，军中疾作，死伤者众，而占城竟不可达，乃谋引兵还，交兵追袭之。李恒中毒矢，至思明卒。唆都军与脱欢相去二百余里，脱欢军还，唆都犹未知之，亟趋其营，交人邀于乾满江，力战而死。

忽必烈既悲其两良将之殁，旋又有丧子之痛。皇太子真金（Tchingkim）死（1286年1月）。太子通中国学术，仁孝恭俭，明于听断，卒年四十三。遗三子：曰甘麻剌（Camala）、曰答儿麻八剌（Dharmabala）、曰铁木耳（Témour）③。

① 见冯秉正书418页。宋君荣书199页。

② 见冯秉正书第9册414页以后，又第12册11页附宋君荣撰《占城史略》。

③ 瓦撒夫书（第一册）云，忽必烈欲使其子真金参决朝政，诸臣言父在子执大权，非旧例，且背成吉思汗法令，乃止。惟命诸臣共立文约（Moutchelga），约在可汗死后奉真金即帝位。

先是立征东行省，拟再击日本，造船舶，期于1286年9月会于合浦。吏部尚书刘宣上书谏止，帝纳其言，遂下诏罢征日本，专事安南。命阿里海牙等大征各省兵，仍遣镇南王脱欢将之以行。1287年2月，脱欢督程鹏飞、樊楫等进击安南，钦察将昔都儿自广东诸港率军往会，军中将卒多钦察人。

元军水陆并进，凡十七战，皆捷，遂深入其境。安南王陈日烜弃城走于海，不知所之。军中将士多被疫不能进。1288年4月，脱欢遂谋引还。日烜复集重兵，遏脱欢归路，诸军且战且行，樊楫阿八赤皆死。前军昔都儿奋勇乘之，交人小却，脱欢由间道趋还。日烜寻遣使入朝，贡金人以代己罪。帝以脱欢无功而还，令出镇扬州，终身不容入觐①。

先是1285年忽必烈命杨庭璧招谕南海诸国。1286年10月，海外诸国皆遣使来泉州贡方物。诸国凡十：曰马八儿、曰须门那、曰僧急里、曰南无力、曰马兰丹、曰那旺、曰丁呵儿、曰来来、曰急兰亦觧、曰苏木都剌②。

忽必烈之罢征日本，要因二十年来海都与之争国情势日急所致。海都自以出窝阔台系，大位应属己。忽必烈屡使征召，辄托故不至，已而公然与忽必烈为敌。忽必烈乃册八剌为察合台汗，察合台汗国在海都领地西，欲利其力以制海都。已而八剌、海都果战于细浑河畔，八剌设伏，大败海都军，卤获无算。术赤后王忙哥帖木儿遣其诸父别儿格察儿以军援海都，击八剌，败之。八剌退入河

① 见冯秉正书第9册420页以后，又第12册26页附宋君荣撰《东京史略》。

② 见冯秉正书第9册429页。

中，招聚残军，重征撒麻耳干、不花剌两城平和居民之财畜，以偿其失，备再战。会海都遣窝阔台孙乞卜察克斡兀立(Kiptchac Ogoul)来约和，乞卜察克与双方友谊皆厚，八剌乃与海都结盟而为安答(Anda)[①]。

此种联合遂使包括突厥斯单、河中两地之察合台汗国隶属海都。1270年，八剌死，察合台子撒儿班(Sarban)之子捏古伯(Nikbey)继立，举兵抗海都。1272年，海都讨杀之，援立八剌子都哇(Doua)[②]。

1275年，海都、都哇率兵入畏吾儿国，围其亦都护于都城，强其附己，亦都护不从，已而得援，围解[③]。

1275年，忽必烈以国之西境势须防守，诏皇子那木罕(Noumougan)出镇西北边，木忽黎后人右丞相安童(Hantoum)辅之。那木罕弟阔阔出(Cueukdjon)、蒙哥子昔里吉、诸王脱黑帖木儿(Toctimour)等，并隶军中，授那木罕为阿力麻里总管。

1277年，诸王脱黑帖木儿不慊于忽必烈，谋奉昔里吉为帝，昔里吉从之。遂乘夜劫质二皇子及那颜安童，送二皇子于术赤后王忙哥帖木儿所，送安童于海都所，且请助其成事。已而约察合台子撒儿班及察合台、窝阔台两系诸王来从[④]。

忽必烈即于是时自中国南部召伯颜北还，命督师北征。师及诸叛王于斡儿寒河畔，伯颜见其坚壁以守，乃断其粮道，强之出战，

① 钧案：安答犹言盟友。

② 见《史集》，瓦撒夫书。

③ 见宋君荣书168页。

④ 见《史集》。

掩击破之。昔里吉败走也儿的石河[①]。脱黑帖木儿走乞儿吉思之地,为帝军所袭,尽亡其辎重。乞援于昔里吉,昔里吉不应。脱黑帖木儿怨之,转奉撒儿班为主。昔里吉请释恨,脱黑帖木儿报之曰:"若无勇,不足为此曹长,撒儿班足当此位也。"昔里吉不得已遂让位,且同其党诸王遣使以其推戴撒儿班事,分告海都及忙哥帖木儿。

脱黑帖木儿至是遂胁宗王阿里不哥长子药不忽儿(Youboucour)[②]同事撒儿班。药不忽儿聚兵拒之,将战,脱黑帖木儿之众皆溃降药不忽儿。脱黑帖木儿欲逃,被执送致昔里吉所,昔里吉从药不忽儿之请,杀之。脱黑帖木儿极勇而善射,每临阵辄跨白马出。曾语人曰:"彼乘驳马者,恐血污其毛,易为敌见。以吾观之,骑士与马之血,有类妇人面上之朱也。"

撒儿班既失助,自归昔里吉,言为脱黑帖木儿所诱,非己意。昔里吉夺其军,以五十骑送之至术赤孙火赤斡兀立(Cotchi Ogoul)所。行经毡的及讹迹邗两地间,撒儿班部众驻其地者,要而夺之。撒儿班率其众进攻昔里吉,两军将战,昔里吉部众溃降撒儿班,身亦被擒。药不忽儿适以众来援昔里吉,亦为其部众所弃,同被擒。撒儿班各以五百人防送,欲以献帝所。道经斡赤斤之旧地附近,药不忽儿以珍宝银货赂驻其地之后王得释。斡赤斤后王进击撒儿班,悉俘其众。撒儿班独得脱走见帝,帝以土地部众赐

① 冯秉正书 389 页,及宋君荣书 182 页,皆据《纲目》,谓昔里吉为李庭所追杀。

② 钧案:药不忽儿在《元史》作药木忽儿、岳木忽儿、约木忽儿、要木忽儿,并从"木"而不从"不",非误。盖蒙古人常读 b 作 m,所以本书之撒儿班,在《元史》中则作撒里蛮也。

之。逮昔里吉至帝所，流之于一气候恶劣之岛中，后死于是岛。药不忽儿追随海都久之，亦降忽必烈。嗣后帝子那木罕亦被释还[①]。

越十年，宗王海都组织一强有力之同盟，结合诸王乃颜(Nayan)、哈丹(Cadan)、星黑秃儿(Singtour)[②]以抗皇帝忽必烈。三王分地在辽东及女真边境，皆成吉思汗三弟之曾玄。乃颜为斡赤斤那颜之玄孙，星黑秃儿为拙赤哈撒儿之后裔，哈丹为合赤温之曾孙[③]。乃颜集军四万，海都许以十万人来会。忽必烈感有遮断此两军会合之必要，乃命伯颜镇哈剌和林以御海都，自率军往讨乃颜。命自江南浮船入海，溯辽河以运军粮。亲统大军疾进，行二十五日，抵乃颜分地。命人守诸道，勿使进军之讯为敌所闻。分军为二：汉军女真将李庭统之，蒙古军博尔术孙玉昔帖木儿统之。博尔术者，成吉思汗之一良将也。乃颜结营于辽河附近，以车环卫为营[④]。帝使星者卜，曰：吉。乃命进战。其骑军三十队，合为三军，两翼包围敌阵。每队以步卒五百列前，执刀矛，骑兵冲锋时，步兵则登骑，坐骑兵后，近敌则下马执矛而前。骑兵若后退，则跃登马后，与之共退。忽必烈坐木楼，四象承之。象擐革甲，覆锦衣，楼上布弓弩手，树皇帝之日月旗。阵势既列，奏种种吹奏乐器，继以战歌，于是鸣鼓钲作战，发矢如雨。发矢毕，执刀矛骨朵进战。乃颜军颇勇决，然终以众寡悬殊，自黎明战至日中，乃颜将被围，欲遁不果，被擒。忽必烈立命用两毡裹之，使人力振死之，是为帝室诸王

① 见《史集》。

② 钧案：《元史》作失都儿或势都儿，未知孰是。

③ 见《史集》。

④ 见冯秉正书 431 页以后。

之死法也。忽必烈胜后还大都[①]。

时哈丹、星黑秃儿两王尚未平也。次年，诏皇孙铁木耳率玉昔帖木儿、土土哈、李庭、博罗欢诸军讨之。击乃颜将金家奴，战终日，胜负未决。金家奴退走，铁木耳进击哈丹于贵烈河畔，战二日。阵斩哈丹党之诸王数人、乃颜部将数人，歼其精锐，尽降辽左诸部[②]。是役也，统将李庭功最大，其军中有火炮，两战之胜皆得其力[③]。

忽必烈尚有大敌海都未平。杭海山与戈壁介于此两汗之领地间。戈壁之西方边界，屯七军以守之，常与海都军战[④]。帝欲保境，使不受海都之屡次攻击，遂命伯颜镇哈剌和林，事专决。伯颜未至军以前，真金子皇孙甘麻剌率前锋御海都于杭海山界，军失

---

① 见《马可波罗行纪》，Marsden 本第 2 卷第 1 章 263 至 270 页。此书撰者谓乃颜虽年三十，然为七十二岁的皇帝之诸父，此说误。忽必烈实为乃颜之从祖，盖忽必烈是成吉思汗孙，而乃颜是成吉思汗幼弟斡赤斤那颜之玄孙也。马可波罗对于乃颜之死法，曾云：用此法以杀帝室诸王者，俾太阳及空气不见其流血也。撰者并言乃颜已受洗礼，惟不公然表示信仰基督教。但在此战之中，绘十字架于战旗上，基督教徒之在军中者甚夥，多殁于阵。忽必烈军中之犹太教徒及穆斯林日嘲此种投降皇帝之基督教徒，谓乃颜虽举十字之旗，而耶稣基督未曾佑之。基督教徒不甘此辱，诉之忽必烈，忽必烈召两造至前而语之曰："汝曹上帝不欲助乃颜，汝曹不应以此为痛，亦非汝教之耻，盖上帝正直，不能助人主犯罪与为不义也。乃颜既犯上作乱，而求汝曹上帝之助，故此仁慈正直之上帝不欲助其为恶。"已而禁止基督教徒之敌人继续侮辱其上帝及其十字架。剌失德对于讨伐乃颜一役所志甚简，仅云："忽必烈虽年老而患有……（此处有阙文）疾，仍亲征叛徒，舆负而行，其军几败，且有人驱负舆之象反走。既而其军获胜，敌军擒叛徒以献，遂杀诸叛王，分配其部众。是为忽必烈末次亲征之役。"

② 钧案：原文作辽河、Tiro 河、贵烈河流域诸部族降铁木耳。下注出宋君荣书 209 页，案：宋君荣书全本中国载籍，遍检《元史》、《元史类编》、《续纲目》诸书，不得此 Tiro 之对音。案：后文有托吾儿河，写作 Toro，殆是 Toro 之误刊，兹从《续纲目》改作尽得辽左诸部。

③ 见冯秉正书 438 页。

④ 见《史集》。

利，在薛灵哥河附近被围。赖土土哈以其所部钦察军直前鏖战，翼皇孙而出。帝见有亲出之必要，遂自将讨海都。至北边，召见土土哈，面奖之。1289 年 7 月，忽必烈发自上都，至西境，不见敌而还，时海都已远去矣。同时诸王乃蛮带败哈丹兵于托吾儿河①。

忽必烈嗜外国珍异，常遣使往南海诸国。南海船舶多至泉州，此辈使臣辄以方物归献。有使臣名孟淇者，使爪哇；爪哇黥其面，使还。帝怒，发江西、福建、湖广军三万人往征之。用海船千艘，备一年粮。史弼总诸军，高兴将步军，畏吾儿人亦黑迷失将水军。亦黑迷失屡使南海，谙爪哇语。1293 年 1 月，发泉州，历占城，入南海，至勾阑山，伐木造小舟以入。是年 10 月，抵爪哇。时爪哇主为邻国葛郎主所杀，其婿闻弼等至，迎降求救。弼与诸将进击葛郎兵，大破之。葛郎主出降，并取其妻子官属以归。爪哇主婿既而叛，乘军还，夹路攘夺。弼自断后，且战且行，行三百里，得登舟。行六十八日，夜达泉州，士卒死者三千余人。献其俘获金宝香布，帝治其纵爪哇主婿之罪，杖十七，没家赀三之一②。

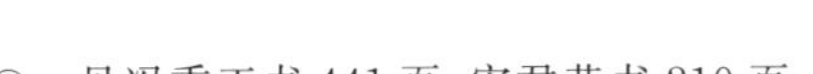

① 见冯秉正书 441 页，宋君荣书 210 页。

② 见冯秉正书 452 页，宋君荣 217 页。据 17 世纪末年康熙帝之使臣《奉使爪哇行纪》(参考《中国记》第 14 册 101 页以后)：爪哇即阇婆国，又名莆家龙，亦曰下港，元代始名爪哇。在西南大海中，泰西船至中国者，经其海岸。赴爪哇者，常从泉州登舟，历占城，一月至其国。民有三种：曰西域人；曰中国人，唐时来此，奉伊斯兰教；曰土人，与前二种人迥异。根据此说，阇婆及爪哇疑是 Java 岛。史家剌失德云：忽必烈遣一军赴印度境内之 Djava，而侵略其国。别一同时代之波斯史家瓦撒夫(第一册)云，回历六九一年(1292)，忽必烈侵略 Moul-Djava 岛，岛在印度附近，长二百程，广百二十程。并云：此国主 Seri-Rama 入朝忽必烈时，殁于道，其子至帝廷，帝优待之，命嗣有其国，年贡金珠。马可波罗(第三卷第十章)系在 1291 年自中国西还欧洲者，谓在其时皇帝尚未能召降爪哇大岛。Jean de Mandevile(第 19 章)云：爪哇国甚大，其王甚强，附近七岛之王皆隶焉。大汗尝欲征服爪哇而迄未成。案：此旅行家系殁于 1371 年者。

伯颜御海都之兵者四年，有人谮之于忽必烈，谓其久居北边，与海都通好，因仍保守，无尺寸之获。忽必烈乃诏授皇孙铁木耳以皇太子宝，抚其军，以太傅玉昔帖木儿辅行。召伯颜居大同，以俟后命。(1293 年 7 月)玉昔帖木耳未至军，伯颜自哈剌和林进击海都败之。召玉昔帖木儿至军，授以印而行，皇孙以酒饯之，伯颜至大同。已而忽必烈明其枉，诏之还朝，面奖其功，仍授丞相，命统宿卫及大同、上都诸军[①]。

忽必烈即位之初，命不花剌人穆斯林赛典赤(Seyid-Edjell)综理全国财赋。1270 年赛典赤死，人皆服其廉洁[②]。以细浑河畔费纳客忒城人阿合马(Ahmed)代之。先是弘吉剌之一部长阿勒赤(Iltchi)[③]那颜女察必可敦(Djambouï Khatoun)尚未入宫为忽必烈正后时，阿合马识可敦于可敦父所。可敦正位后，命之随侍皇后宫廷。阿合马多智巧言，以功利成效自负。可汗试以行事，颇有成绩。由是奇其才，专委任之，所言无不从。赛典赤死，遂命其综理财赋[④]。可汗求财货，阿合马辄有法应之。由是擅权，专愎益甚[⑤]，任意处分一切高位，擅杀其视与己为敌者，受其害者为数甚众。朝

① 见冯秉正书 456 页，宋君荣书 220 页。

② 据剌失德书，蒙哥在位时代，忽必烈将兵入哈剌章时，赛典赤时为其地长官。忽必烈爱其人，携之还朝，荐之可汗。可汗命之为相(vézir)，以其子纳速剌丁(Nassir-ud-din)代为哈剌章长官，终其身保有此位。剌失德又云："事在五六年前(案：剌失德撰书之年在 1300 年前后)，其子阿不别克(Abou Biker)而别号伯颜平章(Bayan Fentch-en)者，现为泉州长官。"案：剌失德之记载微误，忽必烈进兵云南之时，哈剌章尚未降附，则不能有一蒙哥所任长官在其地也。

③ 钧案：此处实应作 Altchi，即《元史》之按赤驸马。

④ 见《史集》。

⑤ 见冯秉正书 315 页，宋君荣书 151 页。

中官无大小莫敢触其锋，妇女之美者莫能避其欲，辄用种种方法以达其愿。子二十五人，皆据要津，以贪渎而获资财无算。凡欲得位者，势须以重赂贿之[①]。

阿合马当政十二年，结怨甚众，人心愤恨。汉士人之为帝之侍臣者，常进言而无效，乃言于太子真金，真金遂为其最危险之敌[②]。一日，太子以弓击阿合马面，破其颊。忽必烈见伤，询其故，阿合马以马蹄所伤对。真金时在侧，斥之曰："汝以我击伤为耻，故不敢实对欤?"又有一日，真金当帝前以拳击阿合马[③]。嗣后 1282 年，有千户王著者，密谋杀之。太子真金从帝如上都，而阿合马留守京师。著诈称真金还大都作佛事，省中官出迎。著至东宫前，责阿合马数语，以所袖铜锤碎其脑立毙[④]。

帝闻讯大怒，命鞫罪人首从，断其罪杀之。赐重金为阿合马治丧，命诸大臣送柩至葬所。已而变惋惜为愤怒：忽必烈求一大钻石以饰其冠，闻二商人言，前有一大钻石已送至阿合马所。乃命人求之，得于阿合马正妻所。帝恚，益以其子真金及诸汉官之进言，尽得其罪恶。于是大怒，命发冢剖棺戮尸，纵犬食之。杀其寡妇之藏此钻石者，及其子二人。余妻四十妾四百，皆分赐他人。籍其家资，罢黜其党与，凡汰其官省部者七百余人[⑤]。

已而命畏吾儿人桑哥(Sanga)综理财赋。桑哥者，胆巴国师

① 见马可波罗书第 2 卷第 8 章 308 页。

② 见冯秉正书 411 页，宋君荣书 151 页。

③ 见《史集》。

④ 见冯秉正书 412 页。剌失德书所言与此异。

⑤ 见《史集》，冯秉正书第 9 册 413 页，马可波罗书第 2 卷第 8 章 309 页。

之弟子。一遵阿合马之前例,在位有八年。会帝猎于外,有侍臣某乘间言桑哥罪恶。帝怒,谓其诋毁大臣,命卫士批其颊。其人辨愈力曰:"臣与桑哥无仇,所以力数其罪而不顾身者,正为国家计耳。苟畏圣怒而不言,则奸臣何时除?民害何时息?"帝大悟,询之他人,人言畏桑哥诬杀,故不敢言[①]。别有一事使桑哥致败者:一日忽必烈求珠于桑哥,桑哥答言无珠。有波斯人某颇得幸,而与桑哥为敌,言于忽必烈,曾见桑哥有珍珠宝石甚夥,自请往桑哥邸求之。已而挈两箧还,珍宝满中。忽必烈以示桑哥曰:"汝珠多如此,而不欲以数珠献,此物汝何从得之?"桑哥答由回回官吏数人所馈,因历数其名,皆行省之长吏也。帝曰:"何以此曹不以宝石献我?具见汝遗我以劣物,而自留其珍贵者。"桑哥对曰:"此曹以是物馈我,帝如有命,我将返之。"帝怒中以污秽满塞其口,杀之[②]。籍桑哥家,得珍宝无算。帝责台臣不言之罪,因斥罢其久任者[③]。其因桑哥之败而牵连被诛者:行省回回长官二人,官吏数人[④]。由是观之,自赛典赤死后,理财省之长官,及其大半属僚,皆属外国人,俱因掊克而得幸。忽必烈始终好利,常采用其增加国课充实府库之方法,授权于不顾廉耻之人,使之暴征重敛,贪渎自私,诬陷籍没,而人常受其害[⑤]。桑哥既诛,命完泽(Oldjaï)代之综理财赋。

1291 年,忽必烈颁行新律。先是未有法守,断理狱讼循用金

① 见冯秉正书 445 页,宋君荣书 218 页。

② 见《史集》。

③ 见冯秉正书 446 页。

④ 见《史集》,事在 1291 年。

⑤ 见宋君荣书 202 页。

律，颇伤严刻。至是辑律令为一书，名曰《至元新格》，颁行之[1]。

1294年2月，忽必烈死于大都，年八十四岁，在位三十五年矣，上汉语庙号曰世祖[2]。

① 见冯秉正书450页。

② 见冯秉正书第9册418页。马可波罗(第2卷第4章)云:此汗身长不逾中人，眼黑而丽，鼻上曲，面色美致。剌失德云:忽必烈诞生时，成吉思汗颇诧其面带褐色，盖其诸子皆面白也。

第　四　章

忽必烈帝国之广袤——其行省之区分——官吏——驿站——中国户口——军队——财政——钞——中国之基督教徒——穆斯林——朝中之星者及卜人——皇帝驻所——宫廷节庆——畋猎——皇帝之后妃——皇子——宫女——皇储之指定

蒙古帝国之君主，已非复奴隶被征服的民族及蹂躏所侵略的地域之游牧部落酋长矣。忽必烈曾受一种中国教育，深知文明功益，羡赏中国制度，保护学术文字，亚洲一切文明国家之学者皆列其朝，曾将中国最良之书籍译为蒙古语，为其种人子弟建设学校。其所持之政策虽不许中国人为行政长官，然曾限制蒙直长吏迄于今兹专断的威权，而以缓和人民之境遇。世人虽誉其仁厚，顾其为满足其不饱之贪欲，数遣军远征，死亡者何啻千万？史有责言，非无故也。

忽必烈领地之广，为前史所未见。当时列其版图者：有中国、高丽、土番、安南、占城、恒河外之印度一大部分、南海中之数岛、大陆北方自东海达于的涅培儿河岸之地。当忽必烈在位之时，虽有杭爱山以西成吉思汗系诸王之不奉朝命，要为蒙古帝国之疆域。

复次波斯为其属国，旭烈兀之后王君临此国者，须受大都之册封。其诸大藩之领地，抵于地中海及东罗马帝国国境。世人得谓亚细亚全洲几尽奉大汗之号令也。

忽必烈直接君临之地，分为十二大区域，各区域设一同僚组合之官署治之，汉语名之曰省。其一省统治肃良合(Soulangca)[①]及女真之地。第二省统治高丽。第三省统治云南。余九省分治中国本部[②]。诸省及一班行政官署，皆以蒙古人或外国人为之长。伊斯兰教、基督教、佛教等教信徒皆有之，其隶帝室者居其泰半。有不少波斯、河中、突厥斯单之穆斯林，冀求富贵于窝阔台、蒙哥之朝，相率而至，赖奥都剌合蛮、赛典赤、阿合马之援引，多跻高位。蒙古人曾采用中国业已设备之同僚组合，及本官外别置同僚一人之例，而以副贰之职授之中国士人[③]。蒙古侵略之前，仅有士人独能为官吏。士人以贡举进身，必须应经义、时务、词赋等科之考试，既为圣经学术文字之所寄托，所以士人构成第一阶级。前此已言蒙古侵入中国时，士人被俘为奴者，因耶律楚材之请而得释者数千人。楚材因进言于窝阔台，使其了解治国之必要，于是在中国于北方蛮人残破之后，兴复学校。1287 年，忽必烈又从耶律有尚之言，设立已废之国子学于燕京，选有才德之中国人为教授，增广弟子员额。越二年，又置回回国子学。帝敕从臣子弟入国子学[④]，然在忽

① 肃良合疑是女真旧境耕种而有城郭村庄之地。

② 见《史集》。

③ 马可波罗云："大汗之取得中国主权，不以正当权利，而以兵力，因不得人民之信用。职是之故，诸省及其他行政位置，皆授于可以信任之鞑靼人，伊斯兰人，基督教人，及其他属于帝室之外国人。"(见《行纪》第 2 卷第 8 章)。

④ 见宋君荣书 210 页，冯秉正书 430 页。

必烈时代，尚未颁布恢复科举之令也。

此广大帝国各地之交通，因驿站之设置，邮传使者往来愈加迅速。每二十五至三十英里，设置驿站一所，同时为馆舍，以供顿止。每驿置驿马四百匹，月以半数供役，半数休息。驿马由居民供应，减其赋役以偿其失。紧急时有急递使者，二十四小时驰二百五十英里。驰近一驿时，递者吹角，使驿中备马以便更换。在两驿站间，每三英里设一递铺，以供步递之用。步递腰系小铃，铺中闻声急命接递之人俟其至而接递之。每铺每驿置簿册，载明驿递来往之日时①。

1290 年，调查中国户口，计有户一千三百万余，口五千九百万②。

数省置一宗王镇之。每省置万户一人，承理财省之命征收课税，下有理财省之椽吏四人佐之③。军队以中国人及蒙古人组成之，部分屯驻城中，部分分驻郊野。中国军队不驻本地，遣之远戍。士卒仅服役六年。蒙古兵常为骑兵，驻守适当之地，亦有军饷。此种游牧人以其牲畜在城市中交易其所需之物④。军中将校各授牌符，以辨其官阶之大小：百户银牌，重二十两（onces）；千户镀金银

① 见马可波罗书第 2 卷第 20 章 362 页。

② 见冯秉正书 444 页。别纳客忒城（Bénaket）人法合鲁丁摩诃末（Fakhr-ud-din Mohammed）所撰世界史名《智者之园》（Raouzat Ouli-l-Elbab）者，中有一部分采录《史集》之文。据云：剌失德丁曾据孛罗丞相（Poulad Tchinksank 即中国蒙古帝遣往波斯之使臣。钧案：此孛罗系与爱薛同奉使者，见《拂菻忠献王碑》）之言，谓中国户籍有人口九百万户。

③ 见《史集》。

④ 见马可波罗书第 2 卷第 1 章 264 页，又第 68 章 535 页。

牌,重量同;万户狮头金牌,重三十六两。牌上有文曰:"奉天承运可汗钦命,违命者死。"余文特书执此牌符者之职分。统将之统大军者,金牌,重五十两,狮头,绘日月形①。此类将官骑而出,则有人执伞盖以覆其首,欲坐,则有人献银座②。忽必烈即位之初,定官制,分别前此混而不分之等级,语见本卷第一章。此汗有宿卫一万二千骑,四将统之,每将率三千人更番宿卫。

国库收入,大部分用作军费,付纸币作军饷。盖中国不用现金,以纸币替代金银也。纸币上盖用造币官吏之印信及署名,并加盖朱色帝玺。此种纸币捣桑皮制之,长方形,额愈重,形愈大。分为若干等,自数文钱以至二贯,拒用者死,伪造者处极刑。人得在回易库以破烂纸币调换新币,惟计额纳工墨费百分之三。镀金匠及金银匠得购其工作所需之金银。外国人之抵中国境界者,须以其所赍金银易纸币。忽必烈时代流行之纸币,名曰钞,或宝钞③。此制唐、宋时已有之,则在四百年前中国已知使用纸币,忽必烈仅

① 外籍之要人亦持有牌符以代护照。史家斡儿帛良云,阿美尼亚亲王三帕德还国时,蒙哥汗曾以金牌(paiza)赐之,上著上帝之名。别付圣旨一道,即蒙古人所谓之yarlekh是已(见《阿美尼亚记》第2册137页引《斡儿帛良史》第7章)。此种牌符之使用,本于中国旧制,波斯之蒙古朝曾采用之。马可波罗之父尼可罗波罗及其叔马迪斡波罗,离波斯时,此国之成吉思汗系阿鲁浑(Argoun)曾以金牌赐之。牌长一肘,宽五拇指,重三四马克(marc)。牌文若曰:天佑大汗,其名永垂不朽,凡违命者死,并籍其家。后云:在阿鲁浑所辖诸国境内,应礼待此三使臣,供应其所需,并以护卫护送(见《马可波罗行纪》Marsden本第1卷第1章34页)。此种付与旅人之牌符,疑非金牌,而为镀金牌。至若所谓使臣,或蒙古语之额勒赤(Eltchi),盖为种种使者、委员、旅人之概称也。

② 见《马可波罗行纪》第3章278页。

③ 见马可波罗书第2卷第18章353页。

仿旧制而已[①]。

忽必烈从皇后察必可敦言，信奉佛教，保护喇嘛。中国儒者深致不满，缘中国士人由其所学，大致信奉孔子之教。其教为诸教中之仪式想象最少者，无神坛，无教师，大礼祀天之日，君主与其辅臣自祭。所以孔教之徒颇嫌恶佛教，及其偶像寺宇，暨无数懒惰僧人[②]。专事种种迷信欺诈之行为者，则士人对于崇奉喇嘛之君主，自不能竭诚感戴，且此辈士人在中国颇得人心也。

忽必烈对于佛教虽甚热心，然对于基督教、伊斯兰教、犹太教悉皆尊重。基督教徒举行大祭之日，忽必烈召之至，焚香后，亲吻其福音书。曾云：诸国所崇奉之大预言人有四，曰耶稣基督、曰摩诃末、曰摩西（Moyse）、曰释迦牟尼瞿檀（Sommona-Codom，Schaguia-mouni），彼皆礼之，而求天佑[③]。既笃信佛教，所以敌视道士，1281年时，曾命尽焚全国道教经文[④]。

聂思脱里派之基督教徒在中国甚众，有一主教驻在大都。1277年，教皇约翰二十一世（Jean XXI）曾闻旭烈兀子阿八哈汗使者二谷儿只人言，皇帝忽必烈曾受洗礼，信奉基督教，切愿有传道师传布福音于其臣民。教皇乃选教士数人，拟遣往鞑靼地域，已而因教皇死，致稽其行。次年，尼古剌三世（Nicolas Ⅲ）继位，乃命弗朗西士派教士五人传布基督教于蒙古人及中国人中，并作书命其

① 见宋君荣书《年代考》192页。《亚洲学报》第1册257页Klaproth撰《纸币起源考》。

② 据鲁不鲁乞书（第26章），佛教僧人黄衣，髡首，带数珠，居寺院中，每寺一二百人不等，发愿独身。

③ 见马可波罗书第2卷第2章274页。

④ 见冯秉正书410页。

赍呈阿八哈及忽必烈。其致可汗书开始略言耶稣基督诞生死亡复活升天诸事,续言该教士等遣派之机会及原因。教皇请忽必烈善待诸教士,居留其国时,供应其所需,西还时,遣人卫送,俾能偕其所希望之成绩而归罗马(Rome),乐闻其获救助之人类为数无算,终嘱可汗庇护其国中之基督教徒[①]。

1289 年,教皇尼古剌四世(Nicolas Ⅳ)遣同派教士数人赴中国,命教士约翰孟帖哥儿维诺(Jean de Monte-Corvin)率往。缘有波斯蒙古汗阿鲁浑之使者,言皇帝忽必烈虔奉基督教,请遣派传教师赴中国也。教皇以致忽必烈书付教士约翰赍往,书言闻汗优待基督教徒甚喜,并以所遣派之诸教士嘱之[②]。

当时中国亦有穆斯林不少,因有一事,致此辈受虐待者数年。有伊斯兰商人来自忽里(Couris)及乞儿吉思之地,贡白鹘及白爪红喙之鹰(sancours)。帝示殊待,赐以御食,其人拒不食,忽必烈询其故,对曰:"杀牲未遵其教法,其肉不洁,故不食。"帝恚,益以左右佛教徒及基督教徒之进谗言,遂重申成吉思汗法令,禁止用断喉之法杀羊,违者死,籍其家,以赏首告之人。于是告密者纷至,多破穆斯林家而致富。奴辈之欲获得自由者,亦告其主。如是者七年,伊斯兰教贵人及伊斯兰教教长乃求丞相桑哥进言于帝,言伊斯兰商人不复至中国,例献之物因缺,而其货物所纳之关税因无所得,忽必烈乃收回其禁令。

虐待穆斯林之事不仅此时为然,前此已经有之。《可兰

① 见《教会年历》第 3 册 452 页,此书作于 1278 年 4 月 12 日。

② 见《教会年历》第 4 册 69 页,此书作于 1289 年 7 月 13 日。

(Cour'an)经》有云:“凡崇拜数神者杀之。”基督教徒曾在帝前引此语,帝闻之,召都城之伊斯兰教博士至,面询其为首者,彼等圣经中是否有是语? 诸人不能否认,对曰:“有之。”忽必烈曰:“汝曹以为《可兰》授自上帝欤?”其人对曰:“吾曹未尝致疑也。”可汗又曰:“上帝既命汝曹杀异教之人,何以汝曹不从其命?”对曰:“时未至,吾曹尚未能为之。”帝怒曰:“然则我能杀汝也。”遂命立将其人处死。时桑哥之前任综理财政之人阿合马,及其他伊斯兰教官吏数人,请暂停刑,召其他较明教义之穆斯林询之,乃召一伊斯兰教断事官(cadhi)至。帝以同一问题诘之,其人对曰:“上帝命吾人杀多神教徒,其事属实。惟其所指之多神教徒,盖为不认有一最高主宰者,陛下在一切法令中既首列上帝之名,则不能在此类之列。”忽必烈意乃释,厚赏此断事官,而宥诸伊斯兰教博士[①]。

帝笃信星术,汗八里城中豢养有星者或卜人约五千人,基督教人、伊斯兰教人、中国人皆有之[②]。史书所载日月蚀、彗星见、地震等事,在当时皆视同天怒,足以使人警惕也。

忽必烈冬日驻于其在金国中都附近营建之城中,汉人名之曰大都,蒙古人名之曰汗八里(Khan-balik),质言之,汗城,即今之北京顺天府是已。城方形,每方长广六英里,各辟三门,每门千人守之[③]。大街直形,两方城门可以相望。十二门各有其附郭,商贾及

① 见《史集》。

② 见马可波罗书第 2 卷第 25 章 377 页。

③ 剌失德云:周围绕以土城,上有七楼,每楼相距有一程之远。帝宫在城中央,名曰 Carschi 在在皆见有大理石及白石。

外国人之所处也[①]。粮食及货物由一运河运至大都。此河下抵白河口附近之天津，复经其他诸小河注入大运河中，流经山东而至中国南部[②]。每年阳历 12 月、1 月、2 月，忽必烈驻在大都。其宫城亦方形，每方长广一英里，城角及每面城之中间，有谯楼一座，内藏战具。城内别有第二城墙，亦有楼八座，内藏皇帝珍宝。两种城壁之上，绘有战事及其他事迹，颜色鲜明，金银之色灿烂其间。第二方城内之中央则为宫殿。殿廷置一桌，可容六千人聚食。两城墙间有果园多所，猛兽园一所，鱼池多处，培养鲜鱼[③]。

庆会之日，设大宴，帝坐于高台上之宝座，面向南。食案置宝座前，皇后坐于左[④]，诸皇子及诸宗王列坐于右，台较低，其首高与帝之足平。其他食案依次低降，贵人及将帅就食之所也。帝之左方，列食案高低不等，诸公主及贵人将帅妻女之所处也。尚有不能列坐于此种食案之贵显多人，则趺坐聚食于地毡之上。皇帝之司馔者以绢覆口，俾使其气息不污饮食。皇帝每次举盏而饮之时，即作乐，诸人皆跪。殿中有方厨，刻饰甚丽，作种种兽形。内有一盆，盛葡萄酒满中，四围有四瓶较小，内盛马湩及其他饮料。以银制或镀金大盏盛诸种酒，列于桌上，每二人合饮一盏，各人有大勺一，取酒于盏中而饮。宴后命优人、幻人、技人入献艺于帝前。每门有身躯甚大者二人，持杖守卫，使入门者不得触其阈，盖视此如同厌禳

① 见马可波罗书第 2 卷第 6 章。

② 见冯秉正书 439 页，宋君荣书 210 页。

③ 见马可波罗书第 2 卷第 6 章 287 页。

④ 阿不勒哈齐书云，蒙古人尚左，缘人心在左也。

也。有触者，阍者则剥其衣，否则杖之[①]。

重要之庆会，为阴历元旦及忽必烈之诞辰。元旦之日，适当阳历2月6日。皇帝诞辰，诸王、贵人献重币，各教之寺庙皆为皇帝祝寿。元旦之日，诸王、贵人、将帅等衣白衣，黎明入宫，按朝列四拜，已而在廷中坛上忽必烈牌位前焚香。是日诸城总管及诸省长官依例应献白马于皇帝。每年庆会为数十二，每次忽必烈以金锦为缘珍珠宝石为饰之衣，赐朝中贵人[②]。

此汗于每年6月、7月、8月驻夏于开平。开平别号上都，于城内之极端，建宫殿，饰以最美之大理石，下有猎场，周围约有十六英里之广。每年九月还大都，其后蒙古诸帝皆效之[③]。

置猎户二部，每部万人。一部衣红，一部衣蓝。两猎士长并日耳曼人，各领一部，打捕野兽时用之。帝携猎鸟出猎时，坐一楼中，四象承之[④]。

忽必烈皇后数人，妃嫔甚众。其最得幸而位置首列者，为察必可敦，蒙古弘吉剌部之一部长阿勒赤之女也。生四子：曰朵儿只

---

① 见马可波罗书第2册第10章318页。鲁不鲁乞云：其同伴教士巴儿帖勒米(Barthélemi)出蒙哥帝廷时，误触门阈，卫士逮之，嗣以其为外国人，释之不罪。

② 见马可波罗书第2卷第12章328页。

③ 见马可波罗书第1卷第56章250页，宋君荣书144页，Jean de Mandeville书(第87章)及海屯书(第19章)皆谓上都城大逾罗马。宋君荣(115页)谓其城在北京西，北纬42度25分东经10度12分间。剌失德谓开平府距大都五十程(fersenks)。剌失德《史集》著录之忽必烈两都，帝国幅员，诸省分治，大都衙署，诸条译文，并见卷后附录。

④ 见《马可波罗行纪》第2卷第13至第16章。

(Dordji)、曰真金、曰忙哥剌(Manggala)、曰那木罕[①]。别有子八人,其他后妃之所出也。曰豁里歹(Couridaï)、曰忽哥赤(Hougatchi),镇守哈剌章之地,曰奥鲁赤(Oucoumudji),镇守土番(Tubet)之地,曰阿八赤(Abadji)[②],曰阔阔出(Gueu kdjou),曰忽秃黑帖木儿(Coutouctemour)[③],曰脱欢[④]。诸妻中四人有皇后之号。每皇后一人有宫女三百,及侍童、阉人甚众,四后宫中役使人数由是计有万人。

宫中所役之宫女,多取之于鞑靼地域诸部,尤以选自汪古部中者为众,缘此部妇女以姿色秀丽而著名也。常遣宫臣往选宫女,每次选数百人,送至宫中。被选女子之家受有一定报偿,亦乐见其女役于宫中。宫女选入宫后,复由宫臣阅视,择其最美者进之皇帝。进入之前,先由宫中之命妇检查其身体,恐有残疾或缺陷也。此种宫女每五人为一班,每班在室内供役三日,另一班则在室外传达帝命。其非服役于帝所者,则役于皇后所,抑分配于各宫臣所,命司饮馔衣服等事。此辈常得帝之许可,嫁为宫臣妻,帝常以婚资赐之[⑤]。此种选宫女之制,在中国行省中不适用之。窝阔台时曾从

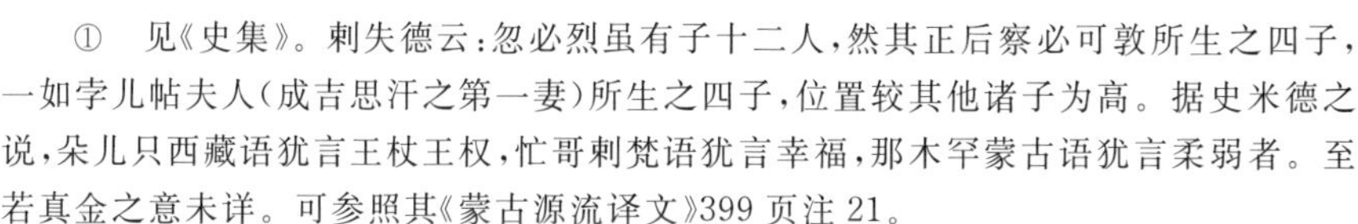

① 见《史集》。剌失德云:忽必烈虽有子十二人,然其正后察必可敦所生之四子,一如孛儿帖夫人(成吉思汗之第一妻)所生之四子,位置较其他诸子为高。据史米德之说,朵儿只西藏语犹言王杖王权,忙哥剌梵语犹言幸福,那木罕蒙古语犹言柔弱者。至若真金之意未详。可参照其《蒙古源流译文》399 页注 21。

② 钧案:应是爱牙赤(Ayadji)之误。

③ 钧案:《元史》本纪作忽都鲁铁木儿,又《食货志》作忽都帖木儿,本纪译名殆是忽都黑铁木儿之误。

④ 见《史集》。第八人名缺。据马可波罗之说,忽必烈诸妻生子二十二人,诸妾生子二十七人。

⑤ 见《马可波罗行纪》第 2 卷第 4 章 281 页。

耶律楚材之请，罢选汉地室女。忽必烈时并推行禁令于宋之故地[①]。

忽必烈先有以帝位属其第四子那木罕之意，嗣因与海都战，那木罕被俘，乃立其第二子真金为皇太子。后那木罕被释还，有怨言，忽必烈怒，逐之不许入觐，未久，那木罕死。真金多才德，亦先父死（1286 年 1 月）。1293 年，皇太子死后之八年时，忽必烈之重臣伯颜，因真金寡妃阔阔真（Guenkdjin）之嘱托，进言于可汗。言可汗春秋甚高，皇嗣未立，忽必烈乃立铁木耳为皇太孙，时铁木耳甫奉命镇守哈剌和林，乃命伯颜往宣命，依礼册封之为皇太孙[②]。

① 见宋君荣书 199 页。钧案：此处多桑误，元代仅于忽必烈时从崔彧言罢各路选室女，此外屡代常行之。

② 见冯秉正书第 9 册 434 至 456 页。《史集》。

第五章　铁木耳时代

铁木耳之被推戴——新帝之任命——伯颜之死——与安南和——缅国王之入贡——缅国之乱——铁木耳之以兵力干涉——诸将之操行——其惩罚——讨八百媳妇国——中国边境数部民族之叛——刘深所将帝兵之败——刘国杰之胜——叛乱民族之平服——对于都哇之用兵——海都之战役及其败——其死——海都子察八儿与都哇之降附——一切成吉思系诸王之承认铁木耳——都哇与察八儿战——察八儿领地之并入都哇——都哇之死——其诸嗣位人——铁木耳之死

忽必烈死后，开选举大会于上都(5月)。铁木耳至自军，虽经册命命彼继承大位，其长兄甘麻剌亦欲得国，诸王因分派别，然诸将及中国官吏皆归心铁木耳。于是伯颜由其声望位置，握剑立殿陛，厉声宣扬顾命，述所以拥立皇太孙之意。于是甘麻剌跪拜弟前，诸王皆随之拜，铁木耳遂即可汗位，依例大赦①。

---

① 见冯秉正书461页，宋君荣书223页。剌失德云：缺位时，铁木耳母阔阔真摄政。大会既集，此妃多才智，见甘麻剌与弟争位，遂言曰："先可汗遗命，后人能熟知成吉思汗遗训者，即以大位属之。汝二人可各言所知，由莅会之诸王贵人决之。"铁木耳善词令，历数其曾祖遗训，语言详晰；甘麻剌言词微拙钝，不如其弟。由是大会人员众口一声曰："宜由铁木耳承大位。"

铁木耳即位后之第一事，则追尊其父母为帝后，命为真金、忽必烈及皇后察必可敦三人营建纪念之物。自号曰完泽笃(Oldjaïton)，蒙古语犹言有福也。命皇兄甘麻剌镇守蒙古之地，开府于哈剌和林。妹婿[①]阔阔出[②]、阔里吉思(Keurgueuz)二人总领西北边军，以御海都、都哇。从弟阿难答(Ananda)镇守黄河以西诸行省，昔日唐兀之地。先是阿难答父忙哥剌在前代时原镇其地，开府京兆，或今之西安，至是仅以阿难答袭父职也。伯颜平章仍综理财赋如故，因别号曰赛典赤，盖蒙古人尊视此名，习视其为行政长官之号也。伯颜平章之外，置同僚八人，与之会同管理财赋[③]。

1295 年 1 月，知枢密院事伯颜死，年五十九岁，中国人、蒙古人皆惜之。伯颜深略善断，将大兵伐宋，若将一人，诸将仰之若神明，务求避免流血，事毕还朝，未尝言功[④]。

铁木耳时代，惟一可注意之大事，则为两次战役：一为讨伐中国近边印度境内诸叛乱民族之役，一为讨伐忽必烈旧敌海都、都哇之役。

铁木耳初即位时，与安南言和，由是因爪哇之战而断绝之印度交通复开[⑤]。缅国王的立普哇拿阿迪提牙数年未入贡，铁木耳将欲遣军往讨；会(1297 年)其遣子僧合八的奉表入贡，遂诏封的立普哇拿阿迪提牙为缅王，赐银印。王子僧合八的为缅国世子，赐虎符。

---

① 或姊婿。

② 钧案：应是宁王阔阔出，盖为铁木耳之叔，非妹婿也。

③ 见《史集》。

④ 见冯秉正书 462 页。

⑤ 见宋君荣书 224 页。

同时命缅边诸蒙古戍将勿侵缅地，保护此国居民与帝国之贸易[①]。

越三年，的立普哇拿阿迪提牙为其弟阿散哥也等所杀，其子逃诣中国请援。铁木耳遣云南平章政事薛超兀儿发兵讨之，不克，引还。言贼降在旦夕，有人受其赂，首倡为还计，是以无功，诏遣官鞫之。得薛超兀儿以下将校受赂状，诏诛数人，薛超兀儿遇赦，仅削夺官爵，籍其家。

用兵缅国之时，有人进言于铁木耳，谓云南西之八百媳妇国未奉正朔，请遣军往讨。铁木耳欲踵其先人故事，侵略土地，乃命最初建言之云南行省左丞刘深将三万人往。深远冒烟瘴，未战，士卒死者已十七八。驱民转饷溪谷之间，死者甚众。而深复令云南调民供馈，及胁求土官之妻蛇节金马。有蛮酋宋隆济，遂连兵反，围深穷谷中。忽必烈子忽哥赤时镇云南[②]，以兵救之，叛众稍却。

帝遣统将刘国杰、杨赛因不花等率四川、云南、湖广各省兵分道进讨诸蛮，以援刘深。深既败，引兵还；宋隆济复率众邀之，辎重委弃，士卒杀伤殆尽。时其他诸蛮部亦乘衅起兵[③]，攻掠州县，焚烧堡寨。又遣也速解儿将兵会国杰讨之。时国杰方讨顺元蛮，不及来会。也速解儿等率师分道并进，次第平之。国杰亦破蛮兵，诛蛇节。宋隆济遁去，寻为其侄执之以献，伏诛，余党相继平。帝大赦，惟正刘深丧师之罪，诛之[④]。

北方之战尚未已也：1297年，钦察王子土土哈死，其子床兀儿

① 见冯秉正书468页。

② 钧案：《续纲目》作梁王阔阔。

③ 是为乌撒、乌蒙、东川、芒部、武定、威楚、普安诸蛮。

④ 见冯秉正书477页以后。

(Tchohangour)袭父职,领征北诸军,于 1297 及 1298 两年间,数胜海都、都哇军,而海都等亦乘其敌之懈而获胜利。时皇帝戍守边界之兵,沿境分屯列戍以守。自西南迤向东北,屯戍间设驿站以通声息,俾能互相策应。都哇一军潜来袭阔里吉思戍地,阔里吉思即遣驿骑通知别戍。会邻戍三戍将聚饮,驿骑深夜来报时,已醉甚不能骑矣。阔里吉思不知,率所部六千人拒战,所待之援不至,欲逃不果被擒,言为帝婿,始免杀害(9 月)。

铁木耳逮系此三戍将,然未久即复此败之耻,诸王药不忽儿、兀鲁思不花(Oulouss-Bouca)与统将朵儿朵哈(Dourdouca)率一万二千人来投铁木耳。先是此三人在前代时,曾背国投敌,铁木耳见其来投,未敢信其诚,遣军往监之。兀鲁思不花纵所部兵抄掠哈剌和林,及至,遂被逮,有重臣庇护,为之力解,然铁木耳不许宥之。而对于药不忽儿,则待遇优厚,盖其无罪可责也。至若朵儿朵哈,两次叛逃,欲诛之,朵儿朵哈泣诉曰:"曩者背忽必烈而逃者,仅惧谴责也,然从未执兵以抗先可汗。今见可汗即位,特约二王来投,且率以归命之众较前此率以背叛之众为多,而意在将此一军往击可汗之敌也。"铁木耳乃宥之,使将一军往击都哇,药不忽儿请同往,许之。二人在边久,深知都哇军力,至是皆欲立功自效。

都哇既获胜,徐引兵还其斡耳朵,欲沿道袭击诸王阿难答、阿只吉(Atchikï)、出伯(Tchobaï)之军,列屯唐兀边境以至畏吾儿境内哈剌火州(Cara-khodja)之地者。渡一河时,不复成列,朵儿朵哈突至,出不意袭击之,都哇军大败,被杀及溺死者甚众。都哇妹婿[①]某在是

① 钧案:原文 beau-frère 之意,可训作姊妹之夫,亦可训作妻之兄弟,兹暂译作妹婿,未知审否。

役中被擒。都哇遣使请于皇帝，请以阔里吉思易之，铁木耳许之，命人送俘至都哇营，未至，都哇杀阔里吉思，乃谓已送海都所而殁于道。

斡儿答汗国首领乃颜（Nayan）者，斡儿答之曾孙，数年来因其从兄弟贵烈克（Kouïlek）与之争位，而海都、都哇助贵烈克。诸王在此时间中凡十五战，乃颜势渐衰，乃约波斯之蒙古汗及皇帝铁木耳，三面合攻其公敌。铁木耳为所动，议亲征。太后阔阔真止之，谓国土已甚广，海都、都哇军距京师远，亲征须时一二年，帝远离恐中国生乱，铁木耳乃遣乃颜使者归，谢以徐议[①]。

1301年，海都大举，率前此所无之重兵侵入帝国境内，从者都哇及窝阔台、察合台两系诸王四十人。先是未久，帝命皇侄海山（Khaïschan）出镇北方，俾从月赤察儿、床兀儿两将习练军事。海都军至，海山督五军以御之，战于哈剌和林及塔米儿（Tamir）之间。（1301年8月）海都败走，得疾道死[②]。此王曾建汗号，将兵勇敢，治民宽仁，其死也兵民多惜之。相传其在反抗可汗及其他诸敌之役中，计有四十一战，几无战不胜。其士卒久历行阵，即在蒙古人中，亦以作战勇健著名于当时[③]。

其部众依俗号泣举丧。都哇曾奉遗命，遂在柩前集诸王，以海都子四十人，察八儿（Tchabar）居长，当立，诸王意皆同。先是八

① 见《史集》。此书所记成吉思汗主系诸帝事止此，盖撰者为铁木耳同时人也。

② 见宋君荣书229页，冯秉正书479页。据瓦撒夫书：海都、都哇遇帝军于两国境上海押立城数日程之地。依蒙古人习惯，双方遣使聚议。议不谐，遂战，海都仍胜，与前此诸役同，卤获甚多，意满还国，中道得疾死于沙漠中。

③ 《教会年历》（第4册70页）有教皇尼古剌四世致海都书，劝其入教，此书所题年月日，适当1289年7月13日。

刺死后，其族诸王依例赴海都所请立嗣君，都哇亦在其列。顾都哇在察合台系诸后王中非长王，赖察八儿进言于海都，因得嗣立。都哇深德察八儿，至是故援立之。时察八儿因事他出，立君之议既定，诸王各遣属官数人送柩归死者驻所。未久察八儿归，都哇率诸王奉之即汗位。

察八儿既君临窝阔台之国，都哇劝其承认铁木耳为主君，以息三十年来成吉思汗子孙自残之争战。察八儿从其言，其他诸王意亦同，遂遣使归命于铁木耳。（1303 年 8 月）帝得此平和保障，又见其君权为其族诸王一致之承认，闻之甚喜。

然与铁木耳言和之一方，未久复启争端。次年，察八儿与都哇因事不和，两系诸王遂举兵。都哇请帝合兵夹攻其旧敌之子，于是察八儿部众几尽弃之而去。察八儿穷蹙，率三百骑投都哇，都哇礼待之。然尽收其地，而以突厥斯单并入河中，前此为海都所分裂之察合台故国，几尽完全恢复。由是海都、贵由、窝阔台之后王察八儿，遂为此系之末主。前者成吉思汗所付托之大位，后经皇帝蒙哥所剥夺，继由海都之雄才而建设之大国，至是遂亡。

1306 年，都哇死。其子宽阇（Coundjouc）嗣立，在位一年有半死，察合台子木阿秃干之后裔塔里忽（Talicou）夺据汗位。塔里忽老于戎阵，信仰伊斯兰教。即位以后，欲以回教传布蒙古人中。有察合台系宗王二人以汗位应属都哇之一子，倡义举兵，为塔里忽所败。复有其他宗王数人亦谋举兵，复二王战败之耻。会有都哇旧臣拥戴其旧主之子者，于宴中刺杀塔里忽（回历七〇八年，公元1308—1309 年）。

同谋者遂奉都哇幼子怯伯（Guébek）为主。怯伯甫即位，察八儿联合海都系诸王以兵来攻，不胜，率少数残部渡伊犁河，逃入帝国境中。察合台系诸王既胜敌，而断绝窝阔台后人最后之希望，乃招集大会，推戴怯伯兄也先不花(Issenboca)为汗，怯伯亦自愿以位让兄。时也先不花在可汗廷，闻讯归国即位，后不知何年死。怯伯继立，在位迄于1321年①。

窝阔台、察合台两系诸王之争战，遂使马思忽惕伯善政兴复之河中重遭荼毒，而突厥斯单一地大受糜烂，顾其地虽无兵燹，繁荣亦未能久。盖突厥蒙古之游牧部落，视工技之成绩若己物，仅待机遇而夺取之。一地一城繁荣甫数年，其财富即足招致一切战祸。所以城乡之居民，常从事恢复其损害，以备供给四围残猛部落之卤获。诸宗王在其中各有其分地及部众，略有微嫌，内战遽启。诸王皆有推戴君主之权，各自以为有权继承大位。在位者脱不能驾驭之，则成诸大藩之傀儡。所以突厥斯单、河中两地，在成吉思汗系诸王统治下之历史，仅为一种混乱流血之叙述而已。

海都死后之乱事既具述于前，兹请再言此广大帝国各部悉皆承认之共主铁木耳，然此汗握亚洲之君权为时亦不久也。1307年2月，铁木耳死，年四十二岁。中国人誉其宽厚贤明，凡有死罪者非得其核准不得决之。惟其末年连岁寝疾，国家政事内则决于宫壶，外则委于大臣②。

铁木耳幼时饮啖无节，其祖忽必烈常责之，且曾杖之三次，终乃命数医侍食以监之。诸医若以为皇孙食饮已足，则击两杖作声

① 见瓦撒夫书第4册。

② 见冯秉正书464页。

以止之。然铁木耳有法避免医师之监视:有穆斯林某自言知方术,颇得皇孙信任,常导其至一浴室,预命浴室主以酒置水管中,因得痛饮。忽必烈命皇孙去此有害之幸臣,而皇孙不从;后知其事,命人劫其人于皇孙邸,逐之远方,密命人杀之。铁木耳即位后,遂戒酒,与从前狂饮无节者迥若两人[①]。

① 见《史集》。

第六章

皇后卜鲁罕之摄政——谋以阿难答承帝位——拥戴海山之党——阿难答及其党之被逮——爱育黎拔力八达之监国——海山之即位——杀阿难答及其党诸党首并及皇后卜鲁罕——海山——爱育黎拔力八达——硕德八剌——也孙铁木儿——阿速吉八——图帖睦尔——懿璘质班——妥欢帖睦尔之即位

铁木耳无子，其皇后卜鲁罕(Boulougan)[①]在铁木耳末年颇有权，欲以忽必烈孙及忙哥剌子阿难答承帝位。时阿难答镇守唐兀之地，即陕西、土番与四川一部分之地是已。铁木耳有疾时，后密遣人至西安府召之入京师。缘此后不欲以答儿麻八剌[②]之二子海山、爱育黎拔力八达(Ayour-bali-batra)[③]承帝位，曾出爱育黎拔力八达及其母居怀州(怀庆府)[④]。海山领兵镇守西北边境，以御海

---

① 瓦撒夫书皇后之名如此。惟冯秉正、宋君荣、夏真特诸书并作伯岳吾氏。

② 真金子，死于忽必烈在位时。

③ 冯秉正、宋君荣书根据中国载籍写作爱育黎拔力八达，然此名在瓦撒夫写本中作 Berié-batra。

④ 瓦撒夫书云：皇后卜鲁罕曾阻止铁木耳依蒙古俗纳其兄答儿麻八剌之寡妃。

都，由其材勇，颇得人望。皇后卜鲁罕既摄政，欲立阿难答；左丞相阿忽台（Agoutai）等数人阴左右之，谋断海山归路。然朝中亦有一党主张拥戴答儿麻八剌之二子者，右丞相哈剌哈孙为之长，密遣人促海山取他道急还，同时并使人至怀州召爱育黎拔力八达至大都，爱育黎拔力八达遂奉其母俱至。

阿难答之党见其至，谋以 4 月之某日举事。其敌方见事不宜迟，而海山道远不能猝至，爱育黎拔力八达、哈剌哈孙乃与诸王秃剌（Toula）定计，先二日率卫士入内，召阿难答计事。至即并诸王灭里帖木儿（Melik-temour）执之，械送上都，收阿忽台等，诛之。灭里帖木儿，阿里不哥子，阿难答党中之一要人也。先在海都子察八儿军中，后背察八儿来投中国。诸宗王等请爱育黎拔力八达正大位，爱育黎拔力八达辞以位属其兄。不许，遣使奉玺北迎，遂自监国，而与哈剌哈孙日夜居禁中以备变。

海山在杭海岭[①]闻铁木耳讣，乃至哈剌和林，诸王将帅毕会。海山素为军中爱戴，于是阖辞劝进，海山不从，亲率军三万南进，约其母与弟会于大都。既至，爱育黎拔力八达与诸王等在大会中奉之即帝位[②]。号曲律可汗（Kuluk Khacan），追尊帝父为皇帝，尊帝

① 钧案：《元史》作按台山（Altai），此处言杭海，或本于瓦撒夫书。

② 波斯史家瓦撒夫记述海山即位事云："海山于星者指定之日时，举行即位典礼。宗王七人坐海山于白毡上，二王扶其臂，四王举毡奉之于宝座上。一王献盏，诸珊蛮为新帝祝寿，而上尊号曰曲律汗（Kuluk-khan）。帝命人在库中载巴里失（巴里失本卷附录别有说）布帛满车，聚之于宫前，依散于众。撒珍珠无数于地，于是地面有类星宿之散布天空；宴乐七日，每日以马四十、羊四千供食；用马七百、羊七千，挏其乳以洒地，斡耳朵附近积乳之广，有如银汉。此种供奠礼之牲畜名曰 ongon，质言之载福者。牲色皆纯白，常保存之，盖以其可使牲畜繁殖也。从不食其肉，其中之马，仅有君主可以乘之。"鲁不鲁乞书（第 47 章）亦云："蒙古俗，阴历五月九日聚厩中之白马以供奠祭之用。"

母为皇后。酬其弟功，舍己子而立之为皇太子。

海山莅大都，即谒宗庙。已而执行其弟对于阿难答党所决定之处分，杀阿难答、灭里帖木儿及皇后卜鲁罕①。

阿难答幼受一穆斯林之抚养，归依伊斯兰教，信之颇笃，因传布伊斯兰教于唐兀之地。所部士卒十五万人，闻从而信教者居其大半。阿难答熟知《可兰经》，善写阿剌伯文字。其臣某诉之于皇帝铁木耳，言宗王阿难答终日在礼拜寺中诵《可兰经》，命蒙古儿童行割礼，宣伊斯兰教于军中。铁木耳遣使者二人往说其皈依佛教，阿难答不从。帝召之至，面谕之，亦无效，乃拘禁之。其后未久，太后阔阔真以为阿难答在唐兀之地颇得人心，锢之恐致民怨，言于帝，释之还镇②。

海山在位时代，无大事可述。有人译《孝经》为蒙古语，帝诏

马可波罗(第 65 章)云："皇帝有白马甚众，闻其数逾万。举行此大礼之日(8 月 28 日)，取马乳以美丽之皿盛之，国王亲手取皿洒乳于地。巫师谓诸神饮后可以降福。"瓦撒夫记述海山之继位者普颜笃可汗(Bouyantou Caan)即位事云：招集大会时，诸王之由各地赴会者，共有千四百人。在道中各视其位置高下，用驿马七百至一千不等。宴会七日，每日以马四十、羊四千供食。此外并用回教徒禁食之牲畜无数。至若酒湩及种种乳酪之量称是，新帝于星者指定之时，在宫中登极，面向南。宫壁皆以绢锦覆之。成吉思汗系诸宗王列于宝座之右，拙赤哈撒儿之诸后王列于宝座之左，诸可敦坐杌上，诸平章将帅等视其位置高下，或列殿中，或列殿外。宝座前列盏皿无数，宝石为饰。新帝受普颜笃可汗(Boui Yantouc Caan)之尊号，诸宗王将帅等依礼跪拜。撒金于地，祝福献盏(见瓦撒夫书第 4 册)。

① 见冯秉正书 464 页，宋君荣书 238 页。瓦撒夫云，亲王海山在上都之大会中，询诸宗王将帅曰："按据可汗法令，大位应属何人？"在会诸人同声答曰："忽必烈既立其子真金为皇储，仅命阿难答父忙哥剌镇守一方，则大位应属海山。"于是大会诸人共立效忠文约。新帝酬其弟爱育黎拔力八达之功，舍己子，立之为皇储。并命诸宗王将帅等同立效忠于其弟之文约。既而议阿难答之罪，以其违背成吉思汗法令，无皇族诸王之同意，谋夺大位，罚处死刑(见瓦撒夫书第 4 册)。

② 见《史集・铁木耳本纪》。

曰:"此孔子微言,王公庶民皆当由是而行。"命刻板模印,诸王以下咸赐之①。命喇嘛搠思吉斡节儿(Tchoigji odszer)翻译大部分佛经为蒙古语②。海都子察八儿及其他诸宗王入朝新帝。中国人有言崇信喇嘛之非者,海山下诏,凡民殴西僧者截其手,詈之者断其舌。虽然如是保护宗教,前此僧道之豁免赋税者,至是复征之。海山过嗜酒色,死于1311年2月,年三十一岁,汉语庙号曰武宗。

其弟爱育黎拔力八达继立③,号普颜笃可汗,以省臣数人变乱旧章,流毒百姓,分别诛谪有差。

爱育黎拔力八达以即位事诏谕占城、安南、八百媳妇、大彻里、小彻里、马八儿、暹等国,诸国皆遣使入贡。

先是忽必烈虽有举行科举之命,迄未实行。1315年爱育黎拔力八达始下诏定科举之制,分为二榜,蒙古人为一榜,中国人为一榜。会试中选者,皇帝亲试。及第者,赐出身。中国士人因是颇归向爱育黎拔力八达。

此帝以前代常受宦者之害,1314年敕自今宦者勿得授文阶,然次年自违禁令,而命一宦者为大官。

---

① 见冯秉正书496页。

② 见《蒙古源流译文》398页译者附注。

③ 爱育黎拔力八达别号普颜笃。瓦撒夫书所记中国蒙古诸帝止此,盖硕德八剌(Chondi-béla)、也孙铁木儿(Yissoun-Temour)两帝仅见此书第五册著录也。瓦撒夫记述普颜笃登极及最初赏赉诸事以后,言新帝以即位事诏谕诸国。有使臣二人名阿牙赤丞相(Ayaàji Tchinksank)、倒剌沙(Devlet Schah)者,于七一一年九月(1312年2月)来算端完者都(Oldiaitou)所,时算端驻冬于报达。使臣以馈物及书信呈此波斯之蒙古汗,书中充满中国之蒙古可汗友好之词。完者都厚礼使者,赐金锦衣宝石带。瓦撒夫又云:此二使臣在道各用驿马六百匹。并云:波斯算端因此遣使赴东方,领取数年来其分地之岁赐。

先是海山与其弟约，兄弟叔侄世世相承。至是帝背约，命海山长子和世㻋(Couschala)出镇云南，和世㻋次陕西。其臣及其父旧臣等数人合谋，约陕西之蒙古大官数人，发兵取潼关。已而有人背约，和世㻋乃走阿勒台山西北。帝遂立其子硕德八剌为皇太子[①]。

爱育黎拔力八达曾与察合台汗国主也先不花战。钦察王子床兀儿将帝兵，两败也不先花军，追逐至铁门关附近札亦儿(Tchaïr)之地[②]。

1320 年 2 月，爱育黎拔力八达死，年三十余岁[③]。此帝慈仁，勤于政事，嗜读书，知史事，尤悉蒙古史。汉语庙号曰仁宗。

其丞相铁木迭儿(Témouder)，蒙古人也。恃势贪虐，凶秽滋甚。内外御史凡四十余人，共劾其桀黠奸贪，欺上罔下。仁宗震怒，铁木迭儿逃匿太后宫，太后庇之，仁宗不忍伤太后意，但罢其相位而已。仁宗甫死，太后复以铁木迭儿为右丞相。新帝硕德八剌亦不忍违太皇太后意，仍命其为右丞相如故，然任木忽黎后裔拜住(Baidjou)为左丞相，委以心腹。铁木迭儿自复相以来，恃其权宠，报其私仇，杀素尝攻其奸恶者数人。后死于 1322 年。于是监察御史等言其奸贪负国，生逃显戮，死有余辜。帝乃命拆毁所立碑，并追夺官爵，籍没其家。

铁木迭儿既死，其党御史大夫铁失(Tekchi)，铁木迭儿之义

① 见冯秉正书 496 至 526 页，宋君荣书 239 至 249 页。

② 见宋君荣书 249 页附注一引床兀儿史赞，此战中国史书未著录。钧案：此处所言之史赞，应是《句容郡王世绩碑》。案：此次战事并见《元史》卷一二八《床兀儿传》。宋君荣殆失考。此处著录之 Tchaïr 西名，疑是札亦儿之译音，西书中恐无此地名也。

③ 钧案：应作三十六岁。

子也，不自安，谋杀帝及其右丞相拜住，而推甘麻剌子晋王也孙铁木儿为帝。密遣使者斡罗思奉同党十六人连署书，往漠北秃剌之地，谒晋王，以所谋告。晋王命囚斡罗思，遣人赴上都以密谋告变。未至，帝遇害。帝自上都南还，驻跸南坡之夕，铁失与知枢密院事也先铁木儿、诸王按梯不花等，谋逆。以铁失所领阿速卫兵为外应，铁失先与赤斤铁木儿杀右丞相拜住，而铁失直犯禁幄，杀帝于卧所(1323 年 9 月)。

诸王按梯不花及也先铁木儿奉玺绶迎晋王也孙铁木儿于北边，晋王即皇帝位于怯绿连河，大赦天下。将用逆党为执政，有人言曰："不诛元凶，后世何由知陛下心？"新帝然之，诛也先铁木儿等三人于行在所。遣二使入大都，收铁失及其党，悉诛之。戮其子孙，籍没家产。惟铁木迭儿子锁南议远流，张珪曰："锁南从逆贼，亲斫丞相拜住臂，乃欲活之耶？"遂并伏诛。诸王数人坐与铁失逆谋，流谪各地。1323 年 12 月，也孙铁木儿入大都，次年初，立其子阿速吉八[①]为皇太子。

也孙铁木儿即位之初年，地大震，月全蚀，大雨淹没田亩，复有旱蝗等灾，尤以彗星见一事，为中国人及蒙古人所惊惕，盖其视为天怒之征，天子有过，则垂象以示之。爱育黎拔力八达在位时，丞相曾以彗星见乞避位，时帝曰："此朕之愆，岂卿等所致？其复乃职。"然 1334 年之灾，时人则视为硕德八剌、拜住二人被杀所致。也孙铁木儿曾诏大都守臣集议以闻。张珪自大都至帝所，以其与百官集议来上，言铁木迭儿与铁失之徒，结为父子，终以遗患，构成

① 钧案：应作阿剌吉八。

弑逆。铁木迭儿子锁南亲与逆谋，今复给还所籍家产；其诸子尚在京师，夤缘再入宿卫，宜仍籍其家产，窜其子孙。诸王等与铁失逆谋者，其罪止于流窜，宜诛之以谢天下。复历数有罪不罚诸事，次言贾胡中卖宝石，分珠寸石，价值数万。夫以经国有用之宝，而易此不济饥寒之物，是皆时贵与中宝之人妄称呈献，冒给回赐，高其价值，且至十倍，彼此通同暗行分用，宜行禁止。比年佛事愈繁，享国不永，致灾愈速。事无应验，断可知矣。宜罢功德使司，及累朝忌日醮祠佛事名目。止令宣政院主领修举，余悉减罢。游惰之徒，妄投宿卫部属，及宦者、女红、太医、阴阳之属，不可胜数。一人收籍，一门蠲复。一岁所请衣马刍粮，数十产所征入，不足以给之。耗国损民为甚，宜如世祖时支请之数给之，余悉减汰。自铁木迭儿专恣，铁失构逆，良善死于非命，皆未申理。宜加褒赠，优叙其子孙。天下系囚冤滞，宜命省台选官审录结正。边镇利病，宜命行省、行台体究兴除。广海镇戍卒更病者，宜给粥食药力。死者给钞，责所司及同乡者归骨于其家。广东采珠劳扰，宜悉停罢。词甚切至，帝皆不从①。

当时喇嘛在宫廷颇有势权，妃主尤崇信之。此辈佩驿符往来，索民供应②。有西台御史言："尝经平凉府、静会、定西等州，见西番僧佩金字圆符，络绎道途，驰骑累百，传舍至不能容，则假馆民舍，因迫逐男子，奸污妇女。奉元一路，自正月至七月，往返者百八十五次，用马至八百四十余匹。较之诸王行省之使，十多六七。驿

① 见冯秉正书536页，宋君荣书258页。

② 宋君荣书260页。

户无所控诉，台察莫得谁何。且国家之制圆符，本为边防警报之虞，僧人何事而辄佩之？乞更正僧人给驿法，且令台宪得以纠察。”不报，已而闻其扰民，禁之①。

此无所作为之君主，而汉名泰定帝者，以 1328 年 8 月死于上都，年三十六岁。遗四子，长子剌札必迦（Radchapika，Radjapika）②虽已立为皇太子，然有人与之争位。先是海山传位于其弟时，约以兄弟叔侄相承，然爱育黎拔力八达舍侄而立子，出海山二子和世㻋、图帖睦尔（Tob-temour）于外，硕德八剌被害之时，和世㻋在鞑靼地域，而图帖睦尔则在中国南方，也孙铁木儿因得乘间入继大统。

也孙铁木儿既死，皇后遣使诣大都，命平章政事乌伯都剌收掌百司印章，及谕安百姓。佥枢密院事燕帖木儿，床兀儿之子也，留守大都。初，海山镇北方，备宿卫，海山特爱幸之。及即位，擢之致高位。至是燕帖木儿自以身受海山宠拔之恩，谋欲立其二子。乘百官集于宫内，率其党兵皆露刃，号于众曰：“海山皇帝有子二人，天下正统当归之，敢有不顺者死。”遂手缚平章乌伯都剌等，分命勇士执诸重臣下狱，以其党代之。当时有诸卫军无统属者，又有谒选及罢退军官，皆给之符牌，以待调遣。既受命，未知所谢，注目而立。乃指使南向拜，众始知其意在图帖睦尔矣。燕帖木儿遣使迎图帖睦尔于江陵，且令人乔为南北使者，言图帖睦尔已次近郊，和

① 见冯秉正书 539 页。钧案：译文此条错讹太甚，兹据《元史·释老传》及《续通鉴纲目》卷 25 改正。

② 撒难薛禅（Ssanang Setsen）之《蒙古源流》著录之名如此。译者史米德谓其出于梵语。冯秉正、宋君荣、夏真特等所著中国载籍之名，则作阿速吉八。

世[illegible]亦整兵南行[1]。

时有诸王三人、显贵十五人谋附[2]燕帖木儿，事觉被杀。皇后立皇太子阿速吉八为帝于上都，年九岁，是为天顺帝。命甘麻剌孙梁王王禅、康里脱脱子塔失帖木儿等，将兵讨燕帖木儿。燕帖木儿遣其弟撒敦守居庸关，唐其势屯古北口。

9月，图帖睦尔人大都，执国政。10月杀乌伯都剌，流谪下狱诸臣朵朵等于远州。图帖睦尔既至，燕帖木儿以为扰攘之际，不正大位，不足以系天下之志。图帖睦尔以其兄周王和世瑓在漠北，欲虚位俟之。燕帖木儿曰："人心向背之机，间不容发，一或失之，噬脐无及。"图帖睦尔曰："必不得已，当明吾志。"播告中外，遂即帝位。上都诸王也先帖木儿等率辽东兵入迁民镇，燕帖木儿以兵拒之。会闻梁王王禅兵袭破居庸关，乃还军与战，王禅败走鞑靼地域。时附阿速吉八者，起兵于中国内地，蒙古将帖木哥由南方率重兵进取河南。靖安王阔不花[3]将陕西省兵东破潼关。诸王也先帖木儿兵已破通州，进趋大都。燕帖木儿急引军还击也先帖木儿，败之。

11月，东路蒙古元帅不花帖木儿，燕帖木儿之叔也。闻图帖睦尔即位，乃约齐王月鲁帖木儿合兵趋上都，围之。时诸王大臣出战屡败，势蹙，倒剌沙等奉皇帝玺出降。帖木格斡赤斤之后王辽王脱脱遇害，幼帝不知所终。月鲁帖木儿获皇帝宝及收诸王百司符印，遣兵送倒剌沙于大都。图帖睦尔迁泰定皇后于东安州，杀梁王

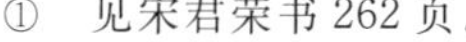

① 见宋君荣书262页。

② 钧案：原译文误解"谋附"为"谋刺"，致使其意义相反。

③ 钧案：《续通鉴纲目》之阔不花疑是阔阔不花之脱误。

王禅、倒剌沙、也先帖木儿等。

阿速吉八既败，诸省举兵以抗图帖睦尔之诸王官吏皆罢兵。12 月，图帖睦尔遣使迎和世㻋于漠北。

1329 年 2 月，和世㻋还至哈剌和林之北，遂即帝位。4 月，图帖睦尔遣燕帖木儿奉皇帝玺于行在所，和世㻋嘉其功，以为太师，复谕之曰："凡京师百官朕弟所用者，并仍旧。"同时新帝选任大臣，遣使立图帖睦尔为太子。

图帖睦尔偕燕帖木儿北赴上都迎帝，谒帝于相距上都不远之某地。越数日，和世㻋暴死，相传其为燕帖木儿所毒害，年三十岁，汉语庙号明宗。越八日，图帖睦尔复即帝位于上都。

图帖睦尔在位之时，为年甚短，无要事可述。仅有诸王秃坚反于云南一事可记，秃坚自称云南王，次年其乱即平。

图帖睦尔笃信佛教，费巨金重修寺宇。辇真吃剌思，畏吾儿之著名喇嘛也，召之至，尊为帝师，命朝廷一品以下咸郊迎。大臣俯伏进觞，帝师不为动。惟国子祭酒孛术鲁翀举觞立进曰："帝师释迦之徒，天下僧人师也。予孔子之徒，天下儒人师也。请各不为礼。"帝师笑而起，举觞卒饮[1]。畏吾儿喇嘛虽受此优礼，然不免有喇嘛与安西王阿难答子月鲁帖木儿谋不轨，事觉，皆伏诛。

帝亦欲怀柔中国士人，诏加孔子父母及诸弟子封爵。

帝在奎章阁有旨，取翰林国史院之国史阅之。左右舁匮以往，院长贰无敢言。编修吕思诚在末僚，独跪阁下争曰："国史纪当代人君善恶，自古天子无亲阅之者。"事遂寝。此帝耽于逸乐，委政于

① 见冯秉正书 550 页。

丞相燕帖木儿。以1332年9月死于上都,年二十九岁,汉语庙号曰文宗。

先是诏皇子古剌答纳出居燕帖木儿家,更名燕帖古思。又诏养燕帖木儿之子答剌海为子。至是燕帖木儿请皇后不答失里立皇子燕帖古思,后不从。命立和世㻋次子懿璘质班[①],时年甫七岁,百司庶务咸启皇后取进止。懿璘质班在位不一月,以是年12月死,庙号宁宗。

燕帖木儿复请立燕帖古思,皇后曰:“吾子尚幼,和世㻋长子妥欢帖睦尔(Togan-temour)在广西,今年十三矣,于理当立。”乃遣使往迎之。

先是图帖睦尔即位之初,皇后不答失里杀和世㻋皇后八不沙,徙妥欢帖睦尔于高丽,使居大青岛中,不与人接。寻诏天下,言和世㻋在时素谓非其子,移于广西之静江(桂林)。

妥欢帖睦尔至自静江,百官具卤簿迎于良乡。燕帖木儿既见,具陈迎立之意。妥欢帖睦尔幼,且畏之,一无所答。燕帖木儿疑其意不可测,故至京久不得立,迁延者数月。1333年4月,燕帖木儿死。燕帖木儿自秉权以来,肆行无忌,取也孙铁木儿后为夫人。前后尚宗室女四十人,后房充斥,不能尽识,荒淫而死。皇后乃与大臣定议立妥欢帖睦尔,且约后当传位与燕帖古思。妥欢帖睦尔遂即皇帝位于上都。

① 冯秉正、宋君荣、夏真特诸书著录之名如此,《蒙古源流》作Rintchenpal,史米德谓为西藏语名。

第七章　妥欢帖睦尔时代

伯颜为相——密谋——伯颜之罢黜——马札儿台为相——脱脱为相——修三史——阿鲁图为相——别儿怯不花为相——朵儿只为相——太平为相——脱脱再相——中国数地之叛——徐寿辉之称帝于湖广——方国珍——脱脱之贬——哈麻为相——韩林儿之称宋帝——朱元璋、张士诚之战——宋军之胜，汴梁之取，兵入辽东，辽阳上都之残破——朱元璋之略地——天完帝徐寿辉之被囚害——陈友谅之称汉帝——蒙古兵之收复汴梁——太平之罢相——搠思监为相——察罕帖木儿、孛罗帖木儿之争——蒙古宗王阿鲁辉帖木儿之叛——察罕帖木儿之战胜叛人于山东——其被害——明玉珍之称帝于四川——朱元璋、陈友谅之战——陈友谅之败死——朱元璋之取湖广江西——孛罗帖木儿之叛——命孛罗帖木儿为相节制天下军马——皇太子孛罗帖木儿之战——孛罗帖木儿将校之离贰——勃罗帖木儿之被害——扩廓帖木儿为相——其被罢黜——朱元璋之败张士诚——夏帝之死——宋帝之死——方国珍之降朱元璋——朱元璋之经略中国南方——经略中国北方——山东之降——朱元璋之称帝——其进兵大都——其将徐达之经略北直隶——通州附近之战——妥欢帖睦尔偕其宗族出走鞑靼地域——明兵之取大都——明兵之进向应昌——妥欢帖睦尔之死——皇太子之退走哈剌和林——其即位——其诸嗣君——蒙古数汗分立——蒙古民族之陆续降附满洲——中国之天主教

新帝仅知耽于逸乐，任伯颜（Bayan）、撒敦为丞相。撒敦者，燕帖木儿兄也。未几死，以燕帖木儿子唐其势代其位。时妥欢帖睦尔已立燕帖木儿女伯牙吾氏为皇后。唐其势忿伯颜独秉政，因潜蓄异心，谋立皇帝蒙哥孙昔里吉子晃火帖木儿。唐其势叔答邻答里，弟答剌海，皆与其谋。宗王彻彻笃告变，唐其势入宫时，伯颜等掩捕获之，并杀其弟答剌海（1335 年 8 月）。时答剌海走匿皇后座下，后蔽以衣，左右曳出斩之，血溅后衣。伯颜使人并执后，后呼帝曰："陛下救我。"帝曰："汝兄弟为逆，岂能相救？"乃迁后出宫，伯颜杀之于开平民舍。答邻答里举兵逆战，被执送上都，戮之。晃火帖木儿亦自杀。由是此势强之名族遂灭。

宫廷变乱与内讧之频起，政府之柔弱，中国人遂乘势起兵，冀脱蒙古之羁束。1337 年，广东、河南、四川等地同时兵起，寻皆讨平之。然朝廷疑汉官甚，禁止中国人不得置军器，凡有马者皆拘入官。又禁中国人不许习蒙古字。

伯颜，蔑儿乞部人也。既诛唐其势，独秉国钧，遂专权自恣。以所养弟之子脱脱[①]宿卫，侦帝起居。伯颜构陷郯王彻彻笃，奏赐

① 宋君荣、冯秉正书著录之名如此，今从《蒙古源流》写作 Toktagha。

死，帝未允，辄杀之。又擅贬诸王二人，帝不胜其忿。脱脱遂乘间自陈忘家徇国之意，密谋出伯颜于外。一日乘伯颜出猎，乃草诏数伯颜罪状，不许入城。流窜中国南方，道死。（1340 年）以脱脱父马札儿台为右丞相。

同年，妥欢帖睦尔诏废文宗庙主，迁文宗皇后于东安州。寻死，放燕帖古思于高丽。未至，月阔察儿害之于中道，下诏暴其叔婶之罪，此诏可补史文之阙。诏曰："昔武宗升遐，太后惑于憸慝，俾皇考出封云南，英宗遇害。我皇考以武宗之嫡远居沙漠，亲王大臣同心翊戴，于时以地近，先迎文宗暂总机务。继知天理人伦所在，假让位之名，以玺来上。皇考推诚不疑，即立为皇太子。文宗当躬迓之际，乃与其臣月鲁不花、也里牙、明里董阿等谋为不轨，使我皇考饮恨上宾，归而再御宸极。又私图传子，乃构邪言，嫁祸于八不沙皇后，谓朕非明宗之子，遂俾出居遐陬，内怀愧嫌，则杀也里牙以杜口。上天不佑，遂降殒罚。叔婶不答失里怙其势焰，不立明考之冢嗣，而立幼稚之弟懿璘质班。奄复不年，诸王大臣以贤以长，扶朕践祚。赖天之灵，权奸屏黜。永惟鞠育罔极之恩，忍忘不共戴天之义。其命太常撤去图帖睦尔在庙之主，不答失里削去太皇太后之号，徙东安州安置，燕帖古思放诸高丽。当时贼臣月鲁不花、也里牙已死，其以明里董阿等明正典刑。"

是年，马札儿台以疾辞位，以其子脱脱代之为右丞相，别命铁木儿不花为左丞相。

初，忽必烈立国史院，命修辽、金二史。宋亡，又命史臣通修三史。嗣后屡诏修之，以义例未定，竟不能成。1343 年，命脱脱为都总裁，铁木儿塔识、欧阳玄等为总裁官，修之。辽、金、宋各为史，凡再阅岁书成上之。发凡举例，论赞表奏，多玄属笔焉[①]。

皇帝图帖睦尔在位时，曾于1329年敕翰林国史院同奎章阁学士，采辑本朝故事，准唐、宋《会要》为《经世大典》[②]。

先是数年前硕德八剌在位时，曾命纂集累朝格例而损益之，凡为条二千五百三十有九，名曰《大元通制》[③]。又1303年铁木耳在位时，翰林国史院进成吉思汗、窝阔台、贵由、拖雷、蒙哥《五朝实录》，题曰"前编"[④]。

脱脱在位三年，以疾辞相位，举成吉思汗四杰中博尔术四代孙阿鲁图以自代（1344年）。越二年，阿鲁图罢。1347年，以海山所杀丞相阿忽台之子别儿怯不花为右丞相，别儿怯不花以宿憾谮贬马札儿台于外，脱脱请与父俱行。已而马札儿台道死，别儿怯不花寻罢，以朵儿只为右丞相。从朵儿只请，以太平为左丞相。太平请召脱脱还，1349年，朵儿只、太平俱罢，复以脱脱为右丞相。

时叛事业已蔓延于中国南方。先是湖广傜贼二人作乱，攻破数州县。山东民怨亦思动，至是有一海盗首领名方国珍者，入海为乱，行剽江浙海上，劫掠漕运。1351年，因黄河屡决，发河南北兵民十七万，开黄河故道，疏凿凡二百八十里有奇，大役劳民，而民愈怨。

有韩山童者，倡言天下大乱，弥勒佛下生，河南及江淮愚民翕然信之。其党刘福通等复诡言山童实宋徽宗八世孙，当为中国主。

① 见宋君荣书279页。
② 见宋君荣书267页。
③ 见冯秉正书531页。
④ 见宋君荣书232页。

乃刑白马乌牛，誓告天地，谋同起兵，以红巾为号。事觉，县官捕之急，福通遂反，而山童就擒，其妻杨氏及其子韩林儿得脱走。

福通破颍州，据河南数州县，众至十万，湖广之人亦起兵应之。中有徐寿辉者，据蕲水为都，国号天完，自称皇帝。于是沿江兵起，时彗星见，怨者以为妥欢帖睦尔将亡之征。朝廷欲挽回人心，乃诏省台官兼用南人。(1352 年)命脱脱弟、知枢密院事也先帖木儿督兵击刘福通。以诸路反者辄引亡宋故号以为口实，乃徙瀛国公子赵完普及亲属于沙州安置，禁人交通。

徐寿辉陷汉阳、武昌，(1352 年)继陷江州。已而(8 月)陷宋旧都杭州，杀江浙参知政事樊执敬。然参政董搏霄率兵薄杭城，力战复之。

也先帖木儿为刘福通所败，军溃，北奔汴梁。脱脱乃自乞督师，败叛人于徐州。然江西行省平章政事星吉则为徐寿辉将赵普胜败于湖口，负伤死。

时方国珍烧掠沿海州郡，劫掠漕运如故，已而袭杀台州路达鲁花赤泰不花。朝廷遣江浙左丞帖里帖木儿等二人招谕国珍，既而二人报国珍已降，乞授以五品流官。令纳其船，散遣徒众，遂以国珍为徽州路治中，国璋广德路治中，国瑛信州路治中。国珍等疑惧不受命，仍拥船千艘据海道，阻绝粮道。

同年(1353 年)张士诚起兵于江南，攻扬州，达识帖睦迩兵败。命脱脱督诸军讨张士诚，大败其众于高邮城外，遂遣兵西平六合(1354 年)。

方脱脱立功于外之时，其同僚哈麻谋构陷之。哈麻，康里人。与其弟雪雪早备宿卫，帝深宠眷之。而哈麻有口才，其被爱幸，无与为比。尝进西僧，以房术媚帝。脱脱复相，因哈麻有德于己，以之为中书平章政事。已而哈麻因事深衔脱脱。1355 年 1 月，嗾御史劾脱脱出师三月，略无寸功，倾国家之财以为己用，半朝廷之官以为己随。于是诏削脱脱官爵，安置淮安，以泰不花、月阔察儿、雪雪代将其兵。

同时天完帝徐寿辉遣其将复陷沔阳，威顺王宽彻普化令其子报恩奴等水陆并进讨之。至汉川水浅，文俊用火篾烧船，兵遂败，报恩奴被杀。已而徐寿辉兵破襄阳，倪文俊自沔阳复破中兴路，蒙古元帅朵儿只班战死。

南方既失利，而河南叛人数渡河焚掠州县，上下视若常事。有人言于丞相，始遣人将兵分守陕西、山东、河南诸路。

红巾首领刘福通迎韩林儿至，立为皇帝，又号小明王，建都亳州，国号宋。(3 月)时答失八都鲁已代将泰不花军，进击刘福通，不胜，溃走。会刘哈剌不花引兵来援，大破福通兵。已而答失八都鲁亦破福通兵，进围亳州，福通以韩林儿走安丰。

脱脱既贬，哈麻遂为左丞相，雪雪为御史大夫，于是国家大柄尽归其兄弟。哈麻惧脱脱复还，乃矫诏杀之于贬所。哈麻自以前所进番僧为耻，见帝日趋昏暗，皇太子年长聪明，谋立之为帝，然事泄，兄弟二人俱被遣谪，哈麻临行被杖死(1356 年)。

是年，将驱蒙古于中国之外，而自建一强盛皇朝之朱元璋，自称吴国公。元璋初为僧，旋还俗，为濠州叛首郭子兴亲兵。既而自统一军，从之者众，遂渡江取太平，历陷集庆(南京)、镇江，进围常州。时常州为张士诚所有，先是士诚败于脱脱，后势复振，陷江南东部之数城，且进迫杭州。江浙丞相达识帖睦迩遁走，召苗军败士诚兵于嘉兴，复杭州(1357 年)。至是朱元璋以兵围常州，士诚遣其弟士德率兵往援。士德兵败被擒，士诚乃奉书请和，愿输粮食金银，以为犒军之资。元璋不许，遂克常州。

同时北方刘福通攻汴梁，分军为三道：关先生、破头潘等取晋、冀，白不信等趋关中。毛贵出山东。不信等陷秦陇，据巩昌，遂围凰翔。察罕帖木儿等合兵击走之，不信遁入蜀。

毛贵入山东，取数城，败蒙古统将答尔麻失里兵，进围济南。河南行省右丞董抟霄以兵赴援，连败贵兵于城下。已而抟霄奉调北行，贵遂陷济南，进击抟霄，杀之。于是率众由河间进逼大都。廷臣劝帝出走；独丞相太平以为不可，遂征四方兵入卫，同知枢密院事刘哈剌不花以兵拒战于柳林，贵众溃退走济南(1358 年 4 月)。

同年刘福通攻汴梁，守将竹贞出走，遂入据其城，乃自安丰迎韩林儿居之(1358 年 6 月)。关先生、破头潘等分兵二道，大掠山西之地，寻转掠辽阳至高丽，复转而南，破上都，焚其宫阙。

时南方徐寿辉几尽据有湖广全境及江西之一部。朱元璋据有江南，进略浙东，遣使招方国珍降。国珍与其下谋曰："江左号令严明，恐不能与抗。况与我为敌者，西有吴(张士诚)，南有闽(陈友定)，莫若姑示顺从，借为声援，以观其变。"遂遣使奉书币，请献温、台、庆元三郡，且以其次子关为质。元璋却其质，厚赐而遣之(1359 年)。

朱元璋之势日甚，同时宋与天完二帝之势日衰。宋将毛贵为赵均用所杀，其党续继祖复自辽阳入益都杀均用，遂与其所部自相仇敌。天完之乱尤甚。天完将陈友谅攻信州(广信府)，镇南王子大圣奴与畏吾儿亦都护之后裔伯颜不花的斤力拒，城陷死之。徐寿辉欲自汉阳徙都龙兴（南昌府），友谅忌其来不利于己，不从。寿辉仍引兵发汉阳，南下江州（九江）。友谅阳出迎，而伏兵于城西，俟寿辉既入，门闭伏发，尽杀其部属。惟存寿辉，以江州为都居之。友谅自称汉王，其后未久，友谅率舟师攻太平，挟寿辉以行。及太平既陷，令人杀寿辉于舟中。友谅遂称皇帝，国号汉。既而复还江州（1360 年 6 月）。

察罕帖木儿图复汴梁，乃大发秦晋军，诸路并进，期会汴城下。首夺其外城，遂环城而垒，屡诱敌出战，辄以计败之。已而谍知城中计穷食尽，乃督诸将乘夜斩关而入，遂拔其城。刘福通复以其主小明王走据安丰。

妥欢帖睦尔先在 1353 年立爱猷识理达腊为皇太子，皇太子母皇后高丽奇氏谋内禅太子，使人喻意于丞相太平，太平不答。太子令御史劾去太平所用数人，下狱杖杀之。1360 年 3 月，太平知势不可留，乃称病辞位。以搠思监为右丞相，宦者朴不花乘间用事，与搠思监相表里，四方警报皆抑不闻。

时有两帅之争，因互举兵相攻。察罕帖木儿既平晋冀之地，而孛罗帖木儿兵驻大同，欲并据晋冀，调兵围其城，察罕帖木儿发兵拒之。朝廷遣使谕令讲和，未几，复命以晋冀畀孛罗帖木儿。察罕帖木儿不从，遣部将琐住等来争，交战于东胜州等处。朝廷为再遣使谕解，二人始各还镇。

此争甫息，北方大乱继起。先是兵起四方，朝廷屡诏宗王以北兵南讨。阳翟王阿鲁辉帖木儿，窝阔台子灭里之七世孙也。乘间拥重兵屯于长城外数日程之地，将犯大都，遣使告妥欢帖睦尔曰：

"祖宗以天下付汝,汝已失其大半;若以国玺付我,我当自为之。"帝令秃坚帖木儿将兵击之,军溃,秃坚帖木儿走上都。会阿鲁辉部将缚阿鲁辉送阙下诛之(1361 年 10 月),乱始平。

先是察罕帖木儿既定河南,乃以兵分镇各地,而重兵屯太行,谋大举以复山东。1361 年,分兵五道,水陆并进。招降叛将田丰、王士诚二人,复分兵取数城,进逼济南。攻围三月,拔之。时山东俱平,独益都(青州府)孤城犹未下。田丰、王士诚复图叛,请察罕帖木儿行观营垒。察罕帖木儿不虞有变,率轻骑十有一人行至丰营。遂为王士诚所刺杀(1361 年 7 月)。

诏命察罕帖木儿养子扩廓帖木儿代总其兵。扩廓帖木儿既袭父职,身率将士,誓必复仇。而益都城守益坚,乃遣壮士穴地通道以入,遂拔其城。执叛首等献阙下,取田丰、王士诚之心以祭其父。余党皆就诛,山东悉平。

是时明玉珍称帝于四川,玉珍,天完将。先是以兵入蜀,至是闻徐寿辉死,遂称帝,国号大夏。

先是陈友谅取太平,进兵攻建康,不克,引还。至是朱元璋率师伐之,克安庆,进拔江州,败友谅兵。友谅奔还武昌,元璋遂取龙兴(南昌),江西诸要城皆降。

友谅忿其疆场日蹙,乃作大舰,进围洪都(南昌)。友谅尽攻击之术,而城中备御随方应之。元璋亲帅诸将发舟师二十万进次湖口。友谅围洪都凡八十五日,闻援兵至,即解围东出鄱阳湖。遇于康郎山,战亘三日,友谅兵大败。复相持数日,友谅食尽突围出,中流矢死。其长子善儿被执,其臣挟友谅次子理遁还武昌,复立理为帝。已而元璋围攻武昌,理出降。元璋治军纪律严明,于是湖广、江西诸郡县相继皆降，汉亡。

张士诚将吕珍引兵攻入安丰，杀刘福通等，据其城。元璋闻之，亲帅兵击珍败之。命徐达等移师围庐州，蒙古将遂乘间入安丰。

时蒙古内讧又起。察罕帖木儿被害后，子扩廓帖木儿代其任。孛罗帖木儿欲复图晋冀，引兵侵扩廓帖木儿分地，遂据真定路，已而孛罗帖木儿因他事兴兵犯阙。初，搠思监徇太子旨，诬重臣数人谋不轨，因穷究其事，贬死数人（1364 年）。

寻又有人谮秃坚帖木儿诋毁朝政，孛罗帖木儿素与秃坚友善，且知其诬，遣人白其非罪。太子怒孛罗帖木儿跋扈，下诏削其官爵，而夺其兵。孛罗帖木儿拒命，遂诏扩廓帖木儿讨之。孛罗帖木儿知诏命调遣皆搠思监所为，非出帝意，遂令秃坚帖木儿举兵向阙，入居庸关，知院也速等迎战不利。皇太子率侍卫兵出古北口，东走兴松。秃坚兵至清河列营，帝遣人至其军问故，秃坚以必得搠思监、朴不花为对。乃执二人畀之，遂复孛罗官爵，总兵事。

诏追皇太子还，皇太子恚怒不已，遂命扩廓帖木儿调兵分道以讨孛罗帖木儿。西道军五万关保率之进逼大同，孛罗帖木儿留兵守大同，而自率兵复大举向阙。皇太子亲率兵御于清河，军溃，驰还。奉太子出走冀宁，投扩廓帖木儿。孛罗帖木儿入城见帝请罪，帝以之为右丞相，节制天下军马（9 月 7 日）。

孛罗帖木儿既专国，遂诛狎臣秃鲁帖木儿等，罢三宫不急造作，沙汰宦寺，禁西僧作佛事。数遣使请太子还，使至太原，拘留不报。1365 年 4 月，皇太子下令扩廓帖木儿军中讨孛罗帖木儿。孛罗帖木儿闻之，遂出皇太子母二皇后奇氏，幽于诸色总管府。顷之，逼后还宫取印章，伪为后书召太子，复逼后出而幽之。遣秃坚帖木儿率众攻上都之附太子者，调也速南御扩廓帖木儿兵。

也速次良乡不进，谋之于众，皆以孛罗悖逆，中外同愤，遂勒兵归永平，遣人西连扩廓帖木儿，东连辽阳诸王，共讨孛罗帖木儿，军声大振。

孛罗患之，遣骁将姚伯颜不花统兵出拒。也速出其不意，袭破之，擒斩姚伯颜不花。孛罗帖木儿自将出通州，三日大雨而还。孛罗帖木儿先尝以疑杀其将保安。既又失姚伯颜，郁郁不乐。乃日肆饮宴，荒淫无度，又酗酒杀人，喜怒不测。威顺王之子和尚忿其无君，数言于帝，受密旨，谋结勇士阴图刺之。会秃坚帖木儿遣使告征上都之捷，孛罗帖木儿入奏，行至延春阁下，和尚所伏勇士自众中奋出斫之，中其脑死。(9 月)秃坚帖木儿寻亦伏诛。

帝遣使函孛罗帖木儿首往冀宁，召太子还。扩廓帖木儿遂扈从至京师，诏以扩廓帖木儿为中书左丞相，知枢密院事。太子之还京师也，皇后奇氏传旨令扩廓帖木儿以重兵拥太子入城，欲胁帝禅之位；扩廓帖木儿不从，由是皇太子心衔之。1367 年，朝廷疑扩廓帖木儿有异志，诏皇太子总制天下军马，诸将分兵南讨。扩廓帖木儿拒不受命，于是诏罢扩廓帖木儿兵柄。扩廓帖木儿闻诏，即退军还泽州。

蒙古朝廷因内讧而崩裂之时，朱元璋则在扩张其疆域，建都于建康，置官属。遣将徐达、常遇春攻张士诚。1366 年取湖州，寻下杭州。次年破平江，执张士诚送建康，士诚自缢死。

夏帝明玉珍以 1366 年死，子升嗣立，年甫十岁，母彭氏同听政。同年宋帝韩林儿死，次年方国珍降。初，国珍虽许纳土归命，然据境自若，又数通好于扩廓帖木儿及陈友定。元璋遗书责之，且征其贡粮，国珍不报。遂遣汤和等进兵，克温、台州，长驱抵庆元。国珍惧，遁入海岛。其部将多降，诸郡县相继皆下。国珍乃遣子奉表乞降，和送国珍等于建康。

于是元璋遣军分取中国未平之地。命徐达率师二十五万由淮入河而北，胡廷瑞率师取福建、广东，杨璟取广西。南方诸地久隶于外族者，至是悉自愿降附。

徐达、常遇春所将之北伐军入山东，檄谕北地之人，略曰：蒙古夷狄不足抚御中国，其得国也非人力，实乃天授。乃自铁木耳汗以来，变乱纲常，为天所厌。今遣兵北伐，拯生民于涂炭云云。故两将军行所至，州郡望风来降。1368 年山东尽平，遂入河南，河南亦下。

妥欢帖睦尔闻报，诏命扩廓帖木儿等引军南下。会诸将图复河洛，而明兵已逼，扩廓帖木儿自晋宁退守太原。

朱元璋先已自称吴王，兹既据中国之大部，遂于 1368 年 2 月阴历元旦日称帝于南京（建康），国号明，建元洪武，是为明太祖。是年 8 月，明帝率军渡河至汴梁，命诸将进取元都。卫州、相州、彰德、广平、顺德皆下。同时徐达、常遇春一军已由山东入北直隶，进至通州，败蒙古兵，擒其将卜颜帖木儿。妥欢帖睦尔闻报大惧，先令太常礼仪院使阿鲁浑等奉太庙神主与皇太子北行，命淮王帖木儿不花监国，丞相庆童留守。8 月 25 日夜半，率后妃、太子开健德门由居庸关北走如上都。明兵进至大都，填壕登城而入。由是中国全部几尽入于明，明兵复北进。

妥欢帖睦尔复弃上都，遁走其北三百里达里（Tal）湖畔之应昌府。明兵未至，而妥欢帖睦尔已死于是城（1370 年 5 月），年五十一岁，追谥曰顺帝[①]。

明兵克应昌，获妥欢帖睦尔孙买的里八剌，并后妃、宫人、诸王、省院达官、士卒等。惟太子爱猷识理达腊得遁走哈剌和林，自是以后，蒙古可汗遂都哈剌和林。

1372 年，明帝命徐达等进兵鞑靼地域，师抵怯绿连、秃剌两河而还。爱猷识理达腊嗣立为可汗，1378 年死，子脱古思帖木儿立。明帝曾遣使往吊之。嗣后此可汗屡遣兵侵入中国境。1388 年，明帝遣军大败脱古思帖木儿于捕鱼儿湖畔，获其次子及妃主等百余人，诸王、平章等三千人，军士男女七万余口[②]。已而脱古思帖木儿为其宗人也速答儿（Yissoudar）所害。嗣后历经内讧，有名鬼力赤者篡立，未几亦被杀。本雅失里继立。1408 年，明成祖以书谕和，不报。1410 年，明帝将大军亲征，进至怯绿连河，本雅失里与其知院阿鲁台各率所部出走。明帝先败本雅失里于斡难河，后败阿鲁台于海剌儿河。1412 年，斡亦剌部长马哈木（Mahmoud）杀本雅失里，而奉答里巴为汗。自是以后，二百年间，蒙古诸汗争立。中国强，则臣附；有机可乘，则侵入中国边境。明末时，蒙古民族数汗分立。喀尔喀（Kalkas）诸部据漠北之蒙古故地。其西乃蛮及畏吾儿之故地，则为厄鲁特（Euleutes）或准噶尔（Djoungares）诸部据之。而察哈尔（Tchakhares）、鄂尔多斯（Ordos）两部则处大漠及长城之间。满洲勃兴之时，先服最东之蒙古诸部，1632 年继服

① 可参照卷末《成吉思汗系诸大汗世系表》。

② 见冯秉正书第 10 册 38 至 73 页，夏真特《蒙古志》第 2 册 195 页。

察哈尔。嗣后蒙古南部及鄂尔多斯陆续降附[①]。当时喀尔喀诸部尚保有其独立，旋受厄鲁特之侵，求援于清朝皇帝。1691 年，康熙帝受喀尔喀三汗之朝于塞外四百里之地[②]。最后在 1760 年顷，厄鲁特或准噶尔诸部悉为清朝平复。于是蒙古民族今多臣服中国皇帝，其余部落则隶于斡罗思帝国。

当时之基督教，则因一弗朗西士派教士名约翰孟帖哥儿维诺(Jean de Mont-Corvin)者之热心，蒙古诸帝之保护，在中国略有发展。约翰先历波斯、印度两地，于 1293 年顷至大都，建设教堂二所，数年间举行洗礼者约六千人[③]。教皇克烈门五世(Clément v)

① 见夏真特《蒙古志》200 页。

② 见 Du Halde 撰《中国志》第 4 册引张诚(Gerbillon)撰《1671 年鞑靼地域第三次行纪》。

③ 瓦丁(Wadding)撰《弗朗西士派年历》(第 4 册 69 页)载有约翰孟帖哥儿维诺之二书，可藉知此传道师传道之事绩。第一书作于汗八里，所题年月为 1305 年 1 月 8 日，上文阙。从第二书之文考之，可断其为致可萨里牙(Gazarie，Crimée)之弗朗西士派代理人者。据云：抵契丹谒鞑靼皇帝名大汗者，呈教皇书，请其归向我辈救世主耶稣基督之正教。惜其笃信偶像已深，然待遇基督教徒甚厚。其地有若干自命为基督教徒，而实与基督教相去甚远之聂思脱里派教徒，权力甚大。不许有别派之基督教徒在此建一小礼拜堂，抑宣传聂思脱里派以外之教义。从来无传道师至此国，所以聂思脱里派教徒或直接或贿嘱他人，对我施以虐待。谓我非教皇所遣，而为间谍。或蛊惑之人，寻买嘱伪证，谓我在印度时曾杀一外国使臣，而夺其朝贡之宝物。如是构陷亘五年，常对簿公庭，屡濒于死。终赖上帝之佑，有人对帝自承其诬陷，冤始大白。帝将构陷者并其妻子流之远方，我独居此地者垂十一年。距今二年前，始有曲伦(Cologne)区之德国教士名阿儿那勒(Arnold)者莅此。我在帝都汗八里城中建筑教堂一所，落成已有六年。内有钟楼一所，置三钟于其中，迄今在此教堂中举行洗礼者，约有六千人。若无前此构陷之事，受洗者或逾三万，盖我常为人举行洗礼也。先后购入偶像教徒之儿童百五十人，年七至十一岁不等。尚未信奉何种宗教，曾为之举行洗礼，授以拉丁、希腊文字，并为之写成《圣歌集》若干篇，《圣赞》三十种，《祭式日历》二册。所以诸童中有十一人知祭式，合唱诗歌，与吾人之道院举行者同。无论我在场与否，皆如是也。有童子数人且知缮写《圣歌集》，或其他书文。按时使人鸣钟，集诸童举行祭式，习为歌赞。脱有同伴

曾应其请，于1307年中遣弗朗西士派教士七人赴中国，同时任命约翰孟帖哥儿维诺为汗八里大主教，总司东方教务，统辖主教七人，即以所遣弗朗西士派教士七人任之。惟次年仅有三人能至汗八里或大都，以教皇书呈铁木耳，请其归向基督之教，并以约翰孟帖哥儿维诺嘱之。新至之主教三人曰杰剌儿（Gérard）、曰别烈格里努思（Peregrinus）、曰安德烈（Andréde Perusio），共在汗八里为约翰举行大主教受职典礼[①]。1312年，教皇复遣弗朗西士派教士三人曰脱马（Thomas）、曰吉罗木（Jérome）、曰彼得（Pierre de Florence）者为助理主教。第一次所派之三人曾历主泉州城教务[②]。大

二三人之助，或者皇帝亦来受洗。我未得罗马教廷及本派之消息者有十二年，未悉西方教务状况若何，故特恳请本派总管赐我《祭式书》一册，《圣传》一册，《弥撒歌集》一册，《附注圣歌集》一册，以凭模范。盖我仅携有袖珍《祭式日历》一册，《弥撒祷告书》一册，设有《祭祀日历》一部，可使诸童抄录也。我又建一第二教堂，俾使诸童分处。我曾学习鞑靼语言文字，曾将《新约》及《圣歌集》译为鞑靼语。第二书作于1305年终，系致波斯弗朗西士派之传教师者，书末有阙文。约翰孟帖哥儿维诺言其在可汗宫门附近相距一掷石远之地，建筑第二教堂。基地乃一商人名 Petrus de Lucalongo 者所赠，其人曾与约翰自帖必力思同行至中国，至是故以地赠之。此教堂与第一教堂相距有二英里有半之远。吾人歌时，汗在宫中或能闻之。我能出入宫廷，宫中有定座，与教皇大使相同。皇帝待我较之其他诸教长独厚云云。此二书皆作于铁木耳在位时，盖其在位始1294迄1307年也。

① 见《教会年历》433页。瓦丁书1307年下60页以后。

② 有一阿美尼亚富妇曾在泉州建设教堂一所。此城距汗八里有三星期行程之远，此富妇曾请大主教约翰将此教堂升为主教堂。于是命主教杰剌儿主持此新主教区之教务。杰剌儿死，以别烈格里努思代之。1322年安德烈又代前人而为主教。主教安德烈于1326年1月自泉州致 Perusio 道院之守院教士书言，教皇所遣传道师之衣食，皆由蒙古皇帝供给，彼与其同伴居留汗八里之五年中，曾得八人之衣粮。及其转赴泉州之后，仍取得同一 Alafa。此字犹言君主布施（出于阿剌伯语之 Uloufat，犹言薪资俸给），此种岁赐之价值，根据吉那哇（Génois）商人之估计，年值金弗罗邻（florins）百枚。主教安德烈又云：此帝国中，天下诸国诸教之人悉皆有之，允许各从其教，盖彼等（蒙古人）误以为诸教皆可使之获佑也。

主教约翰死后，教皇约翰二十二世（Jean XXII）于1333年命弗朗西士派教士尼古剌（Nicolas）继其任。尼古剌曾偕同派教士二十六人赴中国。又据罗马教廷所藏文牍，教皇玉儿班五世（Urbain V）于1370年曾命弗朗西士派之巴黎神学博士吉约木（Guillaume de Prat）为汗八里大主教。吉约木曾携同派教士十二人，赍教皇致中国皇帝及沿途所经诸国之鞑靼君主书以行[①]。

诸传道士对于教皇之报告，所言东方基督教发展及蒙古君主倾向各节，不难洞见其伪，盖其皆欲以教廷乐闻之消息达教皇，并欲表现其传布宗教之热心也。抑况来觐罗马教主及其他君王之使臣，自称为基督教利益而为蒙古君主所遣派者，多半皆假公济私之徒，观其所呈之国书，已足证矣。兹姑举一例以概其余：有名安德烈（André）者，于1338年偕似为阿兰种之十五人至阿维良（Avignon），谒见教皇，呈顺帝致教皇书，其书系在鼠儿年（1336）作于汗八里者。别有一书系顺帝之臣下诸阿兰人致教皇者。大汗之致教皇书略谓遣安德烈等以通往来，请教皇常为皇帝祝寿。并以赍书之诸阿兰人托之，谓其人为帝臣，并为教皇之基督教子。若有名马珍物，可交此辈同一阿兰人携回进呈。

别一书所题年月同，系五阿兰人致教皇者。书言彼等曾由其使臣约翰教士授以正教，兹约翰教士去世已有八年，请教皇善答皇帝书，俾彼此使臣时常往来，可以有裨于宗教之传布。并请其将彼等视同子弟，嘱托皇帝，则有厚于彼等多矣。

当时教皇似未疑及帝书之伪，盖其于1338年6月13日在阿

① 见 Noshemü hist. tartarorum ecclesiastica，Helmstadi，1741，p. 114。

维良作书答鞑靼皇帝，言其闻译人所传达使臣之语，及所呈国书之内容，欣悉皇帝对于罗马神圣教会深致虔信，请帝仍善待阿兰之五王，及其他诸基督教徒（书中曾列举其名），请许基督教之教师教士等建筑教堂，以便举行圣祭，自由宣扬上帝之语于国中。末言行将遣使臣至中国，请善接之。

教皇同时答五阿兰人之主要人福定（Fodein Jovens）[①]书，嘱其与同族诸王请许基督教徒建设教堂，俾能自由宣扬上帝之语。教皇别有第三书，系合致此五阿兰王者，内述基督教之主要教义。同年教皇果遣弗朗西士派教士四人赍数书东行，书皆作于 1338 年 10 月 31 日。一书系致月即伯（Uzbeg）汗者，第二书系致名称鞑靼诸国诸帝之帝者，第三书系致中国鞑靼皇帝顺帝者[②]。

蒙古之侵略曾缩短亚洲极端各地之交通。当波斯、鞑靼地域，中国等地悉隶于同一君主统治下之时，亚洲各国之军民往来于此广大帝国之中，曾见有阿兰及钦察之军队作战于交趾，又曾见中国之工师服役于达曷水（Tigre）畔。穆斯林之居留中国者为数甚众，多跻高位，且有统军者。大都宫廷之中，可见有波斯之历数家与中国学者聚议。臣事蒙古皇帝者有二十国之人，而诸国之名在 13 世纪以前，或未为人所熟闻也。

吾人记述成吉思汗系大汗系之史事既毕，行将记述蒙古统治时代波斯之史事。迄于旭烈兀朝之末年，并在此部分中附带说明成吉思汗族术赤、察合台两朝之事迹。此二系之事迹，伊斯兰教诸

① 钧案：此次使臣非伪，福定名见《元史》卷 132《杭忽思传》。1914 年《通报》623 至 644 页伯希和别有考。

② 见 Moshemü 书附录 74 至 84 则。

史家仅于其与波斯君主相争时偶一言之。而其专史脱有存者，吾人尚未见也。

附录一 《史集》所志忽必烈时代之两都行省及官制

《史集》有一章言及忽必烈之两都，中国之重要官吏，以及行省之区分者，兹译其文如下：

“契丹(Khitai)为一极广大之帝国，垦地之广无能及之者。据其说可信之人言，世界之国，垦殖之广，人民之众，无逾契丹。高丽、蛮子两地之间有海湾，伸入契丹西北境内，抵于距离汗八里四程(fersenks)[①]之地，船舶进止于此。因与海近，雨水甚多。此国数省气候炎热，其余诸省气候寒凉。

“汗八里城汉语名曰中都，此国君主之古都也，今为其驻冬之所。前经成吉思汗残破，忽必烈于旧城之侧建一新城，而名之曰大都。两城相接，此城墙上有谯楼七座，各楼相距远有一程。人民繁庶，致使附近皆有建筑。移植诸国果木于其园囿之中。忽必烈在城中央建一广大宫殿，名曰Carschi。以大理石作柱铺地。有围墙四，各墙相距一掷石之远。外墙之内民众居之，第三墙内将校所驻，第二墙内诸万户所处。第一墙内帝室侍臣居焉，可汗驻冬于此宫内。

“有一大河流经汗八里及大都，河自北方驻冬之所南流，经过

① 钧案：应是二十四程之误。

Djemdjal(即古北口)[①]附近,亦有他水注入此河。都城附近掘一大池,如同湖沼。池畔有斜坡,由此放舟于池中,以供游乐。此河昔有旧道,自汗八里附近不远之处东流入海,然已湮没,船舶不能复至,须以牲畜载物至汗八里。于是中国之工师学者上言,契丹诸省,摩诃支那(Matchin)之都城行在(Kingsai)[②]。泉州(Zaitoun)等城之船舶,皆不能复至大都。可汗乃命开浚一大运河,引前所言河流之水及其他数水于此运河之中。泉州为印度船舶所聚之海港,行在为摩诃支那之都城,距上都并四十日程。此运河之中,置有闸座甚多,以供分配河水之用。船舶渡闸,以机械载之而过。运河宽三十余肘(guiz)。忽必烈命用石作堤,俾免崩溃。堤旁为大道,通摩诃支那(中国南部)。道长四十日程,完全以石铺地,俾大雨之后牲畜不致陷入泥中。两旁种植柳树及其他树木,以荫行人。禁止军民攀折树枝,抑以树叶供牲畜食。道旁村市驿舍相望,所以在四十日程之距离中,人居不断。

"大都城墙用土建筑。中国人之建此种城墙,先树板,实湿土于两板中。以大木捣之使坚,去板而墙成。缘此国多雨水,而土质轻,势须用此法使之坚固也。

"开平府距大都五十程,忽必烈欲在此城营建类似大都之宫殿。自大都至此驻夏之所,有三道可通:一道为禁道,供游猎之用,

① 钧案:此地非古北口,核以西域人读 b 作 m 之例,其对音应是察卜赤牙勒,盖蒙古语居庸关之称也。此名散见《元朝秘史》续集卷一。

② 钧案:旧考 King-sai 作京师,似误。考《元史》本纪卷 9,至元十四年十一月庚子,命中书省檄谕中外,江南既平,宋宜曰亡宋,行在宜曰杭州,则行在之称元初尚存,Kingsai 之对音应是行在,此说藤田丰八在《东洋学报》卷 3 中已有考。

只许使臣往来。一道经过 Tchou-tchou[①] 循桑干(Sanguin)河岸行,道中见有葡萄及其他果木甚多。此城附近别有一城,名曰荨麻林(Sémali)。居民多属撒麻耳干人,曾仿撒麻耳干种植果木园林不少。第三道经过一山峡,名曰 Siking。出峡只见草原及驻夏之所。进至开平,皆如是也。昔日宫廷驻夏于 Tchou-tchou[②] 城中,忽必烈曾在开平之东建一离宫,名曰 Lengten[③],然因得梦,弃而不居。命学者及建筑师相地他所,诸人皆以开平附近有湖,四围皆草原,宜于湖上建新宫。其地有石一种,常用以代替木料。于是聚石及木无数,用石灰碎砖以填湖及湖源,并熔铅锡于其上,填筑基础,高等人身。地下之伏水,越时既久,从种种通道涌流而出,由是成泉。于此基上,建一中国式之宫殿,周围绕以大理石墙。复由此以木结围,使野味繁殖于中。又在城中建第二宫,与前宫相距有一箭之远。然皇帝驻在外宫之时为多。

"诸署长官曰丞相(Tchinksank)。总军事者曰太傅(Thaifou)。万户曰元帅(Vang-schi)。副贰之官以波斯人、汉人或畏吾儿人任之,曰平章(Fentchan)[④]。大臣会议(大 Divan)中例有丞相四人,以蒙古大臣任之。平章四人,以波斯人、汉人、畏吾儿人及也里可温(arkaoun)[⑤]任之。诸人在大臣会议中亦有其代理之人。都城有部署六所,各有专职。最高会议一所(Divan)其

① 钧案:旧考作涿州,大误。原文应作抚州,传写误作此名(《亚洲学报》1927 年刊伯希和别有考)。

② 钧案:亦应改作抚州。

③ 钧案:波斯语字母 t、k,常易相混,此名疑是龙冈之对音。

④ 瓦撒夫书写此名作 Pentchan,《蒙古源流译文》127 页作 Bingdsching。

⑤ 基督教徒。

名曰省(Sing)(以下言此种官署之职务，兹略)。

“中国惯例，设有一人缔结契约，则印其指纹于纸上。缘据经验之证明，各人指纹不同，未有两人完全相类者。缔约者印指纹于纸上后，在纸背于其诸指之关节处绘其轮廓，以便其人将来比较手印时，不能否认其债务。”

剌失德嗣言诸衙署中之官吏应勤守其职，置书记数人专记其缺席之事。每缺席一日，则扣其薪俸若干。缺席过多而不能言其理由者，则黜其职。

“汗八里之省(Sing)署极广，内藏数千年之簿籍。省中人员约有二千，此外仅诸大行政区域之治所有省。

“第一省在汗八里及大都。

“第二省在女真(Tchourtché)及肃良合(Soulangca)之地。治所在 Moun-tcheou，肃良合境内之最大城也。

“第三省在 Couli 及 Ouculi(高丽)之地，自成一国。其主曰王(vang)，忽必烈曾以女妻之。

“第四省在黄河(Cara-mouran)岸上之南京(开封)，契丹之一都城也。

“第五省在契丹边境 Seltcheou 城中①。

① 钧案：此城名亦有作 Souktcheou 者，遂有人考订其为肃州。案：此处剌失德列举之次第，由北至南，而此城处于开封、杭州之间，除扬州外别无他城可以当之者。《元史・地理志》十二省中固无扬州，第为后日之制，忽必烈平宋前后之制置无常，未可以后日之制证剌失德所记之非也。扬州行省设置于 1276 年，后于 1284 年移杭州。同后此所言第七福建行省后并入杭州行省之情形相同。考剌失德所志中国诸事，多闻之于孛罗丞相者，而孛罗丞相抵波斯之年，为 1285 年(见《拂林忠献王碑》)，所以与《元史・地理志》不合。《元史・地理志》有岭北、湖广、江西三行省，而在剌失德书中则代以扬州、福建、岭南三行省。仅岭南行省不见中国载籍著录。

“第六省在行在(Khingsai)[①]城中，蛮子都城也。

“第七省在 Loutcheou(应是福州之误)，蛮子城也。先曾徙于泉州(Zaitoun)，最近复移治福州。

“第八省在 Loukinfou(疑是桂林府)[②]，蛮子城也，在唐兀边界上。

“第九省在 Loumkéli(?)，商人则名此城曰 Tchinkelan。此城甚大，在泉州大港南方海岸上[③]。

“第十省在哈剌章(Caratchang)，自成一国。省在押赤(Yatchi)大城中，其居民尽穆斯林[④]。

“第十一省在京兆府(Kindjanfou 西安府)，唐兀城也。那木罕(应作忙哥剌)子阿难答驻此境内，所居之地名曰平章淖儿(Fentchan naour)，曾在其地建有一宫。

“第十二省在 Métcheou[⑤]，唐兀大城也。地面甚广，阿只吉(Atchiki)[⑥]驻守于此[⑦]。

“对于上述一切地域，须详细言之。顾吾人既在一附录中述其历史，故在此处仅志其概略。

“东南之地皆属可汗，惟有海中一岛，名曰日本国(Tchépangou)，尚未臣服。此国距女真、高丽(Kaoli)海岸不远，

---

① 杭州。

② 钧案：此误，后文既云城在唐兀边境，则舍四川莫属。原名应有讹写。

③ 钧案：此城应是广州。

④ 钧案：即指云南省治。

⑤ 钧案：应是甘州之误。

⑥ 钧案：阿只吉宗王名也。

⑦ 《史集》所志诸省之长官多为穆斯林。

其民躯小腹大,头缩于两肩中。径东之地,以迄海岸,及乞儿吉思边境,悉皆臣服可汗。蛮子西南海边,贵烈乞(Keuileki?)与泉州之间,有一森林,蛮子皇帝之子曾避难于此,穷乏不能自给。

“西方为交趾国(Keftchébkoué 或 Candjé-coué,即马可波罗之 Cangigu,质言之,东京是已),道路险阻难通,界于哈剌章,印度一部,及海洋间。自有国主,有两城曰 Loudjek(?),曰 Djessam(?)。脱欢(Tougan)驻在桂林府,戍守蛮子地方之时,曾奉命监视此种敌对民族。进兵其国,取海岸诸城。然屯兵此国甫满一星期,其士卒分配卤获之时,此国之军队忽自山海森林出袭,脱欢遁走,今尚驻在桂林府。

“西北为土番(Tubbet)及金齿边界,除一地为忽都鲁火者(Coutlouc-Khodja)及其军队所据外,别无他敌。顾有高山阻隔,敌人不能从此处侵入,然亦有若干军队戍守境上。

“西北北有一沙漠,广四十日程。处忽必烈帝国及海都、都哇领地之间,其东西边境长三十日程。曾命宗王或统将等列屯以守,常与海都兵战。中有五军屯于沙漠边界,第六军屯于唐兀境内察罕淖儿(Tchagan naour 白湖)附近。第七军屯子畏吾儿之哈剌火州(Cara-khodja)城附近。畏吾儿处两国间,保守中立。此边界止于土番山中。夏日人不能渡此沙漠,盖缺水也,冬日则只饮雪水。”

附录二　巴里失之价值

蒙古史中常见巴里失之著录，兹引当时诸著作家计算巴里失之文如下：巴里失者，一种计算价值之货币也。《世界侵略者传》在其序文之末，谓金巴里失及银巴里失各值金或银五百 miscal。并谓银巴里失在彼时之波斯，价值七十五 dinar rokni，而每 dinar 重四 dank。瓦撒夫在其书第一册《忽必烈即位》一章末，谓金巴里失值二千 dinar，银巴里失值二百 dinar，钞巴里失值十 dinar。《也里州志》谓金巴里失值五百 dinar。弗朗西士派修士 Oderic d'Udine，曾在 1320 年游历中国者也，则谓钞巴里失等若维尼思城之 florin 一枚有半（见所撰《行纪》，Ramusio 本第 2 册 250 页），兹仅录此种种估计价值，当时巴里失价值之变更或甚大也。

附录三　成吉思汗后诸大汗世系表

	即位年	蒙古名	蒙古尊号	汉语庙号
	1206	铁木真	成吉思汗	太祖
拖雷	1229	窝阔台		太宗
	1246	贵由		定宗
	1253	蒙哥		宪宗
	1260	忽必烈	薛禅汗 (Setsen khan)	世祖
真金				
	1294	铁木耳	完泽笃汗	成宗
答儿麻八剌	1307	海山	曲律汗	武宗
	1313	爱育黎拔力八达	普颜笃汗	仁宗
甘麻剌	1320	硕德八剌	格坚汗 (Guéguen khan)	英宗
	1323	也孙铁木儿		泰定帝
	1328	剌札必迦		天顺帝
	1329	和世㻋	护都笃汗 (koutouktou k.)	明宗
	1329	图帖睦尔	札牙笃汗 (Djidjagatou k.)	文宗
	1332	懿璘质班		宁宗
	1333	妥欢帖睦尔	兀哈笃汗 (Oukhagatou k.)	顺帝

译 后 语

多桑书第三卷取材于中国载籍者十有六七，原拟节译其中本于西书之文，嗣以其间颇有难于判别者，不如全译，以见原书真相。本卷所采中国载籍之文，概就原书转录，惟剪裁去取一遵多桑书。至若译名凡已见前二卷者，多不重录西文名称于下。元人名称经冯秉正诸神甫等还原错误者，亦遵前例，不附西名。前三卷之汉译名，间有若干与后四卷之译名微异，缘译文有先后，故译法微有变更，非自乱译例也。多桑书中时常著录之 fersenk，可当法国旧用之 lieue，约合华里十里，译文概以“程”代之，前此未经说明，特附识于此。1934 年 3 月 1 日冯承钧识。